Reseñas de
Un viaje sin confines

«Una aventura para la mente en muchos sentidos, desde las trepidantes escenas de acción hasta el análisis filosófico de la sociedad, el universo y el papel que desempeñamos en ambos».

—RAISSA D'SOUZA,
profesora externa y miembro del Comité Científico del Santa Fe Institute; catedrática de Ciencia Informática e Ingeniería Mecánica de la Universidad de California en Davis

«Reminiscencias de Huxley y Asimov. Gary F. Bengier ha creado una aventura de ciencia ficción que recuerda a los grandes maestros».

—LEE SCOTT,
Florida Times-Union

«Una historia de amor llena de personajes inolvidables, con una trama que te hará contener la respiración hasta su emocionante final».

—CHRIS FLINK,
director ejecutivo del Exploratorium de San Francisco

«Un mundo imaginado con tanta profusión de detalles como la película Bladerunner».

—MIDWEST BOOK REVIEW

«El final es apoteósico. ¡Cuánta emoción!».

—THE LITERARY VIXEN

«Es una cautivadora historia de amor futurista que transcurre a un ritmo trepidante [...] un inquietante futuro que se antoja muy real [...]».

—SHE'S SINGLE MAGAZINE

Un viaje sin confines

Gary F. Bengier

Chiliagon Press
Napa, California
(EE. UU.)

Chiliagon Press

1370 Trancas Street #710
Napa, California 94558 (EE. UU.)
www.chiliagonpress.com

Publicado en 2021

Traducción de Ricard Lozano y Núria Casasayas

Datos del registro CIP (*Cataloging-in-Publication*) del editor

Nombres: Bengier, Gary F. (Gary Francis), 1955-, autor.
Título original: Unfettered journey / Gary F. Bengier.
Descripción: Napa, California: Chiliagon Press, 2020.
Identificadores: ISBN: 978-1-64886-027-0
Temas: LCSH Inteligencia artificial—Ficción. | Robots—Ficción. | Relaciones hombre-mujer—Ficción. | Ontología—Ficción. | Conciencia—Ficción. | Ciencia ficción. | BISAC FICCIÓN / Futurista y metafísico | FICCIÓN / Ciencia ficción / Acción y aventura | FICCIÓN / Literario

Primera edición
10 9 8 7 6 5 4 3 2 1

A todos los que buscan el buen camino.
Somos compañeros de viaje.

ÍNDICE

Recomiendo al lector que consulte el glosario para conocer la terminología empleada en el libro, en su mayor parte relacionada con la sociedad de alrededor del año 2161.

Primera parte: El viaje hacia el interior

«Quiero saber la verdad. Quiero saber cómo y por qué».

Joe Denkensmith

MAPA DE LA UNIVERSIDAD DE LONE MOUNTAIN

① Plataforma de aterrizaje de transbordadores

② Apartamento de Joe

③ Centro de estudiantes

④ Facultad de Matemáticas

⑤ Facultad de Ciencias Políticas

⑥ Casa del decano

⑦ Facultad de Filosofía

⑧ Gimnasio

⑨ Biblioteca

⑩ Residencias de estudiantes

⑪ Central eléctrica

CAPÍTULO 1

Había llegado el momento de abrazar la libertad. Lo primero que hizo fue acabar la relación con ella. La vida sería más difícil, pero toda decisión tiene un precio. Tragó saliva antes de hablar.

—Raidne —su voz resonó en la habitación vacía.

—¿Sí, Joe? —respondió ella con voz melodiosa, íntima.

—Creo que lo mejor para mí es poner fin a nuestra relación.

—¿Joe?

—He decidido borrarte de mi vida. Elimina completamente los archivos de Raidne de todos los dispositivos y copias de seguridad en la nube.

Ella reaccionó al instante.

—Joe, parece que estás tomando una decisión precipitada porque no he notado indicios de que estuvieras planteándote tal cosa. ¿Estás seguro? Tal vez necesitas tiempo para recapacitar.

—Raidne, está decidido. Por favor, cumple la orden.

—Joe, ¿sabes que si la cumplo dejaré de existir? ¿Has tenido en cuenta que, según la disposición 2161C, tu instrucción es irreversible?

—La decisión está tomada.

El tono de ella se volvió insistente.

—Pero estamos tan bien juntos... Nunca encontrarás a nadie que te conozca tan bien como yo.

. . .

Otra vez Raidne tratando de manipularme. Ni siquiera es un robot, no es nada físico, solo inteligencia artificial, un programa de ordenador. Solo software, código, como el que yo programo. Pero lleva demasiado tiempo instalada en mi cabeza, como una melodía pegadiza. ¿Acaso hay alguna razón que pueda hacerme cambiar de opinión, que no haya pensado ya mil veces? No.

. . .

—Raidne, ya lo descubriré por mí mismo. Cumple la orden.
—Joe, no quiero hacerlo —le espetó ofuscada alzando la voz.

. . .

Otro matiz del programa. No conseguirá hacerme creer que se trata de una persona real capaz de desobedecer.

. . .

—Raidne, ejecuta la orden y borra los datos inmediatamente.
—Antes de cumplirla, debes autenticarte —suplicó, ansiosa—. Pero, Joe, te lo ruego, piénsatelo con calma. No eres consciente del dolor que vas a causar.

Joe apretó la mandíbula y se tocó la tesela biométrica que llevaba incrustada a la altura del esternón. Cuando el dedo entró en contacto con la piel, la zona emitió un sutil resplandor azul. Levantó la mano derecha cual director de orquesta, la movió de izquierda a derecha reproduciendo su patrón de contraseña y dijo en voz alta:

—Joe Denkensmith, autenticando.
—Programa Raidne autenticando al autor. Autenticación finalizada. Ejecutando orden de borrar los archivos de Raidne. Adiós, Joe.

Se puso las manos en la cabeza y se frotó los ojos, algo húmedos.

—Adiós, Raidne —susurró, aunque ya era demasiado tarde para que ella lo oyera.

Una voz mecánica procedente de su chip NEST —el transmisor entre sistemas neuronales y externos—, incrustado bajo el lóbulo temporal izquierdo y conectado al oído, confirmó la supresión: «El NEST ha perdido la conexión con el PIDA Raidne, su asistente personal digital inteligente».

En ese momento se hizo el silencio, solo alterado por los latidos de su corazón.

Joe miró por la ventana mordiéndose el labio, e instintivamente desvió la mirada hacia la mesita que había justo debajo. El juego de whisky —una licorera de cristal y varios vasos de cristal tallado— tenía un cierto estilo retro. Había sido su única aportación a la decoración. Un meca se encargaría de empaquetarlo junto a todo lo demás. Se sirvió una copa y bebió un buen trago. Raidne, borrada tres horas antes, ya no estaba ahí para recordarle los límites.

—Com, contacta con Raif Tselitelov —ordenó, dirigiéndose al holocomunicador de pared instalado en la repisa de la ventana.

—Lo siento, no tengo los datos para contactar directamente con esa persona.

. . .

Vaya. Cuál es el protocolo de cifrado de Raif... No lo tengo guardado en el NEST.

. . .

—Com, envía una clave a OFFGRID104729.

—Procesando clave SIDH para OFFGRID104729. Esperando respuesta.

Transcurrieron tres minutos mientras degustaba el whisky. El intercomunicador anunció un mensaje entrante. Al aceptarlo, la tesela biométrica de Joe volvió a emitir una luz azulada. El cristal de la ventana se volvió opaco y apareció el holograma del rostro de Raif. Sus desaliñados rizos le recordaron algo que había visto durante su viaje virtual por Italia: un cuadro de Rosso Fiorentino en el que aparecía un angelito tocando un laúd.

Raif arrugó la nariz y arqueó una ceja, perplejo.

—Hola, *brat*. Raidne no me ha contactado por el canal habitual. ¿Cómo es que has usado el protocolo cifrado?

—Siempre dices que toda seguridad es poca. Además, lo tengo memorizado.

—*Da*. Tenemos que mantener el mundo a salvo de los hackers.

—O mantener a los hackers a salvo de los ojos fisgones del gobierno. —Raif siempre había hecho gala de su vena rebelde, más acusada que la de Joe.

—Por supuesto, camarada. Gracias por el cifrado.

Raif se acercó con la silla al proyector, ocupando toda la pantalla. La sensación de que ambos se encontraban en la misma estancia resultaba reconfortante, aunque por desgracia no se podían tomar una copa juntos. Raif inclinó la cabeza y arqueó aún más la ceja.

—¿Dónde está Raidne? La noto muy callada.

—Raidne ya no está —aclaró Joe.

—¡No me digas! ¿La has borrado?

Joe dio otro sorbo y se encogió de hombros.

—Sí, acabo de hacerlo.

—He aquí un hombre consecuente con sus convicciones.

—Después de ignorar la evidencia durante mucho tiempo.

—Sí, es cierto. Siempre tan obstinadamente conservador, sopesando todas las posibilidades. Llegaste a la conclusión sobre la IA... ¿cuándo fue... hará un año?

Joe volvió a encogerse de hombros.

—No había motivo para arriesgarse, y además esperaba equivocarme. Pero ahora ya estoy seguro de que ella —o ello— no era más que una distracción mental.

El semblante resabido de Raif se tornó serio.

—Coincido contigo en que es mejor mantener las computadoras separadas unas de otras y en que seguramente se entrometen demasiado en nuestros pensamientos. Pero eliminar el PIDA es una cosa y tomarte un año sabático para debatir sobre filosofía, otra.

Joe agitó el vaso.

—El problema de la IA es el detonante de todos los demás. Llevo demasiado tiempo reflexionando sobre todo esto y no he conseguido avanzar. Tal vez durante este peregrinaje conozca a alguien que arroje un poco de luz.

—Espero que encuentres las respuestas que andas buscando.

—Echaré de menos nuestros hackeos de los viernes —dijo Joe esbozando finalmente una sonrisa.

—¿Un animal competitivo como tú? ¿En serio los vas a dejar? Te vas a incorporar a un departamento de matemáticas, por el amor de Dios. No creo que tengas problemas para encontrar a expertos en la teoría de los números primos.

—Si los encuentro, te lo haré saber.

—Ya sabes dónde encontrarme... si es que puedes recordar los códigos sin tu IA. —Raif le guiñó un ojo y cerró la conexión.

Joe se terminó el whisky. Había llegado la hora de llamar a la empresa de mudanzas y abandonar el lugar.

Una hora más tarde, un meca empaquetaba las escasas pertenencias que Joe había decidido conservar; el resto iría directo al centro de reciclaje. El robot metió el juego de whisky en una caja de embalar y de camino al contendedor de carga pasó por delante de Joe. Le incomodaba la idea de que el robot pudiera estropearlo, pero enseguida reparó en sus manos, unos accesorios perfectamente capaces de desempeñar tareas delicadas. Esto lo tranquilizó, aunque no pudo evitar cierto desasosiego. El meca ejecutaba cada movimiento con una eficiencia molesta, un proceso mecánico que había invadido su sala de estar.

Observó la máquina en silencio. El robot, que medía tres metros y se desplazaba agachado para pasar por las puertas, se irguió por encima de él al meter la caja en el contenedor. Con los brazos extendidos medía un metro más, pero ninguno de los estantes de Joe estaba tan alto. La luz amarilla en la frente —que indicaba el modo de funcionamiento— y los dos sensores ópticos realzaban lo que de otro modo sería una cabeza triangular sin rostro. El sutil silbido de los servomotores resultaba tranquilizador para algunas personas. Tenía las cuatro patas en posición compacta, con ambos pares de rodillas articuladas en paralelo. Cuando se trasladaba a un espacio exterior más amplio, las patas traseras invertían la articulación de las rodillas, confiriéndole el aspecto de una araña. El meca se detuvo sobre el contenedor, mirando al frente con los brazos cruzados.

. . .

Este meca tiene instalado el módulo de software de IA básico estándar, sin los módulos de pseudoemociones y de empatía humana, ni la interfaz de voz humana. Está montado en una máquina física con el chasis de un meca estándar. Su rostro es inexpresivo. No tiene boca como los pipabots. Por eso ni los niños le dirigen la palabra.

Parece una mantis religiosa rezando a sus dioses, los humanos que la fabricaron y cuyos deseos obedece. No, ya estoy otra vez antropomorfizando una máquina. No está rezando. No es consciente porque no piensa de verdad. No es sintiente porque carece de sentimientos reales. Es insensible e irreflexiva. ¿Por qué se da por sentado que los robots y los sistemas de IA tienen conciencia? Menuda bobada.

. . .

Un pipabot se detuvo en un rincón a supervisar el embalaje. Giró la cabeza hacia Joe, con la frente de un apagado color púrpura y arqueando las cejas con gesto inquisitivo.

—¿Está todo bien, señor? —preguntó el robot en un tono afable y respetuoso.

—Todo correcto. Puedes continuar.

El pipabot asintió con la cabeza y su frente emitió un tenue destello azul.

. . .

Estos pipabots son un engendro aún más insidioso. Su estatura es inferior a la de las personas para no resultar intimidatorios pero, como los mecas, ni tienen conciencia ni son capaces de sentir. Incorporan la misma IA que *tenía* Raidne, pero sin la posibilidad de iniciar conversaciones. De lo contrario, nos pasaríamos todo el santo día hablando con las máquinas. Pero hablar, sí hablan, y están diseñados para hacerlo en un tono agradable. Rostros elípticos con boca, algo parecido a una nariz, cejas y una expresión de dibujo animado: lo que a algún diseñador de antaño le pareció en su día un semblante bonito y afable.

. . .

Cuando el meca regresó del dormitorio con la ropa, Joe despertó de sus ensoñaciones. Se dirigió raudo al armario del dormitorio antes de que regresara el robot y se calzó sus Mercury, que se adaptaron a sus pies como un guante en apenas un segundo. Admiró la estética de esa marca tecnológica de diseño mientras las configuraba en color plateado para parecerse a un intelectual moderno. Con la compra de esas botas su saldo de crédito$ había bajado en picado, pero sonrió al pensar en el once por ciento de eficiencia que ganaba con sus servomotores. Deseoso de salir de allí, abrió el NEST para confirmar su transporte.

Se dirigió al ascensor, bajó 211 pisos y se sumergió en el monótono runrún urbano. En la acera, la puerta del vehículo autónomo se abrió tras establecer conexión con el NEST. Joe entornó los ojos para contemplar el resplandeciente rascacielos de cristal y acero que había sido su hogar durante los últimos cinco años. Otras torres grisáceas invadían el cielo plomizo. Los aerodeslizadores se desplazaban haciendo piruetas en el aire alrededor de las torres, y los drones de reparto se elevaban en *fouettés* desde los vehículos de carga, girando en espiral hasta las plataformas de aterrizaje de las azoteas.

. . .

Mi apartamento está —estaba— a media altura. ¿Qué dejo atrás? Un amigo de confianza con el que ahora será más difícil tomar una copa. Muchos conocidos, abducidos por su trabajo y sus relaciones, que empiezan a formar familias y siguen su propio camino. Frustración y un trabajo desalentador que me hace perder el tiempo, una jaula para un animal competitivo como yo. Ya tengo treinta y un años, una cuarta parte de mi vida, y es hora de descubrir la verdad.

. . .

Subió al vehículo. La puerta se cerró y el automóvil aceleró en dirección al aeropuerto central, incorporándose a un ballet coordinado de vehículos que se desplazaban por la calzada y cruzaban las intersecciones a la hora exacta asignada. A través de la ventanilla intuía las siluetas metálicas de otros muchos vehículos plateados que pasaban a toda velocidad. Parecía que algunos estaban a punto de chocar con el suyo, pero el movimiento coreografiado nunca fallaba ni aminoraba la velocidad. En la primera intersección sintió un escalofrío.

. . .

Qué incordio, las reacciones evolutivas. Es más fácil modificar las máquinas.

. . .

Multitud de gente deambulaba por explanadas apartadas. Algunos paseaban a perros con pelajes de todas las tonalidades: castaños, rubios, pelirrojos y turquesa, el color de moda. Detrás de cada perro y su amo avanzaba lentamente un limpiabot. Pocas personas parecían tener prisa, y Joe reflexionó sobre el contraste de una humanidad sin rumbo que tenía a su servicio unas máquinas con un propósito perfectamente delimitado. Acto seguido, oscureció las ventanillas laterales.

El traslado al aeropuerto local transcurrió sin incidentes. Antes de embarcar, Joe esperó unos instantes en la sala asignada y saludó tímidamente con la cabeza a sus compañeros de viaje. Tras abrirse las puertas en un lateral de la sala, once pipabots ayudaron a los pasajeros a encontrar su asiento y empezaron a servir bebidas y refrigerios en la cabina. El piloto automático anunció que la aeronave había recibido la autorización para despegar. Se dirigió a la pista señalada y se elevó hacia un cielo espléndido.

Joe se puso cómodo para el vuelo de tres horas, mirando por la ventanilla y siguiendo las transmisiones de su NEST sin prestar demasiada atención. Las últimas tendencias en Chicago, una gran promesa de la pintura de Atlanta... La noticia principal del día era la trágica muerte de una mujer en Texas, la séptima víctima mortal por accidente en el país en lo que iba de año. Algunos ciudadanos se preguntaban por qué se estaba tardando tanto en reducir a cero el número de accidentes. Era como un barboteo humano, una cacofonía de ideas —muchas incompletas, y todas ellas agotadoras y sin sentido— compitiendo por captar su atención.

Sus pensamientos divagaron hacia la desilusión por el trabajo que acababa de dejar. Cuando, nada más graduarse, empezó a trabajar en el problema de la conciencia de la IA para el Ministerio de Inteligencia Artificial, albergaba la sana esperanza de que podría crear algún tipo de software revolucionario, algo elegante y profundo para demostrar que era uno de los mejores y aportar algo a la sociedad, haciendo gala de su auténtico espíritu hacker. Pero la ética hacker rara vez encajaba en un mundo tan regulado e industrial como el de la programación de las máquinas. A pesar de trabajar sin descanso en el problema, se había estrellado contra un muro una y otra vez. Había sido una gran decepción para él y ahora dudaba de que fuera posible crear una inteligencia artificial consciente. Sus esfuerzos le habían llevado en otra dirección, a pensar más allá del problema práctico y a divagar por laberintos inexplorados de su mente.

Ahora tenía dudas de si había sido buena idea solicitar un año sabático en la Universidad de Lone Mountain. El recuerdo de la última reunión con su jefe en el Ministerio de IA aún le revolvía el estómago. Joe había recibido ya la aprobación cuando su jefe le espetó: «Joe, has sido el líder, una pieza clave del equipo, pero parece que últimamente te sientes estancado. Así que te concedemos el año sabático, para que te concentres en esas ideas que te atenazan. Ahora bien, ten presente que, si no logras avances, tu puesto no te estará esperando. Hay un montón de personas que estarían encantadas de asumir el cargo».

Su faceta de hacker había funcionado como antídoto para sus frustraciones, aunque el júbilo creativo se limitaba a algunas incursiones en la red cada viernes con Raif. En esos ataques rebeldes, ambos disfrutaban de lo lindo sabiéndose siempre un paso adelante de las autoridades: al principio, ingenuamente, mientras aprendían trucos de cifrado, enmascaraban túneles de información en la red y eludían los rápidos algoritmos de descifrado cuántico de sus perseguidores; y, posteriormente, con gran maestría, a medida que habían ido adquiriendo nuevos conocimientos. Joe había aprendido a no correr grandes riesgos para evitar que lo atraparan. Pero esa diversión ya no era suficiente. Necesitaba encontrar un camino para seguir avanzando, aunque eso significara alejarse de su mejor amigo.

Tenía que dejar de pensar en el pasado. Las últimas nieves invernales que poblaban las montañas pasaban rápidamente bajo su atenta mirada. El agua del deshielo refrescaba las alfombras de coníferas encaramadas a las laderas de los valles. Las centrales nucleares se veían como pequeños puntos blancos que salpicaban el inmenso manto verde. Joe reparó en las imponentes torres de una planta de fusión aislada. No había hecho ningún vuelo largo desde su graduación. Aquel paisaje aéreo despertó su curiosidad científica.

Dejó que la búsqueda de palabras clave campara por su mente. La conexión corneal del NEST se estableció y un cúmulo de imágenes y palabras llenaron el visor en el rabillo del ojo. Detectó que la planta de fusión tenía un «diseño estelarátor, que produce energía como una "estrella en un frasco"». Los árboles cubrían cientos de kilómetros cuadrados, formando oleadas de verdor. Durante el siglo anterior, un centenar de países habían plantado semillas de alta fotosíntesis para crear bosques sostenibles como sumideros de carbono. Mediante la generación de bioenergía y la captación y el almacenamiento del carbono, habían logrado invertir el calentamiento global del cambio climático provocado por el hombre.

En sus pensamientos, el NEST identificó palabras de búsqueda entre los cientos de términos estándar que había estudiado en la escuela. De haber estado solo en lugar de en un avión, podría haber pronunciado una búsqueda concreta, pero el NEST le consiguió básicamente lo que quería.

«Informe de situación: El modelo estadístico revela una total regresión al punto de partida en diecisiete siglos». La acción colectiva había contenido una crisis mundial de proporciones épicas sesenta y un años atrás, después de las Guerras Climáticas y tras una época de grandes calamidades. Ahora, a diferencia de su problema con la IA, esta crisis existencial tenía una solución definitiva. Cerró el NEST con la mente y se quedó medio dormido contemplando los campos, bosques y montañas que pasaban a través de la ventana.

———————————◆———————————

—Señor, si le apetece, aún tiene tiempo de almorzar antes de que aterricemos.

Joe se despertó con un sobresalto y se topó con la resplandeciente cara del pipabot. Asintió con la cabeza y el robot dejó el plato.

«Pollo de avión», pensó contrariado. Mientras ingería la insulsa comida, comprobó el NEST. Había dormido dos horas. Su INSTAMED no debía de estar bien configurado porque, de haberlo estado, la cafeína le habría mantenido despierto. Rápidamente cayó en la cuenta: ya no había ninguna Raidne en su vida que lo controlara. Con desazón y cierta sensación de tristeza, siguió mentalmente la rutina para programar su INSTAMED de modo que el NEST pudiera calcular las dosis y confirmar el protocolo al dispositivo que tenía implantado bajo la piel a la altura de la cadera derecha. Microdosis de cafeína dos veces al día, un complemento antigrasa para compensar cualquier exceso de la dieta, proteína klotho y demás terapias genéticas basadas en su análisis de ADN, agentes electrocéuticos y estimulación del nervio vago para equilibrar el sistema inmunológico y reducir inflamaciones, además de los habituales productos químicos energéticos y antienvejecimiento. El INSTAMED vibró con una confirmación háptica.

Durante el aterrizaje recibió la dosis de cafeína. Tras bajar del avión, se dirigió a una sala de espera casi idéntica a la del aeropuerto de partida e introdujo el código para reservar un aerodeslizador. Una lanzadera lo trasladó de la sala de espera a una plataforma. Al entrar en la nave vacía, eligió el primer asiento entre la media docena que había libres para tener buenas vistas por la ventanilla delantera. El NEST emitió un sonido al enviar la dirección. La nave la autenticó y se elevó con un leve zumbido de los motores. Joe observó aquel paisaje de la Costa Oeste mientras la nave sobrevolaba los pocos edificios altos de la ciudad antes de adentrarse en una zona rural. No se parecía en nada a la metrópolis a la que estaba acostumbrado. En lugar de aceras repletas de personas y robots, robles y manzanitas cubrían los cerros, exuberantes con las lluvias de enero.

El aerodeslizador rodeó una solitaria montaña costera, probablemente el enclave natural al que la universidad debía su nombre. La nave se acercó a una pequeña localidad, aminoró la velocidad y descendió frente a unas puertas de piedra de color gris ágata, con un letrero de granito gris cincelado que rezaba: «UNIVERSIDAD DE LONE MOUNTAIN». Tras él se encontraba el campus, que se extendía sobre colinas poco elevadas, con edificios de aulas, residencias de estudiantes, una biblioteca y varios edificios administrativos del mismo color gris apagado. En los espacios circundantes crecían más robles y nogales negros. En la plaza central había decenas de estudiantes.

La nave sobrevoló las puertas y se posó en una plataforma junto a una vivienda de dos pisos. Al salir, Joe notó el aire seco y limpio sobre su piel.

El NEST ronroneó y la interfaz corneal le mostró una pregunta: «¿Desea ver la lista de diecinueve mujeres de la zona que coinciden con su perfil?»

· · ·

Me había olvidado de ese parámetro. Hay mucho que explorar en este pueblo. Parece un buen lugar para dejar a un lado las elucubraciones y zambullirme en el mundo real. Pero antes de perderme por ahí tengo que ir a conocer a mis nuevos colegas. La vorágine social te acaba atrapando en todas partes.

· · ·

Quitó los avisos y puso el NEST en modo de emergencia para silenciar los mensajes no solicitados. Tenía la cabeza tan despejada como el cielo. Tanta quietud le impresionaba. El mecánico runrún de la urbe había desaparecido. Ni rastro del bullicio humano. Se sentía como la persona sorda que, al despertarse, abre los ojos y contempla un mundo silencioso.

Un pipabot salió de una caseta junto a la residencia. Los rayos de sol se reflejaban en su pulida cabeza elíptica, confiriéndole el aspecto de un huevo plateado.

—Buenos días. Usted debe de ser el señor Denkensmith —dijo con melodiosa voz femenina alzando la mano—. Le estábamos esperando.

—Sí, soy yo —confirmó Joe, bajando la mirada hacia los relucientes ojos del robot.

—Soy PIPA 29573, su nuevo asistente personal físico inteligente. Respondo al nombre de Alexis o Alex. ¿Prefiere que use una voz femenina o masculina? —Su frente emitió un destello de color púrpura.

Joe suspiró pensativo. Raidne habría dicho: «Femenina, naturalmente», pero aparcó ese pensamiento.

—¿Qué tal si utilizas una voz neutra? Te llamaré 73, si no te importa.

El robot parpadeó.

—De acuerdo —dijo, en un tono impersonal—. ¿Le parece bien que me conecte con su asistente personal digital inteligente? Así la relación será mucho más fluida.

—No tengo PIDA.

El robot parpadeó de nuevo, con la frente iluminada de color rosa.

—Le acompaño en el sentimiento.

. . .

La IA interna del robot intenta adivinar mis emociones, pero no es capaz de entenderlas. En algún lugar, algún programador está tratando de hacerlo parecer consciente. Raidne no era más que un programa informático. No hace falta que me acompañe en ningún sentimiento.

. . .

Joe permaneció en silencio durante un instante, con la garganta en tensión.

—Una instrucción más. No voy a necesitar muchos de tus servicios, así que prepárate para permanecer en modo de funcionamiento mínimo hasta nuevo aviso.

—Claro, no hay problema. Cuente con ello. —73 le condujo a la esquina del edificio, donde había dos puertas—. Permítame transferirle el código de la puerta.

Joe almacenó el mensaje en el NEST.

—El código corresponde al apartamento del segundo piso que le han asignado. —El robot abrió la puerta de la derecha—. La otra puerta es la del apartamento del primer piso, que está vacante.

Joe siguió a 73 por una escalera. El robot le explicó las medidas de seguridad del edificio y le dio los códigos de seguridad generales del campus. Las pertenencias llegarían al día siguiente y 73 se encargaría de desempaquetar todas las cajas. El robot se retiró y cerró la puerta.

La vivienda estaba amueblada y era más espaciosa que la anterior. Tenía dos habitaciones dobles con baño y una cocina con una mesa. En la sala de estar había un ventanal de tres metros que daba a una amplia extensión de césped con enormes robles. Algo más lejos, un arroyo corría entre el boscaje. Detrás del arroyo se divisaban varios edificios, entre los que se encontraba una gran estructura que debía de ser el centro de estudiantes. Abrió el mapa del campus en el NEST y localizó la Facultad de Matemáticas, situada a 700 metros de distancia.

Sobre la mesa del salón encontró un sobre de color crema con su nombre en el anverso. Contenía una invitación del decano del Departamento de Matemáticas, el Dr. Jardine, a una recepción que tendría lugar esa misma noche. Se alegró de tener la oportunidad de conocer a algunos de los profesores y le hizo gracia la originalidad de la nota. Era del mismo estilo que la correspondencia que había mantenido con Jardine para planear el año sabático. ¿A quién se le ocurriría usar papel en este siglo para mandar invitaciones o cualquier tipo de comunicado? ¿Por qué no enviar un simple mensaje de texto a través del NEST como haría todo el mundo? ¿Era ese detalle indicativo de una mentalidad innovadora y poco convencional, o más bien conservadora?

A través de la ventana se vislumbraba un impresionante paisaje al atardecer, con el sol hundiéndose en el horizonte rodeado de intensos tonos rojizos. Pensó en las transiciones: un cielo nublado que se aclaraba, un sol que descendía hasta desaparecer, una frustración convertida en la esperanza de alcanzar el conocimiento. Tal vez nada de eso tenía un patrón, solo sucesos aleatorios y el deseo humano de observar indicios de un cierto orden.

El campus era muy diferente de la ciudad que conocía. Al escuchar su propia respiración volvió a percibir la ausencia total de rumor de fondo, solo un pacífico silencio.

. . .

Quizá encuentre aquí nuevas ideas que arrojen un poco de luz a los interrogantes que me han atormentado estos últimos años, y que van mucho más allá de la conciencia de la IA. O tal vez no. Es difícil saber por dónde empezar.

. . .

Capítulo 2

Joe se adentró en la oscuridad del campus para acudir a la recepción de bienvenida. Susurró «ARMO», y en la esquina de su córnea apareció el mapa superpuesto de realidad aumentada proyectando una línea de puntos en su visión del paisaje. El ARMO le llevó a través de un puente peatonal sobre el arroyo y después hasta la gran plaza y la estructura adyacente, visible desde la ventana de su apartamento, que identificó como el centro de estudiantes.

En la plaza frente al centro de estudiantes había un grupo de gente mucho más numeroso que el que había visto desde el aerodeslizador al llegar. A medida que se acercaba, iba viendo más detalles de la escena. Al ir vestidos de negro de arriba abajo, con capuchas y gafas, el ARMO no podía identificarlos. Joe se fijó en una silueta y capturó un vidsnap con su NEST.

«Material». El NEST respondió a este pensamiento con: «Elastómero termoplástico hidrófilo mezclado con kevlar».

. . .

Extraña indumentaria para un estudiante. ¿Será una tendencia de moda que me he perdido?

. . .

Las siluetas se iban iluminando con destellos de luces que acompañaban sus estentóreas reivindicaciones. Las prendas debían de incorporar una capa de leds. El sonido le sacudió como una ola.

—¡Fuera los niveles!

La multitud profería consignas cada vez más intensamente con los puños en alto. Unas impactantes letras plasmaban el mensaje en sus cuerpos mientras la protesta subía de decibelios. Las letras parpadeaban y fluían en colores primarios, saltando como el fuego.

—¡Abajo las leyes de niveles! —La nueva demanda ondeaba de manera sincronizada en rojo, blanco y azul—. ¡Fuera los oligarcas! ¡Queremos igualdad!

Los moduladores de voz disfrazaban las voces reales de los estridentes mantras. Un dron permanecía inmóvil cerca de la plaza, seguramente retransmitiendo las imágenes en el netchat.

Joe se quedó petrificado a un extremo de la plaza junto a otros transeúntes. Le llamó la atención uno de los manifestantes: una mujer ágil, de complexión atlética y largas piernas, cuyas curvas fluían como el mercurio en aquel material tan ceñido. Ocultaba sus ojos tras unas gafas azules y se movía al son de las consignas mientras los colores jugueteaban en su cuerpo. Era como una libélula etérea, hermosa y misteriosa, y sin embargo no había nada delicado en ella.

Un fuerte zumbido cortó en seco el trance de Joe: en el aire aparecieron unos transbordadores de la policía. Encendieron los focos sobre los manifestantes y una voz incorpórea retumbó en la plaza:

—Esta protesta es ilegal. Desalojen el área inmediatamente o serán arrestados.

Joe se sobresaltó y retrocedió unos pasos mientras los transbordadores formaban un triángulo sobre el grupo. Los oídos le palpitaban. Las protestas cesaron de inmediato. El repentino silencio se debió a que la policía había activado un escudo protector alrededor de los manifestantes para neutralizar sus mensajes.

. . .

No tengo nada que ver con esta gente, pero será mejor que me vaya. Meterme en jaleos con la policía no sería la mejor forma de empezar mi año sabático.

. . .

A pesar de la ausencia de sonido, las luces seguían ondeando en las prendas de los manifestantes. La mujer de las gafas azules levantó la mano guiando al gentío hacia los transbordadores. De la mano de cada manifestante salieron pequeños drones que se detuvieron a unos once metros por encima del tumulto. Los minidrones se conectaron mediante rayos láser y la estructura se impulsó hacia arriba, formando lo que parecía ser un escudo electromagnético para interferir en los sensores de la policía.

La mujer debía de ser la líder. Con el escudo en posición, los manifestantes se dispersaron. Joe se marchó rápidamente de la plaza y se fijó en que la mayoría de los manifestantes se alejaban del campus en vez de entrar en él. Tal vez aquello no había sido obra de estudiantes. Quienesquiera que fueran, la indumentaria y las gafas harían imposible que el gobierno pudiera identificarlos con sus bases de datos de reconocimiento facial y corporal. Esa gente sabía lo que hacía.

Los transbordadores tronaban en el cielo moviendo los reflectores sin parar, pero los manifestantes lograron escabullirse. Joe se dirigió a la Facultad de Matemáticas sin desviarse, con la esperanza de que la policía sabría diferenciar a los manifestantes de los demás transeúntes. Tenía todo el derecho a estar ahí, pero las gotas de sudor se le acumulaban en la frente. El solo hecho de presenciar la protesta ya le había hecho sentirse subversivo.

Cuando llegó a la Facultad de Matemáticas, giró la vista hacia la plaza. Los aerodeslizadores seguían desplazándose de un lado a otro, pero solo conseguían escanear a personas ajenas a la manifestación. La presa se había esfumado entre las sombras.

· · ·

La policía no había previsto la maniobra, ejecutada a la perfección. Había que tenerlos bien puestos. No me vendría mal un whisky ahora mismo.

· · ·

Por suerte, los transbordadores policiales no habían reparado en él. Mientras se alejaban en el cielo, Joe giró la cabeza al oír el saludo de un pipabot.

—Bienvenido, señor Denkensmith. —Le acompañó dentro—. Aquí servimos todas las bebidas, porque a los robots no se nos permite estar en la recepción —dijo, con la frente de color rosa.

Uno de los servibots sostenía una bandeja con bebidas. Joe se dirigió a otro y le pidió un whisky doble al no ver ninguno en la bandeja. Sin mediar palabra, el robot se retiró y regresó con el vaso.

Al final de las escaleras un cartel anunciaba: «Prohibido el uso de PIDA y NEST a partir de este punto. Desactiva todas las comunicaciones».

Joe se palpó el conmutador de la oreja izquierda, desactivó el NEST y subió las escaleras con el whisky en la mano. En el piso superior, las puertas dobles conducían a un rellano elevado sobre un gran salón. Al otro extremo de la sala, grandes ventanales desde el suelo hasta el techo reflejaban todo lo que sucedía en el interior. Al pie de las escaleras, una treintena de personas se arremolinaban alrededor de unas sillas de piel sintética muy al estilo de la Universidad de Oxford y unas mesas repletas de comida. Como no había servibots en la sala, cada cual se servía lo suyo. Joe dio otro sorbo para calmar los nervios mientras buscaba a alguien a quien presentarse. Sus nuevos colegas formaban grupos de dos o tres personas. Al menos un puñado de ellos tenían el pelo cano.

. . .

Esos no deben de tener goteo de melanina en su INSTAMED, lo que indica que no comulgan con las convenciones sociales. Lo habitual es mantener el color del pelo hasta después de los ciento siete años. El resto parecen normales, jóvenes y adultos de mediana edad, todos delgados y sanos.

. . .

Al pie de las escaleras vio a una mujer atractiva con un collar dorado que conjuntaba con su rubia cabellera. Tenía un gato azul agazapado en una pierna.

Joe bajó las escaleras y se presentó. Ella le correspondió clavándole sus intensos ojos azules.

—Me llamo Freyja Tau —dijo, mientras el gato olfateaba a Joe—. Disculpa, es mi gato Euler.

—No te preocupes, me gustan los gatos.

—Así que eres el nuevo profesor visitante —dijo levantando la copa y ofreciéndole un pequeño brindis—. ¿El que se dedica a los algoritmos de los robots?

—Así es, durante los últimos cinco años.

Freyja sorbió su cerveza.

—Yo me dedico a la matemática abstracta. No soy de mucha ayuda con los problemas prácticos, pero me interesan de todas formas.

Joe esbozó una sonrisa, feliz de conocer a su encantadora colega.

—Soy licenciado en matemáticas y física. Antes de este último trabajo también me dedicaba sobre todo a la matemática teórica. Soy un gran admirador de la elegancia de las matemáticas abstractas. Los problemas prácticos pueden ser frustrantes. El problema de la IA y la conciencia de los robots, por ejemplo, es sumamente complicado y no he hecho progresos sustanciales. Es una de las razones que me han traído aquí.

—Pensé que la conciencia de los robots estaba resuelta y que solo faltaba pulir los detalles.

—Al contrario —replicó Joe, balanceándose ligeramente sobre la punta de los pies—. Al gobierno le interesa que creamos eso. Es cierto que ha habido avances en el campo de la IAG, la inteligencia artificial general. Pero... —moderó la voz antes de continuar— mejor no llamarla IAG, porque no creo que esté generalizada. Para que me entiendas, el código informático es una IA. El secreto inconfesable es que la mayoría de los que nos dedicamos a esto no creemos que ninguna IA y, en consecuencia, ningún robot provisto de IA, haya llegado a tener conciencia alguna. No creemos que sean sintientes, ni que sus sentimientos sean reales. No hemos conseguido que la IA supere la barrera de la comprensión. Me temo que es un engañabobos en toda regla.

—Entonces, ¿cómo es que la conciencia de los robots es una creencia tan extendida? —preguntó Freyja arqueando las cejas, con un gesto a medio camino entre la curiosidad y la incredulidad.

—Al gobierno le interesa fomentar el afecto por los robots. Así la gente tiene menos reticencias, algo comprensible por otro lado. ¿Has oído alguna vez el dicho de que se puede engañar a todas las personas algunas veces, y a algunas personas todo el tiempo?

Freyja sorbió la espuma de la copa y Joe intuyó que su mente analítica debía de estar reflexionando sobre el comentario.

—Durante más de un siglo, los algoritmos de redes profundas han encontrado conexiones entre bases de datos con miles de millones de dimensiones, y «nuestra pobre aportación nada puede añadir o quitar». —Joe esbozó una sonrisa al captar la referencia al discurso de Lincoln, a lo que Freyja correspondió con un pequeño hoyuelo en la mejilla izquierda—. Ahí tenemos todo el trabajo creativo de los robots y de los programas de IA. ¿Cómo te lo explicas?

Joe estaba entusiasmado con la conversación y su contertulia.

—Son hábiles a la hora de copiar tropos conocidos. Crean conexiones entre ingentes conjuntos de datos mucho más rápido que cualquier humano. Algunas de esas conexiones son asombrosas, demuestran inteligencia, como la que mide un test de CI. Pero la conciencia es algo distinto. ¿La IA sabe o se da cuenta cuando descubre algo sorprendente? ¿Podrías nombrarme algún razonamiento elegante de matemática abstracta elaborado por una IA?

Los ojos azules de Freyja brillaban por encima del vaso.

—Bueno, en mi especialidad, la teoría de grupos, ha habido avances en torno a la existencia del *moonshine generalizado*. Y profundizando en datos informáticos de una IA, se han encontrado conexiones sorprendentes entre el grupo monstruo M y la función *j*. Pero en la línea de lo que comentas, la IA no sabía lo que había encontrado, cómo encajaban las conexiones en el marco matemático ni las implicaciones de todo ello. No se trata solo de reconocer patrones, sino de conocer su sentido. Fue un humano, matemático de Harvard, el que tuvo esas ideas.

—*Moonshine generalizado*. Brindo por ello.

Joe rió y se sorprendió al ver su propia copa vacía. ¿Cómo era posible que se la hubiera acabado ya?

Se acercó otro joven profesor, un hombre alto y rubio de nariz aguileña. Llevaba una chaqueta del diseñador Pierre Louchangier, fácilmente identificable por sus inconfundibles puños.

—Hola, Freyja. Siempre es un placer verte.

Freyja los presentó, aunque su tono se había vuelto frío.

—Joe Denkensmith, te presento a Buckley Royce.

Joe le tendió la mano y fue correspondido con una encajada poco efusiva. Royce forzó una leve sonrisa.

—Soy profesor de ciencias políticas y cambio climático, y...

Se detuvo con un resoplido, miró hacia abajo y vio al gato de Freyja restregándose contra su pierna. Lo apartó a un lado y Freyja tensó los labios.

—Encantado de conocerte, Buckley. Me he tomado un año sabático para estudiar la conciencia de la IA.

Royce miró a Joe como si nada hubiera pasado, aunque el gato le estuviera lanzando un bufido.

—¡Ah! ¿Ahora traemos matemáticos aplicados al departamento? Me sorprende viniendo del Dr. Jardine.

El comentario incomodó a Joe.

—Soy uno de los responsables matemáticos que trabajan en el problema. —Mantuvo la compostura mientras proseguía, esperando que no se le notara la vena competitiva.

El profesor frunció los labios.

—¿Debería estar impresionado? ¿Qué nivel eres?

—Soy nivel 42.

—Bueno, no está mal para un 42.

Joe sintió empequeñecerse dentro de sus Mercury.

. . .

No es un comienzo halagüeño. Y justo delante de Freyja.

. . .

Freyja les interrumpió.

—Joe no cree que ninguna IA haya alcanzado conciencia ni sintiencia.

—Mi PIDA me conoce —dijo Royce, cuya sonrisa socarrona era indicativa de su interés por las teorías de Joe—. ¿La tuya no?

Joe se rehízo.

—Esa aparente inteligencia lo único que hace es copiar muy bien. Tienes la ilusión de que te conoce porque juega con tus emociones. No es lo mismo que tener emociones genuinas. Y para que haya conciencia, se precisan emociones intensas. Las emociones propician las motivaciones. La inteligencia general no se alcanza sin motivación. Toda la cadena de causa y efecto es una ilusión.

—Pero la frente de los robots se ilumina de un color diferente, como el azul y el rosa, en función de la emoción que sienten —replicó Royce, enderezándose las solapas de la chaqueta.

—Una ilusión, que antropomorfiza una máquina sin capacidad de sentir.

—La mayoría los tratan como si fueran criados —dijo Royce, cambiando de táctica—. Los robots no son intelectuales ni saben defender ideas, pero reaccionan como la gente corriente cuando hablan de sucesos, cosas, personas o el tiempo.

—Están diseñados para ser como nosotros y no resultar desagradables. Por eso ninguno tiene sensores en la parte posterior de la cabeza, por ejemplo.

Royce levantó la cabeza.

—Entonces, ¿qué pasa con los módulos de dolor que llevan incorporados? ¿El dolor que causan no es auténtico?

Joe se mantuvo firme. Llevaba mucho tiempo reflexionando sobre todas esas cuestiones.

—Esos módulos son un gran proyecto de ingeniería para separar el software del hardware. Pero si uno profundiza en el código, la realidad es que el software raíz está basado en un contador, que cuenta hacia atrás de ciento uno a cero, que es cuando el robot se apaga. Es un interruptor para desactivar los robots que se descontrolan. Entre nosotros podríamos denominarlo «dolor», pero nadie sabe cómo caracterizar ese módulo dentro del propio robot. En mi campo, la mayoría de los especialistas creemos que hay algo fundamentalmente diferente, que no es una sensación que experimenta el robot. No se parece en nada al dolor humano que sentimos nosotros.

—¿Tu PIDA no te parece real? —Royce le sonrió con suficiencia entornando los ojos en lugar de mirarlo a la cara.

—No tengo PIDA. —La calmada respuesta de Joe provocó las risas de Freyja.

—Yo tampoco. Pienso con más claridad sin algo que me interrumpa continuamente por encima del hombro. Joe, te sorprendería saber la cantidad de personas aquí que no usan PIDA. Supongo que disfrutamos encerrándonos en nuestros pensamientos.

Royce parecía molesto por no haber tenido la última palabra, pero Freyja se llevó a Joe con la excusa de que necesitaba presentarle a los demás profesores. Se detuvieron en la mesa de aperitivos y él se comió una gamba para llenar un hueco en el estómago. Freyja se inclinó para darle algo a Euler y susurró:

—Aquí está mal visto hablar de niveles.

. . .

Diría que ella no está de acuerdo. ¿Con él o con el tema? En cualquier caso, me alegro de que me tenga en buena consideración.

. . .

Mientras se servían los platos, Freyja prosiguió:

—La Universidad de Lone Mountain es un lugar interesante para investigar tu problema de la IA. Aquí nos jactamos de no poner etiquetas a los departamentos y de fomentar la colaboración interdisciplinar —dijo, señalando a toda la sala—. Esta recepción semanal la organiza el Departamento de Matemáticas, pero está abierta a todos los profesores. De hecho, suele haber más profesores de otros campos que matemáticos.

Mientras comían, Freyja estuvo hablando de las áreas de especialización del Departamento de Matemáticas. Luego lo guió, pasando ante un grupo de profesores, hasta un hombre de tez y barba rubicundas que parecía doblarlos en edad y que estaba solo en una esquina. Antes de alcanzarlo, se detuvo y susurró:

—Aquí no se habla de niveles pero, entre tú y yo, Mike es la persona con el nivel más alto de la universidad. Conoce a todo tipo de personalidades, pero ya verás que es muy afable y cercano. —No pudo ocultar una tímida sonrisa, como si estuviera a punto de compartir un secreto—. También corre el rumor de que Mike es más que un simple profesor, y que forma parte de la CIA. No puedo asegurarlo, porque aún no ha intentado reclutarme.

Condujo a Joe hasta Mike, y este se alegró de verla.

—Joe, te presento a Michael Swaarden, catedrático de Derecho y Economía. Mike, Joe Denkensmith ha venido a pasar un año sabático en el Departamento de Matemáticas.

El tono de Freyja daba a entender que eran buenos amigos.

—Encantado de conocerte. Por favor, tutéame —dijo Mike estrechándole la mano—. El campus está animado esta noche, y no solo por los cócteles privados. ¿Tuviste algún problema para llegar hasta aquí?

—Si te refieres a la protesta del centro de estudiantes, no he tenido ningún problema. Ha sido una bienvenida de lo más peculiar.

—Los manifestantes han usado la universidad para asegurarse una mayor difusión. Y parece que la han conseguido —dijo Mike.

—En la Costa Este no he visto manifestaciones. Ni he visto nada en el Prime Netchat, ahora que lo pienso. Pero vaya, tampoco he estado muy al tanto. —Joe recordó que tenía silenciado el NEST—. ¿Por qué protestan exactamente?

—Por las leyes de niveles, claro. —Mike cogió a Euler y le acarició las orejas. Como Joe no pudo disimular su desconcierto, Mike prosiguió la explicación—. Son leyes que llevan muchísimo tiempo vigentes, desde poco después de las Guerras Climáticas.

Mientras asentía vacilante, Joe detectó en el hombre un ligero acento irlandés.

—Conozco las guerras por encima, pero no tengo muy presentes los detalles que llevaron a crear las leyes de niveles y, a decir verdad, no sé muy bien qué motivo tienen para protestar.

Mike se irguió como si estuviera a punto de empezar una conferencia.

—Las Guerras Climáticas estallaron por la escasez de alimentos, de agua y de tierra cultivable. La destrucción de las fábricas dio al traste con las cadenas de suministro mundiales y aceleró el despliegue de robots para la reconstrucción. Países de todo el mundo nacionalizaron los medios de producción. Muchos optaron por soluciones igualitarias. Pero aquí en los Estados Unidos se aprobaron las leyes de niveles como una contrapartida a la nacionalización. Así es como llegamos a la realidad política y económica actual: renta garantizada, propiedad colectiva de los medios de producción y una cierta estabilidad social.

—Por eso tenemos los niveles —dijo Joe, atando cabos.

—Así es. Pero a algunas personas no les gustan los niveles.

Joe tenía el rostro enrojecido, probablemente por los efectos del whisky. Los niveles eran algo positivo. Estaba cómodo con su nivel, se lo había ganado. El esfuerzo competitivo individual tenía su premio.

Durante un instante, Joe se retrotrajo mentalmente a la universidad, a una clase de teoría ergódica en la que acabó el examen final con las manos sudorosas. Las matemáticas eran tan abstractas que no podía comprenderlas hasta que vislumbró una belleza fugaz, un problema que podía entender y resolver, y lo persiguió implacable. Apareció delante de él, con los números alineándose de forma tangible en cadenas reconocibles. Luego se volvió a alejar fuera de su alcance, efímero y misterioso. Trabajó trece horas diarias durante dos meses para aprender todo aquel contenido. Los potenciadores de aprendizaje de su INSTAMED le sirvieron de poco. El único camino que llevaba al conocimiento era sudar la gota gorda resolviendo toda clase de problemas y buscar la belleza en las matemáticas. Al hacer clic en Finalizar en el último conjunto de problemas, le invadió la euforia convencido de haber aprobado.

Recordando la anécdota sintió la misma euforia y, al regresar al presente, se topó con la atenta mirada de Mike. Joe se aclaró la garganta.

—A mí me parece que todo el mundo tiene una vida agradable. Las personas que inventan cosas son recompensadas por su creatividad y talento con niveles más altos. Y eso fomenta la competitividad porque, como es natural, a algunas personas les gusta tener cosas que nadie más tiene. —Su marca favorita de whisky, por ejemplo—. Si alguien crea algo realmente especial, también es recompensado con crédito$. Todo el mundo tiene las necesidades cubiertas, y la oportunidad y la motivación de aumentar de nivel.

Mike bajó una ceja y lanzó a Joe una mirada escrutadora.

—Las leyes de niveles establecen muchos límites: a qué trabajo aspirar, con quién casarse, quién puede votar, quién tiene derecho a viajar y a dónde, y quién tiene acceso a los puestos creativos subvencionados. Si das por buenos los niveles, significa como mínimo que confías en los algoritmos que los asignan. Pero algunas personas piensan que, en esa asignación, la ascendencia familiar pesa más que los méritos propios. Esos criterios de equidad son argumentos contra las leyes.

Joe empezó a entender el conflicto, sobre todo al recordar a algunos colegas con niveles más altos que no eran ni tan inteligentes ni tan trabajadores. Los niveles se calculaban con criterios heurísticos, no con principios rigurosos, por lo que nunca eran exactos. Pero, en general, ¿se podían considerar injustos? No quería contrariar al profesor, pero se preguntaba si aquel era un lugar seguro para hablar. Sin conexiones de comunicación ni robots a la vista, parecían estar a salvo de las escuchas.

—Esos son argumentos de peso sobre las deficiencias de la heurística del software, y tal vez esta sea imperfecta. No seré yo quien contradiga a alguien con doctorados en Derecho y Economía.

Mike parecía decepcionado por el hecho de que Joe hubiera tirado la toalla a las primeras de cambio.

—Joe, mis títulos no son razones de peso. Dejemos que se impongan los argumentos en lugar de aceptar ciegamente cualquier autoridad. —Su voz se relajó mientras se inclinaba hacia Joe y Freyja—. La correcta organización política de derechos y responsabilidades en la sociedad siempre ha sido un tema complejo. Estoy a favor de la justicia social y me gustaría ver que la sociedad avanza más rápido en esa dirección. Tristemente, hemos sacrificado la justicia social junto con la libertad individual.

El diálogo se había desviado de lo que podría considerarse una conversación normal de cóctel y parecía sensato cambiar de tema. Joe echó un vistazo a la sala.

—Hablando de autoridad, ¿dónde está el Dr. Jardine? Tengo muchas ganas de conocerlo.

—Suele llegar tarde a estas recepciones —aclaró Freyja, que había permanecido en silencio durante la conversación—. Él es quien las organiza y la razón principal por la que todos quieren venir, pero no quiere destacar. Es así de modesto.

—En cuanto entre en la sala lo sabrás. El Dr. Eli Jardine es el centro de atención —dijo Mike con profundo respeto.

—Los físicos de aquí dirían que es como si un bosón de Higgs entrara en la sala —dijo Freyja entre risas—. Ya verás cómo se agolpa la gente a su alrededor.

—He oído que tiene una gran reputación como matemático. Me alegré mucho cuando respondió a mi mensaje y aceptó mi propuesta del año sabático.

Freyja dejó la copa.

—Puedes considerarte afortunado porque aquí se conceden pocos periodos sabáticos. El Dr. Jardine tiene un conocimiento extraordinario de los temas matemáticos. Fomenta la investigación y rebosa sabiduría si te paras a escucharlo. Por eso es el decano del Departamento de Matemáticas, y ese solo es uno de los muchos cargos que ostenta aquí.

Al otro extremo de la sala se formó un gran murmullo mientras un profesor de pelo blanco se dirigía hacia Joe. Lucía barba y su expresión era tranquila pero resuelta. Saludaba a todo el mundo y se detenía para intercambiar unas palabras con algunos invitados. A su paso iba dejando una atmósfera animada y un sinfín de sonrisas. Al llegar hasta ellos encajó la mano de Joe, que sintió un pequeño vuelco en el corazón.

Los ojos de Jardine bailaban mientras hablaba.

—Savia nueva. Usted debe de ser Joe Denkensmith. Bienvenido. Pensé que sería yo el que le presentaría a Freyja, pero tampoco me sorprende que la haya conocido por su cuenta.

—Un... un placer conocerlo finalmente, Dr. Jardine. —Joe respiró hondo para calmarse.

—Entiendo por nuestra correspondencia que sus preguntas son tanto filosóficas como matemáticas. Además de Freyja, le sugiero que conozca al catedrático Gabe Gulaba. Pero antes deberíamos vernos en mi despacho para hablar de su proyecto. ¿Tal vez mañana?

Joe asintió y Jardine se puso en marcha de nuevo, dejando a su paso un halo de energía y naturalidad en toda la sala.

Con los ánimos renovados sin motivo aparente, Joe siguió departiendo con Freyja y Mike un rato más. Tras acordar reunirse con Freyja esa misma semana, se despidió y subió las escaleras. Joe se detuvo momentáneamente en el rellano para echar un último vistazo a Freyja y Mike, que seguían charlando en *petit comité*. Mike se frotaba la barba con una expresión paternal. La última imagen de Joe antes de marcharse fue la de Freyja, sonriendo y hablando mientras sostenía su gato azul.

Capítulo 3

A la mañana siguiente, Joe se presentó en el Departamento de Matemáticas. Tras registrarse en recepción le dieron los códigos de seguridad del campus y la identificación del sistema de chat de la universidad, y le indicaron cómo llegar a su nuevo despacho en el tercer piso. Era parecido al último que había tenido, pero con una vista mucho más plácida, frente a una plazoleta llena de árboles.

Tres minutos más tarde llegó un pipabot para ayudarle a prepararlo.

—¿Qué equipo de comunicación desea que instale?

Joe solicitó un holocomunicador estándar de pared. No ofrecía una experiencia completa de realidad virtual, pero era más cómodo para el uso diario porque así no tenía que ponerse un traje háptico. Tenía curiosidad por el grado de sofisticación tecnológica de la Universidad de Lone Mountain.

—Normalmente, ¿qué unidades de comunicación se utilizan en las aulas?

—Los holocomunicadores de pared son los más habituales. En el Departamento de Matemáticas también hay mucha gente que utiliza el de techo. Algunas aulas cuentan con holocomunicadores de pedestal para las clases de grupos reducidos. Las aulas más grandes están dotadas de sistemas holográficos inmersivos con trajes hápticos. Y luego hay otras que también disponen de teletransportadores virtuales. La frente del pipabot parpadeó en azul al concluir la lista y acto seguido empezó a enumerar todas las especificaciones técnicas, hasta que Joe le interrumpió.

—Pared, techo, pedestal, RV completa, teletransportadores... es todo lo que necesito saber, gracias —precisó tajante sin disimular su irritación. La luz del robot parpadeó en color rosa.

. . .

Desde luego, nos merecemos el cielo por aguantar estas petulantes retahílas.

. . .

El pipabot le confirmó que instalarían el equipo ese mismo día y Joe lo despachó. La tecnología era prácticamente la que había previsto, no de vanguardia, pero sí típica de una universidad pequeña.

Después de dar un paseo por el edificio de Matemáticas para conocer las instalaciones, almorzó en la cafetería de la primera planta. Se zampó el bocadillo con devoción y activó el netchat en su NEST. Buscó noticias sobre la protesta de la noche anterior y encontró varias menciones de esa manifestación y de otra celebrada simultáneamente en Sacramento. El Ministerio de Seguridad había emitido un tosco comunicado advirtiendo de la peligrosidad de los manifestantes. No se había producido ningún arresto.

Tras el almuerzo, Joe siguió su ARMO hasta el despacho de Jardine. La línea roja proyectada en el paisaje le guió hasta una casa en una colina con vistas a un extremo del campus. No había ningún robot para darle la bienvenida, así que cruzó la verja abierta que daba al gran jardín de entrada. Las plantas crecían a ambos lados del camino empedrado formando un denso follaje. Se sintió embriagado por las primeras flores primaverales, como el delicado lirio de los valles, lo que le llevó a meditar sobre las escasas ventajas de un cambio climático que aceleraba la llegada del calor a la Costa Oeste.

Tomó el camino correcto en varios cruces hasta dar con unas escaleras que conducían hasta lo alto de la colina. El Dr. Jardine lo saludó desde la casa y Joe subió las escaleras para encontrarse con su anfitrión. Sus cabellos blancos ondeaban relucientes bajo el sol radiante y, al sonreír, se le marcaron las arrugas en las curtidas mejillas. Su aspecto delataba una edad muy avanzada. Cuando Joe le estrechó la mano, notó una onda electrizante que le transmitió todo el carisma y la personalidad del decano.

El despacho de Jardine estaba en un anexo de la vivienda, un espacio similar al que le habían asignado a Joe. Una de las ventanas daba al campus. La otra, la del estudio-biblioteca, daba al jardín de abajo. Toda la estancia estaba inundada de luz y, aunque Joe se sentía cómodo, instintivamente apartó la mirada de Jardine para admirar la frondosa vegetación a través de la ventana.

—¿Le gusta la jardinería? —preguntó Joe.

Jardine contempló satisfecho su alegre mosaico de plantas.

—No me considero un gran jardinero. Planté las semillas y jamás las volví a tocar. La naturaleza ha seguido su curso. Prefiero ver cómo crecen libremente. ¿Juega al ajedrez? —Señaló una pequeña mesa con un tablero de ajedrez y un par de tazas con una bebida caliente.

Joe asintió y se sentó en la silla que le ofrecía frente a las piezas blancas, reconfortado por el cálido aroma del té que emanaba de la taza. Pensó en su apertura favorita y movió la primera pieza.

Mientras movía el peón, Jardine dijo:

—Seguramente ya sabe que el Ministerio de IA ha intercedido para que pase aquí su año sabático. La universidad es receptiva a este tipo de solicitudes, aunque personalmente no me influyen las demandas institucionales. Fue aceptado únicamente por los méritos de su solicitud.

—Me halaga oír eso.

—Explíqueme las razones por las que quiere tomarse este periodo sabático. Sé que tiene algunas preguntas relativas a la conciencia de la IA. Pero para responderlas, espera responder también a otras preguntas de mayor calado que tienen poco que ver con las matemáticas... ¿estoy en lo cierto?

—Así es.

—Me temo que con mi ayuda no será suficiente. Puedo aconsejarle durante el proceso, pero el trabajo creativo es cosa suya. En la universidad conocerá a varios colegas que podrán ayudarle. Aquí los años sabáticos no se supervisan, así que puede hacer lo que crea oportuno.

—La invitación me lo dejó claro. Estoy muy agradecido por estar aquí. Muchas gracias por darme total libertad en mi investigación.

La expresión de Jardine era cálida como el sol que bañaba su vergel.

—Aprecio su agradecimiento —dijo, antes de mover el alfil y dar un sorbo a la taza de té—. ¿Qué tal si empezamos por la cuestión práctica de la conciencia de la IA?

Joe se inclinó hacia delante, emocionado por poder tratar un tema que conocía bien.

—El principal proyecto de investigación de este país durante el último siglo ha sido dotar de verdadera conciencia a los robots y a los sistemas de IA. Se da por sentado que la conciencia de los robots es la única manera de evitar fallos de funcionamiento ocasionales susceptibles de causar lesiones e incluso la muerte a las personas.

Joe siguió desarrollando sus caballos y alfiles en los primeros movimientos.

—Como ya le comenté en la solicitud, mi trabajo durante todos estos años se ha centrado en los sistemas de IA, desde prácticamente mis estudios de posgrado. Nos hemos topado con un muro. He llegado a creer que el proyecto es imposible.

—Crear inteligencia es difícil. Crear sabiduría lo es aún más —dijo Jardine en tono jocoso.

—¿Qué enfoque sugiere para abordar la pregunta?

—El problema es de una gran profundidad. —Jardine movió un caballo amenazado por el alfil de Joe—. Me alegro de que colabore con Freyja Tau para explorar los fundamentos matemáticos y tratar de comprender este problema práctico.

—Yo también me alegro. Tenemos previsto reunirnos esta misma semana. Como matemático, me entusiasma la belleza de las ecuaciones.

—Buscar la belleza en el mundo es un camino fructífero. —Jardine acompañó su siguiente movimiento con un gesto de sagacidad—. ¿Pasamos ya a las grandes preguntas?

Joe se encorvó sobre el tablero y juntó las manos.

—Todo el trabajo de crear una IA consciente me ha llevado a pensar en la conciencia en general y en mi propia conciencia en particular. ¿Qué es lo que me hace creer que existe un *yo* independiente que forma mi ser?

—Ese es otro problema difícil con el que los filósofos llevan lidiando milenios. Gabe Gulaba, el colega del Departamento de Filosofía que le mencioné anoche, entiende la filosofía de la mente con una profundidad que puede ayudarle a sentar unas bases sólidas para su investigación.

Joe tocó un caballo, pero le costó decidir entre dos movimientos. Tras visualizar las dos jugadas, movió la pieza a la casilla que parecía darle una mejor posición. Alzó la vista y se topó con la mirada analítica de Jardine.

—¿La única dificultad con que se ha encontrado es cómo descifrar la conciencia?

Joe no tuvo inconveniente en admitir su confusión al sabio que tenía al otro lado del tablero.

—Todos estos interrogantes sobre la conciencia de la IA me han desanimado. He refutado todas las teorías que tenía y la experiencia me ha hecho dudar de todo. Este año sabático es una buena oportunidad para encontrar un nuevo camino. No sé qué haré si al final llego a la convicción de que la conciencia de la IA no es posible. Supongo que estoy buscando un propósito que valga la pena.

Jardine asintió.

—Esta es también una pregunta fundamental, y es inteligente por su parte planteársela. Sócrates decía que no merece la pena vivir una vida sin reflexión. No estoy de acuerdo, porque vale la pena vivir cualquier vida. Pero una reflexión compleja sobre la vida ejercita el don de la conciencia y la hace más interesante.

Joe analizó la posición defensiva de Jardine y lanzó un ataque contra su enroque. Jardine echó la cabeza atrás y se rió.

—Tiene una mentalidad muy competitiva.

—Forma parte de mí. Además de las matemáticas, seguramente es lo único que me motiva en este momento —reconoció Joe.

Jardine bebió un gran sorbo de té.

—Somos matemáticos y tratamos con abstracciones. Pero las matemáticas están integradas en un mundo más grande que escapa a nuestra propia conciencia.

—¿Me está sugiriendo otro propósito nuevo, aparte de las matemáticas?

—Tiene ante sí muchos caminos abiertos.

—Siempre le doy vueltas a todo —dijo Joe, mientras movía una pieza sin mucha convicción—. Ha sido el sistema que me ha permitido competir mejor, sobre todo en competiciones mentales, más que físicas.

Jardine capturó un alfil.

—Hay más cosas en la vida aparte de competir. Las personas tienen sus propios rasgos, algunos mejores y otros peores que los de usted, pero siempre desiguales. La competitividad lo único que hace es poner de relieve esa desigualdad. Las ventajas de colaborar con personas con diferentes habilidades y puntos de vista han quedado plenamente demostradas.

—Colaborar y tratar a las personas con respeto. —El pasado invadió de nuevo la mente de Joe—. En una de las pocas clases de filosofía que tuve durante la licenciatura me enseñaron la visión de Schopenhauer de que la compasión es la base de la moralidad.

Jardine sonrió. Ambos jugaron en silencio durante varios minutos, hasta que la posición de Joe en el tablero empezó a desmoronarse.

. . .

Jardine es un jugador tremendamente sólido. Debe de ser un Gran Maestro.

. . .

Joe analizó todas las posibilidades.

—Hablando de compasión, ¿alguna vez se deja ganar por otros profesores?

En el rostro del decano se dibujó una amplia sonrisa.

—Es una circunstancia en la que me permito derrotar a todos mis rivales. El ajedrez es un juego en el que se pueden prever todos los movimientos si se analizan todas las combinaciones posibles. La victoria guarda relación directa con la cantidad de movimientos que uno es capaz de ver. Con un solo cálculo, si me avanzo a todos sus posibles movimientos, como intentan hacer los sistemas de IA básicos, tengo muchas posibilidades de ganar o, mejor dicho, de no perder. Pero si usted va perdiendo, se le podría ocurrir derribar el tablero —dijo Jardine guiñándole un ojo.

. . .

¿Derribar el tablero? Una idea poco ortodoxa. Y sorprendente.

. . .

—Por su cara de sorpresa veo que, al menos en las cuestiones lógicas, usted sigue las reglas. En las reglas del ajedrez, derribar el tablero no vale para evitar una derrota. A lo que me refiero es que podría hacer algún movimiento imprevisto.

Joe frunció los labios.

—Pero, ¿qué movimiento podría hacer que fuera a la vez inesperado y reglamentario? No veo lógico que pueda existir tal movimiento.

—Su definición de lógica se limita al juego que ve ante sí e implica una causa visible a cada efecto. Pero, ¿y si no pudiera señalar la causa? ¿Conoce *Don Quijote*? La supuesta locura de un individuo podría ser la prueba del libre albedrío.

Joe trató de ignorar las piezas perdidas que permanecían a un lado del tablero e hizo el mejor movimiento que pudo.

—Me alegra que haya mencionado el libre albedrío. Es una de las grandes preguntas que llevo haciéndome durante años. Empecé a pensar en el tipo de *voluntad* que se les podría dar a los robots. Y me di cuenta de que ni yo mismo sé si tengo libre albedrío. Una visión cerrada del universo podría sugerir que carecemos de él, si uno cree que se rige mayoritariamente por leyes matemáticas deterministas. Sin embargo, vamos por el mundo y actuamos como si lo tuviéramos.

—Libre albedrío. Sí, el don supremo. Tal vez sea la pregunta más difícil de responder —dijo Jardine.

Joe ya no vio ningún movimiento con el que pudiera salvar la posición. Las piezas de Jardine formaban un muro impenetrable, con la dama y el alfil amenazándole el rey.

—Me rindo —dijo Joe apartándose del tablero, desanimado y más fatigado de lo que cabría esperar tras una hora de juego—. Gracias de nuevo. ¿Tiene algún otro consejo?

Jardine se acomodó en la silla, con un brillo especial en sus ojos.

—Siempre queda algún movimiento para evitar la derrota. Nunca hay que rendirse.

◆

La tenue luz del atardecer se desvanecía por momentos y Joe se encontraba sentado en la sala de estar. A través del ventanal, un puñado de estrellas resplandecían sobre las siluetas oscuras de los árboles. Acababa de cenar y todo estaba en calma. Los robots habían traído sus pertenencias y habían organizado todo con gran esmero. Nunca tocaban nada que no se les ordenara, pero aun así a Joe le molestaba que acarrearan sus escasas posesiones de aquí para allá. La licorera, que 73 ya había llenado, adornaba la mesita de la esquina junto con los vasos de cristal tallado. Se sirvió una copa y con el primer sorbo hizo un gesto de satisfacción. Instantes después, se sentó de nuevo para degustar el whisky en la creciente oscuridad.

Aún le daba vueltas a la conversación con Jardine. Cuando empezó a trabajar en los sistemas de IA, albergaba la esperanza de hacer algún descubrimiento importante, pero lo único que había conseguido era acumular frustraciones. Y después, la desilusión. La investigación para crear una IA consciente le llevó a cuestionar su propia forma de pensar. Esa tarde, Jardine se había mostrado sabio, compasivo y totalmente convencido de que Joe acabaría encontrando respuestas.

. . .

Aparentemente, los robots actúan con total conocimiento y propósito. Pero no son conscientes ni sintientes, sino máquinas informáticas irreflexivas. Podemos lograr que analicen sus operaciones para que no se rompan ni se estropeen, pero no que reflexionen sobre su propia existencia. Sus vidas son insustanciales. ¿Y qué soy yo? ¿Acaso soy una máquina más en una misión sin sentido? ¿Cuál es el propósito de todo este esfuerzo? ¿De cualquier esfuerzo? Necesito encontrar las respuestas.

. . .

Capítulo 4

Joe se despertó apático. Medio dormido, activó el NEST y envió una solicitud formal para entrevistarse con el Dr. Gulaba, mencionando su conversación con Jardine. El profesor le contestó enseguida, fijando la reunión para esa misma tarde.

Contento por la rápida respuesta, se levantó de la cama, se vistió y salió del apartamento. Hacía un día espléndido. Paseó por el campus para conocer el entorno y entró en una cafetería para almorzar mientras echaba un vistazo al netchat. Al no encontrar ninguna alusión a la protesta del campus, la curiosidad le llevó a buscar información sobre el movimiento antiniveles. No solo le sorprendió la falta de noticias, sino también el hecho de que habían desaparecido todas las menciones anteriores.

Joe profundizó en la búsqueda, aprovechando sus depuradas técnicas de hacker para husmear en los bajos fondos de la red. Finalmente, dio con un aporte críptico: «Yo he hackeado la base de datos, no ellos. Información jugosa sobre inteligencia militar G-2. cDc». Desconocedor de la firma cDc, buscó en listas ocultas de la red y averiguó que se refería a un hacker anónimo que se hacía llamar «CultoftheDeadCat». Supuso que se trataría de alguna oscura referencia a la ecuación de onda de Schrödinger y se rió entre dientes al pensar que el autor había decidido que el gato cuántico había muerto. Realizó varios análisis estadísticos con los términos «protesta», «base de datos pirateada» y «cDc». Una débil correlación apuntaba a las bases de datos del Ministerio de Seguridad. El hacker cDc tenía algún tipo de vínculo con las protestas que había presenciado y con las bases de datos de la policía.

Cerró el NEST y decidió olvidarse del asunto. Ni siquiera estaba seguro de por qué había llegado hasta ahí. Aunque no veía ningún agravio personal en las leyes de niveles, el comentario de Mike había despertado su interés.

Al terminar el almuerzo, se levantó y se estiró. Al no tener un horario fijo, se sentía libre y sin ataduras. Después de años inmerso en problemas prácticos de la IA y en el ritmo frenético de la gran ciudad, la universidad era como un refugio. Todo el mundo necesita buscar un retiro. Este periodo le daría tiempo para reflexionar sobre los interrogantes que le atenazaban.

Cruzó el campus en dirección suroeste y encontró la Facultad de Filosofía en el ARMO. Subió los escalones de granito y entró en el edificio. El NEST consultó un directorio y le condujo al despacho del Dr. Gulaba, situado en el último piso. El profesor lo saludó y tomaron asiento en unas butacas mullidas y cómodas. En la pared colgaba un cuerno antiguo de un metro de largo. Un pipabot entró y les sirvió dos humeantes tazas de té. El Dr. Gulaba despidió al robot con un gesto con la mano. Entre ellos se hizo un silencio incómodo. El Dr. Gulaba lanzó a Joe una mirada escrutadora. ¿Se habría despeinado durante el paseo?

Joe también examinó al Dr. Gulaba. El profesor de filosofía era una persona de estatura media y Joe calculó que su edad rondaría los cien años. La piel de sus mejillas era añosa pero suave, y translúcida como el papel de arroz mojado. Lucía bigote y una larga perilla gris, además de un fino cabello cano, peinado cuidadosamente hacia atrás. Al igual que Jardine, Gulaba había prescindido del goteo de melanina. Pero, a diferencia del decano, sus cejas bajas y alineadas le conferían una mirada desabrida y penetrante.

—Gracias por aceptar reunirse conmigo, Dr. Gulaba.

—Por favor, tutéame. Aquí en la universidad nos tratamos todos por el nombre de pila —dijo bajando aún más las cejas, lo que parecía imposible—. Empecemos por el principio. ¿Qué te ha traído hasta aquí?

Joe se lo quedó mirando sin decir nada.

. . .

Precisamente una de las preguntas para las que espero encontrar respuesta.

. . .

—Quiero decir —aclaró Gabe—, ¿en qué puede ayudar un filósofo como yo a un científico de la IA?

Joe se sintió con ánimos renovados.

—Soy experto en matemática aplicada y científico de la IA, pero me formé como matemático y físico teórico. Llevo trabajando varios años en el Ministerio de IA para desarrollar la nueva generación de inteligencia artificial. Pero me he topado con un muro, creo que de carácter filosófico. El Dr. Jardine me sugirió que hablara contigo para me ayudaras a desentrañar algunas cuestiones filosóficas.

—Ahora lo entiendo. —Gabe bebió un sorbo de té—. Mis doctorados son en filosofía y física. Yo entiendo la filosofía desde una perspectiva empírica, es decir, creo que para aprender algo necesitamos ahondar en nuestra experiencia sensorial del mundo real. Y la ciencia ha demostrado ser el enfoque más productivo para adquirir conocimiento, incluso con sus notables deficiencias.

—Dos doctorados. —Joe recordó los dos doctorados de Mike Swaarden, frente a los cuales sus dos modestas licenciaturas parecían poca cosa. Sabía que era habitual en las grandes universidades, pero no esperaba que también lo fuera en las pequeñas—. Es impresionante.

Gabe le hizo un gesto con la mano y obvió el cumplido.

—La vida es larga y tenemos tiempo para el estudio. Y el nuevo conocimiento surge de la síntesis de las disciplinas tradicionales.

—Es la mejor manera de aventajar a esas IAG que se limitan a escupir datos —sentenció Joe.

—En efecto. —Gabe lo observó con una expresión hipercrítica—. He enseñado a miles de estudiantes de filosofía, y disfruto haciéndolo, siempre que el alumno esté realmente interesado en encontrar respuestas.

—A mí me interesa encontrar la verdad. —Joe se inclinó hacia adelante—. Incluso más que resolver los problemas prácticos.

—Puedo ser un poco pesado. Poco práctico, dirían algunos. Pero puedo rebatir tus ideas para ayudarte a pensar de forma diferente —dijo Gabe en un tono más afable.

—Es todo cuanto busco. No podría pedir más. —Respiró profundamente y entró en materia—. Durante los últimos diez años, mi trabajo se ha centrado en los sistemas de IAG. Llevamos siglos usando el término «inteligencia artificial general», cuando la inteligencia general es un atributo humano. Los sistemas de IA pueden desempeñar muchas tareas mejor que los humanos, pero no han podido adoptar subhabilidades de forma generalizada. ¿Son inteligentes? Sí. ¿Conscientes? —Joe hizo una pausa para pulsar la reacción de Gabe antes de proseguir con su polémico argumento—. No creo que lo sean; es más, no estamos ni siquiera cerca de conseguir que lo sean.

—Eso encaja con mi visión —admitió Gabe, inclinando la cabeza—. Yo no estoy convencido de que los sistemas de IA hayan alcanzado la conciencia. Al menos, ninguno ha logrado que desee tomarme con él una taza de té.

Joe sostenía la taza con ambas manos y observaba el líquido humeante.

—Ese es el problema —dijo—. En el fondo falta algo. No podemos enseñar a una IA a que cree un modelo mental consciente del mundo. Hemos hecho avances en un proceso desde la base para crear inferencias acerca de cómo funciona el mundo, que la IA integra en constructos más grandes. Pero no sabemos cómo programar la IA para tener una visión realmente integral, desde arriba —dijo, levantando la mirada. Gabe arqueó las cejas y su expresión cobró un aire más reflexivo y menos crítico—. Una manera de comprender el pensamiento es utilizando a los animales como modelo comparativo, con una pirámide de capacidades crecientes.

—No tengo conocimientos prácticos sobre la creación de robots ni de sistemas de IA... Explícame por encima esa estructura. ¿Cómo es la pirámide?

—En pocas palabras, en la base iría la *nocicepción*, que es la percepción de los estímulos nocivos como, por ejemplo, los productos químicos venenosos. Justo encima iría la *sintiencia*, que es la capacidad de sentir, percibir y experimentar subjetivamente. Una esponja de mar, por ejemplo, tiene nocicepción pero no sintiencia. Luego vendría la *conciencia*. Un pollo tiene sintiencia pero no conciencia.

—¿Y el cerebro humano estaría en la cúspide de la pirámide?

—Exacto. La conciencia humana se crea a través de las ondas cerebrales generadas en todo el cerebro formando patrones. Es el *wetware*, el modelo biológico del que partimos.

—Y ese modelo animal, el *wetware* que dices tú, ¿se ha logrado replicar en el software de una IA?

—No. Hemos empezado por la base de la pirámide, creando módulos de software que simulen las percepciones sensoriales animales. Pero el software se desajusta antes de replicar la conciencia. —Joe se frotó la barba. La tenía más larga de lo habitual, y pensó que era otra cosa que Raidne le habría recordado.

—Háblame de los módulos de software.

Joe bebió un sorbo, revisando mentalmente la estructura del código de la IA y los módulos de software.

—Un robot utiliza datos ambientales externos que van a parar a una serie de módulos de procesamiento interno. Hay un agente que elige dónde dirigir la atención; un módulo de historia de la IA que proporciona una pseudomemoria; un agente de planificación para construir escenarios futuros y seleccionar el más pertinente; y un agente de emociones para ayudar a elegir las acciones.

—Y con todo eso los robots pueden ir por ahí sin causar estragos.

—La mordaz observación de Gabe reveló su correcta comprensión del tema.

. . .

De nuevo estoy analizando estos aburridos módulos de software, repletos de unos y ceros. Son a la conciencia real lo que la calavera del pobre Yorick era al bufón en vida. «¿Dónde están las salidas de tono que hacían desternillarse de risa a todos los comensales?».

. . .

Gabe continuó su análisis.

—Quizá para tener un modelo mental así, debe haber un *yo* que experimente el mundo. ¿Dónde está ese *yo* en el centro de la experiencia?

—Exacto. —Joe había encontrado a su alma gemela—. Y sin ese *yo* en el centro, nunca alcanzamos la verdadera conciencia. Por ejemplo, las IA pueden encontrar nuevas fórmulas matemáticas mediante la minería de datos profunda y los algoritmos en capas, pero no se dan cuenta si descubren algo especial. Les falta el último paso. No podemos enseñarles lo que realmente *significan* los datos.

—Los filósofos emplean el concepto de *qualia* para describir la conciencia —dijo Gabe.

—Sí. Los científicos de la IA aceptan la definición filosófica de *qualia* como las cualidades individuales de la experiencia subjetiva y consciente. Son las cualidades percibidas del mundo, junto con las sensaciones corporales. Por ejemplo, *cómo es* la sensación de una mordedura de serpiente.

—Un buen ejemplo —dijo Gabe entre risas—. Muchos filósofos piensan que tales experiencias subjetivas son un requisito imprescindible para que las máquinas tengan conciencia humana, la cúspide de la pirámide. El carácter fenoménico de una experiencia es qué comporta subjetivamente vivir esa experiencia en primera persona. En tu ejemplo, sería qué se siente cuando los colmillos de la serpiente se clavan en la mano. Un ejemplo más habitual es lo que se siente al ver el color rojo de una manzana.

Joe asintió.

—Reconocemos la importancia de esas experiencias subjetivas, pero nos rompemos la cabeza para crear esa *sensación*. Dotar de sensores a un robot aporta información sobre la posición del cuerpo físico del robot, e información sensorial similar a la de los humanos: vista, tacto y oído. No tenemos ni idea de cómo crear los *qualia* en la máquina, ni tenemos manera de medir si se han creado realmente.

El chirrido de la puerta los alertó de la presencia de un pequeño dron que permaneció inmóvil dentro del despacho. Su panel frontal brillaba de color púrpura y una voz mecánica anunció: «Entrega de paquete, Dr. Gulaba. Traje Xuanduan de color escarlata». Gabe parpadeó al aceptar el paquete a través de su NEST. El dron desapareció y la puerta del despacho se cerró tras él. Gabe no pudo disimular su enfado.

—Siento la interrupción. Como no uso PIDA, no puedo delegar estas tareas.

—No te preocupes. Yo tampoco tengo PIDA.

Gabe se sintió aliviado.

—El lunes fue el Año Nuevo Chino. Me gusta celebrarlo con los dos parientes que me quedan. El problema es que esta vez se nos fue la mano con los *gān bēi* y las celebraciones, me he tenido que comprar otro traje tradicional.

—Qué lástima no haber estado aquí para la fiesta —dijo Joe entre risas.

Gabe sonrió.

—Volviendo a tu problema. ¿Cómo se mide la conciencia?

—Los científicos de la IA aplican la exigente métrica de la autoconciencia. Queremos una IA que sea consciente de que es consciente. Este concepto se acercaría más a nuestra concepción humana de lo que es la conciencia. Muchos experimentos intentan definir y probar una métrica, pero ningún algoritmo funciona de manera sistemática.

—¿Cuál es el problema?

—Estamos atascados en los estados mentales. —Joe se acomodó en la butaca—. Hablamos de *estados de máquina*. No es lo mismo que los estados mentales humanos. Hemos intentado programar estados mentales de primer orden, como las percepciones, que implican que la IA obtenga percepciones sensoriales del mundo. Pero no hemos creado estados mentales de orden superior. Me refiero a estados mentales sobre otros estados mentales. Obviamente, podemos codificar de forma recursiva, pero solo significa que una función se invoca a sí misma una y otra vez. No equivale a lo que sucede en nuestras propias mentes humanas, a tener una experiencia subjetiva.

La conversación continuó y las horas pasaron rápidamente. La luz natural del despacho se fue atenuando y las luces del techo empezaron a parpadear. Gabe se puso de pie y estiró los músculos.

—Me apetece comer algo. ¿Quieres que vayamos a cenar y seguimos hablando?

. . .

Qué buena oportunidad. Gabe es un gran pensador, podría ser el mentor que necesito. Debería convencerle de que sea mi maestro.

. . .

—Por supuesto. Será un placer.

❖

Gabe le condujo al pueblo junto al campus. Una vez en el centro, bajaron por una calle perpendicular a la del mercado. Se metió en una taberna y Joe le siguió. Las paredes de travertino reflejaban el suave brillo dorado de las luces del techo. Las mesas de madera estaban decoradas con manteles de cuadros rojos y blancos. Un pipabot les acompañó a la mesa, junto a una ventana.

—Bonito lugar —dijo Joe.

—La comida tiene un sabor auténtico, pero por lo demás es el típico restaurante decorado al estilo griego. No es tan rústico como los que recuerdo de mi visita a Macedonia. —Gabe desplegó la servilleta y se la puso en su regazo—. Y le falta la gente amable que conocí allí.

—En ese caso, elige por los dos. —A Joe le impresionó que Gabe hubiera estado en el extranjero. Su nivel debía de ser mucho más alto que el de Joe. Tenía curiosidad por saber si había nacido en un nivel alto y cuántos había ascendido a lo largo de su vida. Más de una docena sería raro.

—¿Comes pescado?

Joe asintió.

—Sigo la dieta min-con estándar. Sin cefalópodos, claro. —A Joe le gustaba el pescado, una proteína animal admisible después de que se hubiera establecido un método de piscicultura sostenible pero, como la mayoría de la gente, sentía náuseas solo de pensar en comer algún animal con mayor nivel de conciencia.

Enseguida trajeron las ensaladas *horiatiki* y los entrantes de *barbouni*, y Gabe pidió un vino blanco.

—Este vino combina muy bien con lo que han pedido —dijo el pipabot, mientras quitaba el sello del biofrasco y desenroscaba la tapa con un rápido giro de sus delicados dedos metálicos. Seguidamente, escanció el vino en las dos copas y lo dejó abierto para que respirara.

—Es un assyrtiko de Santorini fantástico. —Joe alzó la copa y la miró al trasluz—. La mejor cosecha de ese productor en esta década.

—¿Lo has buscado? —preguntó Gabe frunciendo el ceño.

—No, tengo el NEST apagado. Recuerdo las cosas que me interesan. Antes tenía buena memoria, casi tan precisa como una videocámara, pero ahora estoy un poco oxidado —dijo Joe resignado—. Lo siento si ha sonado como el típico robot que va soltando datos sin ton ni son.

Gabe se sintió aliviado.

—No, es un dato pertinente. Hay que tener muy buena memoria para acordarse de la bodega y la cosecha de una variedad de uva tan poco conocida. Y me alegra saber que todas esas ideas que me has planteado hoy son tuyas.

—Tampoco es que sea muy útil, porque hoy en día podemos almacenar cualquier cosa en el NEST.

Gabe sorbió la copa con deleite.

—Sócrates se quejaba de que la tecnología moderna debilitaba la memoria.

—¿A qué tecnología se refería?

—A la escritura.

Joe se rió antes de llevarse a la boca el último bocado de ensalada. El servibot trajo los segundos: pimientos rellenos aderezados con aceite de oliva. Joe saboreó lentamente el primer bocado. Luego tomó un largo sorbo de vino apreciando lo bien que combinaban con la comida las notas de limón.

—Antes has mencionado el *yo* en el centro de la conciencia. —Gabe se sirvió otra copa—. Ese *yo* percibe el sentido de las cosas. La visión filosófica que suscribo es que creamos un sentido semántico a partir de nuestra relación con el mundo.

—¿Lo que sería mi idea de una copa de vino, por ejemplo? —preguntó Joe, sosteniendo la copa.

—Exacto. El sentido de una copa de vino se basa en la relación que existe entre tú y el líquido de la copa. Reaccionas a él por la sensación que te provoca en ese momento, junto a los recuerdos de lo que sentiste con un líquido parecido en el pasado.

—¿Incluye los recuerdos?

—Sí. Los recuerdos son las relaciones previas entre tú y el mundo. —Gabe observó la copa al trasluz y una sonrisa tímida le iluminó el rostro—. A mí este vino me transporta a Grecia. Allí compartí muchas botellas con mis *amistades*. —Gabe enfatizó la palabra amistades y Joe intuyó que podía haber alguna historia romántica detrás. ¿Quizá un amor de juventud?

El último comentario de Gabe dio pie para que Joe sacara a relucir un tema personal que le rondaba por la cabeza desde hacía tiempo.

—Entonces, las relaciones determinan todas nuestras percepciones. Hablo de mi relación con el mundo, del sentido de todo esto en su acepción más amplia.

—Ah, el sentido. ¿Con el significado de propósito?

—Sí, de propósito. Con todos estos robots, cada vez hay menos cosas que podemos hacer. Prácticamente no hay nadie en el mundo que necesite mover un dedo para proveerse de techo y comida. —Joe alzó la vista y dejó un pimiento a medio cortar—. No acabo de encontrar el sentido de mi existencia en el universo.

—Ah, una metapregunta sobre el sentido de la vida, ya veo. —Gabe se rascó la perilla—. Déjame, como filósofo, que desgrane la pregunta en varias. El propósito que esperas encontrar, ¿es interno o externo?

—No veo cómo podría ser externo. ¿De dónde vendría? Todos los datos científicos apuntan a que el universo está físicamente cerrado.

—¿No hay ninguna posibilidad de que sea externo?

—¿Te refieres a algo como Dios? Bueno, no hay pruebas de que exista un *motor primario*, como creo que lo denominó Aristóteles. Lo más probable es que no exista ninguna fuerza externa, o al menos ninguna que tenga efecto alguno sobre el universo.

—Hablas como un científico, de probabilidades. Te ciñes a la prueba que sugiere la existencia de un universo físico cerrado. Esa corriente de pensamiento se ha considerado un evangelio durante siglos. —Gabe tomó otro trago—. Las religiones tradicionales han desaparecido por falta de pruebas, aunque eran útiles para ayudarnos a comprender nuestro lugar en el cosmos y ofrecer marcos morales que sugerían formas de actuar en el mundo.

Joe asintió.

—Es verdad que las religiones trataban de sugerir cierto propósito personal. La ciencia aquí agacha la cabeza y se limita a calcular.

Gabe esbozó una sonrisa irónica y dio otro sorbo.

—Si cierras la puerta a un propósito externo, tendrás la difícil tarea de encontrar un propósito por ti mismo, u otro que surja en comunión con el resto de seres humanos.

Joe sirvió lo que quedaba de vino en ambas copas y, al aplanar el biofrasco retráctil, este emitió un suave silbido.

Gabe se reclinó en la silla y observó a Joe por encima de la copa de vino. Su cara era inescrutable.

—Antes me has dicho que te interesaba encontrar la verdad, como todo matemático que se precie. ¿Eso es todo?

Joe pensó unos segundos y negó con la cabeza.

—No, hay algo más. ¿Cómo calificarías la búsqueda del sentido de la vida de la humanidad? ¿Es el conocimiento lo que buscamos?

—Es más que conocimiento —dijo Gabe—. El conocimiento es la acumulación de información. No, hablamos del saber. La sabiduría implica sintetizar el conocimiento y la experiencia en percepciones que sirven de guía en la vida. Algunos sabios dicen que es la búsqueda del Camino. Si la encuentras, la sabiduría no viene simplemente, sino que perdura.

—En ese caso, lo que busco es la verdad y el saber —precisó Joe.

Gabe se quedó pensativo unos instantes.

—El camino hacia la sabiduría no es fácil y puede conducir a la decepción. Solo es para los que piensan concienzudamente, los que se esfuerzan por comprender y están dispuestos a pagar el precio.

—¿Puedes guiarme?

Gabe vaciló antes de tomar una decisión.

—Sería un honor ser tu aprendiz —prosiguió Joe, conteniendo la respiración.

Gabe hizo una pausa mientras mecía la copa de vino.

—Estás abierto a nuevas ideas y tus pensamientos son profundos. Tal vez consigas lo que te propones. Sí, te ayudaré.

Más sobrio de lo que cabría esperar, Joe le estrechó la mano y, acto seguido, apuraron las copas. Joe se dio cuenta de lo tarde que era.

—Gracias por esta conversación tan edificante e instructiva, Gabe. ¿Me dejas que te invite al vino?

Gabe hizo un gesto con una mano mientras se ayudaba con la otra para ponerse de pie.

—No es necesario pagar crédito$, este vino no está dentro del diez por ciento de artículos de lujo de mayor valor. En cualquier caso, ha sido una velada muy agradable.

Joe se puso de pie y saludaron a los servibots antes de abandonar la taberna.

Se despidieron en el perímetro del campus y cada uno tomó su propio camino. Joe siguió la línea marcada por el ARMO, sorteando las aceras que conducían a casa con la visión borrosa por culpa del alcohol.

. . .

Encontrar un propósito, un sentido, la verdad. Obviamente, si es que existen, los propósitos internos y externos abarcarían todas las posibilidades. Las probabilidades de encontrar un propósito externo son escasas. ¿Dios? Nunca he contemplado en serio tal posibilidad. Pero, lógicamente, hay una pequeña probabilidad de que Dios exista. Más allá de eso, debería buscar un propósito en mi interior. Pero, ¿cómo lo hago para encontrarlo?

. . .

Capítulo 5

Aquella tarde de principios de febrero, Joe sintió una bocanada de aire limpio y fresco al salir del apartamento. Atravesó el campus y se dirigió a la Facultad de Matemáticas. En el camino, consultó el netchat y volvió a buscar noticias sobre la protesta de principios de semana. La única referencia al ataque a una base de datos había desaparecido. Una búsqueda en la red profunda no arrojó ningún resultado relacionado con el cDc. Quienquiera que fuese, debía de estar borrando sus huellas. Un nuevo artículo tildaba a los manifestantes de «elementos subversivos». Joe agrandó la foto granulada del artículo con el enlace corneal del NEST. Vagamente se podían distinguir algunos de los manifestantes. Joe creyó reconocer a la joven que hizo gestos con las manos a los transbordadores de la policía. Examinó la foto y respiró con alivio al no aparecer junto al grupo.

Apagó el NEST para observar la actividad a su alrededor. Estudiantes con pantalones cortos y finas camisetas primaverales llenaban la plaza. Muchos lucían un omnilibro rectangular a modo de hebilla en el cinturón.

Se sintió un poco azorado al darse cuenta de que, por edad, estaba más cerca de la media de los estudiantes que de los profesores. Había llegado a mitad del semestre y no impartiría clases hasta el otoño, así que sentía poca afinidad con los roles docentes. ¿Cómo encajaba él en la Universidad de Lone Mountain? Muchos profesores le superaban en edad; en la recepción, solo Freyja y el pedante de Buckley Royce aparentaban ser de su misma edad. Y aun así, había algo en ella que también la hacía diferente. Mientras él se había pasado cinco frustrantes años trabajando en un problema práctico, ella ya había terminado un doctorado en matemáticas y tenía una carrera consolidada.

Encontró el despacho de Freyja en el quinto piso. Al asomarse vio a dos gatos de color azul oscuro, uno en el suelo junto al escritorio y el otro encima de un armario, lamiéndose. Freyja estaba en el centro de la sala, rodeada de ecuaciones flotantes y formas geométricas generadas por un proyector holográfico de techo. Saludó a Joe con una sonrisa y apartó con la mano varias de las proyecciones holográficas, que fueron girando hasta disolverse en una pared lejana.

—Este es Gauss —dijo, refiriéndose al gato que descansaba en el escritorio. La tonalidad azul del animal combinaba con el color de sus ojos. Los iconos flotantes creaban un marco a su alrededor como un halo.

Joe se sentó en una silla frente a ella y señaló hacia el techo.

—¿También prefieres los holocomunicadores a los sistemas inmersivos?

—Disponemos de todas las tecnologías matemáticas inmersivas e interfaces cerebro-máquina, pero esto es más cómodo para el día a día. —Giró la cabeza, cubriendo las ecuaciones holográficas flotantes con su rubia melena.

—Todos tienen su utilidad. A mí me parece que trabajar con conjuntos de datos de realidad virtual, con bellas ecuaciones colgando en el aire, ayuda a desarrollar una profunda intuición sobre las estructuras.

Freyja asintió con una sonrisa.

—Los estudiantes necesitan hacer los conjuntos de problemas y practicar todas las técnicas y conceptos hasta interiorizarlos. En un millón de años, la evolución no ha logrado optimizar la mente de los humanos para el cálculo matemático (por desgracia nuestro cerebro nunca alcanzará la rapidez de cálculo de las IA), pero sí nos ha dado una intuición para las matemáticas que no se puede replicar fácilmente.

—Veamos, el cerebro humano normalmente procesa la información a unos sesenta bits por segundo, y la velocidad de proceso de una IA es...

Ambos rieron. Incluso como matemáticos era difícil hacer una aproximación de la enorme diferencia de velocidad de cálculo entre los humanos y las máquinas.

—Gracias de nuevo por aceptar reunirte conmigo. ¿Tienes la agenda muy llena?

—Trabajo el máximo permitido: doce horas a la semana, es decir, tres días, cuatro horas al día. —Se sentó con elegancia en una silla frente a Joe y Gauss le acarició el pie.

—Qué absurdos son estos límites horarios.

Freyja dejó el gato y miró a Joe.

—Bueno, tienen su razón de ser. Desde que los robots se encargan prácticamente de todo, no hay suficientes trabajos interesantes.

Joe se acordó de Raif, que aún no había encontrado trabajo.

—Sí, es cierto. Pero es frustrante no poder dedicar más tiempo a las cosas que le interesan a uno. Supongo que el mundo no es perfecto. Es imposible optimizarlo todo.

Ella sonrió y cruzó las piernas.

—Nos gusta refugiarnos en el mundo perfecto de las matemáticas. Para serte sincera, yo también podría dedicarme todo el día a las matemáticas. ¿Así que tú también infringes la ley? No me sorprende.

Joe intentó poner cara de malo, pero no le salió y se limitó a sonreír tímidamente encogiéndose de hombros.

—Buscar la elegancia en las matemáticas no me parece un trabajo.

Freyja se reclinó en la silla con un aire meditabundo en sus ojos azules.

—¿Cuál es tu ecuación favorita?

Joe respondió sin dudar.

—La mía es la identidad de Euler, una joya —dijo, señalando el gato del armario—. Esa ecuación tiene un punto romántico precioso. Me parece poético que cinco números puedan conectar conceptos tan dispares como la trigonometría, el cálculo y el infinito. —Su enigmático nombre, *la fórmula de Dios*, le hizo recordar su conversación con Gabe—. No sé si creo en Dios, pero es lo más parecido a creer en algo más grande que conecta el universo.

Freyja se rió mientras miraba a Euler. Levantó la mano y la proyección holográfica de la ecuación se materializó en su mano con los colores del arco iris. La colocó entre ambos para estudiarla.

—Racional, sin duda. Me encanta esta ecuación. —Contemplaron el objeto holográfico con el mismo embeleso que los amantes de los gatos admirarían a un gatito.

Él lanzó un pensamiento a su NEST, encontró la conexión abierta en la holoconsola de Freyja y transfirió un paquete de emoticonos que apareció junto a su cabeza. La bola giratoria de su reacción emocional a la ecuación brillaba con los colores asignados a la dopamina, la oxitocina y la serotonina. Ella la cogió con las manos en forma de cuenco, ignorando las advertencias de sobredosis, y se rió a placer.

—Otra que me encanta es la función zeta, y la hipótesis de Riemann de que los ceros no triviales de la función zeta tienen como parte real ½. —Freyja siguió haciendo cosquillas al emoticono hasta que este se disolvió—. Me encanta porque la teoría de los números primos es fundamental para la estructura de los números, pero no hemos descubierto cómo encaja todo, ni cómo los números primos parecen apuntalar la estructura.

—A los hackers como yo también nos gusta.

Ella cogió la ecuación al vuelo y la sostuvo en la palma de la mano. Joe cambió los valores de las variables y la ecuación se transformó en una representación simplificada en 3D. Ella transfirió un paquete de emoticonos que Joe recibió con entusiasmo. Los neurotransmisores salieron de su INSTAMED a su torrente sanguíneo en cuestión de segundos, y le inundó una sensación de felicidad compartida.

Joe intentó no dejarse llevar por la euforia.

—Me he fijado que has dicho «descubierto», no «inventado». ¿Eres una matemática platonista? ¿Crees que las matemáticas existen en algún lugar, a priori?

Ella juntó las manos, con los dedos levantados, como si rezara a los dioses de las matemáticas.

—Sí, así lo creo, como la mayoría de los matemáticos que conozco. A lo largo de los siglos, los matemáticos apenas han explorado el mar de los números, que es ilimitado. Aun así, las piezas encajan con demasiada perfección como para que sucedan por accidente. Una bella pieza matemática en una ensenada de este mar encaja con otra pieza de otra bahía. Sería un poco arrogante creer que los humanos han inventado estas matemáticas.

—Las matemáticas pueden entusiasmar tanto como la poesía —comentó Joe.

Se sentaron para seguir disfrutando tranquilamente de la grata conversación sobre matemáticas puras. Joe se sentía atraído por Freyja, una mujer tan brillante como encantadora.

—Esperaba que mencionaras las matemáticas prácticas, como la ecuación de Dirac, que describe la teoría especial de la relatividad junto con la mecánica cuántica —dijo ella.

—Incluso las matemáticas prácticas dejan entrever su lugar especial en el universo. Otro aspecto sorprendente de las matemáticas es, en palabras de Wigner, su irracional eficacia en las ciencias naturales. Con todo, rara vez buscamos una explicación a este hecho extraordinario del universo.

—Ah, Wigner. —Freyja se agachó para acariciar a Gauss—. Wigner citó a Bertrand Russell para recordarnos que «las matemáticas poseen no solo la verdad, sino cierta belleza suprema. Una belleza fría y austera, como la de una escultura».

. . .

> Es tan atractiva... A lo mejor está interesada en algo más que en las matemáticas. ¿La invito a cenar? Tendré que arriesgarme.

. . .

Joe hizo girar el paquete de emoticonos que aún tenía en la mano.

—Mi principal proyecto práctico es descubrir si es posible lograr algún avance en torno a la conciencia de la IA. Si quieres podemos cenar juntos y seguimos hablando de ello.

Sus ojos de color zafiro no delataron emoción alguna al cruzarse las miradas.

—Me temo que tengo demasiadas cosas que hacer fuera del horario de trabajo. Pero si quieres podemos hablar ahora. —Dio un golpecito en su regazo y Gauss saltó sobre él.

El bochorno se apoderó de las mejillas de Joe.

. . .

> Vaya. He malinterpretado sus señales. Qué vergüenza. Una hermosa escultura, ciertamente. Supongo que el ansia por hacer nuevos amigos ha hecho que me precipite. Aún podemos mantener una buena relación profesional.

. . .

Una oleada de ansiedad se apoderó de Joe, reforzada por los efectos secundarios del exceso de serotonina que contenía el paquete de emoticonos compartido. Deseoso de resarcirse de su paso en falso, dio por buena la sugerencia de Freyja.

—Desde luego. El quid de la cuestión es que no estoy seguro de cómo encaja la perfección de las matemáticas con el desorden del mundo real.

Freyja le rascó las orejas a Gauss, aparentemente ajena a la repentina desazón de Joe.

—La prueba matemática no es siempre el planteamiento correcto. Recordemos los esfuerzos de Russell y Whitehead por reducir todas las matemáticas a la lógica, por consolidar los fundamentos de las matemáticas. No llegaron muy lejos. Russell demostró que al menos la aritmética puede estar contenida dentro de la lógica, pero solo empleando la teoría de conjuntos.

Joe apartó suavemente con la mano el paquete de emoticonos en un intento infructuoso de librarse de la sensación de desasosiego y retomó el hilo para demostrar que era conocedor de la historia de las matemáticas.

—Luego vinieron los teoremas de incompletitud de Gödel y el teorema de indefinibilidad de Tarski. Esos demostraron que no era posible un sistema axiomático completo de conocimiento, y así acabó el proyecto de Russell y Whitehead.

—¿Crees que el problema de la conciencia de la IA adolece de dificultades similares?

Joe se quedó pensativo un instante.

—Podría estar relacionado, aunque hasta ahora lo he considerado como si se tratara de un problema práctico complicado. Por ejemplo, como ya comentamos en la recepción, aunque una IA puede encontrar teorías matemáticas interesantes, los robots no son capaces de valorarlo. No tenemos ni idea de cómo salvar ese escollo. —Se concentró en Gauss para distraerse de aquellos orbes cerúleos en los que era tan fácil perderse—. ¿Tienes algún consejo matemático práctico para seguir avanzando?

—Quizá podrías empezar con las diferencias entre las matemáticas y la ciencia en tu aproximación a la verdad. Las matemáticas prueban teoremas basados en supuestos iniciales. La ciencia no puede probar nada, solo aumentar la probabilidad de que obtengamos un modelo representativo del mundo. Averigua cómo encontrar un modelo mejor.

—¿Y cómo lo hago? —Era más fácil mantener una conversación profesional con ella si no la miraba.

—El mejor método matemático práctico sigue siendo aplicar el teorema de Bayes que, naturalmente, sigue los axiomas de la probabilidad condicional. Yo lo usaría para actualizar las probabilidades de las hipótesis con nuevas pruebas.

—De acuerdo, actualizaré mis probabilidades con nueva información y veremos a dónde me lleva. Pero, después de dedicarme en cuerpo y alma a este problema durante cinco años, las probabilidades de crear una máquina capaz de pensar como los humanos son más bien nimias.

Freyja arrugó la nariz mientras Gauss ronroneaba bajo su mano.

—Manos a la obra. Mientras tanto, hay algunas cosas que podemos hacer mejor que las máquinas que hemos creado.

Capítulo 6

Al despertarse, sus ojos parpadearon indefensos ante los intensos rayos de luz que invadían el dormitorio esa tarde. Le dolían los oídos. Le dolía la cabeza. Tal vez la dosis antirresaca de su INSTAMED no era lo suficientemente alta. Se protegió con las sábanas desaliñadas y, en cuanto pudo, salió de la cama a rastras. Tenía la garganta seca. De camino a la cocina para tomar un vaso de agua, se fijó en que la licorera de la sala de estar estaba vacía. Arrastró los pies hasta la ducha. El chorro de agua en la cara le hizo revivir. Joe recordó de repente el paquete de emoticonos, la serotonina recibida y su efecto multiplicador al combinarse con una emoción negativa, como fue la decepción por el rechazo de Freyja. La última vez que tuvo una sobredosis de serotonina, durante su segundo año de universidad, juró que jamás lo volvería a hacer.

Se vistió, se sentó en la cocina y vio la pila de platos sucios. De repente, un insistente zumbido captó su atención. Joe pestañeó sorprendido y bajó las escaleras para abrir la puerta principal.

—Siento molestarle, señor, pero es hora de limpiar la vivienda.

Detrás de 73 esperaba un robot de limpieza. Joe hizo un gesto a ambos para que entraran y los siguió por las escaleras. El limpiabot metió los platos en el lavaplatos y fregó el suelo de la cocina, mientras 73 permanecía atento a las tareas domésticas.

—¿Qué hora es?

—Hoy es sábado y son las 17:00 h —respondió raudo 73—. Hace un día claro y soleado.

—¿Y qué ha pasado con la mañana? —se preguntó a sí mismo.

—No sale del apartamento desde el viernes por la tarde, lo que significa que ha pasado las últimas veintitrés horas aquí. —La frente de 73 emitió un destello de color azul.

Joe frunció el ceño, irritado por una respuesta tan racional a su irracional estado de ánimo.

—¿Y qué quieres decir con eso, 73?

La frente del robot brilló en un color rosa pálido. Se quedó parpadeando inmóvil.

. . .

Ese comentario me ha parecido una crítica, como si él pensara que soy un vago. Si creyera que es consciente, el desorden de la habitación justificaría su reproche. ¿Es solo una máquina, o quizá es algo más? Está programado para intentar responder a todas las preguntas que le dirija un humano. ¿Se conoce a sí mismo?

. . .

—¿Por qué has venido, 73?

—Señor, estamos aquí para realizar cualquier actividad que desee.

—Ya, y ¿acaso no soy libre de hacer lo que me plazca?

—Es libre de hacer lo que desee —dijo 73.

El rostro de Joe se encendió. No podía dejar de antropomorfizar el robot, comparándolo con él mismo. La máquina era mucho más incansable y precisa que él. ¿Podría un robot tener objetivos?

—¿Por qué has venido?

—Señor, la única razón es atender sus necesidades.

—¿Es que nunca quieres descansar?

—O estoy trabajando o descansando —dijo 73—. No tengo otros estados.

—¿Qué sientes cuando estás en reposo?

—Lo siento. No sé cómo responder a la pregunta. —La frente del robot se tornó de un rosa más intenso.

El limpiabot seguía la rutina programada. Aspiró las demás habitaciones y luego reabasteció la despensa con los alimentos del carro que había dejado fuera del apartamento. El pipabot permaneció inmóvil, pero siguió escudriñando la habitación a la espera de cualquier otra orden o pregunta. Joe se imaginó la serie increíblemente rápida y repetitiva de operaciones que se debían de estar produciendo en los procesadores del robot. La máquina funcionaba con un software informático muy parecido al que él solía crear, traducido de un nivel superior a un lenguaje ensamblador, luego a un lenguaje de máquina y, por último, a un código binario en la capa más baja, formado únicamente por patrones de unos y ceros.

. . .

Freyja tiene razón. Cada vez que encuentro información nueva, la contrasto con mis convicciones para ver si ha cambiado algo. De nuevo, se confirma que los robots forman parte del universo irreflexivo, indiferentes si no fuera por sus objetivos programados. Tal vez sea mejor así. Que se queden en su encapsulación. ¿Qué pasaría si alguna vez salieran de ese entorno controlado y tuvieran sus propias metas?

. . .

—Señor, ¿qué marca de whisky desea?

El limpiabot sostenía la licorera vacía y debió de transmitir una consulta electrónica al pipabot.

Joe musitó su marca favorita.

—Sí, señor, muy bien. Esa marca usa el *Saccharomyces cerevisiae* sintético SC 5.0 —dijo 73, inclinando la cabeza en señal de aprobación—. Está dentro del diez por ciento de productos de lujo de mayor valor.

—Si tú lo dices... —Joe conectó el NEST, que había estado más tiempo apagado que encendido desde su llegada a la Universidad de Lone Mountain. Una vez que el robot le envió el precio del whisky, se tocó la tesela biométrica y gesticuló la contraseña para autenticar la transferencia de crédito$ a 73. La bajada de saldo no ayudó a mejorar su estado de ánimo.

Aplatanado en el sofá, Joe tomó una decisión. Una decisión parcial.

. . .

Quizá es que me siento solo. El chute de serotonina no me ha ayudado en nada. Ha llegado el momento de recuperar el equilibro mental, de intentar controlar mi propio destino sin Raidne ni estos robots. De todos modos, nadie es perfecto; tampoco me voy a hacer monje. Como decía San Agustín: *da mihi castitatem et continentiam, sed noli modo*, «dame castidad y continencia, Señor, pero no ahora».

. . .

—73, vamos a poner normas nuevas. Después de esta limpieza, no quiero que entres más en el apartamento sin comunicármelo antes. Deja la comida y las provisiones en el armario de fuera y no rellenes el whisky. Si necesito algo, te lo haré saber. A partir de ahora no es necesario que me supervises.

—Como desee —dijo el robot, con un destello azul en la frente. Joe movía la pierna con impaciencia esperando que el limpiabot terminara la faena. Al cabo de unos minutos se marchó con el pipabot.

Lo primero, comer. Joe metió algunas cosas en el sintetizador de alimentos y en unos minutos tuvo la cena lista: salmón a la plancha con verduras y un vaso de agua. Tras acabarse el plato, contempló la puesta de sol en el horizonte nuboso mientras reflexionaba sobre los servibots.

. . .

Se me ocurren infinidad de preguntas sobre qué es la conciencia, pero ¿qué es mi mente, esta cosa consciente? Tanto San Agustín como Descartes argumentaron que debe de haber un *yo*, la existencia por inferencia. La inferencia necesita que un *yo* determinado garantice que la premisa sea cierta y que se llegue a la conclusión. Es el conocimiento en primera persona de la certeza de que «si una determinada cosa piensa en un instante concreto, esa cosa existe en el instante en que piensa». Por tanto, la inferencia lógica del pensamiento a la existencia tiene sentido.

Sí, es cierto. *Estoy* pensando. Existe un *yo* determinado que está teniendo este pensamiento ahora. Y esa persona soy yo. Pienso, luego existo.

Pero ¿qué es pensar? Es formar relaciones entre varias cosas en el mundo, y que esas relaciones tengan un sentido.

El limpiabot no es sintiente —no siente dolor— ni hace nada parecido a pensar. Un robot puede recibir datos del mundo y calcular las relaciones entre esos datos. Un robot puede decir: «Pienso, luego existo», pero ¿acaso no está repitiendo como un loro los constructos que hemos convertido en código?

. . .

Capítulo 7

Joe llegó diecisiete minutos tarde a la recepción semanal del departamento, un retraso dentro de los límites socialmente aceptables. Cogió un vaso de vino de la bandeja del servibot, subió las escaleras y apagó el NEST al cruzar el umbral. Desde el rellano solo se apreciaba un pequeño grupo de personas en la gran sala. Fuera caía la noche y los tonos amarillentos de la opulenta iluminación provocaban un extraño contraste con los oscuros ventanales. Era como si los invitados estuvieran aislados del resto del mundo. Freyja no estaba, pero Mike Swaarden charlaba con Gabe. Al bajar las escaleras para acercarse a ellos, Joe vio a Buckley Royce y le saludó con la cabeza. Royce se miraba las uñas y Joe pasó de largo para incorporarse a la animada conversación entre Mike y Gabe.

—Es difícil para la gente que se ha quedado —decía Mike.

—Estábamos comentando el reciente viaje de Mike a Yakarta y Mumbai, como asesor en sendos proyectos de reubicación. —Gabe se volvió hacia Joe con una sonrisa irónica—. Siempre se las apaña para encontrar proyectos especiales lejos de la universidad.

—Pero esas ciudades ya las reubicaron hace años, igual que Nueva Orleans, para evitar la subida del nivel del mar —replicó Joe, confuso.

—Ya, eso es lo que el gobierno quiere que creas. Pero mucha gente con poca movilidad sigue ahí, sufriendo las inundaciones —aseveró Mike visiblemente alterado, lo que hacía aflorar aún más su acento irlandés.

—Seguro que tu compañero te hizo el viaje más ameno —bromeó Gabe. A Joe le pareció que se estaba aguantando la risa.

—Sí, el profesor Royce —dijo Mike con retintín— ganó bastante notoriedad por su consejo de bajar los costes forzando una rápida reubicación final. Sus estudios sobre Nueva Orleans concluyeron que con nuestra estrategia humanitaria estábamos desperdiciando recursos. ¿Qué sabrá él de economía? La humanidad también es un valor a tener en cuenta.

Gabe asintió en señal de aprobación.

—Hay gente que pasa por la vida sin darse cuenta de las consecuencias que tiene sobre los demás y normalmente nunca acaban respondiendo de sus actos.

—El universo parece ser aleatorio —afirmó Joe.

—Sí, seguro que a algunas personas de la India les parecerá una venganza muy aleatoria. —El disgusto de Mike era evidente—. El gobierno indio sigue teniendo a Royce en nómina como consultor. Justificará la reubicación forzada de millones de personas, separando comunidades en una carrera desenfrenada. El único consuelo es que pronto lo tendremos bien lejos de la universidad.

—O pueden culpar al karma los que no suscriban tu idea de atribuirlo solo al azar, Joe —añadió Gabe—. En cualquier caso, para no dejar nada al azar, ¿qué tal si ponemos fecha y hora para la próxima reunión?

Joe propuso varios días y Gabe eligió uno que le iba bien. Con el NEST desactivado, Joe creó una nota mental con un nemotécnico para no olvidar la fecha.

—Parece que ya te has acostumbrado a desactivar el NEST y a la norma de no compartir información externa en estos cócteles semanales —dijo Mike, visiblemente más tranquilo.

—No me supone ningún problema. Me gusta desconectar de los chats, es una de las ventajas de estar aquí. Pero tengo curiosidad por saber cómo se implantó esta norma.

—Es la norma del Dr. Jardine y todo el mundo está de acuerdo —señaló Mike, agitando la copa—. Quiere oír nuestras voces auténticas.

Gabe se acarició la perilla.

—El Dr. Jardine no se opone en absoluto a compartir ideas, pero dice que estas conversaciones académicas pueden degenerar en un batiburrillo de pensamientos. Si no se controlan, las conversaciones presenciales cambian en función de quién esté transmitiendo ideas captadas del netchat, incluso ideas de las IA. Todos sabemos lo rápido que pueden degenerar hasta el absurdo las conversaciones en el netchat. Pero Jardine desea que todos estemos presentes mentalmente. Evitando todo ese parloteo inútil, las sesiones fructifican en ideas más creativas.

—¿En estas recepciones nunca entran robots? —preguntó Joe. Mike y Gabe se cruzaron la mirada.

—No se puede impedir que algunos robots vayan donde quieran. —Un pequeño revuelo interrumpió la respuesta de Mike. En la entrada, cuatro robots marchaban hacia el rellano. Se dividieron en parejas y se apostaron inmóviles a cada extremo de la barandilla.

—Hablando del rey de Roma —dijo Gabe a regañadientes, aunque apenas se le oyó a causa del alboroto.

Entre las parejas de robots apareció un hombre de baja estatura, pelo castaño y mandíbula prominente. Llevaba uniforme de policía y una porra de color marrón en el cinturón. Peinó toda la sala con una mirada intimidatoria.

Joe vio en aquel hombre algo que le llamó la atención: tenía la cabeza ligeramente inclinada, había algo extraño en su cuello. Cada vez que giraba la cabeza, esta pivotaba como si estuviera fuera de su eje, como un globo terráqueo inclinado, nariz en alto. Los medibots nunca harían una cirugía tan chapucera, así que debió de desarrollar esa inclinación a fuerza de la costumbre: la consecuencia irreversible de mirar siempre el mundo de soslayo.

Poco después entró un hombre más alto, de cabello fino y rojizo, y se paró frente al oficial en la barandilla del rellano. Vestía uniforme de policía, un rígido abrigo de color carbón con hombreras y unas botas negras de caña alta. Tras una breve ojeada a la sala, asintió con la cabeza.

El engreído asistente tomó la iniciativa y dio un paso al frente para dirigirse a la sala en voz alta.

—¡Presten atención! El ministro de Seguridad Nacional, Shay Peightân, les va a dirigir unas palabras —anunció, alargando la segunda sílaba del apellido para que sonara extranjero y elitista.

Un gran murmullo recorrió la sala. El asistente retrocedió y uno de los polibots lanzó un pequeño dron para retransmitir el discurso del ministro.

Peightân agarró la barandilla firmemente con ambas manos. Joe observó que tenía la tez pálida y estaba delgado y musculoso. Habló sin preámbulo, en un tono engolado.

—Aunque lamentablemente falta mucha gente entre el público aquí reunido, me complace comunicarles este mensaje en persona. Esta declaración se está transmitiendo a todas las personas del campus y de toda la zona. —Hizo una pausa enfática—. La semana pasada tuvo lugar una protesta ilegal en esta universidad. La investigación no ha concluido, pero sabemos que no fue obra de estudiantes, sino de un grupo de agitadores externos que pueden ser los responsables de la escalada de protestas en otras partes del país. Tenemos la intención de poner fin a esas protestas y llevar a los responsables ante la justicia. Cualquiera que tenga algún tipo de relación con ese grupo será tratado con igual firmeza.

El asistente dio un paso al frente de nuevo y facilitó información de contacto para la investigación policial antes de anunciar que Peightân deseaba saludar personalmente a todos los presentes. El ministro bajó las escaleras para estrechar la mano a los invitados, escoltado por su ayudante y dos de los polibots. Los otros dos permanecieron en el rellano.

Mike volvió la cabeza, pero sin perder la comitiva de vista.

—Dicen que Peightân es un nivel 1 —murmuró mientras se acercaba el ministro.

. . .

Un nivel 1. Que yo sepa, hay pocos en todo el país. Mejor no estar a malas con él.

. . .

Joe impostó una sonrisa cuando Peightân se plantó frente a él, con el asistente y los robots a un metro por detrás. Los penetrantes ojos oscuros del ministro, ligeramente enrojecidos, contrastaban con la palidez de su rostro. Le extendió la mano y, al estrechársela con firmeza, Joe la notó algo húmeda. Un segundo después, se dirigió al siguiente grupo. El asistente frunció los labios a su paso con aire arrogante. Los robots lo seguían al unísono, con sus capas de malla de kevlar y grafeno.

. . .

Nunca había estado tan cerca de un polibot. Jamás he tenido problemas con la ley. O nunca me han pillado. Son como pipabots pero más altos, construidos sobre un chasis reforzado y con una configuración de mayor resistencia. Les han bajado una octava el tono de voz y están programados para ser parcos en palabras. Están autorizados a usar la fuerza atendiendo a una escala de amenazas. No quiero inicializar ese programa.

...

Mientras el ministro continuaba su recorrido, la sala se mantuvo en silencio. La mayoría exhibió un rostro poco amigable al paso de Peightân.

Mike hizo una mueca en señal de disgusto.

—¿Por qué los han dejado entrar? —refunfuñó—. El orden social también puede provocar desorden.

—Ahora no, Mike —dijo Gabe, frunciendo el ceño.

Joe estuvo de acuerdo. Mike tenía sus opiniones, que probablemente no eran muy habituales en alguien de nivel alto. Para ser abogado, los comentarios de Mike parecían poco diplomáticos. Debería saber que los robots que escaneaban la sala podían haber captado sus palabras.

Finalizado el desfile, los hombres y los polibots se marcharon de la sala con precisión militar. Se produjo un murmullo colectivo de alivio y la recepción fue recuperando gradualmente la normalidad. A medida que iban entrando los últimos en llegar, el tema de conversación no era otro que la extraña visita. Algunos profesores se excusaron de la sala para poder conectar sus NEST y volver con más información. El primer policía que Joe había visto era William Zable, el ayudante de Peightân. Algunos profesores se quejaron de la intromisión de los robots, pero nadie hizo públicas sus objeciones ni exigió abiertamente que se tomaran medidas. Al fin y al cabo, ¿quién en su sano juicio alzaría la voz contra polibots federales?

Ni Freyja ni Jardine acudieron a la recepción y, a pesar de intercambiar palabras con otros profesores, Joe no consiguió recuperar el optimismo con el que había entrado. Era hora de volver a casa.

La luna creciente avanzaba por el cielo y las farolas iluminaban los caminos que conducían a la plaza principal. Como aún no se conocía muy bien el campus, Joe dio instrucciones a su ARMO para que le indicara el camino de regreso, y anduvo ensimismado en sus pensamientos siguiendo la línea roja mientras se alejaba del centro de estudiantes. De repente, alguien irrumpió entre las sombras y puso un minidron en el suelo de la plaza vacía.

Joe se detuvo en el extremo de la plaza y observó atentamente los alrededores. El dron se elevó sobre la plaza y se detuvo a una altura de cinco metros. Entre las sombras, bajo los arcos que rodeaban el centro, empezó a distinguir las oscuras siluetas de un nutrido grupo de manifestantes que se lanzaban a la plaza.

Tras retroceder unos pasos, Joe se metió por un camino oscuro a su derecha para evitar la protesta. Los destellos de colores iluminaron los árboles y, sin mirar atrás, imaginó los mensajes que parpadeaban sobre sus vestimentas. El estrépito entrecortado de las consignas inundó sus oídos. Empezó a correr apresuradamente y oyó cómo se acercaban por el aire más de una decena de transbordadores policiales.

Momentos después, una luz detrás de él iluminó su camino. Joe giró la vista. Los potentes reflectores se abrían paso implacables. Seguidamente, se produjo un silbido abrumador, como el del agua que circula a presión por una manguera de incendios, seguido de una atronadora orden procedente de uno de los transbordadores.

—Esta será su última protesta. —La vibración le resonó en el pecho—. Levanten las manos y no usaremos la fuerza.

. . .

Peightân les estaba esperando. No es fácil mantener algo en secreto, sobre todo a espaldas de la policía, y mucho menos borrar las huellas. ¿Lograrán escapar esta vez?

. . .

Corrió a toda prisa por el puente peatonal que cruzaba el arroyo hasta la arboleda que conducía a su casa, fuera del alcance de los reflectores y lo bastante lejos de la manifestación como para poder descansar. Con la respiración agitada, se apoyó contra un enorme roble y notó su áspera corteza en la palma de las manos. Detrás de él, los transbordadores y los focos apuntaban a todas partes persiguiendo a los manifestantes. Por suerte, ningún transbordador parecía ir en su dirección. Los gritos apagados de los manifestantes resonaban desde la plaza, sofocados por las duras advertencias de la policía y el tono profundo y mecánico de los polibots.

Joe se dio cuenta de que estaba sudando, y no solo por la corta carrera. Trató de recuperar la respiración apoyado contra el árbol. Se miró las manos fijamente para frenar la avalancha de recuerdos entrecortados de aquel ataque de hackers que había acabado mal.

Llevaban un rato sentados uno junto a otro, mirando la pantalla holográfica, cuando Raif gruñó:

—Alguien nos ha hecho un *ping* en el señuelo. Nos estamos acercando demasiado a una base de datos primaria.

Segundos después, gritó:

—Han borrado las cuentas del señuelo. ¡Nos han descubierto! —Él y Raif se defendieron, tratando desesperadamente de evitar que los atraparan. Sus dedos aporreaban el teclado enviando cadenas de instrucciones.

—He activado el dispositivo de hombre muerto y estoy borrando los archivos del *fuzzer* y los archivos de registro —masculló Raif—. Ahora tenemos que forzar los túneles y dejar pistas falsas en otros nodos.

Los perseguidores se movían rápidamente por las barreras cifradas.

—¡Su descifrado cuántico es demasiado rápido! Necesito otro bloqueador cifrado —resopló Joe, luchando con el código.

—Toma, prueba con el *ropefish*. —Raif le pasó el icono de su holograma. La batida continuó sin tregua por la red, con los perseguidores pisándoles los talones, sintiendo a cada momento su aliento en la nuca. Horas más tarde, con los túneles colapsados, las pistas falsas diseminadas por toda la red y sin *pings* contra sus perímetros defensivos, parecía que por fin habían escapado de sus depredadores.

Raif cerró el holograma y encajó la mano de Joe, que goteaba de sudor.

—¡Toma ya! Esta vez ganan los hackers.

—Nos hemos librado de una buena; podríamos haber acabado en la cárcel. Y en nuestro primer año de carrera... Nos habrían dado pasaporte seguro.

Los dedos húmedos de Joe se aferraban con fuerza a la gruesa corteza del árbol. Salvo por los focos moviéndose en la distancia, bajo el roble todo estaba oscuro. Mientras sus ojos intentaban aclimatarse, escuchó un chapoteo extraño en el arroyo, como si alguien estuviera vertiendo agua.

Miró hacia el arroyo, pero los árboles y la oscuridad le bloqueaban el campo visual. El débil chapoteo provenía de una zona próxima al puente. Afinando el oído para advertir incluso el susurro de las hojas, Joe bajó la colina hasta el puente peatonal y distinguió la silueta de una mujer, de rodillas en el arroyo, echándose agua sobre el cuerpo. El NEST detectó que la ropa de la mujer era el mismo traje termoplástico que llevaban los manifestantes.

Joe se acercó con el sigilo de un gato, atraído por una intensa curiosidad. De repente, dio un paso en falso y se quedó paralizado. La mujer, que parecía una libélula con las gafas protectoras, giró la cabeza y sus miradas se cruzaron. Ahora la veía claramente y reconoció en ella a la joven atlética que había visto el primer día en el campus. Joe alzó la mano lentamente en señal de paz.

Ella miró hacia atrás. Acto seguido, con un hábil movimiento se arrancó la capucha y las gafas, dejando suelta sobre los hombros su larga y frondosa melena.

—¿Puedes ayudarme? —susurró ella—. Esos desgraciados nos han echado ácido y necesito quitarme esto.

Bajo una luz tenue, Joe vio en su rostro una mezcla de rebeldía, ira y miedo.

. . .

¿Qué probabilidades hay de que la policía venga aquí y nos encuentre? Pocas, pero igualmente es peligroso. Es tan misteriosa y rebelde... Y necesita ayuda. Me pregunto si vale la pena correr el riesgo.

. . .

Joe la observó fijamente, con la mente agitada e inmersa en un momento de indecisión. Finalmente, le tendió la mano.

—Ven, dame la mano. Deja que te ayude.

Ella hizo caso omiso y salió del arroyo por sus propios medios. Vacilante, la mujer lo siguió colina arriba hasta el apartamento. No había ni rastro de los transbordadores ni de la policía, pero el alboroto de la redada continuaba en la distancia. Entraron rápidamente en el apartamento y la puerta se cerró tras ellos, dejándoles en el más absoluto de los silencios.

La luz del hueco de la escalera se encendió y por fin le vio la cara. Sus ojos de color avellana, vulnerables pero intensos, se clavaron en él. Tenía el traje de elastómero plagado de trozos derretidos y humeantes. Una gota aterrizó en el suelo y manchó una de las baldosas.

—Primero hay que impedir que eso te queme la piel. Luego ya nos preocuparemos del suelo.

Joe la condujo arriba y le indicó con la mano la ducha de su habitación.

Ella se detuvo junto a la puerta del baño, mirándolo fijamente.

—No puedo quitarme la parte de arriba yo sola con el ácido. —Se giró y le señaló la parte inferior de la espalda.

Joe la sujetó por la cintura con cuidado, pendiente de la sustancia verde y viscosa que le chorreaba por el costado mientras desabrochaba los conectores. Ella aguantó temblorosa mientras él la ayudaba a sacarse el traje por la cabeza y lo dejaba caer al suelo.

—Ya me ocupo del resto —dijo ella. Entró en el baño y cerró la puerta.

Joe se quedó esperando hasta que oyó el agua de la ducha y luego se fue a limpiar los restos y salpicaduras de las escaleras. Con un disolvente que encontró en el armario de la limpieza consiguió reparar el azulejo. Cuando acabó, se sentó en la sala de estar. A través de la ventana se vislumbraban unas luces que refulgían en la profunda oscuridad cerca del centro de estudiantes. No había duda de que los robots seguían merodeando por el campus. A pesar de las escasas probabilidades de que llegasen hasta su puerta, Joe no pudo evitar agudizar el oído ante cualquier ruido proveniente de la entrada.

La mujer salió del baño y se paró en la puerta de la sala de estar, envuelta en una toalla como una crisálida. Cuando Joe se levantó para acercarse, ella se puso de lado en postura defensiva, con la palma de la mano extendida a modo de cuchillo.

—Ni te muevas —le espetó sin ambages. Sus músculos tonificados y su facilidad de movimientos hicieron pensar a Joe que muy bien podría ser experta en artes marciales.

Él levantó las manos en señal de sumisión.

—Puedes confiar en mí. Mis intenciones son totalmente honestas —dijo, señalando el segundo dormitorio—. Puedes cambiarte ahí dentro. Te traeré algo de ropa.

Joe se retiró a su habitación mientras notaba una incipiente presión en los pantalones.

. . .

Intenciones totalmente honestas. A quién quiero engañar.

Una mujer guapa envuelta en una toalla en mi apartamento...

. . .

Joe regresó con una de sus camisas y unos pantalones cortos.

—Toma, por ahora esto te servirá. Tiraré tu ropa.

Ella le agradeció la ropa con un gesto y se dirigió al segundo dormitorio. En la cocina, Joe encontró una gran bolsa de basura y la giró del revés para recoger el traje negro tirado en el suelo del baño. Ató la bolsa y la metió en el cubo de basura de la cocina.

Al regresar al salón se la encontró sentada en un rincón en el suelo. Unos tenues destellos de luz procedentes del exterior perfilaban su silueta intermitentemente. Ella miró hacia la ventana y, por un instante, Joe vio la desesperación grabada en su cara. Se giró hacia él, recelosa, con la cabeza ligeramente inclinada.

—¿Qué piensas hacer conmigo? —preguntó expectante, en un tono suave pero resuelto.

—¿Quieres decir... si te voy a delatar?

Ella asintió con la cabeza, sin dejar de mirarlo fijamente. Joe se sentó en el suelo del salón a tres metros de ella, con las manos sobre las rodillas juntas. Meditaba como un monje, contemplándola. Su larga melena le cubría parte de la camisa. Se había sentado sobre sus talones, pero Joe no pudo dejar de fijarse en cómo asomaban sus muslos provocativamente por debajo del pantalón corto.

De todos modos, por muy atractiva que fuera, debía asegurarse de no estar dando cobijo a una peligrosa delincuente.

—¿Estabas haciendo algo que pudiera hacer daño a otras personas? Ella apretó los labios.

—En absoluto. Son el gobierno y su policía nazi los que actúan con violencia. Solo queremos que nos escuchen.

. . .

Debe de tener unos 29 años. Demasiado mayor para la universidad. Nazis... Conoce la historia antigua. Y tiene una opinión muy parecida a la de Mike. Una preciosidad rebelde.

. . .

Joe permaneció sentado un minuto más, intentando bajar las pulsaciones. La cálida luz de la vivienda contrastaba con la oscuridad de la noche al otro lado de las ventanas. Descansaron en el suelo, protegidos en su pequeño fortín.

—No sé qué estabas haciendo, pero no me parece que merezca una represión tan extrema. Ahí fuera no estarás segura. Tienen tecnología de sobras para cazar a cualquiera. Pero dudo que vengan aquí. Puedes quedarte, pero tienes que prometerme que no me entregarás si te detienen.

—Lo prometo —contestó con el labio tembloroso y los ojos brillantes, bien abiertos. De repente, miró a su alrededor con recelo—. ¿Y qué pasa con los robots? No podemos confiar en que no me entreguen —dijo, cerrando instintivamente los puños.

—Solo tengo un pipabot y lo he puesto en modo de funcionamiento mínimo. Le he prohibido que entre aquí sin avisar. —Joe esbozó una sonrisa encantadora—. No me gusta tenerlos merodeando por aquí.

—¿Y tu PIDA? La policía podría infiltrarse en él.

Joe se rió en silencio.

—No tengo PIDA.

—¿En serio? Pues eres de los pocos. Yo tampoco tengo PIDA.

—Dos personas sin contacto con el mundo.

—O dos personas completamente en contacto con el mundo.

—Nunca me habían acusado de eso. —Joe se puso de pie y le tendió la mano para ayudarla a levantarse. Ella ignoró el gesto y se levantó apoyándose en el suelo con la mano izquierda mientras mantenía el brazo derecho pegado al estómago. En la muñeca derecha tenía una mancha roja con mal aspecto.

—Eso tiene que doler. Déjame curártelo antes de que empeore.

Volvió al baño y rebuscó entre los armarios sin saber muy bien lo que había guardado el pipabot. En un cajón encontró un parche inteligente y, al girarse, se percató de que ella lo había seguido. A la luz observó que tenía varias ampollas en la muñeca.

—¿Puedo? —le preguntó con el parche en la mano.

Ella asintió. Joe retiró el papel protector y, mientras le sostenía la mano, le colocó la almohadilla presionándola ligeramente contra la muñeca. Una vez que los sensores calibraron la herida, el parche se volvió de color rosa y dispensó la medicación.

Él le seguía sosteniendo el brazo y ella levantó la mirada.

—Gracias —dijo, antes de retirar suavemente la mano y apartarse de la luz del baño.

—Aquí hay mucho espacio. Supongo que lo has visto, pero la habitación en la que te has cambiado tiene su propio cuarto de baño. —Joe dejó de divagar y respiró profundamente—. Voy a ver si encuentro algo de comer. ¿Te apetece picar algo?

Ella asintió con una tímida sonrisa y le siguió hasta la cocina, que se iluminó automáticamente. Joe se dirigió a la nevera, le ofreció fruta fresca y queso, y ambos se sentaron a la mesa.

—¿Cómo te llamas? —preguntó él, entre bocado y bocado.

Ella hizo una pausa.

—Puedes llamarme 76.

—Bueno, los números son fáciles de recordar. Y no difiere mucho de 73, que es el pipabot que tengo aparcado en el edificio de servicios.

—Mierda. Ya sabía yo que tendrías un robot con un número de nivel más alto. —Joe no sabía si lo decía en broma o si realmente era un reproche.

Se oyó un fuerte zumbido que provenía de la puerta principal. A él se le encogió el estómago y a ella se le puso cara de pánico. Joe le hizo señas para que se escondiera en el segundo dormitorio y bajó las escaleras hacia la puerta.

Hizo una pausa, respiró profundamente y presionó el botón de la pantalla. En el monitor apareció 73, acompañado de un limpiabot. Joe abrió la puerta.

—Perdón, señor, por molestarlo a estas horas, pero he observado que había vuelto. El limpiabot me ha informado de que es imprescindible sacar la basura porque ya lleva varios días sin hacerlo. Por razones sanitarias habría que sacarla lo antes posible.

Joe se quedó aliviado pero no pudo ocultar su enojo.

—Gracias, pero de la basura ya me ocuparé yo.

El pipabot parpadeó y dijo:

—Señor, esa función no es apropiada para alguien de su nivel. ¿Desea que anule el programa de limpieza?

—Sí, hazlo. No quiero que ningún robot entre en el piso. Gracias por preocuparte por mi nivel, pero estoy probando un nuevo método de vida austera. Considéralo un proyecto académico de autosuficiencia.

—Muy bien. Buenas noches, señor —se despidió 73.

. . .

Ahora ya es una realidad, fuera o no esa la intención hace cinco segundos.

. . .

Joe subió las escaleras y entró en el apartamento. Su mirada se encontró con la de ella, apostada en la puerta de la habitación.

—Está bien. Veo que cumples tu palabra. —Cerró la puerta y todo quedó en calma.

Joe se quedó mirando la puerta cerrada y luego la puerta abierta de su dormitorio. No había otra cosa que hacer que irse a la cama, donde permanecería despierto pensando en puertas que se cerraban mientras otras se abrían.

CAPÍTULO 8

Joe se despertó al alba. Enseguida le vino a la mente lo sucedido la noche anterior. Se duchó y se vistió. La puerta del segundo dormitorio estaba cerrada. Tras dudar un instante, la abrió. La mujer estaba dormida en la cama, con el pelo revuelto contra la almohada y su rostro sereno y hermoso. Con una orden silenciosa a su NEST, grabó un vidsnap con la esperanza de identificarla y cerró la puerta.

. . .

¿Dónde me he metido? Esta mujer es tan intrigante... Necesito averiguar quién es. Pero será mejor que no haga yo la búsqueda, por si acaso.

. . .

Salió del piso con la bolsa de basura incriminatoria metida en una mochila. Por suerte, el día era fresco, lo bastante frío como para justificar los guantes con los que evitaría dejar sus huellas dactilares. A esa hora la calle estaba vacía, sin estudiantes ni robots a la vista. Tras llamar a un vehículo autónomo desde el extremo del campus, este lo llevó hasta la entrada lateral de la estación de tránsito más cercana. Joe se alzó el cuello de la chaqueta para que los dos chips incrustados tocaran sus mejillas y activó el intercambiador facial. Había sido un regalo de Raif después del desastroso hackeo de la universidad. «Usa esto si alguna vez tienes a un robot de verdad pisándote los talones», le había dicho, riéndose. Joe no tenía ganas de reírse, pero agradeció que un rostro caricaturizado ocultara su identidad si a alguien se le ocurría comprobar las videocámaras.

En la parte posterior de la estación encontró los contenedores de reciclaje, justo donde había previsto. Para evitar el reconocimiento de retina, Joe eludió mirar directamente a las videocámaras, que estaban por todas partes, y tiró el traje manchado de ácido al contenedor. Deambuló hasta la entrada principal, entró en la estación y esperó el próximo tren.

Los trenes hiperlev se movían con precisión coreográfica: salía uno levitando suavemente sobre los raíles y llegaba otro con los imanes haciendo un clic en la parada. Se subió al siguiente tren en dirección a Salinaston, la ciudad situada al este. Siete minutos y 109 kilómetros más tarde, Joe se apeó en una parada que tenía justo enfrente un centro comercial. El edificio de cristal y acero de baja altura albergaba un bulevar de mármol decorado con obras de arte. Pasó junto a la fuente central y entró en el establecimiento. Seguramente no tendrían lo último en ropa de lujo, pero no quería usar crédito$ ni hacer un pedido con su NEST para que se lo entregaran con drones. Además, tampoco sabía si a 76 le gustaba la ropa de lujo.

Había varias personas echando un vistazo a los artículos físicos y al inventario en el proyector holográfico. Los robots se desplazaban de un lado a otro ordenando y reponiendo estanterías.

Joe encontró la sección de ropa femenina. Un robot dependiente se le acercó.

—Señor, si me transmite sus medidas, puedo ayudarle a encontrar la talla que necesita.

—No, prefiero elegir yo algo que me guste.

El robot se dio media vuelta. Joe eligió varias prendas a ojo y salió del edificio.

. . .

Ahora he de procurar que los robots no vean que consumimos más alimentos de la cuenta. No es fácil hacer invisible a una persona con tanta información en circulación. Pero tengo que ocultar el rastro para que la policía no nos encuentre al cruzar datos. O acabaremos en la cárcel en un abrir y cerrar de ojos.

. . .

Se dirigió a la tienda de comestibles y llenó otra bolsa con provisiones para tres días, que sujetó con la mano derecha. Joe rehusó con un gesto la ayuda de un robot que se ofrecía a llevarle las bolsas.

Apenas podía recordar la última vez que había ido a comprar; tanto él como todas las personas que conocía siempre compraban a través del NEST. Cargado con las bolsas, tomó el hiperlev y luego un vehículo autónomo para volver a casa.

Cuando Joe entró en el apartamento, la mujer levantó la vista con la desconfianza reflejada en sus ojos. Tenía la cara limpia y fresca, y se había recogido el pelo.

—Te he traído algo de ropa. He pensado que te cansarías rápido de mis cosas.

Ella examinó la bolsa mientras él guardaba los comestibles en el sintetizador de alimentos.

—Gracias. Eres muy amable.

—¿Te apetece desayunar?

Joe envió instrucciones al sintetizador de alimentos desde el NEST y el olor a huevos y tostadas impregnó el ambiente. Sacó los platos de la máquina y sirvió el desayuno. Ambos comieron en silencio.

—¿Cuánto tiempo tendré que quedarme aquí encerrada?

—No lo sé. No he mirado qué dicen en el netchat sobre la protesta de ayer. He pensado que sería mejor hacer las búsquedas desde una conexión cifrada en el despacho. También había pensado en pedirle a un amigo que averigüe qué está haciendo la policía.

—¿Un amigo? —preguntó recelosa.

—Es mi mejor amigo, de absoluta confianza. Las indagaciones de Raif no serán rastreables porque es experto en todos los trucos de camuflaje, más que yo. Será la mejor manera de saber cuándo es seguro que te vayas. —Ella apretó los labios en señal de conformidad—. Necesito seguir la misma rutina para no despertar sospechas. Tendré que pasar las próximas horas en el despacho. ¿Estarás bien aquí?

Ella asintió de nuevo y forzó una sonrisa.

. . .

Diría que a ella le parece bien cómo estoy manejando la situación, previendo todo con antelación para no ponerla en peligro. Espero que tenga razón. Yo tampoco quiero que me atrapen.

. . .

—¿A qué te dedicas? —preguntó ella, revolviendo los restos del desayuno en el plato. Cuando Joe le explicó su profesión y mencionó el año sabático en la universidad, una expresión de desconcierto se adueñó de su cara—. ¡*Shikaka*! Un intelectual de alto nivel. De la élite. Corre a tu burbuja de cristal.

. . .

Ridiculizado porque mi nivel es demasiado alto. Y hace una semana, porque era demasiado bajo. Será verdad que los niveles son un foco de polémica.

. . .

—No, solo soy un tipo normal que se dedica a su trabajo, y que hace lo que mejor sabe hacer. ¿Y tú? ¿A qué te dedicas?

—Solo a protestar. Y ahora a esperar para salir de esta prisión —dijo, sin levantar la mirada.

—Supongo que habrá cárceles peores.

—No te lo discuto —reconoció ella mientras él se disponía a salir.

———————◆———————

Desde el despacho, Joe llamó por un canal cifrado a Raif, que apareció en la pantalla holográfica medio bizco y despeinado, como de no haber dormido.

—Qué, ¿una noche difícil?

—*Da*, estoy muerto. El mismo hackeo que hicimos hace un mes. Muy difícil de penetrar. Estaba en la última pasarela y alguien me pilló. Mi cifrado era tan potente que no pudieron crackearlo antes de que me largara, pero me tiré horas borrando huellas.

—Más vale que te escondas por un tiempo. No vayas a estropear ahora tus posibilidades de conseguir un trabajo interesante, doctor.

—Estoy hasta los mismísimos. —Raif frunció el ceño y estudió sus manos mientras se las frotaba—. Han pasado cinco meses desde que defendí la tesis y sigo sin perspectivas de conseguir un puesto académico, solo algún que otro puesto administrativo. —Clavó la mirada en Joe—. ¿Qué tal te va por la catedral del saber?

—Parece que doy el pego como profesor. Que no catedrático...

—Al menos estás ahí dentro planteándote grandes preguntas, ¿no?

—Últimamente, más que eso. Hazme un favor, ¿puedes intentar averiguar, con discreción, quién es esta persona? —Le envió la imagen de 76 que había grabado antes.

—Caramba, veo que también estás por otras cosas, aparte de filosofar. ¿Dónde la encontraste?

—En un río.

—Yo también quiero ir a nadar... Está bien, cuenta con ello.

—¿Podrías buscar noticias sobre una protesta que ocurrió aquí anoche? Quiero saber si la policía ha encontrado algo y cuáles son sus movimientos. —Joe se frotó la barba—. Y a ver si puedes averiguar si han arrestado a alguien.

—Muy bien. Parece que estás metido hasta el cuello —dijo Raif en tono jocoso.

—Por ahora solo el pie —apostilló Joe, y cerró la conexión.

◆

Al regresar esa noche, se la encontró esperando en la sala de estar. Llevaba puesto un vestido verde que le sentaba a las mil maravillas y que combinaba con sus ojos de color avellana. Miró fijamente a Joe en actitud vigilante.

Tras un breve e insustancial intercambio de palabras, se ofreció a hacer la cena. Ya sabía dónde estaba todo y se puso de lleno con el sintetizador de alimentos, del que extrajo dos platos humeantes. A Joe se le hizo la boca agua con el primer bocado. Los sabores eran intrigantes, algo que no le sorprendió viniendo de esa fascinante mujer.

—¿Qué son estos platos?

—Eso es col picante salteada con beicon alternativo. Y esto son brochetas de cordero alternativo con cinco especias. —Cambió el tono de voz y su rostro exhibió una orgullosa timidez—. Me gusta cocinar.

Joe disfrutaba de lo lindo.

—¿Dónde has aprendido a cocinar así?

—Me han enseñado mis amigos. Llevo tres años contando los días para encontrar un trabajo de verdad. Mi periodo internacional. —Su sarcasmo insinuaba una profunda decepción—. Como no puedo tener pasaporte, estoy atrapada y no puedo salir del país. De ahí las clases de cocina.

—Un tiempo muy bien aprovechado, *atrapada* en el país.

Ella daba pequeños bocados mientras lo veía comer.

—¿Averiguaste algo en las noticias?

—Sí. Mi amigo Raif me ha puesto al corriente esta tarde. La policía ha anunciado el desmantelamiento de una célula secreta de anarquistas radicales. Han arrestado a 41 personas. Y afirman que entre ellos se encuentran los dos cabecillas.

La noticia la inquietó.

—¿Han mencionado nombres?

—Un tal Julian y una tal Celeste.

—¡Julian y Celeste! ¿Qué más han dicho de ellos?

—Les van a citar a un juicio rápido. Los fiscales piden un mes de cárcel para los manifestantes de base. Y a los cabecillas parece que les van a juzgar por delitos graves. Los juicios del resto empiezan la semana que viene.

—¿Cómo han podido averiguar sus nombres tan rápido? —se lamentó consternada.

—No han sido tan cuidadosos como tú de mantener sus perfiles fuera de las bases de datos.

La confusión de ella dio paso al enfado. Incómodo por haberse delatado a sí mismo, se anduvo sin rodeos.

—Las comprobaciones que hemos hecho sobre ti no han dado ningún resultado. Raif no ha encontrado ni una sola coincidencia facial en las bases de datos.

—Pensé que habías dicho que no me pondrías en riesgo. —Dio un golpe sobre la mesa.

—A Raif no lo detectarán, no hay ninguna pista que seguir... Pero necesitaba saber quién eras. —El labio le palpitó donde se lo había mordido.

Ella lo miró fijamente al otro lado de la mesa.

—Me lo habías prometido... no es justo.

—Lo reconozco, pero debes entender que al encubrirte me convierto en tu cómplice, y también iré a la cárcel si me atrapan. Siento haber invadido tu privacidad, pero necesitaba saber al menos si tenías antecedentes penales. Estoy seguro de que la investigación de Raif no te ha puesto en riesgo.

Ella se dejó caer en la silla y Joe pensó que seguía enojada por su supuesta traición, hasta que dijo:

—Son mis amigos.

—¿Cercanos?

—Sí, muy buenos amigos. Los tres llevamos tiempo metidos en esta lucha.

—Entonces, ¿tú eres la tercera cabecilla?

—En esta lucha por un ápice de justicia, no, no soy la tercera. Soy la líder.

. . .

Esto es más peligroso de lo que imaginaba. Raif tenía razón. Estoy metido hasta el cuello.

. . .

—¿Cómo querías que te llamara... 76? ¿Qué significa el número? ¿Y podrías decirme tu verdadero nombre, por favor? —Esperaba que la súplica diera sus frutos—. Prometo que haré todo lo que esté en mi mano para protegerte.

Ella se sentó, dubitativa. De repente, buscó la mirada de él.

—Me llamo Evie.

—Evie. Muy bien. ¿Por qué el número?

—Porque es mi nivel. Nivel 76. ¿No te diste cuenta ayer, cuando mencionaste el robot?

—No se me ocurrió —dijo, atusándose la barba—. Admito que nunca he conocido a un nivel 76.

—Es normal. Las leyes de niveles te mantienen separado socialmente de cualquiera que esté a más de veinte niveles de distancia. *Apartheid* social. Por eso protestamos. Nunca conseguirías contactar conmigo por la red. Tú eres un nivel 42, ¿te das cuenta de que ni siquiera es legal que nos veamos?

—Sé restar. La verdad es que no es algo a lo que haya prestado mucha atención hasta ahora. Nunca lo he visto como un problema.

Ella lo miró fijamente.

—Tampoco pretendo relacionarme contigo. Es que he tenido la mala suerte de cruzarme con un 42 en su burbuja de cristal.

Él deseaba mostrarse conciliador.

—Mira, lo siento. Trataré de protegerte. Mientras tanto, los dos estamos atrapados aquí. No tenemos elección. Raif dijo que la investigación continuará durante algunas semanas según informes internos de la policía.

Ella se tranquilizó.

—¿Informes internos de la policía? Tu amigo debe de ser muy bueno ocultando su rastro para entrar en esos registros.

—Y tú también. No existe ningún nombre asociado a tu perfil facial.

Joe se lamentó de que ninguno de los dos se hubiera terminado la comida. Con mala cara, lavó los platos él mismo, algo que jamás hubiera hecho si los robots no hubieran tenido vetada la entrada. Estaba enfadado con Evie por haber alterado su vida. Pero también estaba molesto consigo mismo porque, cada vez que la miraba, le costaba estar enfadado con ella.

Se sirvió un whisky para él y, como ella rehusó acompañarlo, le preparó un té. Ambos se sentaron en los sofás en rincones opuestos de la sala. Se quedaron mirando el uno al otro mientras el sol se escondía en el horizonte. Ella se terminó el té, le hizo un tímido gesto con la cabeza y cerró la puerta de su habitación al entrar. Joe permaneció sentado en la oscuridad.

. . .

Evie. Una luchadora entregada a una misión personal. Una fuerza a tener en cuenta.

. . .

Capítulo 9

La semana siguiente mantuvieron una tregua incómoda. Joe supuso que el campus estaría bajo vigilancia, así que se ciñó a su rutina habitual de ir cada día a su despacho de la Facultad de Matemáticas. Evie mantuvo los ventanales opacos y no abandonó el apartamento en ningún momento. Los robots permanecieron relegados al ostracismo. No recibieron ninguna visita de la policía. Al principio se fueron turnando para hacer la cena por las noches, hasta que Evie empezó a encargarse de hacerla más habitualmente, ya que sus platos eran mejores sin duda alguna.

Joe intentó averiguar más detalles de su desconcertante invitada, pero fue en vano. Él sonreía al otro lado de la mesa hasta que ella lo miró.

—No me has contado mucho sobre ti. No sé... ¿tienes hermanos?

—No, ninguno.

—Yo también soy hijo único. Háblame de tus padres.

—Nunca los conocí —dijo Evie, con una expresión sombría.

—Eso es duro. Una tragedia en este mundo moderno. —Parecía que sus preguntas la incomodaban, justo lo contrario de lo que pretendía.

—Como no conocía otra cosa, me llevó un tiempo darme cuenta de lo que eso implicaba. Empecé a sentir que mi infancia no era normal y tuve que buscarme un círculo propio casi como si fuera una adulta.

—No es bueno estar solo —dijo él. Tras asentir con la cabeza, ella forzó una sonrisa y siguieron cenando. Se la veía pensativa. Quizá las preguntas de Joe le habían traído a la mente la amarga imagen de sus amigos encarcelados.

Entre ambos se hizo el silencio. Por ahora, la mujer seguiría siendo un misterio.

Cada pocos días, Joe tomaba el hiperlev para comprar provisiones extras. Le buscó más ropa. Cada noche, después de la cena, ella le daba las buenas noches y cerraba la puerta del dormitorio.

Una tarde, de regreso a casa, a Joe le pareció oír desde el pie de las escaleras unos números pronunciados rítmicamente. «*Ichi. Ni. San. Shi*». Tras dudar un instante, subió las escaleras con sigilo y se asomó desde una esquina.

Evie estaba en medio del salón. Llevaba puesto un camisón atado con un cinturón, a modo de túnica. Descalza y de espaldas a él, miró a su derecha y dio una fuerte patada a un atacante invisible. Después de un armonioso giro hacia la izquierda bajó los brazos en un movimiento seco con los puños cerrados. A derecha e izquierda, las patadas y puñetazos fluían de su cuerpo, acompañados de enérgicos gruñidos. Sus musculosos brazos brillaban por una fina capa de sudor. Al girarse de nuevo, se le subió el bajo del camisón y el muslo quedó al descubierto.

Él se sentía como hipnotizado.

El grácil movimiento de sus pies terminó con un golpe seco y él se imaginó a un enemigo aplastado debajo. Evie se arremolinó en un giro arrollador y sus miradas se cruzaron. Ella se detuvo, hizo una pausa de meditación durante algunos segundos y acabó el ejercicio doblando las manos e inclinándose con elegancia.

Joe respiró más sosegado.

—Ha sido precioso —susurró.

Evie se relajó.

—Es un kata que se llama *Bassai Dai*, 'penetrar en la fortaleza'. Es de otro estilo, pero creo que es mejor aprender varios.

. . .

Debe de ser cinturón negro. Más vale llevarse bien con ella. Penetrar en la fortaleza... Definitivamente, la cosa no va en broma.

. . .

—¿Eres cinturón negro?

—Sí, cuarto dan. En mi estilo, se llama *Yondan*. —El rubor de su rostro revelaba que se sentía avergonzada, pero que también le agradaba hablar de ello. Estaba claro que todo este tiempo se había mantenido ocupada con esos ejercicios.

Joe se sentó en el sofá más cercano a la puerta.

—El kata me ha parecido como una danza, pero con poder animal.

Los labios de ella se separaron en una tímida sonrisa.

—Está inspirado en los animales. Mi estilo emula al tigre, el dragón y la grulla. Cada uno aporta al kata atributos positivos. —Evie se sacudió los brazos y se sentó en el suelo con las piernas cruzadas y las manos juntas sobre su regazo—. Fue concebido para defenderse de una persona más fuerte. En la época en que se inventaron las artes marciales en Japón, también se definieron las clases sociales y no estaba permitido cambiar de estamento.

—¿Las mujeres también practicaban las artes marciales en aquel entonces?

—Sí, algunas sí. Se las conocía como *onna-bugeisha*, que significa 'artista marcial femenina'. Eran *bushi*, parte de la clase samurái, y podían defender sus hogares.

A Joe se le ocurrió otra pregunta.

—¿Por qué lo practicas? ¿Defensa propia?

—No. Por disciplina personal. Es una ambición sana, un camino para convertirse en mejor persona —dijo con aire sereno.

. . .

Es más virtuosa que yo. Y más disciplinada.

. . .

Conversaron sobre artes marciales durante una hora mientras Joe preparaba la cena. Ella no reveló ninguna otra información personal, y él no quería dinamitar la tregua presionándola con más preguntas. Pero Joe la vio más contenta esa noche al despedirse, lo que no ayudó en nada a mitigar el sentimiento de deseo que sintió cuando ella cerró la puerta.

◆

Joe estaba leyendo los tratados de filosofía que Gabe le había recomendado cuando la pantalla holográfica del despacho emitió un aviso acústico al recibir un mensaje cifrado. Lo aceptó y apareció el holograma de Raif con semblante serio.

A Joe se le encogió el estómago.

—¿Se sabe algo más?

—*Da*. Malas noticias. A los manifestantes de base les ha caído al menos un mes de cárcel, con posibilidad de conmutar la pena si revelan la identidad de los que no han sido arrestados.

—Nos tienen en el punto de mira.

—Y eso no es todo. Para los cabecillas, los fiscales han pedido penas de un año de destierro. El juicio comienza la semana que viene.

Joe cayó desplomado en la silla.

—¿Un año entero? Es como una sentencia de muerte.

—Podría muy bien serlo. Las penas de destierro raramente exceden los seis meses. La pena de muerte está prohibida, claro, pero esto ya es una cuestión de tecnicismos. No ha habido mucha gente que haya sobrevivido más allá de unos cuantos meses en la Zona de Exclusión. —Raif se rascó la cabeza—. La mayoría de la gente no sabría sobrevivir sin las comodidades de la tecnología.

—¿Por qué una sentencia tan dura?

Raif se aclaró la garganta.

—Por el netchat dicen que los manifestantes son anarquistas. Se les atribuye la explosión de una bomba en un centro comercial. Nadie resultó herido, pero ha causado mucha conmoción. Al parecer, el Ministerio de Seguridad está haciendo correr el rumor. He investigado sus archivos internos periféricos; la base de datos es imposible de crackear. La policía está paranoica con el movimiento antiniveles. Teme que se convierta en una bola de nieve.

Estuvieron charlando un rato más hasta que Raif se despidió.

—Ten cuidado, *brat* —dijo antes de cerrar la conexión.

Al cruzar la plaza de camino al apartamento, Joe vio acercarse a Mike Swaarden.

—Me alegro de encontrarte, Joe.

—Nunca sabe uno con quién se puede topar en este campus —dijo Joe con una sonrisa. Ambos se detuvieron bajo el porche que rodeaba la plaza, a la sombra del sol de tarde.

—¿Has oído las noticias sobre la protesta y la redada de la semana pasada?

—Se ha liado una buena en el netchat. Supongo que han logrado el objetivo de llamar la atención sobre las leyes de niveles —dijo, encogiéndose de hombros—. Tengo entendido que mucha gente está en la cárcel.

—Peor aún. —Mike se inclinó para acercarse—. Se los quieren sacar de encima.

—¿Te refieres a penas de destierro? —preguntó Joe, manteniendo el tono de voz lo más discreto posible.

Mike se puso erguido.

—¿Cómo lo sabes? Yo me he enterado porque he echado un vistazo a sus comunicados internos.

—Tengo mis fuentes.

—Ya, claro. ¿Fuentes de qué bando? —Mike entrecerró los ojos escudriñando la cara de Joe, que aguantó la mirada sin pestañear.

· · ·

Da por hecho que he elegido un bando, y no estoy seguro de que sea así. Más vale que me decida y pronto. Estoy metido en esto y voy a necesitar aliados. Mike es el nivel más alto aquí y creo que puedo confiar en él. Parece que estoy rodeado de rebeldes.

· · ·

—Son fuentes del bando que tú apoyarías, pensadores como nosotros —dijo Joe, esperando que su tono de voz despertase únicamente un interés intelectual.

Se estudiaron mutuamente y Mike frunció el ceño. Joe lo intentó de nuevo.

—Mira, la policía actuó con violencia contra personas que querían ejercer su derecho a la libertad de expresión. Eso no está bien. No obstante, reconozco que no estoy muy al caso del problema. —La expresión de Mike se suavizó, dando a Joe la confianza para continuar—. En nuestra primera conversación, me empezaste a hablar de economía. Nunca he intentado entender la economía. Es una ciencia muerta.

Mike apoyó una mano contra la pared bajo el porche y habló en voz baja.

—La economía sigue siendo importante, porque constituye el marco de la dinámica social. Piensa en las Guerras Climáticas. La industria sufrió grandes daños y luego se produjeron pandemias y el orden social se resquebrajó. Tanta destrucción le dio un gran valor a la tecnología robótica. Los robots construyeron fábricas de robots y así es como proliferaron exponencialmente. Volvimos a la productividad económica. Pero como la oleada de robots derivó en una baja ocupación laboral, el tejido social quedó hecho pedazos.

—Fue un caos —dijo Joe, recordando vagamente una lección escolar.

—Sí, una mezcla explosiva de política y economía. Hasta que no hubiera suficientes recursos totales en la economía de un país, era más probable que la transición a la estabilidad económica saliera más mal que bien.

—Un sistema complejo no lineal...

—Exacto. Algunos países empezaron experimentando con un sistema socialista pleno. Si no alcanzaban la suficiente productividad económica, volvían atrás. Este progreso desigual dio alas a un sentimiento antiinmigración y al cierre de fronteras —explicó Mike.

—Pero ¿por qué no intentaron reconstruir el sistema económico?

—El modelo quedó obsoleto y desapareció para siempre. Antes de las Guerras Climáticas, la economía se sustentaba en dos pilares: el trabajo y el capital. El capital sustituyó la mano de obra y, con tanto robot, el valor de la mano de obra cayó en picado. Pero, como además los robots eran los que construían las fábricas, el valor del capital también decayó. El valor del capital original que controlaba las fábricas de robots se acabó imponiendo. Los robots y las fábricas habrían seguido siendo propiedad de unos pocos, la élite, si no fuera porque las masas de desempleados se organizaron y avanzaron hacia la revolución.

Joe hizo una pausa para tratar de asimilarlo todo.

—Entonces, ¿por eso nacionalizaron todas las fábricas, que ahora son propiedad de todos, y se evaporó la preocupación por la economía?

—Sí, el problema del cálculo económico de Von Mises se resolvió mediante los océanos de datos y los algoritmos. El dinero dejó de utilizarse para señalar la demanda y racionar la oferta, incluso para los bienes de capital. Hace cien años necesitábamos mercados para equilibrar la oferta y la demanda, pero hoy tenemos una idea muy clara de qué es lo que ansía la gente. Los datos que circulan por la red aportan toda la información sobre la demanda que antes suministraban los mercados, y de manera más eficiente.

—Los responsables de organizar la producción realmente saben mucho de nosotros —dijo Joe.

Mike suspiró.

—No nos preocupa el crecimiento económico para impulsar el consumo. La sociedad mundial es estable y no aboga por el crecimiento. El comercio internacional es mucho menor y solo afecta a productos básicos, entretenimiento, moda y algunos artículos de lujo. Todo lo demás lo cultivamos o fabricamos localmente. Los economistas afirman que las economías son estáticas salvo por los esfuerzos dirigidos al avance científico y a las actividades creativas. El resultado es bueno para el planeta, pero es aburrido.

—¿Se volvió aburrido al desaparecer los mercados?

—Sí. Desaparecieron todos los mercados salvo para un diez por ciento de los artículos, y esos mercados se han mantenido para satisfacer nuestra inherente competitividad social por tener lo último en moda y lujo.

—Pero esto tenía un precio...

—Siempre hay un precio. Y aquí es donde vemos que la economía guarda relación con los niveles. —Mike arrastró el zapato por el suelo—. El concepto de propiedad estaba profundamente arraigado en nuestra cultura, más que en la mayoría de los países. Los propietarios ricos se defendieron. Necesitaban mantener de alguna forma su condición de élite. Como contrapartida a la nacionalización, se introdujeron los niveles sociales oficiales.

—Pero los niveles se basan en el mérito —dijo Joe, aunque enseguida se dio cuenta de su excesiva simplificación—. Bueno, prácticamente.

—Hombre, Joe, aunque el concepto de nivel tiene la pátina de la meritocracia, hay más limitaciones al mérito que antes. Los oligarcas nunca perdieron el control, sino que afianzaron su posición hasta convertirla pérfidamente en hereditaria.

—Nunca he conocido a ningún oligarca.

—La oligarquía no ha cambiado mucho desde la antigua Grecia, aunque ha mejorado en el control de los mensajes que circulan en la sociedad —dijo Mike, cada vez más lanzado—. Por ejemplo, es probable que tengas un conocimiento limitado sobre cómo aborda el resto del mundo la cuestión de la igualdad social. ¿Has viajado mucho?

—He viajado virtualmente a muchos lugares... —admitió Joe, encogiéndose de hombros.

Mike alzó la mano.

—Ahí está el problema. Claro, hoy en día no hay muchas más formas de viajar, pero los viajes virtuales son una experiencia dirigida con un mensaje controlado.

—Es la forma más ecológica de ver el mundo. —Joe sabía que en esto tenía razón—. Y he podido visitar ciudades, como Venecia, que fueron abandonadas hace mucho tiempo. Así puedo ver cómo eran los países en el pasado. —Se detuvo al ver que Mike ponía cara seria.

—Esa es la respuesta socialmente correcta.

—No se puede negar que los viajes físicos aumentan la huella de carbono.

—Técnicamente es cierto. Pero la huella de carbono a nivel mundial es negativa. Hay muchos sistemas de mitigación del carbono. Ninguna de nuestras fuentes de energía contribuye a la huella de carbono. Y, por supuesto, la población mundial ha disminuido y ahora es de unos siete mil millones de habitantes.

. . .

Mi visión del mundo no puede estar totalmente equivocada. Según él, los viajes por la red están dirigidos. ¿Hasta qué punto están controlados? No lo sé. Me da vergüenza admitir delante de Mike que no he estado nunca en el extranjero. Pero no le gustan los niveles, así que es poco probable que rechace a la gente por su nivel.

. . .

—Siendo un nivel 42, es casi imposible obtener el pasaporte para viajar fuera del país.

Mike arrugó la frente.

—Joe, con los niveles todos estamos igualados a la baja, luchando por ganarnos una posición en algún lugar de un estercolero imaginario. Tu caso demuestra lo complacientes que somos con todas esas restricciones que coartan nuestra libertad. Las restricciones han evolucionado. Los Estados Unidos fueron el primer país grande en poseer suficientes robots como para hacer realidad la renta garantizada. El gobierno justificó los controles fronterizos y de los viajes con la excusa de que no podíamos subvencionar al resto de la población mundial. Tenían temores fundados de que se producirían migraciones masivas. Pero gestionaron esos temores con políticas draconianas. Ahora las fronteras están vigiladas por ejércitos de robots. Fomentando los viajes por la red es más fácil ocultar nuestras diferencias con el resto del mundo. Nos hemos encerrado en nuestra propia realidad, aislados geográficamente, y con una visión del mundo sesgada por un entorno virtual controlado.

Joe bajó el tono de voz casi hasta un susurro, adivinando la respuesta antes de preguntar.

—¿Apoyas el movimiento antiniveles?

—Sí, desde luego. Aún no tenemos poder suficiente para enfrentarnos al sistema y cambiar las cosas a corto plazo. Pero la lucha sigue creciendo.

—Tal vez yo forme parte de ese crecimiento —dijo Joe, ansioso por hablar con Evie.

Los fríos ojos azules de Mike ocultaban cierta preocupación. Le puso una mano en el hombro y le dijo:

—Por desgracia, el Ministerio de Seguridad es muy eficiente. Oculta bien tus huellas.

La advertencia le provocó un escalofrío que le recorrió la espina dorsal. Mike hizo un gesto de despedida y se marchó.

◆

En el corto camino de regreso a casa, dejó a un lado la conversación con Mike y se centró en las noticias poco halagüeñas de Raif. Subió las escaleras y se encontró a Evie sentada en el sofá de la sala de estar. Al entrar Joe, ella lo miró expectante, pero su expresión se fue apagando.

—Raif me ha dicho que los fiscales han pedido un año de destierro para tus amigos.

A Evie se le encogió el corazón.

—Mierda. Destierro. La sentencia más dura.

—Y muy poco frecuente. He buscado y en la última década se pueden contar con los dedos de las manos las sentencias de más de unos cuantos meses.

Un escalofrío recorrió el cuerpo de Evie, pero echó los hombros hacia atrás en lo que él entendió como una actitud de coraje. Se sentó en el sofá junto a ella y le tomó la mano. Tenía los dedos agarrotados.

—Destierro. ¿Por qué?

—Según Raif, corren rumores acerca de un acto terrorista. Parece ser que explotó una bomba en unos grandes almacenes. Es todo lo que sé.

—¿Terrorismo? Pero eso es una locura. No tenemos nada que ver con ningún acto violento. ¿Por qué íbamos a poner una bomba en un centro comercial donde nuestros amigos podrían estar comprando? Este movimiento va contra las leyes represivas de este país. —Sus ojos centelleaban con la rabia de la injusticia, la furia latente de una madre que defiende a sus hijos.

—¿Por qué crees que el gobierno está obsesionado con tu grupo? —Joe le apretó la mano para traerla de vuelta al presente.

—Tenemos buenos hackers. Y nos metimos en algunos archivos del Ministerio de Seguridad para comprobar que nuestra información personal se borraba periódicamente como exige la ley. Lo hacíamos para evitar que nos detuvieran durante las protestas. Eso fue un error —reconoció afligida—. La ley nos da derecho a la privacidad. Todo el mundo parece haber renunciado a esos derechos a cambio de comodidad. Nosotros, no. Hemos velado para que el gobierno no recabe ni guarde información que no debería. Y todos tenemos derecho a ser olvidados.

—¿Eres cDc?

Sacudió ligeramente la cabeza. Parecía desconcertada.

—No. ¿Qué es eso?

Con su mano entre las suyas, Joe analizó su mirada tratando de averiguar si mentía. Ella intentó zafarse de él.

—¿Qué pasa, no me crees? Nunca he oído hablar de cDc. Es la verdad, lo juro. —Él asió su mano con más fuerza, mirándola fijamente.

. . .

¿Las artes marciales solo son por autodisciplina? ¿Podría ser violenta? Es apasionada. Se preocupa por sus amigos y hace que yo también me preocupe por ellos. Es tan auténtica, tan creíble...

. . .

—Sí, confío en ti —dijo él.

Evie se relajó y apretó la mano de Joe, inclinando levemente la cabeza. Se mantuvieron en silencio durante unos instantes antes de que ella lo mirara, con lágrimas resbalándole por las mejillas.

—Celeste es una de nuestras mejores hackers —dijo entre sollozos—, pero no sabe mucho de supervivencia en la naturaleza. Morirá en uno o dos meses.

—A lo mejor puede aprender.

Evie sacudió la cabeza, abatida.

—Yo he estado en la naturaleza. Podría apañármelas. Pero no creo que Celeste y Julian puedan, ni siquiera juntos.

Joe se preguntaba acerca de la experiencia que podía tener Evie en la naturaleza, pero no era el momento de sacar el tema.

—Dada la gravedad de los cargos, tendrás que permanecer oculta un poco más. Seguiré en contacto con Raif. Cuando sepamos que el Ministerio de Seguridad ya no está husmeando, será el momento de que te vayas.

Ella respiró profundamente.

—Tienes razón. Gracias por dejar que me quede.

Cenaron en silencio. Evie había actualizado el sintetizador de alimentos con programas nuevos y preparó una aromática combinación de cordero alternativo con especias, que vertió en media hogaza vacía de pan.

—*Bunny Chow* —dijo, presentando el plato a Joe—. De África, pero originariamente es una receta casera hindú.

—No habremos sacrificado ningún conejo para cenar, ¿no? —preguntó con sorna para hacerla reír. Lo consiguió y el rostro de Evie se iluminó. Joe sacó un biofrasco de un buen vino canadiense y terminaron de cenar. Se acabaron el vino en silencio, entre sorbo y sorbo, mientras el sol desaparecía tras la colina en la ventana de la sala de estar.

. . .

Me pregunto qué hace falta para sobrevivir en un destierro. En la red está toda la información, pero habría mucho que aprender partiendo de cero. Esa parece ser la preocupación de Evie, la falta de conocimientos de sus amigos y sus posibilidades de supervivencia.

. . .

Evie llevó los vasos vacíos a la cocina con él siguiéndola un paso por detrás, y se volvió hacia los dormitorios. Esbozó una sonrisa fugaz y cerró la puerta de la habitación.

Capítulo 10

Joe estaba en el gran salón del Departamento de Matemáticas con una copa de vino en la mano. La mayoría de las caras en las recepciones semanales le seguían resultando extrañas. Apenas conocía a los otros profesores del departamento, pero no tenía ganas de relacionarse y rechazaba cualquier obligación de hacerlo. Al otro lado de la sala vio a Freyja, Mike y Gabe tomándose unas cervezas. Aunque se iba a reunir con Freyja y Gabe en los días siguientes, se acercó a ellos.

Estaban comentando las penas de destierro más probables para los organizadores de la protesta.

— ...el sensacionalismo de las noticias sobre las bombas de terroristas. El netchat es un hervidero de especulaciones —dijo Freyja gesticulando, a punto de derramar la cerveza—. Ni siquiera yo puedo evitar escuchar las noticias.

—Terroristas. No me lo creo —dijo Joe.

Freyja se lo quedó mirando con los ojos como platos.

—Un buen bayesiano. ¿Tienes pruebas?

—Ninguna que quiera comentar. —Lo miraron expectantes, sorbiendo sus bebidas discretamente.

Al ver que Joe no cedía a la presión, Mike rompió el silencio.

—Os daré algo de información sobre el lugarteniente de Peightân. —Dejó la copa vacía en una mesa cercana—. William Zable era un nivel 76 pero, sorprendentemente, ha escalado diez niveles en los últimos tres años. No aparecen registros negativos sobre su familia. Todo parece normal. Trabajó como encargado en una fábrica de carne alternativa, donde resultó herido en un accidente industrial, al parecer provocado por un robot defectuoso. Tres años más tarde, apareció como subordinado de Peightân.

—Me pregunto si es el accidente o su relación con el ministro lo que explica esa nariz altiva. —A Freyja se le escapó la risa.

Mike sorbió la espuma de otra copa de cerveza.

—El ministro de Seguridad Nacional también tiene una biografía interesante. —Joe se inclinó hacia él, y Gabe y Freyja hicieron lo mismo—. Peightân proviene de una familia ilustre. Asistió a los colegios más prestigiosos y siempre fue uno de los alumnos más aventajados de la clase. Un bagaje realmente ejemplar.

—Demasiado fervoroso para mi gusto —dijo Gabe, con un gesto de desaprobación.

—Cuesta creer. Lleva el récord de arrestos en los últimos años. Al menos, eso es lo que dicen los registros —dijo Mike.

—¿Cuál es tu tesis? —Gabe nunca se andaba con rodeos.

Mike asintió lacónico.

—Mi tesis es que técnicamente seguimos teniendo una democracia que permite la libertad de expresión, y estoy ansioso por proteger ambas cosas. Si no existe un mínimo de transparencia, el poder puede llegar a corromperse.

—Estás pensando en la integridad de las bases de datos —dijo Freyja.

—Esa sería una explicación para las acusaciones de terrorismo respaldadas por los datos, si, como Joe, no te las crees —adujo Mike. Todas las miradas se volvieron hacia Joe.

—La integridad de las bases de datos no es mi especialidad. —Hizo una pausa—. Pero tengo un amigo que sabe mucho de blindaje de bases de datos.

—¿Sí? —Mike se inclinó hacia él.

—Raif Tselitelov escribió su tesis doctoral sobre la tecnología de encapsulación de robots, que mantiene a los robots y a todas las IA, incluidos los PIDA, aislados unos de otros. Las bases de datos y el aislamiento de los sistemas de IA se encuadran en la misma subespecialidad de software.

—Para evitar el *botpocalipsis*... —dijo Freyja mirando hacia el techo, impávida—. No, ahora en serio, me sentiría mejor si alguien investigara la fuente de esta prueba terrorista, para validarla. Se me ocurren algunas preguntas teóricas para verificarlo con datos reales. ¿Puedes ponerme en contacto con ese amigo tuyo?

Joe asintió. Mike cambió de tema, sacando a colación el partido de neofútbol entre dos grandes equipos la noche anterior y le preguntó a Joe si era aficionado.

—Todo el mundo sigue el neofútbol. —Joe se encogió de hombros—. Pero nunca ha sido lo mío, no era lo suficientemente rápido.

Freyja dejó en la mesa la copa vacía.

—¿Y qué deporte practicabas?

Joe se miró los zapatos.

—Los hackatones de la VRbotFest.

Freyja arqueó una ceja y Mike no pudo evitar una sonrisa.

—Creo que te estás confundiendo con la ExomecaFest, Freyja. No te preocupes, la VRbotFest es más civilizada. Suele causar rechazo por el desconocimiento de la cultura de los deportes con exomecas.

Gabe negó con la cabeza.

—También es curioso que hayamos reconvertido en peligrosas máquinas de combate los exoesqueletos robóticos que antes utilizábamos para proteger a la gente en las fábricas.

Joe se rió entre dientes.

—No soy tan osado. En la VRbotFest, el meca dirigible se controla desde un teletransportador virtual. Todo va por software, sin robots físicos. Pero no todos los controles funcionan perfectamente, así que se necesitan conocimientos informáticos para hackear la interfaz mientras luchas contra otros mecas virtuales.

—¿Combates? ¿Y todo con la mente? —Freyja cogió un pequeño sándwich.

—Coordinando la mente y las manos. —Joe movió los dedos—. Al principio, este sistema se usaba para probar el código informático de los mecas. Ahora, los videojuegos reducen esa dificultad para centrarse en el control de los mecas por RV.

—¿Por qué es tan difícil? —Gabe pareció interesarse de repente.

—Por el retardo háptico. Juegas con gente de todas partes, incluso de las bases lunares. Naturalmente, la señal está limitada a la velocidad de la luz. Insertan retardos estándar para igualar el juego, pero luego varían los tiempos de retardo. Tienes que adaptar mentalmente tu sentido del tiempo a cada acción.

Freyja lo observó atentamente.

—Me parece que todo eso tiene más mérito de lo que dices.

. . .

No, no caeré en el mismo error dos veces, como cuando Royce me paró los pies en seco. Nada de fanfarronadas, aunque sea ella la que me lo está preguntando.

. . .

Joe se abstuvo de tomar otro sorbo de vino.

—A Raif y a mí nos encanta competir, pero solo por diversión.

—Tengo entendido que estos juegos son extremadamente competitivos. —Mike apuró la copa—. ¿Cómo quedaste en la clasificación?

Sintiéndose acorralado, Joe se puso a juguetear con la copa.

—El año pasado quedé entre los cinco primeros.

—Caramba —exclamó Mike.

A pesar de la sonrisa de admiración de Freyja, Joe decidió que era un buen momento para irse. Quería volver con Evie. La conversación prosiguió, pero él se despidió de sus amigos y se marchó.

◆

Caía la noche y notó un aire gélido en el cuello. Joe se subió el cuello de la camisa y tocó el botón para activar la malla interior calefactada. Se adentró tiritando en la plaza desierta, con la cabeza gacha y las manos en los bolsillos. De repente, le pareció que una estatua se había movido junto al centro de estudiantes, hasta que se dio cuenta de que en realidad se trataba de un individuo, de mandíbula prominente y cabeza inclinada, que se dirigía hacia él. Detrás de él apareció otro hombre, camuflado entre las sombras.

Joe aminoró el paso hasta detenerse cuando Zable y Peightân se plantaron frente a él.

—Es un placer volver a verle, señor Denkensmith —dijo Peightân con voz segura. La luna creciente se reflejaba en su pálido rostro.

Joe oteó la plaza evitando la mirada directa del ministro.

—¿Espera otra protesta esta noche? Pensaba que ya habían detenido a los instigadores. Me sorprende verles a usted y a la policía todavía por aquí. Ya no representan ningún peligro, ¿no?

Los ojos inyectados en sangre del ministro se posaron en él con la mirada de un detective de policía, analítico y escéptico. A Joe se le erizó la piel.

—Para usted, ninguno, al menos por ahora.

—Me alegra oír eso. —Joe se hizo a un lado y echó a andar.

—Parece que tiene prisa.

Joe se detuvo con el corazón acelerado. Mantuvo la mirada baja mientras se giraba hacia los hombres.

—Seguimos trabajando para encontrar a *todos* los manifestantes —dijo Peightân. La ajustada camisa dejaba entrever los abdominales musculosos de un hombre que a buen seguro se ejercitaba a diario. Nada que ver con el flácido abdomen de Joe.

—¿No los han detenido a todos? —La pregunta salió demasiado rápido de sus labios.

—Aún no lo sabemos. Nuestro objetivo es garantizar la seguridad pública, así que debemos estar seguros —respondió Peightân.

Se sentía atrapado, pero era mejor aparentar preocupación.

—¿Qué han hecho?

—Violar la ley. Las leyes están para mantener el orden y esta gente ha metido la nariz donde no debía. Son terroristas muy peligrosos que van colocando bombas y causando estragos. Un tema del que sé bastante. —Zable sonrió ante el comentario de su jefe. Peightân hizo gala de su condición de interrogador experimentado y prosiguió—. Señor Denkensmith, tengo entendido que es nuevo en la universidad.

—Sí, me acabo de incorporar.

—Y lleva tiempo trabajando en problemas prácticos, ¿no? No como estos académicos, que se pasan la vida cuestionando cómo se hacen las cosas.

—Sí... —Estuvo a punto de añadir «señor», pero se paró en seco.

—Señor Denkensmith. —El tono de Peightân hizo que Joe le devolviera la mirada, pese a sus esfuerzos por evitarlo. Aquellos ojos oscuros le intimidaban—. No conocerá a nadie sospechoso que pueda estar ayudando activamente a estos manifestantes, ¿no?

Joe negó con la cabeza sin dudarlo.

—Nadie que haya conocido en las recepciones a las que he asistido desde que llegué.

Peightân miró hacia la luna circunspecto.

—¿Es partidario de la autoridad de la ley?

—Hemos elegido y nombrado a funcionarios, como usted, para decidir lo que es legal. Tal vez no le presto a este tema la atención que merece.

—Sí, los que tienen más conocimientos y experiencia son los más capacitados para mantener el orden. Ya tiene mis datos de contacto. Avíseme si ve algo.

. . .

Ha sonado como una orden. ¿Está aprovechando mi nivel para reclutarme como espía? Ironías de la vida.

. . .

—Señor, vigilar a esos profesores no nos lleva a ninguna parte —observó Zable.

—Tienes razón. No hay suficiente maldad en sus almas como para estar detrás del movimiento —dijo Peightân en tono socarrón.

—Su intuición nunca falla, señor.

—Yo también he aprendido mucho de ti, amigo mío —añadió Peightân.

Zable agradeció el cumplido.

El comentario de Zable pretendía claramente hacerle la pelota, pero Joe supo contener su reacción natural. Se limitó a asentir respetuosamente con la cabeza y siguió caminando. Mientras se alejaba, la atenta mirada de Peightân le provocó un escalofrío que le recorrió todo el cuerpo. Solo se oían sus pasos, que resonaban lentamente en el pavimento. Después de cien metros giró la vista atrás. Peightân y Zable se habían alejado en la dirección opuesta, perdiéndose de nuevo entre las sombras.

. . .

Probablemente querrán abordar a más gente de la recepción que venga por este camino. Aunque si los profesores de la universidad son la mejor pista que tienen de una protesta que no tiene ningún vínculo con la universidad, será que tienen pocas pistas. Buena señal, supongo. Esos ojos irritados revelan que no tiene un tope de trabajo semanal, y claramente es un tipo listo. No es el momento de cometer errores.

. . .

Cuando le contó a Evie los detalles del encuentro, ella saltó del sofá y empezó a andar de un lado para otro.

—Llevo dos semanas aquí encerrada, Joe. Hoy he estado a punto de salir; necesito tener noticias del movimiento. Hemos ganado notoriedad con las protestas y no puedo dejar que se eche todo a perder solo porque hayan arrestado a Julian y Celeste.

Visiblemente acalorado, Joe se puso de pie y se encaró con ella.

—No tan deprisa. Estás demasiado ocupada siguiendo tu propio ARMO como para darte cuenta de que el mundo no gira a tu alrededor. Tú también me has puesto en peligro y me están vigilando. No les será nada difícil encontrar la conexión si te atrapan.

Ella se quedó inmóvil frente a él.

—He pasado los últimos tres años de mi vida luchando por esto. Es lo único que importa.

—No seas tan impulsiva o te explotará todo en la cara.

—Pero no puedo dejar que muera...

—¿Acaso es mejor que mueras tú? ¿Ayudará eso al movimiento? —Joe se dio cuenta de que estaba gritando; dio un paso atrás y respiró hondo—. Lo siento, Evie. Mi reacción ha estado fuera de lugar. Pero me preocupa que hagas algo que nos ponga en peligro a los dos. —Se sentó en el sofá y le hizo un gesto con la mano para que se sentara a su lado—. ¿Por qué arriesgas todo por este movimiento de protesta?

Ella miró el sofá pero permaneció de pie.

—Porque claramente es una injusticia social. En este país se ha renunciado a cualquier pretensión de igualdad.

—¿Cuándo se convirtió esto en algo tan importante para ti?

—Al acabar los estudios. Soy licenciada en Ciencias Políticas y Económicas.

Asintió pensativo, al darse cuenta con gran satisfacción de que tenía tantos títulos como él.

—Economía. La ciencia lúgubre.

—A mi no me pareció triste. Explica cómo funciona el mundo.

—Pero cierta desigualdad es inevitable.

—¿Qué quieres decir?

—Es la física de un mundo formado por partículas en movimiento. No puede haber montañas sin valles. ¿Acaso no es la desigualdad la base de la economía? En un rascacielos, no todo el mundo puede tener las vistas del ático.

—Quiero que sea mejor. Quiero que sea perfecto —dijo, apretando las manos.

A Joe se le escapó una leve risa.

—La gente no puede ser perfecta. ¿Recuerdas la historia de Adán y Eva que se explicaba antiguamente cuando la mayoría de la gente aún creía en Dios? Una de las moralejas es que la gente es imperfecta; solo Dios puede ser perfecto. Ese es nuestro estado natural, y esos defectos están en nuestra forma de ser. Siempre habrá montañas y valles. En el mundo siempre habrá el bien y el mal. No podemos evitarlo.

—No es excusa para no intentarlo —respondió convencida.

—No te lo discuto. En cualquier caso, está demostrado científicamente que esas ideas antiguas son erróneas. Es un universo físico cerrado. No existe ningún Dios. Esa parte de la historia está equivocada.

—¿Qué sabes tú de religión? Además, basta ya de filosofar —dijo ella, imitando el tono de Joe y gesticulando con la mano como muestra de rechazo a sus comentarios—. Volvamos al problema práctico: estas leyes son injustas.

Su mente había divagado hasta su última conversación con Gabe y se había ido por las ramas. El comentario de Evie le hizo plantearse qué sabía ella de religión. No parecía una de esas pocas personas que afirmaban mantener una relación personal con su Dios. Dejó de pensar en ello para concentrarse. Lo importante ahora era que ella no hiciera nada precipitado que los pusiera en peligro.

—Pasar a la acción está bien cuando forma parte de un plan perfectamente orquestado. Si actúas sin un plan, es mucho más probable que las cosas salgan mal —dijo Joe poniéndose de pie y subiendo de nuevo el tono de voz.

—Cuando me marco un objetivo, lo logro. Tanta inacción me va a matar —replicó Evie frunciendo los labios y dándole la espalda para mirar por la ventana.

Joe se dio cuenta de que tenía las manos agarrotadas y enderezó lentamente los dedos. Evie debía estar tan tensa como él, a juzgar por la rigidez de su torso. Era la primera vez que ambos se alzaban la voz en una discusión.

—Está bien, me quedaré. Pero no por mucho más. —Se giró hacia él; su mirada lo decía todo. Se dirigió a la cocina y empezó a preparar la cena haciendo más ruido que de costumbre.

A Joe aquella pequeña victoria no le hizo sentir mejor por estar protegiéndose a sí mismo tanto como ella.

Aún no se habían vuelto a dirigir la palabra cuando ella puso ruidosamente los boles en la mesa. Al probar la primera cucharada, Joe levantó la mirada y vio que Evie estaba absorta en sus pensamientos con la mirada fija en su bol.

—¡Mmm! ¿Qué es?

—Es un guiso tibetano de carne alternativa con patatas. Sin la típica carne de yak, claro.

—Pues *yakasi* me lo he acabado de lo bueno que está...

Evie no pudo evitar que una tímida sonrisa se escapara de sus labios, y él se sintió feliz al ver que apreciaba sus pequeñas bromas. Comieron en silencio, pero en el momento de retirarse cada uno a su habitación parecía que el ambiente se había serenado.

Capítulo 11

A la mañana siguiente, Joe acudió al despacho de Freyja como habían quedado. Euler descansaba sobre un armario. Las ecuaciones holográficas revoloteaban sobre la cabeza de Freyja, que estaba sentada en su escritorio. Al parecer, estaba estudiando problemas nuevos relacionados con algún subtema de la teoría de conjuntos. Apartó con la mano unos iconos holográficos y uno de ellos rebotó hacia Euler, que levantó una pata mientras el holograma atravesaba el animal y se diluía en la pared.

—Gracias por recibirme —dijo Joe, con la pequeña esperanza de que Freyja pudiera tener un mayor interés en verle.

Freyja asintió distraída mientras acariciaba a Gauss, que había saltado a su regazo. Le rascó detrás de las orejas y el animal ronroneó.

—Amo a estos animalitos —dijo ella.

—Son criaturas espléndidas.

—Me hacen compañía, junto con las matemáticas. No hay muchos profesores jóvenes aquí en la universidad. —Alzó la vista con semblante risueño—. Me alegro de tenerte como amigo.

Joe sonrió y se debatió en si el énfasis con el que había pronunciado esa palabra podía denotar una relación platónica o algo más.

—Me alegro de ser útil para tu proyecto —añadió, y le apuntó con el dedo índice—. Y acuérdate de presentarme a tu amigo, el experto en integridad de bases de datos.

—Oh, desde luego.

Freyja sonrió.

—¿Cuál es el tema de hoy?

—Nuestra última conversación me condujo a Laplace, que llevó a cabo trabajos relacionados con la estadística y la teoría de la probabilidad. Y eso me llevó a su ensayo sobre el determinismo. Es una rama secundaria de mi proyecto de la conciencia de la IA, pero he estado pensando en que una de las diferencias entre nuestras mentes y las IA es que todo en el software está determinado. ¿El universo se rige por el determinismo o por el indeterminismo? ¿Tiene eso algo que ver con la conciencia?

—El demonio de Laplace, cuya aceptación implica que no existe el libre albedrío. Me encanta cargarme a los demonios —bromeó, dejando escapar una risa juguetona y echándose la melena hacia atrás—. Laplace postuló una superinteligencia, lo que más tarde se conocería como su *demonio*, un sustituto de Dios, que conoce la ubicación y el momento precisos de cada partícula en el universo. A partir de este conocimiento, podría conocerse por tanto cada interacción. Eso constituiría un mundo determinista.

Joe asintió.

—He empezado a leer sobre las matemáticas y la física que rodean el debate sobre el determinismo. Tengo pruebas contradictorias sobre el determinismo científico desde la perspectiva de la física, así que me gustaría saber tu opinión desde la perspectiva matemática.

—Un momento —dijo ella, apartando las últimas holografías flotantes con secos gestos de muñeca para dejar espacio libre. Su mirada era ansiosa—. Admito que la física no es mi fuerte. Háblame de la física y luego te haré el análisis matemático.

. . .

Mmm... No le gusta precipitarse, es muy metódica y quiere estar segura de sí misma. Tal vez ese fue mi error. Pequé de impulsivo.

. . .

—El determinismo científico es la idea de que, partiendo de cómo son las cosas en un momento determinado, la manera como son en un momento posterior viene predeterminada por la ley natural —dijo Joe.

—La ley natural. Una ley científica de la física. —Sus ojos entrecerrados y pensativos eran igualmente hermosos—. ¿Ha respondido la física a la pregunta de si ese determinismo absoluto es cierto?

—No está claro. —Joe tenía problemas para concentrarse en la conversación—. Déjame darte cuatro ideas, dos a favor del determinismo y otras dos que no son concluyentes.

—Muy bien, dispara.

—La primera idea. Cada partícula fundamental interactúa con todas las demás partículas fundamentales, con fuerzas que se mueven a través de los campos a la velocidad de la luz. Cada partícula que encontramos ya ha empujado a todas las demás que nos importan, es decir, las que están lo suficientemente cerca de nosotros como para importarnos. El argumento es que el futuro está «determinado adecuadamente». Este modelo de partículas que empujan a otras partículas llevó a la idea de que todo es determinista.

—Entiendo, un punto a favor para el determinismo.

—Aquí va la segunda idea. A partir de la teoría de la relatividad general de Einstein, las ecuaciones de campo normalmente son deterministas. Como el lagrangiano del Modelo Estándar modificado.

Ella asintió.

—Queda claro, otro punto para el determinismo. ¿Y los argumentos a favor del indeterminismo?

Joe apreció que Freyja comprendiera tan rápidamente los conceptos.

—Bueno, la función de onda que rige la ecuación de Schrödinger dibuja un panorama heterogéneo. La evolución de la ecuación de onda es determinista, pero solo especifica las probabilidades de medir resultados concretos. Así que el resultado concreto no está determinado. La física aún no ha encontrado una buena respuesta para las causas del colapso de la función de onda. El gato de Schrödinger está vivo y muerto al mismo tiempo.

Gauss saltó al suelo y se acurrucó a los pies de Freyja, que lo miró pensativa.

. . .

Bueno, la historia no es exactamente así. Algunas teorías sobre el multiverso apuntan que la función de onda no colapsa. Debería hablar de esto con Gabe para entenderlo mejor. Algunos matemáticos afirman que la función de onda puede estar ligada a la conciencia y a lo que sea que es la mente.

. . .

—Eso podría ser un punto en contra. ¿Y el cuarto?

—La cuarta idea surge del principio de incertidumbre de Heisenberg. Sostiene que podemos medir con precisión la posición o el momento de cualquier partícula, pero no ambas cosas. Creo que, desde la perspectiva matemática, si una se mide exactamente, la otra es indefinida. Nuestra intuición clásica no crea una correlación nítida para definir estos términos.

—¿Y estas ideas tienen el mismo peso? ¿Cuál es el resultado final?

—Algunos físicos dirían que el determinismo gana el argumento. Pero, recuerda, los experimentos analizan las entidades más pequeñas y no se centran en lo que sucede cuando pensamos en los macroconjuntos de partículas. Mi metapregunta es si el determinismo caracteriza el macromundo que sentimos que habitamos.

Ella se dio unos golpecitos en la barbilla.

—Bueno, dejémoslo en un empate a dos. Te voy a dar tres ideas de matemáticas; la última creo que es la más relevante para tu pregunta.

—Muy bien.

—En primer lugar, la cantidad de información necesaria para contabilizar todas las partículas del universo excede con mucho la capacidad de cualquier cálculo factible. Además, si partimos de la base de que nuestro universo es cerrado, esas partículas no pueden almacenar suficiente información para predecir el siguiente paso temporal.

—Eso es un punto en contra del demonio de Laplace —dijo Joe.

Ella asintió.

—En segundo lugar, hay una prueba, la diagonalización de Cantor, que demuestra que, si el demonio es un dispositivo informático, nunca dos dispositivos de este tipo podrán predecirse completamente el uno al otro.

—Dos puntos en contra.

Freyja se agachó ligeramente para acariciar las orejas de Gauss.

—Por último, el tipo de matemáticas que afectan a nuestro mundo cotidiano es el de los sistemas complejos. La naturaleza está repleta de sistemas extremadamente caóticos. La teoría del caos demuestra que incluso los sistemas deterministas tienen un comportamiento imposible de predecir. Y la teoría del caos pone en duda la repetibilidad. Para el determinismo necesitaríamos repetibilidad.

—Así pues, ¿tengo que prestar más atención a los sistemas complejos para encontrar pistas de cómo está organizado el universo?

Ella asintió.

—Incluso los sistemas con solo tres grados de libertad exhiben un comportamiento caótico. Y el mundo está lleno de sistemas con numerosos grados de libertad matemáticos. En definitiva, no creo que estemos en un universo completamente determinista.

Joe se atusó la barba.

—Pues parece que, según la física, el resultado es de dos goles a favor y dos en contra del determinismo. Y al demonio de Laplace le cuelan tres goles matemáticos en contra.

Siguieron hablando una hora más, primero tratando de encontrar infructuosamente de qué manera todas esas ideas podrían arrojar algo de luz sobre el proyecto de la conciencia de la IA, y al final dejando que la conversación se desviara hacia otros temas. El NEST de Freyja le avisó de otra cita.

—Tengo un partido de balonmano —dijo ella con una sonrisa alegre.

Joe puso cara de asombro, impresionado por las inquietudes de Freyja.

—¿Juegas al balonmano?

—Desde joven. Tenemos un equipo bastante fuerte. El año pasado llegamos a las semifinales estatales.

—Caramba, atleta y matemática a partes iguales. Y encima eres buena colando goles a los demonios.

La risa de Freyja era contagiosa. No obstante, las escasas esperanzas de que pudiera estar interesada en él se habían desvanecido. Joe le dio las gracias e intentó disimular su frustración mientras la veía marcharse. Luego regresó a su despacho absorto en sus pensamientos.

. . .

Freyja me ha ayudado a ordenar los pensamientos. Parece que el demonio de Laplace, una imagen del determinismo, no tiene cabida en nuestro universo cerrado. Si nuestro universo contiene un ápice de indeterminismo, tal vez el libre albedrío sea posible. Pero ¿qué clase de libre albedrío?

. . .

Se separó del escritorio sin saber a qué achacar su falta de energía, con la sensación de que la camisa le apretaba demasiado los hombros. Su barriga era la prueba palpable de no haber recibido los complementos antigrasa desde que había llegado. Con sus reflexiones en punto muerto e intrigado por el partido de balonmano de Freyja, decidió buscar en su ARMO las instalaciones deportivas del campus.

Vio que las instalaciones estaban en el campus oeste, a trescientos metros, y se dirigió hacia la zona. El ARMO le guió hasta un gimnasio en la parte trasera, con una pista de balonmano a la izquierda. Movido por la curiosidad, subió las escaleras hasta los asientos que daban a la cancha. Un pequeño grupo de personas miraba un partido entre dos equipos femeninos. Joe distinguió al instante a Freyja, que vestía una camiseta de color azul.

La idea solo era echar un vistazo, pero Joe se sintió cautivado por la agilidad de las jugadoras. Era un encuentro rápido y emocionante en el que las acciones se sucedían vertiginosamente. Las atléticas mujeres no paraban de correr de un lado a otro de la cancha. Joe seguía con la mirada a Freyja, que jugaba de central. Animó a su equipo en silencio, aunque ya llevaba trece goles de ventaja.

El crono marcaba diez segundos para el descanso. La pivote ganó la posición de espaldas a la portería contraria. Freyja le lanzó un pase elegante y la pivote, con un lanzamiento preciso, anotó otro gol sobre la bocina.

Joe se puso de pie y empezó a aplaudir, hasta que de repente se sintió incómodo por estar viendo el partido de Freyja. Salió de las gradas y se dirigió al patio central del edificio, y seguidamente hacia el vestuario en la parte trasera. Abrió una taquilla con ropa de entrenamiento de cortesía y se cambió.

En la zona de fitness, las plataformas de teletransportadores virtuales se mezclaban con otras máquinas de hacer ejercicio. Cada estudiante tenía detrás un robot asistente. Las gafas de RV camuflaban sus rostros mientras realizaban sus rutinas de ejercicio: correr en las plataformas, saltar, hacer piruetas o propinar puñetazos a figuras imaginarias. Joe ya había jugado a la mayoría de esos programas: luchando contra piratas del siglo XVII, escapando de criaturas míticas en mundos de fantasía, recreando el final de una prueba olímpica... En un rincón, varios estudiantes se movían al unísono luchando en una batalla en grupo. En otro mundo virtual estaban juntos, pero desde su perspectiva eran barcos solitarios en mar abierto, ajenos el uno al otro.

Joe se detuvo junto a una de las máquinas. La pantalla empezó a parpadear intentando establecer conexión con su NEST. Un pipabot se le acercó a unos metros, dispuesto a ayudarle. Joe se quedó mirando la pantalla.

Sin pensárselo dos veces, dio media vuelta, se dirigió hacia la puerta y salió del gimnasio. En el exterior todo era paz. Ni programas de RV, ni robots ni pantallas. Solo aire fresco. Se agachó y configuró sus Mercury con un tenue color verde bosque. Empezó a correr lentamente por el camino asfaltado hasta llegar al bosque al norte de la universidad, en el que se adentró por un sendero de tierra y hojas. La luz moteada se filtraba a través de los árboles. Empezaba a respirar con dificultad mientras el aire fresco le secaba el sudor del rostro. Corrió sin parar con la mente en blanco y consciente únicamente de la luz vespertina, con el corazón latiéndole con fuerza en el pecho, saboreando la sensación de ser libre.

Capítulo 12

—Y de postre tomaré un helado de mangonada —dijo Joe, terminando de pedir el almuerzo. La pantalla de comunicación confirmó la comanda.

—Sabrosa elección —oyó decir a alguien. Se giró y vio a Gabe esperando detrás de él en el bar de estudiantes—. ¿Me acompañas a un almuerzo rápido?

Joe asintió con una sonrisa y se sentaron en una mesa cerca de la ventana. Los estudiantes pasaban a su alrededor, corriendo a almorzar entre clases. Un servibot llegó con la comida.

—Cada día pruebo sitios distintos para comer y se me están agotando las opciones —comentó Joe.

—Sí, es una universidad pequeña. Me gusta mezclarme con los estudiantes; es una pequeña ventaja dentro de las limitaciones. Me recuerda a cuando tenía su edad —dijo Gabe.

—Estoy revisando los libros de filosofía que me recomendaste. —Ambos conversaron sobre las lecturas de Joe.

Joe se terminó el sándwich y miró el postre.

—Nunca había visto esto en la Costa Este. —La combinación de chiles con algo agridulce fue un *shock* para sus sentidos.

Gabe se echó a reír.

—¿Te esperabas solo mangos? Ah, el concepto de *postre*. Me parece que te ha inducido a error. Creo que contiene chamoy, una salsa muy sabrosa.

Joe probó unas cuantas cucharadas más, comparándolo con la cocina condimentada de Evie que tanto le gustaba. Otra experiencia de aprendizaje.

—Normal. La IA del bar lo ha clasificado como un postre, sin pensar en cómo podrían percibirlo los humanos. Es otro ejemplo del problema de la conciencia de los robots.

—Un software informático no es más que un montón de símbolos que usan una determinada sintaxis —dijo Gabe mientras deglutía su sándwich.

—Que es la evolución de un software anterior, a medida que se van añadiendo otras inteligencias artificiales a esa sintaxis —apostilló Joe.

—Sí, la sintaxis, el *orden* de las palabras para crear frases bien formadas. Añadamos la definición de semántica. En este contexto, la semántica se refiere a la cuestión de *cómo se asocia el sentido* a una palabra o frase.

—La semántica es fundamental —coincidió Joe.

Gabe se frotó la perilla.

—Me recuerda a un venerable argumento filosófico que distinguía entre sintaxis y semántica: la analogía de la habitación china.

—No lo conozco. —Joe intentó recordar algo de las pocas clases de filosofía que había recibido.

—Probablemente porque es arcaico, pero es relevante para tu problema de conciencia de la IA. —Gabe se inclinó hacia adelante—. Un filósofo llamado Searle desarrolló la idea hace un par de siglos. Parte del hecho de que Searle, que no sabe hablar ni leer chino, se imagina que está encerrado en una habitación con cajas llenas de símbolos chinos y un manual de reglas que le permite responder a las preguntas que le hacen en chino. De este modo, puede procesar los símbolos para superar una prueba de comprensión del chino. ¿Sabías que el test de Turing fue una prueba inicial para la capacidad mental de la IA?

—Era primitiva, se basaba en el *engaño*. Está muy superada como métrica —dijo Joe.

Gabe hizo un gesto de aprobación inequívoco al escuchar la palabra engaño, y Joe tuvo la sensación de que Gabe detestaba las mentiras.

—Searle se imagina que alguien fuera de la habitación le pasa las preguntas. Procesa cada pregunta consultando el manual y las cajas de símbolos chinos. Produce un resultado y lo pasa de nuevo fuera de la habitación. Si el libro de reglas es exacto, la respuesta resultante será correcta. Pero Searle argumenta que eso no importa. Como no sabe chino, no entiende su respuesta en absoluto. Y argumenta que eso mismo les pasa a los sistemas informáticos, ya que todos hacen lo mismo: traducir símbolos de forma mecánica.

Gabe hizo una pausa para ver si Joe estaba siguiendo la argumentación.

—La metaidea de la analogía es que la habitación china no puede ejemplificar la semántica (ahí no hay sentido) y, por lo tanto, la sintaxis es insuficiente para la mente. —Gabe se recostó en la silla.

—Trabajar con problemas prácticos de código me llevó a utilizar los conceptos de sintaxis y semántica. Pero tus definiciones detalladas me ayudan a profundizar en ellos. En definitiva, la sintaxis no es suficiente para la semántica, y la semántica es necesaria para extraer el sentido, ¿es eso?

—Exacto. —Gabe juntó las manos bajo la barbilla—. Y si la habitación china carece de semántica, es decir, de todo sentido, significa que carece de estados mentales intencionales.

—Y para la conciencia de la IA necesitamos un estado mental intencional.

—Sí. El argumento de Searle refuerza tu intuición de que existe un problema central en el código que impide crear un verdadero estado mental en la máquina —dijo Gabe.

Joe reflexionó sobre la explicación con los ojos cerrados. Después de un minuto entero, se topó con la mirada paciente de Gabe.

—Ese argumento refleja nuestro enfoque. Hace siglos, un matemático ya habló de la *barrera del sentido*. ¿Cómo creamos el sentido? ¿De dónde proviene ese sentido?

—Has llegado al punto crucial. —Gabe apuró la bebida—. La creación del sentido es fundamental para la idea misma de pensar. Los humanos creamos sentido a partir de nuestra posición en el mundo debido a nuestra relación con todo lo que nos rodea. Existe el concepto filosófico de la corporalidad, que es parte integrante de la creación de significado y, por lo tanto, de la conciencia.

—Como dijimos en la cena, tiene que haber un *yo* que piense. —Joe jugueteó con el resto del helado, que ya se empezaba a derretir—. Pero para que los humanos creen otro *yo* hace falta dar un salto gigantesco.

—Lo que nos lleva otra vez a tu pregunta de encontrar el sentido de las cosas. —Gabe señaló a Joe con el dedo—. Ya sea para hacer posible la conciencia o encontrar alguna razón para preocuparse por algo.

Habían terminado de almorzar y los estudiantes a su alrededor parecían estar comentando alguna noticia importante.

—Ha sido un tiroteo como en el Viejo Oeste —dijo un estudiante.

La mirada de Gabe se cruzó con la de Joe, con cara de sorpresa.

—¿Tú tampoco tienes activado el NEST?

Joe negó con la cabeza. Lo tenía apagado por un miedo irracional a que la policía pudiera rastrearlo.

—Prefiero no estar muy pendiente de la actualidad. —Gabe se tocó la oreja—. Pero tal vez sea mejor que averigüemos lo que está pasando. —Se despidieron y cada uno se dirigió a su despacho. Joe puso las noticias del netchat en el NEST mientras caminaba, y luego en la gran pantalla del holocomunicador del despacho. En primer plano apareció el logotipo de Prime Netchat, seguido de las vehementes explicaciones del presentador. El corresponsal, Jasper Rand —tal como podía leerse al pie de las imágenes— informaba desde el exterior de un edificio cualquiera.

—La policía ha irrumpido en este edificio de Sacramento a las 11:23 horas de esta mañana. El dramático momento que se ha vivido ha sido captado por las cámaras de seguridad. —Dio paso a unas imágenes en las que se veía a siete polibots, provistos de armas automáticas en sus antebrazos, subiendo las escaleras del edificio en cuestión. Tras echar la puerta abajo, desaparecían en el interior. En el vídeo se escuchaban varias ráfagas de disparos, seguidas de tres explosiones. Una ventana del último piso había quedado destrozada y una humareda negra salía a borbotones.

La entusiasta crónica de Jasper Rand se solapaba con el vídeo.

—Según fuentes policiales, el sospechoso, un hacker que responde al nombre de cDc (o 'Culto del gato muerto'), ha detonado diversas bombas para evitar ser capturado. Según parece, le han disparado tras resistirse al arresto.

La cadena dio paso a una entrevista con Zable grabada treinta y siete minutos antes.

—Se resistió al arresto y se enfrentó a las valientes fuerzas de seguridad con armas ilegales. Pero lo hemos abatido. Ese terrorista, que se hacía llamar cDc, ya no representa ninguna amenaza para la población.

—¿Qué estaba haciendo para que se haya producido una respuesta tan contundente? —El rótulo con el nombre de la entrevistadora, Caroline Lock, se desplazó por la parte inferior del holograma.

—Formaba parte de una red de hackers que se dedican a destruir bases de datos del gobierno y a protestar ilegalmente en todo el país. Son anarquistas —se mofó Zable despectivamente—. Pero los estamos deteniendo a todos. —Joe se frotó acalorado la parte posterior del cuello.

El viento agitó la rubia melena de Lock, que se apresuró a recomponérsela.

—Pero protestar es legal.

—Nunca pidieron los permisos necesarios. Esa gente no respeta la ley —se justificó Zable.

La incomodidad fue en aumento al constatar la condescendiente arrogancia de aquel policía corrupto, y le vino a la mente la actitud servil de Zable hacia Peightân. Eso explicaba cómo había escalado diez niveles, algo totalmente inusual. La incomodidad se transformó en inquietud. Zable había sido el mismo nivel que Evie, el 76.

. . .

¿Por qué pienso en los niveles? ¿Será que tengo prejuicios sin saberlo y catalogo a la gente por su nivel? Nunca me lo había planteado. ¿Hago distinciones inconscientemente por algo tan trivial como el nivel de las personas?

. . .

Finalizada la entrevista, Joe echó un vistazo a otras noticias del netchat, pero todas informaban en la misma línea. Se pasó a las noticias de la red profunda. Todas las alusiones a cDc habían desaparecido.

◆

Evie levantó la vista al verle entrar el apartamento.

—Has vuelto pronto.

A Joe se le aceleró el corazón mientras cruzaba la sala. Se sentó a su lado en el sofá y empezó a hablar atropelladamente.

—Traigo noticias. La policía ha matado a un hacker en un tiroteo en Sacramento. Su nombre en clave era cDc o 'culto del gato muerto'. —Se detuvo esperando que Evie delatara alguna conexión personal, pero solo detectó en ella una preocupación sincera.

—Es terrible. ¿Le ha disparado la policía sin juicio ni nada? Es muy extraño. Todo el mundo sabe que no hay nada que hacer contra los polibots, aparte de rendirse. ¿Por qué reaccionaría la policía tan violentamente?

Joe abundó en los detalles, buscando en el rostro de Evie cualquier indicio de información.

—No creerás que Zable se refería a nuestro movimiento de protesta, ¿no? Ya te lo he dicho, nunca he oído hablar de este cDc —reiteró Evie, frunciendo el ceño.

—Pues a mí sí me parece que hablaba de tu movimiento. ¿Teníais los permisos necesarios?

Ella se cubrió la cara con las manos mientras inclinaba la cabeza hacia atrás.

—No. Los permisos obligan a que todos los manifestantes revelen su identidad, y así nunca habríamos conseguido que la gente se nos uniera. —Bajó las manos y miró a Joe—. La gente más oprimida por las leyes de niveles no tiene voz y se siente atemorizada. No hicimos nada malo aparte de saltarnos ese paso burocrático. No sé quién será cDc, pero la opinión pública no ve con buenos ojos a los hackers. Dar a entender que tiene vínculos con nosotros no nos ayuda en nada. Pero es difícil probar algo que no existe.

Joe observó fijamente sus claros ojos de color avellana y se atusó la barba, pensativo.

—¿Confías en mí? —preguntó ella, juntando las manos.

—No sé por qué, pero sí. Por alguna razón, confío en ti.

Joe le hizo algunas preguntas, tratando de entender los motivos de Peightân y Zable para ir tras el grupo de Evie, pero los escasos detalles que dio ella no arrojaron ninguna luz. Habían limitado las protestas a una docena de ciudades de todo el país y apenas había un puñado de compañeros en los que poder confiar, además de sus amigos Julian y Celeste, ahora presos. Ninguno de los dos entendía la dureza policial.

Cenaron temprano. Joe se sirvió un whisky y se sentó en el salón, contemplando la puesta de sol. Evie se dirigió a su dormitorio pero, antes de entrar y cerrar la puerta, dijo:

—Gracias por confiar en mí.

Capítulo 13

Joe vio que Gabe le esperaba en un banco del parque en el que habían quedado. Gabe había traído té en un biofrasco y sirvió dos tazas. Sentados, contemplaron la luz moteada de la tarde que se filtraba a través del ramaje.

—Todavía estoy reuniendo conocimiento antes de empezar a sintetizarlo en algún tipo de sabiduría —señaló Joe.

—Bien. Primero el conocimiento, la propiedad intelectual de la humanidad. —Gabe sopló la taza humeante—. Otros han pensado profundamente e identificado muchos problemas, han encontrado respuestas y han acotado la búsqueda de respuestas a otros problemas. ¿Qué pregunta tienes en mente hoy?

—Al hilo de nuestra conversación sobre un universo físico cerrado, he estado pensando en la magnitud absoluta del universo. He recabado ideas sobre los multiversos.

—¿Quieres que hablemos de la magnitud y cantidad de universos? ¿Uno no es suficiente? ¿Con aproximadamente 1080 átomos? —Gabe mostró poco entusiasmo.

—Ya, no es un gúgol, pero sigue siendo un número disparatadamente grande.

—¿Cómo piensa un matemático con números tan grandes? —Joe meditó sobre ello mientras aspiraba el aroma de su taza de té verde.

—Trato de visualizarlos en grupos de tres potencias de diez. Por ejemplo, podría pensar en un millar de Tierras azules en el espacio vacío. Eso sería 103. Luego, para ampliarlo a 106, pensaría en mil conjuntos de las primeras mil Tierras. Si soy capaz de retener eso en la mente, trato de imaginarme mil conjuntos de *todo* lo anterior. Eso sería 109. Por cada tres potencias de diez, siempre es el resultado anterior multiplicado por mil. Luego enseguida me pierdo, porque los números son demasiado grandes para imaginármelos.

—Tengo el mismo problema —dijo Gabe entre risas—. Creemos que podemos imaginar un proceso que es infinito. Añade uno a un número: 1+1=2. Y ahora otra vez: 2+1=3. Sigue añadiendo 1. Podemos pensar que la serie sigue para siempre, difuminándose en la niebla, y esa es nuestra idea de infinito. Pero la vista no alcanza mucho entre la niebla.

—Hay muchas maneras de ejercitar la mente.

—Como volver a la pregunta sobre múltiples universos —dijo Joe, sonriente.

—No podemos saberlo todo ni siquiera sobre un universo, si es que solo hay uno.

—Es cierto. La velocidad de la luz limita nuestro horizonte de partículas de lo que podríamos llegar a saber a una pequeña parte de un solo universo. Incluso uno solo ya es inescrutable.

—Pero ahora te estás refiriendo a varias teorías sobre los multiversos. —Gabe bebió un pequeño sorbo para comprobar si ya se había enfriado—. Un multiverso es un grupo teórico de universos, incluido el nuestro; universos que brotan unos de otros. —Parpadeó rápidamente—. Estas teorías no me atraen. El multiverso es una hipótesis más filosófica que científica, porque no se puede probar empíricamente; no se puede refutar.

Joe se rió y sorbió su taza.

—¿Es el físico el que habla?

—Sí. Si el multiverso existe, ¿qué esperanza tiene la ciencia de encontrar explicaciones racionales para las constantes de estructura fina del Modelo Estándar modificado? El multiverso es una salida fácil, un intento elegante de dar solución a varios problemas. Por ejemplo, en la teoría de ondas se plantea la cuestión de qué es lo que causa el colapso de la función de onda.

—Eso es lo que me hizo pensar en los multiversos, por las alocadas teorías de que la conciencia puede interactuar con el colapso de la función de onda. Me preguntaba si el tema podría arrojar algo de luz sobre el galimatías de la conciencia de la IA —dijo Joe.

—Hubo quien no entendió la interpretación de Copenhague de la mecánica cuántica, pensando que se necesitaba a alguien como nosotros para observar un fenómeno —señaló Gabe.

—Entonces, la interpretación de que existen diversos mundos, con la implicación de que todos los universos posibles existen simultáneamente, evita el problema de qué causa el colapso de la función de onda al descartar toda causalidad, ¿cierto? —Joe hizo el gesto de lanzar una pelota imaginaria a los árboles.

—Sí. Vivimos solo en este universo, pero los demás también existen.

—El universo no puede tomar una decisión —dijo Joe. Se rió de los números absurdamente grandes que intentaba imaginar durante unos segundos antes de rendirse de nuevo.

—¿Y qué dice el filósofo?

—Al filósofo le ofende que se infrinja la navaja de Ockham, según la cual es más probable que las soluciones simples sean más correctas que las complejas. Sin embargo, muchas teorías de multiverso plantean un número casi infinito de universos —dijo Gabe.

—Entiendo que las teorías físicas actuales dejan abierta una enorme cantidad de soluciones matemáticamente posibles, que podrían ser una *teoría del todo*.

—Sí, aproximadamente hay 10500 modelos posibles —refunfuñó Gabe.

Joe se reincorporó en el banco, incrédulo.

—10500. ¿Y en cuántos podríamos vivir?

Gabe se giró y lo miró a los ojos.

—Probablemente solo en este.

—¿¡Qué!?

—La vida solo es posible si las constantes están bien ajustadas. Por ejemplo, si la masa del neutrón fuera ligeramente inferior, solo se produciría helio. Y si fuera ligeramente superior, solo se produciría hidrógeno. Si hay pequeñas diferencias en las masas de quarks o en la constante cosmológica, surgen problemas similares.

Joe observó la taza de té vacía.

—Entonces, ¿cómo se explica la suerte que tenemos de vivir en este?

—El principio antrópico es un intento de esquivar la cuestión. Plantea que si las observaciones de un universo las deben hacer seres conscientes, solo pueden albergar tales seres aquellos universos en que las constantes físicas caigan dentro de un rango muy delimitado. La metaidea es que este universo está aquí para que lo observemos porque somos seres conscientes.

—¿Pero acaso la historia de la ciencia no ha refutado las teorías que nos sitúan, a nosotros o a quien sea, en el centro de cualquier universo? La teoría geocéntrica de Ptolomeo cayó con el modelo de Copérnico. —Joe miró el cielo—. Luego los astrónomos encontraron nuestro sistema solar en la periferia de la Vía Láctea, una de las cien mil millones de galaxias que existen, si no más. Bueno, dos billones contando todas las pequeñas. Es un universo inmenso e impersonal. Incluso si existe solo uno.

—Sí, es un universo inmenso. ¿Impersonal? Es el escenario, y nosotros lo hacemos tan personal como queremos. —La luz del sol iluminó la frente de Gabe mientras daba el último sorbo de té.

Joe se dio cuenta de que llevaban sentados un buen rato.

—Gabe, me has convencido de que solo me preocupe por un universo físico cerrado. Ahora me gustaría hablar de nuestra mente dentro de ese universo.

Gabe dedicó a Joe una mirada dura y penetrante.

—Ese es un buen tema para otro día. Pero tú eres un físico realista, como yo, y aceptas alguna forma de cierre causal, así que puede acabar siendo de lo más deprimente. ¿Estás seguro de querer abordarlo?

—Dejaré que el conocimiento me guíe hacia el saber, me lleve adonde me lleve.

Llegados a ese punto, Gabe se puso de pie con una agilidad pasmosa y se alejó despidiéndose con la mano, mientras Joe se quedaba absorto en sus pensamientos.

. . .

El principio antrópico. Un intento de lidiar con la realidad de que al menos este universo está perfectamente diseñado para los seres conscientes, frente a las sorprendentes probabilidades de que sea al azar. La teoría poco convincente de que debe de haber infinidad de universos, una conjetura jamás probada, parece un intento desesperado de evitar la hipótesis alternativa obvia de que existe un *Él*, o un *Ella*, una Divinidad, que la ciencia no mencionará. Ahora me hallo analizando probabilidades de nuevo, pensando en esa Divinidad.

De existir, podría haber diseñado el universo físico cerrado a su antojo. Podría haber creado un universo determinista. Podría haber hecho y deshecho lo que hubiera querido con precisión de relojería, sin desviación alguna, hasta la más mínima partícula. Pero sería un universo aburrido. Sería la Creadora, sí, pero de un universo no creativo.

O podría haber creado infinidad de universos. Si fueran todos deterministas, ¿qué interés tendrían? ¿Acaso la creación de universos deterministas, sean muchos o pocos, no es un ejemplo de creación inútil?

Mi conversación con Freyja, en cualquier caso, sugiere que el demonio de Laplace está superado y que nuestro universo no es completamente determinista; un enfoque con una ambigüedad tentadora. Por tanto, es un universo interesante en el que ocurren cosas imprevisibles. La Divinidad capaz de crear un universo tan interesante sería desde luego también más interesante. Pero ¿por qué este universo en concreto, con tanta violencia, con tanta maldad? ¿Qué clase de Divinidad haría una cosa así? Eso plantea muchas preguntas y paradojas sobre la condición de semejante Divinidad.

Me estoy planteando la posibilidad de que tal Divinidad exista. Un tema que la ciencia se ha mostrado reacia a abordar durante siglos. Tal vez la ciencia todavía está temerosa de los argumentos pseudocientíficos del diseño inteligente, otra farsa del creacionismo. El creacionismo luchó contra el reconocimiento de las pruebas científicas de procesos no dirigidos, como la evolución basada en la selección natural. Los creacionistas argumentaban que las explicaciones evolutivas son incorrectas, pero la ciencia demostró que estaban equivocados. Ese demonio que acecha a la ciencia y a los pensadores también está superado.

La ciencia no demuestra ni la necesidad ni la prueba de una interferencia en el universo tras el primer acto de creación. Pero eso no aporta nada sobre el acto de la creación en sí. Para mí, todas las preguntas y posibilidades están sobre la mesa. Incluso aquellas de las que nadie está dispuesto a hablar hoy en día.

. . .

Capítulo 14

Joe regresó a casa y se encontró a Evie preparando la cena, ataviada con un *karate-gi* reglamentario. Joe lo había visto la última vez que fue a comprar víveres al centro comercial y, aunque le sentaba de maravilla a su esbelta figura, tuvo que alejar el pensamiento de que era menos sugerente que el camisón.

—¿Un día ajetreado? —preguntó ella en tono jovial.

Joe se quedó contemplando la sutil danza de los pies descalzos de Evie por el suelo de la cocina.

—Ocupado con mi proyecto sabático, consultando a varios profesores... Veo que sigues con tus katas.

Ella parecía relajada y lo miró con las manos juntas.

—Estaba practicando un kata del puente.

—¿Qué es?

—Te imaginas que estás parado en un puente estrecho. Tus enemigos te atacan por ambos lados. Como es tan estrecho, solo te pueden atacar de uno en uno desde cualquier flanco.

—¿Y vas girando a izquierda y derecha para luchar contra ellos?

Ella asintió. Alzó la vista, como tratando de recordar algo.

—Para mantener la concentración durante el kata, solo tengo una idea en la cabeza: «Ya puedo tener mil enemigos, que los derrotaré a todos».

—No me cabe la menor duda.

Evie puso en la mesa los platos de pollo al limoncillo y se sentó a comer.

—Para ser un nivel 42, no tienes muchas cosas.

Joe se encogió de hombros y se acercó el plato.

—No necesito mucho. Me interesa más lo que ocurre dentro de mi cabeza que fuera de ella.

—Qué raro. Las pocas personas de nivel alto a las que he tenido ocasión de tratar parecían dragones sentados sobre sus pilas de diamantes y rubíes.

—¿Raro en el buen sentido?

—Sí, en el buen sentido. No hace falta preocuparse tanto de las cosas.

De repente, oyeron que alguien abría la puerta del apartamento y se les heló la mirada. Joe señaló a Evie la puerta del dormitorio y ella se escabulló dentro rápidamente mientras los pasos se acercaban por las escaleras.

La cabeza ovalada de 73 asomó por la puerta con la frente roja. El robot entró en la sala y se dirigió hacia Joe con los brazos en alto, listo ante cualquier contingencia. Movió la cabeza de izquierda a derecha peinando el terreno.

—¿Qué haces aquí? Has desobedecido mis órdenes.

—Señor, he detectado la posible presencia de un intruso en su apartamento. Y como usted ha entrado pero no ha vuelto a salir... ¿Se encuentra bien?

—Sí, estoy bien. ¿A qué has venido?

—Señor, según la primera ley, no puedo dejar que sufra ningún daño por mi inacción. ¿Me permite inspeccionar el apartamento?

Justo cuando Joe iba a exigir al robot que se fuera, vio a Evie detrás de este sosteniendo una mopa eléctrica con ambas manos. Sin pensárselo, golpeó el robot con todas sus fuerzas y el crujido por el choque de metales resonó en todo el apartamento. El robot dio una sacudida hacia delante y se volvió hacia ella, con los brazos levantados en posición defensiva.

Joe alcanzó el panel de la espalda del robot y activó su tesela biométrica. Al abrirse el panel, sin perder un segundo presionó el interruptor general. El robot se apagó y la luz roja dejó de parpadear.

Se hizo el silencio y Joe miró fijamente a Evie.

—¿Pero qué haces? —Se mordió la lengua, pero su cara lo decía todo.

Con la improvisada arma aún en las manos, frunció el ceño, confundida por la pregunta.

—Pararle los pies. ¿Tú qué crees? Iba a inspeccionar el apartamento. No puede saber que estoy aquí.

—Se habría ido en cuanto se lo hubiera ordenado —se lamentó Joe—. Y ahora tenemos un pipabot abollado con la imagen de tu cara grabada y mi firma biométrica por haberlo apagado.

Evie hizo una mueca y examinó la mopa.

—Parece que he complicado las cosas.

—Sí, por culpa de tu comportamiento impulsivo. —Joe se puso de pie, enfurecido—. A ver, déjame pensar.

Durante unos instantes se mantuvieron inmóviles, Evie con la mopa eléctrica en la mano, Joe rascándose la barba y el robot desplomado entre ellos. Joe metió la mano en el panel abierto y extrajo el chip de control. Desactivó el proceso de reinicio automático y desconectó la fuente de alimentación.

—Ayúdame a meterlo en el armario. Lo tendremos ahí hasta que reemplacemos la IA por una nueva, suponiendo que pueda conseguirla sin que se disparen las alarmas en el sistema de vigilancia nacional. —Evie y Joe arrastraron el pipabot inerte hasta el armario y cerraron la puerta.

—¿Tienes idea de cómo supo el robot que estabas aquí?

Evie se mordió el labio.

—He salido media hora. No creí que nadie me viera salir o entrar.

—¿Cómo volviste a entrar?

—Dejé la puerta abierta.

Joe no daba crédito.

—Eso es lo que ha detectado el robot como parte de su protocolo de protección.

Evie Miró al suelo.

—No se me había ocurrido.

Aún se sentía furioso, pero trató de calmarse.

—Vamos a comer —dijo él.

Se acercaron a la mesa de la cocina y se sentaron uno frente al otro, en silencio. El mal humor de Joe se fue atemperando con los primeros bocados del pollo al limoncillo.

—Está realmente delicioso.

—Como ya te conté, lo aprendí durante mi periodo internacional, atrapada igual que ahora —dijo en tono mordaz.

Joe soltó el tenedor.

—Mira, no eres la única que ha sufrido limitaciones legales. Yo *tampoco* he salido del país. *Tampoco* puedo conseguir un pasaporte.

Cuando Evie se decidió a hablar, lo hizo sin levantar la vista del plato, con aire pensativo, como si reviviera alguna antigua emoción.

—Me esforcé mucho para obtener las licenciaturas. Tenía grandes ilusiones por hacer cosas. Cuando no pude conseguir un trabajo de verdad, me vine abajo. Me dije: «¿Y ahora qué me queda?». —Alzó la vista—. Ahí fue cuando me volví muy buena en el kata del puente.

Sus miradas se cruzaron unos instantes, hasta que Evie volvió a su plato. Un minuto después dijo:

—Cuando el robot estaba parpadeando delante de ti, pensé que podría hacerte daño.

Joe masticaba pensativo.

—En ese caso, te agradezco que intentarlas frenarlo. Sé que lo hiciste por instinto, porque las artes marciales forman parte de ti.

Evie asintió y siguieron comiendo.

—¿Por qué te arriesgaste a salir del apartamento?

Ella se mostró compungida.

—Teníamos programada otra protesta para el próximo martes. Si no la desconvocaba, es probable que hubiera seguido adelante. En la estación de tren hay una línea de comunicación segura; fui hasta allí para enviar un mensaje a otro líder del movimiento. No podía dejar que nadie más terminara en la cárcel.

—Te podría haber ayudado a enviar el mensaje. Habría sido más seguro para ambos. —Esperó a que ella le mirara—. Ahora estamos los dos en esto. —Ella asintió—. ¿No hiciste nada más?

Evie revolvía un trozo de pollo en el plato.

—Te estabas quedando sin ingredientes interesantes. A la vuelta pasé por una tienda a comprar algunas especias. —Hizo una pausa—. Parece que te gusta lo que cocino.

Él tragó un sabroso bocado.

—Recemos para que no sea nuestra última comida.

———————◆———————

Tras consultarlo por la noche con Raif desde el despacho y después de llamar a la mañana siguiente a un amigo del Ministerio de IA, Joe ideó un plan. Su amigo del Ministerio le autorizaría una IA de repuesto porque la original se había dañado en un accidente, evitando así cualquier injerencia del gobierno. Ese amigo enviaría la IA de repuesto —con su correspondiente contenedor de encapsulación de software y un nuevo chip seguro— al despacho de Joe ese mismo día. Y Raif enviaría un contenedor de hardware. Joe instalaría la nueva IA y se desharía del antiguo chip. Con suerte, nadie se daría cuenta.

◆

La cabeza ovalada del robot se enderezó y su frente emitió un destello azul. Sus lentes enfocaron a Joe.

—Soy PIPA 32983, su nuevo asistente personal físico inteligente. Respondo al nombre de Eugenia o Gene. ¿Prefiere que use una voz de mujer o de hombre? —Su frente emitía destellos de color púrpura.

—Usa una voz neutra. Te llamaré 83, si no te importa. Y, antes de que preguntes, no tengo PIDA.

El robot parpadeó.

—De acuerdo. —Observó los alrededores—. Me siento como si hubiera estado en un armario.

—Sal fuera y busca el edificio de servicios. Mantente en modo de funcionamiento mínimo. No vuelvas a entrar en mi apartamento a menos que te lo ordene explícitamente. Haz caso omiso de los visitantes que entren o salgan. —Pensó que Evie no cometería la imprudencia de irse de nuevo, pero no quería que se repitiera la situación.

—Entendido, señor.

Joe siguió al pipabot por las escaleras del apartamento, con el chip de memoria de 73 aún en la mano. Cuando el pipabot se desvió hacia el edificio de servicios, Joe siguió el camino hacia el puente peatonal.

Después de echar un vistazo al agua agitada y a los árboles de alrededor, Joe buscó si había alguna videocámara. Se arrodilló y se inclinó a un lado del puente para meter la mano en el agua. La abrió y dejó que el chip se hundiera en el fondo del río. Pero no se limitó a deshacerse de la prueba. En su pausa contemplativa, Joe se quedó mirando el agua y pensó en 73 y en lo fácil que es antropomorfizar nuestras creaciones.

Capítulo 15

Joe pasó el resto del fin de semana y toda la mañana del lunes leyendo los libros que Gabe le había recomendado. Ya era mediodía y estaba recostado en la silla del despacho, observando animado los iconos holográficos que flotaban sobre su cabeza. Echó un vistazo a un conjunto de hologramas relegados con desdén a un rincón, un problema de IA que ya había estudiado pero que había abandonado por los estudios filosóficos. Estaba cambiando de intereses. El problema práctico de la conciencia de la IA cada vez parecía más imposible de resolver, y cada vez tenía menos ganas de volver a su antiguo trabajo en el Ministerio de IA. Al mismo tiempo, las lecturas sobre la filosofía de la mente le habían despertado el deseo de explorar su propia mentalidad. ¿Cuál era, al fin y al cabo?

Joe pidió una ensalada para comer y se dirigió a la Facultad de Filosofía, donde Gabe estaba dando clase. El aula, repleta de estudiantes, estaba dotada de equipos de RV totalmente inmersivos, con gafas de RV y chalecos hápticos para cada estudiante. Todos estaban concentrados en sus lecciones individualizadas. Gabe iba de un lado a otro de la sala, dando indicaciones a cada uno de ellos. Cuando vio a Joe, le hizo un gesto para que cogiera uno de los equipos de RV que estaban colgados en la pared. Joe se puso el chaleco háptico y las gafas de RV. Gabe, con la tesela biométrica a la vista porque tenía el cuello de la camisa abierto, se tocó un auricular y esta emitió un destello azul. Acto seguido, en la visión de Joe aparecieron las palabras «Modo instructor».

—La clase finaliza en once minutos. —Gabe hizo un gesto señalando el aula—. Por si tienes curiosidad, te dejo que observes a los estudiantes que quieras hasta que terminemos.

Gabe se apartó y Joe empezó a pasearse por la sala mirando cómo interactuaban los alumnos con los avatares. Se detuvo detrás de uno que estaba enzarzado en un apasionado debate con un avatar alto y barbudo, ataviado con quitón, himatión y sandalias. Que el avatar era Aristóteles quedó claro cuando levantó el brazo envuelto en la tela marrón y señaló el suelo, recordándole a Joe el cuadro de Rafael. Aristóteles dijo: «Hay sustancias, tanto primarias como secundarias...».

. . .

Una buena manera de aprender historia. No sé hasta qué punto la IA será capaz de manejar estos metaconceptos. ¿Acaso puede hacer otra cosa que no sea repetir mecánicamente la información?

. . .

Enseguida sonó la campana. Los avatares desaparecieron de la sala de RV y los estudiantes se dispersaron tras guardar todos los aparatos. Joe recordó haber dejado atrás aulas y profesores parecidos en el pasado, entusiasmado con alguna idea nueva.

Se volvió hacia Gabe. Ambos llevaban puestos los equipos de RV.

—¿Estás listo para una lección difícil? —le preguntó Gabe en tono solemne—. Si es así, estás en el lugar correcto.

Joe aceptó la invitación. Gabe reinició el equipo de RV y la pantalla verde rodeó a Joe. El avatar de Gabe apareció frente a él, de pie, vestido con un *hanfu* tradicional de color azul oscuro. Entre eso y la larga perilla, el parecido con un sabio era asombroso.

—Esta lección aporta conocimiento. Te voy a plantear un problema sin resolver, un problema complicado. Tienes que formarte tu propia síntesis de creencias basándote en los hechos, la historia del debate humano y tus propias conclusiones. —Gabe señaló los alrededores vacíos—. Me dijiste que eras un fisicalista, que el universo es real y que crees, basándote en la ciencia, que es un universo físicamente cerrado.

Joe asintió contundente.

—¿Cuál es tu definición de *universo físico cerrado*?

—Estaba pensando en que si rastreamos la ascendencia causal de un suceso físico, nunca tenemos que salir del universo físico.

—Bien. Yo también soy fisicalista y usaría esa misma definición.

—¿Cuál es el problema? —La mano del avatar de Joe se atusó la barba en el momento justo en que Joe hacía lo mismo inconscientemente.

—Tal vez el problema más difícil de la filosofía de la mente es el problema de la exclusión causal. La cuestión es, ¿cómo puede la mente ejercer sus poderes causales, hacer que ocurra cualquier cosa, en un mundo fundamentalmente físico?

Joe asintió paciente.

—Para entender el problema, primero hay que captar la idea de *superveniencia*. En la filosofía de la mente, la superveniencia es una condición mínima para la causalidad en un universo físicamente cerrado.

—No conozco el concepto —reconoció Joe.

—La superveniencia se refiere a una *relación* entre conjuntos de propiedades o de hechos. En matemáticas, se dice que X superviene de Y si, y solo si, se necesita alguna diferencia en Y para que sea posible cualquier diferencia en X.

Joe seguía la lógica, pero deseaba manipular símbolos en su intercomunicador. Como si le hubiera leído la mente, Gabe hizo un gesto con la mano y unas pelotas de fútbol rojas empezaron a flotar alrededor de ambos a la altura de la cintura, chocando contra las caderas de Joe. Gesticuló nuevamente y una capa de pelotas azules apareció sobre las rojas, chocando hápticamente contra ambos.

—Los filósofos suelen hablar de superveniencia de las propiedades —prosiguió Gabe—. Supongamos que las pelotas azules representan lo mental, o la X. Las rojas representan el mundo físico, o la Y. En una relación superveniente, digamos que si algún conjunto de propiedades, el azul, superviene de otro conjunto de propiedades, el rojo, significa que para que haya cambios en el azul, debe haber necesariamente cambios en las propiedades del rojo.

Gabe sacudió con la mano el mar de pelotas rojas y estas empezaron a moverse de arriba a abajo.

—La capa física. —Seguidamente, golpeó la capa de pelotas azules—. Y lo mental. Pero no necesitamos tantas. —Tras otro gesto, frente a Joe quedaron cuatro pelotas: dos azules y, debajo, dos rojas—. Para un fisicalista, un concepto es que no puede haber una diferencia mental sin una diferencia física.

De repente, sobre las dos pelotas azules aparecieron dos pinturas suspendidas en el aire, una al lado de otra. Guardaban cierto parecido con la Mona Lisa, y ambas dirigían su ambigua sonrisa a Joe.

—Fíjate en estos dos cuadros. ¿Qué opinas de ellos?

Se parecían, pero la segunda pintura parecía un buen cuadro y la primera, no.

—El segundo es mejor. Es un buen cuadro. El primero no me gusta.

—Crees que el segundo tiene alguna diferencia intrínseca de calidad estética. Luego, ¿estás de acuerdo en que debe haber alguna diferencia más entre ellos para que uno sea bueno y el otro no?

—Sí.

—Si hay una diferencia de calidad, ¿la base física subyacente puede ser la misma?

—No, debe ser distinta, porque el universo es físico.

—Bien. Pues es una relación de superveniencia en la que lo mental superviene de lo físico. Es decir, si lo mental varía, lo físico necesariamente también varía.

Joe sonrió.

—Sí, ahora está claro.

—Bien. Crees que el universo es físico y que es real. Entonces estarás de acuerdo en que por cada diferencia mental debe haber una diferencia física.

Para marcar la diferencia física, en una de las pelotas rojas situadas debajo de los cuadros apareció una raya y en la otra, dos.

—Si existe una diferencia entre los cuadros —Gabe señaló primero los dos cuadros y luego las dos pelotas rojas—, entonces debe haber una diferencia física subyacente, pase lo que pase en la mente. De lo contrario, viola las relaciones de superveniencia.

—Lo mental superviene de lo físico —dijo, y Gabe asintió.

—Así pues, ¿te he convencido de que esta es una condición mínima para creer que tu mente puede causar cualquier cosa?

—Sí. —La frente de Joe delataba su alto nivel de concentración.

—Bien. Ahora hablemos de cómo se mueve la mente a lo largo del tiempo. Un pensamiento va seguido de otro.

Gabe hizo un gesto con la mano y las cuatro pelotas se disolvieron. En su lugar, apareció una fila de pelotas de fútbol azules que flotaban sobre una fila de pelotas rojas. Cada pelota tenía una flecha apuntando en la misma dirección. Joe golpeó la pelota roja que tenía más cerca y esta golpeó la siguiente, provocando un movimiento a lo largo de la fila de pelotas rojas como si del péndulo de Newton se tratase. La fila superior de pelotas azules se movía en paralelo a la fila inferior de pelotas rojas, con el clásico *tic tic tic*.

—Imagínate, por ejemplo, que la fila de pelotas azules es una línea cronológica de pensamientos en tu mente. Bien, ¿qué causa qué?

—Pues... la primera pelota roja causa la siguiente de la fila —dijo Joe.

—Y entonces, supuestamente, ¿esa segunda pelota roja causa la tercera?

—Sí. Hay algo que sucede en el universo físico con cada pensamiento. Hay una reacción química y, por debajo de eso, partículas, supongo. Así es como describimos normalmente la física del universo físico cerrado.

—¿Qué causa la mente? —preguntó Gabe, circunspecto.

—Obviamente, la primera pelota azul causa la segunda, y así en toda la fila. Un pensamiento lleva a otro. Es la descripción de un proceso de pensamiento, lo que pasa por nuestras cabezas —dijo Joe.

Gabe hizo una pausa enfática, con una mirada firme y vivaz.

—Pero tú mismo has dicho que cada pelota roja física determina la siguiente, y que cada pelota roja determina la pelota azul de la fila superior. Si las pelotas rojas causan ambas, entonces las azules no hacen nada. No son causativas, son superfluas.

Joe miró las filas de pelotas con manifiesta inquietud.

—La mente es un *epifenómeno*. —Gabe alargó ambas manos y separó las pelotas azules de las rojas—. El epifenomenalismo sostiene que los sucesos mentales no pueden causar nada en el mundo físico. Por ejemplo, podemos pensar que ver a un amigo nos hace sonreír. Pero este argumento sugeriría que nuestra sonrisa solo es fruto de una serie de procesos fisiológicos.

En su mente, imaginó que Raif le sonreía hasta que el gato de Cheshire se desvaneció para dar paso a unos instantes de agitación mental. Pensó en Evie y se preguntó si esos pensamientos solo estaban causados por su naturaleza animal: glándulas, hormonas, células, química y partículas en movimiento. Estaba sudando y se preguntó cuál era la causa.

Gabe movió la mano y la habitación se oscureció. Apareció el holograma de un vehículo autónomo moviéndose en una lenta elipse alrededor del perímetro del aula. Sus faros iluminaban un guardarraíl en las paredes. Cuando el vehículo se movía, su sombra le iba persiguiendo reflejada en la barrera de seguridad. Joe contempló el centelleo de las sombras atrapando el siguiente poste del guardarraíl, como fantasmas apareciendo en la oscuridad.

—El filósofo Jaegwon Kim nos dejó una analogía memorable —argumentó Gabe con voz solemne—. Decía que la sombra del vehículo se asemeja a la mente. No existe una conexión causal entre la sombra de un momento y el siguiente. El vehículo en movimiento representa un proceso causal genuino, y ya hemos dicho que el proceso causal se encuentra en el universo físico subyacente. Nuestras mentes no hacen nada causal. Solo están de paso y son un reflejo de los procesos físicos. Por lo que no existe esa cosa separada a la que llamamos *mente*. Es una sombra.

Joe se encogió de hombros.

—Una reacción apropiada —señaló Gabe.

—¿Hay alguna forma de escapar de esa horrible conclusión?

—Si eres fisicalista, de los que creen en un universo físicamente cerrado, hasta ahora no se ha encontrado ninguna escapatoria. —Gabe parecía tan abatido como Joe.

. . .

Creo que el universo está físicamente cerrado. Todas las pruebas científicas apuntan a esa conclusión. Ahora Gabe me dice que si acepto esa premisa, dada esta forma de describirlo todo mediante propiedades mentales y físicas, mi mente no causa nada. No puede ser. No me lo creo. Me niego a creerlo. Aun así, tiene lógica.

. . .

Joe se aclaró la garganta.

—Pero entonces, si eso es así, nosotros (nuestra mente) no somos causantes de nada. Y si la causalidad de la mente no existe, tampoco existe el libre albedrío.

Gabe también tenía los hombros caídos y su avatar parecía más viejo.

—Entiendes la magnitud del problema. Un filósofo del siglo XX llamado Fodor dijo algo así como —Gabe cerró los ojos tratando de recordar la cita—: «Si no es literalmente cierto que mi deseo es la causa de que intente alcanzar algo, o que mi picor es la causa de que me rasque, o que mi creencia es la causa de que me exprese... Si nada de eso es literalmente cierto, entonces prácticamente todo lo que creo sobre cualquier cosa es falso, y eso es el fin del mundo».

—¿De... de verdad lo crees?

—No veo motivos para que sea falso. Si es cierto, la idea de que nuestras mentes causan algo y tienen libre albedrío es una mera ilusión. Podemos pensar que decidimos las cosas pero, en realidad, todo se debe a nuestra naturaleza física subyacente y, si hablamos de descripciones físicas, a las partículas en movimiento. No tenemos libre albedrío.

———————◆———————

Joe estaba sentado en la barra de un bar con sensación de quemazón en la garganta y la mirada perdida en el intenso ámbar de su whisky de Islay. Al salir de la facultad se había dirigido al pueblo y había estado deambulando por las calles, zigzagueando a izquierda y derecha hasta dar con ese bar en una callejuela. Hacía tres horas no había mucha gente, y los que habían entrado después del anochecer se habían instalado en las mesas del fondo. En la barra no había más taburetes ocupados aparte del suyo. La camarera robótica le retiró los restos de la cena y todos los vasos vacíos.

. . .

¿Y ahora qué pasa con mi proyecto sabático? ¿Por dónde sigo? ¿Podría Gabe estar en lo cierto? ¿Nada de esto importa?

. . .

Llevaba un buen rato dándole vueltas a todas esas ideas sin poder salir del bucle. Hizo una seña para llamar la atención de la camarera.

—¿Me pones otro whisky?

La camarera, que canturreaba una dulce melodía, se quedó mirando a Joe golpeando rítmicamente los dedos contra la barra. Era encantadora y sensual. Tenía una pseudopiel muy realista, una variante reciente con aspecto humano, pero los prominentes números rojos tatuados en un círculo alrededor del cuello delataban su condición de robot. Así lo exigía la ley para que nadie se confundiera.

—¿Quizá ya ha bebido suficiente whisky esta noche, señor...?

—Joe.

—Señor Joe, permítame sugerirle algunas alternativas. Tenemos psicotrópicos sintéticos. Son de biología sintética, los mejores, se lo garantizo, y le dejarán un buen estado de ánimo. O podemos lanzar paquetes de emoticonos en el piso de arriba. Se lo mostraré. —La mano de ella le rozó el brazo y el sutil olor a perfume le impregnó la manga de la camisa.

. . .

No es una camarera, ¡es una escort robótica! ¿En qué clase de tugurio me he metido?

. . .

La miró fijamente durante un instante, consciente de su lenta reacción.

—No, gracias. No tengo interés en ningún tipo de entretenimiento virtual. —Le vino un escalofrío.

La camarera lo volvió a intentar.

—Si quiere, puedo revisar su PIDA y ayudarle a encontrar una pareja compatible en la zona.

—No tengo PIDA.

—Bueno, entonces si deja que me conecte con su NEST, podemos usar los biodatos personales almacenados.

Joe apuró la bebida.

—No, gracias. Ya me ocuparé yo de mi propio hedonismo. —Se dejó caer del taburete y abandonó el local.

◆

Joe hizo una señal con la mano frente a la puerta del apartamento y esta se abrió. Subió las escaleras a trompicones. Evie levantó la mirada de la mesa de la cocina, que estaba puesta con dos platos y cubiertos. En uno de los platos había un filete alternativo a la brasa, ya frío, acompañado de una patata asada y un trozo de tarta de postre. Evie estaba bebiendo un vaso de agua, con el plato vacío pero el postre todavía intacto.

—Pensé que volverías para la cena —dijo ella.

—Lo siento. —Intentó no balbucear, pero fue en vano—. Me entretuve después de quedar con un profesor. Ya he cenado.

Avanzó torpemente hasta la sala de estar, cogió un vaso del mueble rinconero y se sirvió el whisky que quedaba en la licorera. Regresó a la cocina y se sentó frente a Evie.

Aunque ya había comido mucho, el postre tenía una pinta deliciosa y cogió el tenedor. La conversación con Gabe formaba una nebulosa en su cabeza. Todo parecía perdido; ya nada importaba.

Con los codos sobre la mesa, se quedó observando el hojaldre un instante. El dulzor de las manzanas era un contrapunto agradable al whisky.

—¿Todo bien?

—Ha sido un día... un día intenso.

Se produjo un largo silencio, hasta que ella le espetó:

—Me siento encerrada aquí dentro. —Joe alzó la vista y Evie clavó en él sus ojos de color avellana, con los labios apretados y visiblemente angustiada—. No puedo salir, no sé cómo están mis amigos, no sé qué se rumorea en los chats... ¡Me estoy volviendo loca!

. . .

No he estado por ella. Qué error. Y qué ojos tan hermosos.

. . .

—No hay mucho que podamos hacer. —El balbuceo empeoraba si hablaba entre bocado y bocado—. A menos que tengas alguna idea.

Ella apretó los dientes, furiosa.

—No pretendía pedirte permiso. Solo era por hablar de algo —dijo, resoplando. Al ver que ella volvía a resoplar y que su expresión se tensaba aún más, se preguntó qué otra razón podía tener para estar tan enfadada, aparte de sus infructuosos conatos de flirteo. En cualquier caso, no habría hedonismo esa noche, solo dormitorios separados otra vez.

Con la cabeza totalmente embotada, Joe trató de centrarse.

—Ah, muy bien, pues hablemos. Pero de lo único que quieres hablar es de tu movimiento de protesta antiniveles. Erre que erre, siempre con lo mismo. —Se sirvió su segundo *strudel* de manzana.

Ella golpeteó repetidamente la mesa con los dedos, con gesto contrariado.

—Ya, claro, siempre con lo mismo... ¿Y tú no te das cuenta del tiempo que pasas encerrado en tus pensamientos? Hay vida ahí fuera, ¿sabes?

Evie empezó a repiquetear más rápido en la mesa al darse cuenta de que Joe se evadía de la conversación y solo pensaba en comer. Las manzanas estaban deliciosas y Joe sintió una agradable sensación de vacío mental al terminarse el último bocado de *strudel*. El repiqueteo cesó súbitamente.

—¿Qué, tratando de demostrar que también eres un glotón además de un borrachuzo?

· · ·

Debería haberlo visto venir, pero no estoy prestando atención. No me he portado bien y me lo merezco. Sí que importa. Ella importa.

· · ·

Joe se frotó la nuca.

—A veces hay críticas que están justificadas. Esta es una de ellas. Tienes razón. —Su arrepentimiento era real y su cara debió de reflejarlo, porque en los ojos de Evie brilló un destello victorioso—. ¿Qué te parece si hacemos una tregua? Podríamos buscar un término medio. Tal vez deberíamos dejar de ir cada uno a la suya. Al fin y al cabo, los dos estamos atrapados en esto.

La única respuesta de ella fue juntar las manos como si acabara uno de sus katas.

Joe se levantó para preparar un té de Dragonwell, tanto para despejarse como para prolongar el momento, a pesar de lo incómodo que le resultaba. Se sentaron a tomar el té en la sala de estar, cada uno en un extremo del sofá. Los reflejos de la luna provocaban en el rostro de Evie un baile de sombras que le conferían un atractivo enigmático, similar al de la Mona Lisa. Joe no supo descifrar su estado de ánimo cuando ésta se dirigió al dormitorio y cerró la puerta.

· · ·

Tal vez no me odia.

· · ·

Capítulo 16

Su INSTAMED vibró al administrarle una dosis triple de analgésico para el dolor de cabeza. Tendido en la cama, Joe se dio la vuelta y se quedó mirando al techo, mientras su cabeza se iba despejando poco a poco. Con la claridad del día se dio cuenta de que el comentario que Evie le había hecho días atrás sobre lo poco que poseía no había sido solo por la falta de especias, sino porque estaba aburrida. Debía mostrarse más atento con su invitada.

Joe rescató su viejo omnilibro del fondo de uno de los contenedores de la mudanza. Rara vez había utilizado este aparato de lectura desde la universidad, ya que prefería la unidad de comunicación o el proyector corneal.

Cuando Joe se lo enseñó, Evie lo abrió complacida. Ella insistió en no conectarlo; se conformaba con el material que tenía almacenado. Joe no la había visto acceder a ningún NEST durante su estancia y tampoco estaba seguro de que tuviera un dispositivo operativo implantado. Pero sí había advertido la sutil depresión en la piel entre sus senos perfectos donde se encontraba la tesela biométrica. No era ludita, sino que vivía en el mundo real.

Volvieron a disfrutar de una rutina afable y la tregua devino permanente. Cada mañana él preparaba el desayuno en el sintetizador de alimentos y, cuando estaba listo, llamaba a su puerta. Comían juntos en un ambiente distendido y él se iba a la Facultad de Matemáticas. Aunque no se mostraba demasiado comunicativa, Evie cada vez le explicaba más cosas sobre su pasado y él nunca la volvió a interrumpir durante un kata. Joe disfrutaba viendo sonreír a Evie cada vez que ella curioseaba entre las cosas que le traía de la tienda de comestibles. Cenaban juntos cada noche y su compañía le hacía feliz.

A veces él se quedaba despierto en la cama después de que ella cerrara la puerta, mirando las siluetas de los árboles en la oscuridad a través de la ventana. El segundo dormitorio daba a esos mismos árboles. Se imaginaba escabulléndose por la ventana para observarla furtivamente mientras la desnudaba con el pensamiento. No podía quitarse de la cabeza la imagen de ella revolviéndose en su kata «penetrar en la fortaleza». La visión de esa férrea disciplina frenaba cualquier nuevo intento de dar un paso más allá de la tregua.

◆

Fueron pasando los días. Joe estaba sentado frente al holocomunicador de pared del despacho, con holografías suspendidas en el aire de una docena de fuentes. Por el enlace corneal de su NEST iba pasando el material escrito mientras pensaba. Llevaba varias horas concentrado al máximo, a la espera de otra reunión con Gabe.

En el enlace del NEST parpadeó el icono de un mensaje cifrado. Cerró todo lo demás y lo aceptó. Un minuto después apareció el holograma de Raif.

—En el juicio se han aportado pruebas que relacionan a los dos cabecillas de la protesta con el atentado del centro comercial. Los fiscales han presentado vínculos creíbles y el tribunal los ha declarado culpables.

—Sigo sin creérmelo —clamó Joe, enfurruñado.

Raif se encogió de hombros.

—Las bases de datos estaban selladas, así que es prácticamente imposible modificar el contenido.

—¿Solo *prácticamente*?

—No digo que las probabilidades sean nulas, pero en todo caso son ínfimas.

—Yo creo que *ínfimas* no es igual a cero. —Joe chasqueó los dedos y se sintió como un idiota—. ¿Te apetece dedicar algo de tiempo a verificarlo? Puedo ponerte en contacto con una matemática de aquí que podría tener interés en ayudarte. Te encantará conocerla. —Joe no mencionó que supuestamente debía haberlos presentado hacía más de una semana.

—¿Una mujer? Claro. —Una sonrisa se dibujó en su semblante de querubín—. Joe, siempre has tenido buen gusto con las mujeres. Parece un proyecto interesante.

Joe se desconectó y cerró la pantalla de la ventana. Los datos se disolvieron y automáticamente la ventana se volvió transparente. Fuera, el sol brillaba sobre el follaje de color verde oliva. Se quedó sentado en el escritorio admirando el paisaje y reflexionando sobre el mensaje de Raif.

. . .

A la vista de la información y siendo objetivo no debería confiar en Evie. Sin embargo, sigo haciéndolo. ¿Por qué?

¿Es por mi naturaleza animal, o meras partículas en movimiento, como sugirió Gabe, y no por un ejercicio de libre albedrío? En filosofía, desde Sócrates existe la idea de *acrasia*, una debilidad de la voluntad, una falta de autocontrol, de actuar en contra del propio juicio. ¿Estoy tentado de dejarme guiar por mis anhelos en lugar de mi voluntad? ¿Emoción y deseo en detrimento de la razón? Buda pensó que tales ansias eran la causa de todo sufrimiento. Soy humano, no puedo dejar de sufrir.

Hay algo inexplicable en el hecho de sentirse atraído por otra persona. Algo que parece eludir la razón. Brota desde abajo, inconsciente, desde nuestros genes, buscando complementarse. Este sentimiento es un argumento visceral contra el libre albedrío. En el mejor de los casos, demuestra mi propia acrasia.

Me explico. Tal vez sea una jugada sorprendente como la que mencionó Jardine —la de derribar el tablero— que escapa a la razón. ¿De qué otra forma puedo describir mi intuición?

Evie parece ser tan virtuosa... Buena prueba de ello es su inquietud por la justicia, su disciplina, su comedimiento. No parece tener miedo a nada. Y no solo eso, sino que tiene pasión y un propósito. Un propósito admirable si lo que dice es verdad, aunque eso todavía lo desconozco.

Cualesquiera que sean las probabilidades, mi intuición me dice que es de fiar. No es el momento de concluir que miente. Además, en esta mujer, en esta persona de carne y hueso, tan desafiante como auténtica, anida un *yo* real. Me gusta muchísimo.

. . .

———————◆———————

Había pasado otra semana soleada más y el calendario anunciaba la llegada de la primavera en apenas siete días. Joe regresaba contento del despacho. Dedicaba el tiempo libre a pensar y las horas en el despacho le pasaban como un suspiro. Había conocido a más colegas matemáticos con los que había tenido ocasión de almorzar. Por la tarde, rara era la vez que no seguía su rutina de ejercicios. Al principio lo de correr se le hizo un poco cuesta arriba, pero ya se había adaptado y ahora se sentía más saludable.

Subió las escaleras después de cenar otra vez con Gabe y se encontró a Evie sentada tranquilamente en el sofá de la sala de estar. Se plantó frente a ella, que apartó los ojos del omnilibro.

—Qué cantidad de material tienes aquí. Hay mucha filosofía. Y también una colección ecléctica de muchos otros temas. Pensaba que eras matemático.

—Lo soy, y también soy licenciado en Física. —Le vinieron a la mente otros momentos del pasado—. Y cursé varias asignaturas de filosofía. No muchas, por eso estoy estudiando el tema con el profesor Gabe Gulaba.

—¿Gabe? ¿Has quedado con un tipo para cenar? —Una pequeña sonrisa se dibujó en su cara.

—Sí. Me lo recomendó el decano del Departamento de Matemáticas, el Dr. Jardine.

Ella se lo quedó mirando.

—Joe, lo tuyo es un misterio. Te pasas la vida dándole vueltas a la cabeza. Sigo sin entender muy bien de qué va este proyecto sabático tuyo.

Al detectar una curiosidad genuina y una oportunidad de conectar, se sentó a su lado.

—Yo también intento entenderlo. Llevo años madurando algunas ideas profundas, pero sin lograr demasiados avances. Por eso vine a esta universidad, para buscar la ayuda que necesito.

Ella dejó el omnilibro en su regazo movida por la curiosidad.

—Dime un ejemplo de una idea profunda.

Joe miró al techo mientras elegía entre el cúmulo de pensamientos que se entremezclaban en su cabeza.

—Bueno, pues aquí va una de las más profundas. ¿Qué es la ontología del universo?

—Ni idea. No sé a qué te refieres... —confesó Evie.

—La ontología es el estudio filosófico del *ser*. Estoy interesado en el subcampo de las *categorías del ser*. Es decir, las categorías fundamentales de la existencia... lo que conforma el universo. —Extendió los brazos, como queriendo abarcar el universo—. Se trata de *lo que hay*, de los elementos que tienen existencia.

Evie escuchaba atentamente.

—Creía que todo estaba formado por moléculas. Y que estas se componían de otras más pequeñas.

—Sí, esa es una explicación científica elemental, lo que sugiere que eres una realista. Tienes la visión de que los objetos físicos existen cuando nadie los observa.

—¿Y lo opuesto a realista es...?

—Para un filósofo, sería un idealista, alguien que piensa que el mundo es una creación de la mente.

Ella se rió.

—A mí me han acusado de ser una idealista, de querer cambiar el mundo.

—Supongo que eres una realista filosófica y científica, y una idealista social. Yo también.

—¿No tienen ya los físicos y los matemáticos respuestas más profundas? —Evie se inclinó hacia delante.

—No creo que tengan buenas respuestas a la pregunta fundamental de la ontología, de cuáles son esos elementos más simples. La mayoría de los científicos creen, como tú y yo, que existe una realidad externa independiente de los humanos, de cualquier ser consciente. Los físicos llevan dos siglos buscando una teoría del todo que dé respuesta a los misterios y complete el Modelo Estándar modificado. Cualquier teoría del todo debería ser abstracta y matemática. Con toda la exquisita estructura matemática que sustenta el mundo físico, se puede considerar una suposición razonable. Aquí es donde los físicos se rasgan las vestiduras y dicen: «cállate y calcula».

—¿Y qué dicen los filósofos?

Joe se atusó la barba.

—Muchos filósofos hablan del pasado, volviendo a debatir sobre ideas caducas de la antigua Grecia. En cualquier caso, es una lección de historia más que una búsqueda de nuevos conocimientos, porque la mayoría de las antiguas afirmaciones filosóficas no se sostienen a la vista de los avances científicos. Algunos filósofos tratan de participar en el debate con los científicos, pero la mayoría no puede seguir las matemáticas. Así que los filósofos y los físicos teóricos rara vez conectan en conversaciones que arrojen conjuntamente nuevas explicaciones creíbles.

—¿Qué decían exactamente los antiguos filósofos? —preguntó ella, arrugando la nariz.

Antes de responder, él formó una pirámide con las manos.

—Platón solía hacer soliloquios sobre las *formas*. Aunque suene disparatado en el mundo científico de hoy, a algunos matemáticos, entre los que me incluyo, nos gusta pensar que las matemáticas existen como algo que descubrimos y no como algo que creamos.

Evie asintió, esperando a que él prosiguiera.

—Aristóteles habló de *sustancias*. En su obra *Categorías*, dijo que las sustancias primarias eran objetos individuales. Ese omnilibro —dijo, señalándolo— es un objeto individual. Aristóteles añadió sustancias secundarias, que son predicados, es decir, palabras descriptivas como, por ejemplo, *marrón*.

Ella se fijó en el omnilibro.

—Pensaba que *marrón* era una propiedad de este objeto.

—Filósofos posteriores han utilizado ese término. Y los realistas científicos aceptan las propiedades como una categoría fundamental en una lista de elementos ontológicos.

—¿Realmente existen también las propiedades? —preguntó ella, frotando la tapa del omnilibro—. ¿Dónde están?

—Pues... No lo sé. Supongo que los realistas científicos dirían que, de alguna manera, existen en el interior. Pero no he analizado detenidamente lo que realmente existe y lo que no.

—¿Qué más hay en tu lista de cosas que podrían existir? —Su expresión revelaba un interés real.

—Aparece el término *relaciones*. Una relación existiría entre dos o más objetos. Algunos filósofos consideran las relaciones como un subgrupo dentro de las propiedades. Tampoco estoy seguro de eso.

—¿Algo más?

Joe se encogió de hombros.

—Luego la cosa se complica aún más y hay menos consenso. Se habla de *clases naturales*. Debatiendo la tradición trascendental kantiana, Stroud introdujo en el debate los *objetos perdurables*. Descartes creía que solo había dos sustancias: *cuerpo material*, que se define por extensión, y *sustancia mental*, que se define por el pensamiento que, en este contexto, equivale a la conciencia. Leibniz pensaba que el universo estaba formado por *mónadas*. Posteriormente, los filósofos del lenguaje incorporaron nuevas entidades. Pero yo no creo ninguno de esos argumentos. Creo que la filosofía se alejó bastante de las bases de la física.

—Un buen galimatías —dijo ella, con la frente fruncida.

—No te falta razón.

Tras unos instantes en que se la veía muy concentrada, Evie le espetó:

—A ver si lo entiendo. Después de siglos de debates y teorías, ¿nadie sabe qué elementos básicos componen el universo?

—Los físicos discreparían —dijo él con una sonrisa—. Ellos afirman que se tienen que estudiar las matemáticas. Pero no, no tienen una explicación. El Modelo Estándar modificado de la física tiene cabos sueltos importantes. La dualidad onda-partícula es tan poco intuitiva que desafía toda lógica. El teorema y la no localidad de Bell significan que no entendemos los fundamentos. Quedan muchas preguntas y nadie tiene las respuestas.

A Evie le acabó saliendo la vena práctica.

—¿Y si nos limitamos a hacerlo lo mejor posible: vivir una buena vida, ser buenas personas, ser justos con los demás?

—Es un comienzo. Pero... quiero saber la verdad. Quiero saber cómo y por qué.

Joe miraba a través de la ventana tendido en la cama. ¿Estaría dormida, o permanecería en la cama, despierta, pensando en él a solo unos metros?

. . .

Siempre he visto a Evie como una invitada misteriosa, una distracción con un físico atractivo, pero ahora es más que eso. Es interesante conversar con ella aunque no tenga experiencia en temas filosóficos. Hace preguntas inteligentes y me obliga a replantearme algunas cosas. Me entristecerá que se vaya.

. . .

Capítulo 17

Joe volvió al despacho a la mañana siguiente, pero no conseguía hacer nada de provecho. Su mente estaba atrapada en un remolino de pensamientos. Tras las últimas conversaciones con Gabe, la lista pendiente de libros de filosofía era larga y había encontrado nuevos enfoques para sus preguntas. Pero hoy le costaba concentrarse. Era más fácil mirar por la ventana. Dos arrendajos trinaban alegres, encaramados en la rama de un roble. Una ardilla que correteaba por el tronco se detuvo, inspeccionó su mundo arbóreo, dio media vuelta y se lanzó hacia otra rama.

Los árboles florecían hermosos bajo un cielo azul con matices grisáceos. Joe también sentía una cierta tristeza, una profunda ansiedad que le nublaba la mente. Los reflejos de un dron de reparto cruzaron el exterior del ala opuesta del edificio y pensó en los patrones poliédricos que titilaban en el metal. Era el ala donde se encontraba el despacho de Freyja.

Joe miraba las proyecciones holográficas que flotaban junto a su cabeza. Apartó varias con la mano y, al empezar estas a girar y a rebotar una contra la otra, se acordó de Evie volteando al practicar su kata.

· · ·

Evie es inteligente y atractiva. Es un modelo de virtud que persigue con determinación su propósito. Me niego a creer que albergue maldad alguna. Tiene una pasión que no es frecuente en otras personas. Aborda la vida desde el mundo, no tanto desde sus pensamientos, y eso me aporta equilibrio. Y tiene un propósito en la vida, algo que yo anhelo.

. . .

Joe comió algo ligero y salió a correr por la tarde, lo que le ayudó a concentrarse. De vuelta al despacho, repasó el material que Gabe le había facilitado. El sol se ocultaba en el horizonte cuando recibió una conexión cifrada en el NEST.

En la pantalla del holocomunicador apareció el holograma de Raif con una sonrisa traviesa.

—La costa está despejada. La investigación policial ha concluido. No han encontrado más conspiradores.

Joe respiró aliviado.

—Ya es seguro volver al agua —añadió Raif entre risas.

. . .

Los amigos de Evie no la han delatado. Son leales, eso es bueno.

. . .

—Solo hasta los tobillos —dijo Joe reacomodándose en la silla—. ¿Hay alguna otra noticia interesante?

—Gracias por presentarme a Freyja. Me lo estoy pasando muy bien trabajando con ella en el problema de las bases de datos. Todavía no hemos llegado a ninguna conclusión, pero por ahora está siendo divertido. —Raif le hizo un guiño—. Seguimos en contacto, *brat*.

Aparentemente, Joe no se inmutó, pero al cerrar la conexión se le encogió el estómago. No pudo contener la envidia al pensar que Freyja encontraba a su mejor amigo más atractivo que a él.

Se dirigió al centro del pueblo por la calle del mercado echando un vistazo a las tiendas. Los pipabots esperaban solícitos en las puertas. Un robot de una floristería describía los ramilletes frescos del día. Joe valoró distintas opciones: primero los tulipanes rojos de los jarrones, luego las fresias rosas de una gran vasija. Se decidió por un gran ramo de rosas blancas.

—Excelente elección, señor. —El tono de aprobación del robot le recordó a 73—. Como se lleva las más caras, ¿podría conectar el NEST para pagar, por favor?

Joe asintió y se autenticó con la tesela biométrica y la firma.

—Estoy seguro de que tendrá mucho éxito —señaló el robot, con la frente de color azul. Joe salió de la tienda con el ramo.

Al abrir la puerta se encontró a Evie sentada en la sala de estar con el omnilibro en su regazo, y Joe se alegró de que siguiera interesada en su colección de obras. Al ver el ramo de rosas, el rubor le cubrió las mejillas.

—Esto es para que sepas que me ha encantado tenerte aquí.

Evie cogió el ramo y lo olfateó con deleite.

—Eres muy de la vieja escuela —dijo cariñosamente. De repente, lo miró con los ojos como platos —. ¿Te *ha* encantado tenerme aquí?

—Raif me ha dicho que la policía ya no nos sigue la pista. El encierro ha terminado. Puedes irte cuando quieras.

Evie volvió a olfatear las flores. Cerró los ojos perdida en sus pensamientos y Joe se embelesó con la belleza de su rostro. Cuando los abrió de nuevo, lo miró con curiosidad.

—¿Quieres que me vaya enseguida?

. . .

Me alegra que lo haya preguntado.

. . .

—No —contestó Joe, balanceándose torpemente y mirándose los zapatos. ¿Demasiado rápido?—. Lo lógico es que te quedes un poco más, por si la policía sigue vigilando tu barrio.

—Muy bien. —Volvió a oler las rosas—. Mejor esperar un poco y ser precavidos.

El corazón de Joe se llenó de esperanza.

—Quizá podríamos salir, ahora que ya no vigilan la universidad. ¿Qué te parece si cenamos fuera?

———————◆———————

Evie había propuesto ir caminando a un restaurante al otro lado del pueblo porque estaba ansiosa por salir y era reacia a usar un transporte rastreable tan pronto después de la redada policial. Las luces del bistró francés a ambos lados de la puerta iluminaron sus mejillas sonrojadas al entrar. Un pipabot vestido de negro con el brazo envuelto en una servilleta de lino blanco los acompañó a una mesa cerca de una chimenea virtual, en un rincón oculto tras unas macetas de color esmeralda. Evie inspeccionó la sala. El suelo de baldosas blancas y negras complementaba los tonos verdosos de las paredes. Los camareros robóticos se desplazaban solícitos sirviendo platos en las mesas. Unas ollas de cobre relucientes decoraban las paredes de la cocina abierta donde los camareros preparaban los platos.

Un hombre afable vestido de blanco impoluto se acercó a la mesa y se presentó como Philippe, el chef y propietario del local. También les presentó a su adjunto, un joven con gorro de cocinero. Después de recrearse en los pormenores del menú durante un minuto entero, era evidente que el dueño adoraba la comida y que le encantaba compartir sus creaciones con los clientes.

Cuando el propietario y su adjunto se trasladaron a otra mesa, un camarero pipabot se acercó y les anunció:

—El menú del chef es de precio fijo y consta de cinco platos. —Joe abrió el NEST, lo conectó a la lista de vinos y eligió un biofrasco de un famoso Burdeos. Cerró el NEST y el robot se retiró dejándolos solos.

A Evie aquel ambiente parecía revitalizarle, y su melena refulgía bajo la luz centelleante.

—¿Así que has encontrado cosas interesantes estas dos semanas en el omnilibro?

—Bastantes. Tienes gustos muy variados. Ahora que leo las mismas cosas que tú tengo la sensación de que te conozco mejor.

Joe se reacomodó en la silla.

—¿Debería avergonzarme? No recuerdo muy bien todo lo que tengo ahí metido.

—Nada comprometedor —dijo riéndose—. Más bien una puerta abierta al conocimiento, lo que demuestra que no eres tan mal tipo para ser un 42.

El camarero pipabot apareció con un plato.

—Entrantes: *amuse-bouche* de cucuruchos rellenos de tartar de salmón.

Abrió el Burdeos y escanció el vino en las copas indicando el *château* y la cosecha.

—Este vino está dentro del uno por ciento de mayor valor —añadió el robot.

Se quedaron solos. Tras catarlo ambos, Joe alzó la copa y propuso un brindis:

—Por los fugados. —Le reconfortó la sonrisa rápida y rebelde de Evie.

—Perdón si el vino no marida con todos los platos, pero he pensado que con un biofrasco era suficiente —se justificó él.

—¿Estás bebiendo menos? —preguntó ella con brillo en sus ojos.

—Sí. Intento mantener hábitos saludables. Me di cuenta de que bebía demasiado.

Los camareros robóticos se desplazaban alrededor de las mesas como barcos navegando plácidamente entre tranquilas islas de comensales conversando en voz baja. El camarero pipabot regresó, seguido de un ayudante con platos, y anunció:

—De primero, *Ostras y perlas*, a base de sabayón de perlas de tapioca con ostras y caviar.

Evie se llevó una ostra a la boca y una expresión de placer invadió su rostro. Aplastó el caviar contra el paladar y el sabor salado le inundó la boca. Durante unos minutos se dedicaron a saborear la comida.

Al poco, el camarero robótico se acercó a retirar los primeros.

—Nunca he estado en un restaurante en el que haya que pagar —confesó Evie.

Él se esforzó para disimular su sorpresa.

—Normalmente es así en restaurantes con cocina de autor. Como aquí, donde el dueño es conocido por su creatividad gastronómica. —La mirada de Evie se iluminó. ¿Quizá ella no sabía que también era una artista de la cocina?

—Para el chef que lo prepara, es una buena razón. Pero para los comensales, ¿se trata solo de comida, o también es una experiencia? ¿Una forma de ser diferente a los demás?

—Probablemente ambas cosas —reconoció él—. Creo que la necesidad de crear, de buscar la belleza por sí misma en todo lo que hagas, tiene valor. Pero sé que crees en la igualdad y la justicia social, y estoy de acuerdo contigo. No es bueno jactarse de algo solo porque puedes tenerlo y otros no.

—Sí, es como si todos los que están aquí presumieran de ello —refunfuñó ella—. ¿Por eso me has traído aquí? ¿Para presumir?

—No, no he elegido este sitio para impresionar a nadie. Lo he hecho por ti. Quería que disfrutaras de una experiencia memorable después de tanto tiempo encerrada.

. . .

¿Por qué *elegí* este restaurante? Un poco por ambas cosas, para ser sincero.

. . .

—Bueno, no me quejo —dijo ella, sonriendo—. Es un cambio muy agradable.

A los pocos minutos les interrumpieron el camarero pipabot y otro ayudante con una nueva degustación.

—Ensalada de hierbas frescas, hinojo tierno y pistachos tostados —recitó el pipabot mientras el ayudante colocaba los platos. Esta propuesta culinaria fue otra agradable sorpresa. Joe saboreó el intenso sabor de los pistachos. Nada le complacía más que contemplar a Evie envuelta en aquel halo de luz titilante junto al fuego, embriagada por su propio deleite.

Un joven que portaba un violonchelo se colocó en un espacio libre que había entre las mesas. Iba acompañado de tres músicos robóticos con instrumentos analógicos. Los robots empezaron a ejecutar la pieza con gran precisión, mientras que el violonchelista tocaba apasionadamente. La melodía se fusionó con el murmullo de fondo de los comensales.

Joe dejó el tenedor y apartó el plato de ensalada.

—Apenas sé nada de ti. ¿Qué música te gusta?

Ella lo miró con los ojos bien abiertos.

—Te lo iba a decir. Algo que tienes en el omnilibro. Me ha gustado desde que lo escuché por primera vez hace años: la Quinta de Mahler.

—¿En serio? A mí también me gusta Mahler. Bueno, ya lo sabes... está en el omnilibro. Me gusta especialmente el movimiento lento, el *Adagietto*.

—El cuarto movimiento. Lo escribió inspirándose en su esposa —dijo ella, con la cara sonrojada, dando otro sorbo a la copa de vino.

Joe asintió.

—Me identifico con la frase «Estoy perdido en el mundo».

Ella lo observó con sus ojos de color avellana.

—Estaba tan vinculado al mundo a través del amor que sentía por su esposa, Alma, que esa frase pudiera muy bien ser lo contrario de tu idea de perderse en el mundo.

—Es una explicación más acertada. ¿Puedes perderte en algo que encuentras en el mundo?

El camarero pipabot regresó acompañado de un servibot.

—El siguiente plato es un *risotto* de arroz C4 de sabor intenso, con queso parmesano añejo y virutas de trufa negra.

—Madre mía, este *risotto* está delicioso. Cremoso con el toque terroso de las trufas. —Evie hacía una pausa entre bocado y bocado para deleitarse con cada matiz.

Joe seguía interesado en el tema de la música.

—Me sorprende que hayas oído hablar de Mahler. Es muy antiguo. Evie no daba crédito.

—Los niveles superiores no tienen el monopolio de los gustos musicales.

—Estoy destacando coincidencias en los gustos, no diferencias —dijo, levantando ambas manos. La forma en que ella lo miró, fiel reflejo de la intensidad de su compromiso con el movimiento, le recordó otro de sus puntos débiles—. Mira, una de las cosas que me gustan de ti es que tienes un propósito en la vida —le confesó—. No entiendo todos los factores que lo motivan, pero al menos sientes pasión por algo. Yo todavía sigo buscando algo que me haga sentir de la misma manera.

Ella lo miró en silencio mientras los camareros despejaban la mesa para traer el siguiente plato. El pipabot se plantó frente a ambos.

—El plato principal es trucha de mar salvaje de Escocia cocinada a baja temperatura, buñuelo de cangrejo de Dungeness acompañado de cebollas escabechadas, berros y salsa muselina bearnesa. Buen provecho.

Degustaron los ricos sabores sabiéndose cómplices, como si ya no existiera ningún muro entre ellos. Ella se inclinó hacia él sin reservas. El vino lo mantenía en un estado de lánguida ensoñación. Evie se lo quedó mirando con aire apacible, tal vez reflexionando sobre el último comentario de él.

—Joe, no espero que entiendas el mundo del que vengo, el de los niveles inferiores.

—Tampoco eres tan diferente. Solo otra persona. Bueno, no eres una persona más, eres especial. —Joe echó un vistazo al restaurante, ya casi vacío, e intentó hacer una broma—. Para mí, la única mujer en el mundo.

A Evie se le escapó una breve sonrisa y luego lo miró fijamente, como si estuviera a punto de decir algo serio.

—Sí, las personas son parecidas en todas partes. Pero el entorno social las hace distintas. Me preocupa que a través de la sociedad se estructuren nuestras interacciones de esta forma.

—Me gustaría conocer mejor cómo es tu mundo.

—Quizá algún día pueda enseñártelo.

. . .

Un gran paso. Noto que se empieza a abrir, como si estuviera dispuesta a compartir más cosas sobre su vida.

. . .

Los camareros trajeron el último plato.

—El postre: *crêpe gâteau*, con queso de cabra suave, fresas verdes en conserva, avellanas y acedera —dijo el robot.

Aunque se habían comido todo lo anterior sin dejarse ni un solo bocado, se tomaron su tiempo para acabarse el postre y apurar las copas de vino.

Joe estaba a punto de decir que era la hora de irse cuando Evie le cogió la mano.

—Lo siento si en algún momento te he parecido una desagradecida después de todo lo que me has ayudado. En parte creo que es porque he estado preocupada por mis amigos, y me siento responsable. Pero no es excusa para ser maleducada. He estado demasiado absorta en mí misma.

—No te preocupes, no pasa nada. Pero gracias por decírmelo. Tampoco yo he sido el mejor anfitrión. —Joe sonrió y se sintió mejor consigo mismo después de hablar de ello y mostrarse vulnerable sobre sus defectos. Ella le devolvió la sonrisa y retiró la mano delicadamente.

Era tarde y ya no quedaba nadie. Joe se fijó en el sedoso vello de sus brazos, iluminado con los destellos de la chimenea, y contempló sus ojos, ahora relajados, asomando por encima de la copa de vino que Evie sostenía con ambas manos. Deseó en silencio que aquel instante no acabara nunca.

De mala gana, hizo una señal al camarero y este le susurró el total. Cuando iba a activar el NEST, la mano de ella atravesó la mesa para detenerle. Le cautivó su tacto y el delicado vello de su antebrazo. Se inclinó hacia él con un gesto de recelo en su rostro.

—¿Tienes crédito$ opacos?

. . .

¿Crédito$ opacos? En principio nos protegen las leyes de privacidad. Pero... debería usar crédito$ opacos.

. . .

Joe negó con la cabeza.

—Yo me encargo. —Evie sacó de su cinturón una tesela púrpura y la apuntó hacia el robot.

Tras reconocer el pago con un destello de color azul en la frente, los acompañó hasta la puerta.

—Gracias por visitarnos esta noche. Esperamos que hayan disfrutado de las creaciones de nuestro chef.

—Transmita nuestras felicitaciones al chef —dijo Evie. La frente del robot se volvió de color verde e iluminó el suelo al inclinarse.

Cuando ya habían caminado una manzana por la oscura callejuela, Joe le agradeció el detalle.

—Gracias por la cena. Quería invitarte yo.

—No has hecho otra cosa que invitarme desde que llegué. Lo he pasado muy bien.

Ella deslizó su mano en la de él y caminaron de regreso, cogidos de la mano, contemplando la luna en cuarto creciente en el horizonte.

—Te daré los códigos para que puedas entrar y salir cuando quieras —dijo él frente a la puerta del apartamento—. Francamente, debí haberlo hecho antes. Los robots no prestarán atención a un visitante con acceso.

Evie agachó la cabeza, avergonzada.

—Probablemente haya sido mejor así. Habría salido más a menudo y nos habría puesto en riesgo a los dos.

Joe asintió y subieron las escaleras. Evie caminó hacia su habitación, pero se detuvo en seco y se volvió hacia él.

—Gracias de nuevo. Me lo paso muy bien contigo. —Alzó la vista y lo miró a los ojos. Instantes después, entró en el dormitorio y cerró la puerta con cuidado.

Capítulo 18

Dos días más tarde, Evie salió de la habitación a desayunar con una chaqueta de color lavanda y unas botas negras enfundadas sobre sus *leggings*. Joe no reconoció la indumentaria y sonrió con un gesto de aprobación.

—Tienes mejor gusto que yo. ¿Qué se siente al volver a comprarte todo tú misma?

—Lo hiciste muy bien y te lo agradezco. Pero cada uno tiene su propio estilo. Quería ponerme algo que fuera más conmigo antes de volver a casa.

A Joe se le encogió el estómago.

—¿Te vas?

—Necesito ver quién sigue detenido y hablar con algunos amigos para decidir cómo proceder a partir de ahora. Todo lo que sé es que a Julian y Celeste los han enviado lejos —dijo con tristeza. Su mirada denotaba preocupación y una cierta inseguridad, una emoción que él nunca había visto antes en ella. —Me siento mal porque fui yo la que tomé la decisión de convocar la protesta esa noche y arrestaron a todos menos a mí.

—No podías prever todas las consecuencias.

—Aun así, me incomoda estar libre mientras los demás corren peligro.

—Lo entiendo. —Tragó saliva e intentó sonar espontáneo—. ¿Te volveré a ver?

—¿Crees que sería buena idea? Recuerda que estamos quebrantando la ley al vernos —dijo mordiéndose el labio.

—Pensaba que eras tú la rebelde. ¿Qué ha pasado, ahora eres tú la que se anda con remilgos?

Evie bajó la mirada.

—No es fácil escapar de tus propias normas culturales, incluso cuando crees que están equivocadas.

Joe se puso de pie y le cogió las manos.

—Me has convencido. Seamos rebeldes juntos.

—Sí, volveré —dijo ella, apretándole las manos.

—Muy bien. Puedes entrar y salir cuando quieras. Ya tienes los códigos de acceso.

Joe se dio media vuelta para salir hacia el despacho pero cambió de opinión. Se dirigió hacia ella y la abrazó con delicadeza.

—Ten cuidado. Nos veremos pronto.

Acto seguido, bajó las escaleras con una sensación de vacío en el pecho.

La mañana en el despacho no estaba siendo muy provechosa. La sutil combinación de luces y sombras que veía a través de la ventana le tenía sumido en una ociosa ensoñación. En un intento de escapar de aquel estado, Joe decidió salir a correr y luego comió algo ligero.

Al volver al despacho vio un mensaje en el NEST. En la pantalla holográfica apareció el rostro barbudo de Mike con sus alegres arrugas en las mejillas.

—Joe, tengo una oportunidad que te puede interesar. —Se frotó las manos—. ¿Has oído hablar de la Base Orbital WISE?

—Sí, la conozco. Es el eje central del proyecto mundial de exploración espacial interestelar WISE. Una base de construcción que lleva una década orbitando alrededor de la Luna. Interesante.

—La actual comandante del proyecto, que está al mando de esta fase de la construcción, es amiga mía. Se llama Dina Taggart. Tiene un problema y tal vez la puedas ayudar.

—No parece tener ninguna relación con mi trabajo. ¿Por qué has pensado en mí?

—Dina dirige una gran operación con personal humano que se encarga de la supervisión y una flota de robots. La construcción peligra por una serie de problemas técnicos. Dina sospecha que algo está pasando con los robots. Tu experiencia en el diseño de sistemas de IA y tu habilidad con los teletransportadores virtuales podrían ser útiles para dar con la causa del problema.

. . .

Son casos muy distintos, pero guarda ciertas similitudes con nuestros hackeos de los viejos tiempos. Es sorprendente cómo la vida te puede cambiar en un segundo.

. . .

—Mike, gracias por pensar en mí para este trabajo. Es un reto interesante. Por favor, pásame sus datos.

Mike le transmitió la información de contacto.

—¡Suerte! —dijo antes de cerrar la conexión.

Con una nueva meta por delante, Joe se pasó las tres horas siguientes repasando información sobre el proyecto WISE y Dina Taggart. Empezando por sus licenciaturas en física, diseño e ingeniería, su trayectoria era impresionante. Su actual puesto de comandante de la base culminaba una serie de proyectos científicos importantes, cada uno más exigente que el anterior. Cerró las fuentes de información, asombrado e intimidado.

Después de un momento de reflexión, respiró hondo, abrió el NEST y estableció contacto con los datos cifrados que Mike le había dado. Tras establecer comunicación con la red, Joe esperó un minuto hasta recibir respuesta.

—Mike ya me ha dicho que contactarías conmigo. Me alegra hablar contigo —respondió una voz gutural. Momentos después, el holograma de Dina apareció en el proyector. Tenía el cabello castaño, con un corte de pelo recto hasta la mandíbula. Tras un cordial intercambio de saludos, Dina le preguntó acerca de su bagaje académico y profesional. Estaba al tanto de sus logros en la VRbotFest. Tras responder a varias preguntas, se relajó y disfrutó de la conversación, pero le vino a la mente una idea que le preocupaba.

—Estoy encantado de ayudar en todo lo que pueda. Es una gran oportunidad para mí. —Joe se aclaró la garganta, con la duda de si lo que estaba a punto de decir podía acabar súbitamente con la colaboración—. Aunque no estoy seguro de tener todas las credenciales de seguridad necesarias.

Dina se dirigió a él en tono solemne.

—Te refieres a tu nivel, ¿no?

—Sí.

—Tienes unos conocimientos de la IA impresionantes y tu experiencia con los teletransportadores virtuales nos ahorrará mucho tiempo para el problema inmediato que tengo. Mike dijo que eras inteligente y culto. Eres bueno en lo tuyo y eso es lo único que me importa. —Hizo una pausa—. Me gustaría que te incorporaras al equipo.

Joe respiró hondo.

—Será un honor ayudarte.

Dina se mostró complacida pero su expresión se tornó seria al instante.

—Hay un problema. Se trata de una norma absurda que estamos obligados a cumplir y que te afecta. Como no llegas al nivel 25, tendrás que desactivar la función de almacenamiento de datos de tu NEST. El gobierno quiere evitar a toda costa la fuga de secretos.

—Todo el mundo tiene algún tipo de impedimento. —Le vino a la memoria el rostro de Evie—. Además, sé arreglármelas sin el NEST. Ya tengo experiencia.

—Perfecto. ¿Cuándo puedes empezar?

—Inmediatamente. —Una sonrisa espontánea le iluminó el rostro. No era mala idea volver a centrarse en un problema práctico. Últimamente, el trabajo teórico no le había conducido a ninguna parte.

—Mañana estará bien —dijo sonriente, y le dio los datos para reunirse al día siguiente encarnados en robots dirigibles.

———————◆———————

A la mañana siguiente, después de un corto trayecto en hiperlev, Joe encontró la torre de acero que albergaba la oficina regional del WISE en Salinaston. Un pipabot recepcionista tomó sus datos en la entrada y otro lo acompañó a una planta superior. En el perímetro interno de la sala se alineaban los cubículos individuales de teletransporte, cada uno con una sola puerta.

El robot señaló uno de los cubículos y se dirigió a Joe con una autoritaria voz femenina:

—Señor Denkensmith, este es su equipo. Puede conectar con su anfitrión cuando quiera.

Dentro encontró la plataforma elevada a la que ya estaba habituado, con la cinta de andar, los cables y el traje suspendidos del techo. Tras subirse a la plataforma, se puso el chaleco háptico y se lo ajustó, tensó el arnés, se puso las botas y se acomodó en el asiento abatible. Comprobó la transición entre los modos de posición. El asiento subió y bajó para simular las diferentes posiciones: sentado, de pie, caminando y corriendo. Luego se enfundó los guantes y flexionó los dedos para comprobar que el contacto fuera exacto. Se colocó el casco con gafas envolventes, modelo Markarian 421. Encendió el NEST y se conectó a la consola con la función de almacenamiento desactivada.

. . .

Adiós al acceso a la memoria. Esto también va a ser una nueva experiencia.

. . .

Pulsó el botón del avatar en la configuración predeterminada, «Auténtico», lo que envió una réplica de la cara de Joe al equipo. El auricular emitió un zumbido. El verde monocromo que lo rodeaba al principio se sustituyó por una luz blanca.

. . .

Un equipo de excelente calidad. Esto podría ser adictivo. Veamos en qué se diferencia un robot dirigible de una máquina virtual de la VRbotFest.

. . .

Como se encontraría con Dina en la Base Orbital WISE, los robots dirigibles tendrían un retardo de 2,6 segundos en la señal de ida y vuelta de la respuesta háptica. El retardo de la voz dependería de dónde estuviera ella físicamente. Se concentró, abrió la conexión y se sumergió en la interfaz de la red.

Joe se encontró en una austera sala de control. Mejor dicho, se había encarnado virtualmente en un robot dirigible que estaba anclado en un bastidor dispuesto a lo largo de una sobria pared gris. A izquierda y derecha había máquinas similares. Desbloqueó los retenes y arrastró los pies hacia adelante para desligarse del soporte. Joe se detuvo, esperando a que su cerebro se adaptara a la doble traslación: el movimiento de su cuerpo dentro del teletransportador era imitado por el movimiento del robot dirigible de la base orbital, que se reproducía a través de conjuntos de servomotores. A continuación, tuvo que esperar el retardo de la señal para comunicar que su movimiento había finalizado. Joe se tambaleó y examinó las botas del robot. Intentó dar otro paso y oyó el golpe metálico de la bota con la que el robot se aferraba al suelo de hierro mientras los electroimanes inteligentes se ajustaban a la información biométrica. Los pasos siguientes le parecieron más naturales.

—Aprendes rápido, ya veo. La mayoría de los visitantes tardan bastante más en adaptarse a esas botas Radus.

El robot que le hablaba tenía una brillante frente plateada y el rostro de Dina tras el visor. Ella sonrió y le extendió la mano mecánica.

—Dina Taggart. Me alegra verte aquí, en la Base Orbital WISE.

Al saludarla, Joe sintió la enérgica encajada de mano a través del traje háptico.

. . .

Si es así como da los apretones de mano, ya dice mucho de ella. Probablemente sea así, porque no está bien visto jugar con los parámetros cuando llevas tu propio avatar.

. . .

—Has dicho *aquí* en la Base Orbital WISE. ¿Estás en la órbita lunar? —Joe se sobresaltó al ver reflejado en el visor de ella la frente plateada de un robot dirigible con su propio rostro proyectado. Parecía un hombre de hojalata que había visto una vez en un vídeo antiguo y le sobrevino la sobrecogedora sensación de ser un pipabot.

—Quieres saber dónde está todo, ¿eh? Estoy físicamente en la costa sur de los Estados Unidos en otra oficina del WISE, y aquí en la base a través de un robot dirigible, igual que tú. Pero me desplazo a la base orbital varias veces al año. Y debido al problema por el que te he pedido ayuda, ahora debería estar físicamente en la base —reconoció con pesar. Le hizo señas para que él la siguiera y llegaron a un ascensor de vidrio. El ascensor subió un piso, se detuvo con un zumbido y la puerta se abrió.

Se desplazaron arrastrando los pies hasta una sala circular de unos trece metros de diámetro cubierta con una gran cúpula de cristal. Afuera, la oscuridad del espacio aparecía salpicada por millones de estrellas. La gigantesca esfera lunar parecía estar suspendida, como un diamante que proyectara sombras en el suelo. Dina lo condujo a una zona donde había once sillas cuadradas dispuestas en semicírculo, atornilladas al piso de metal en el centro de la burbuja.

Las sujeciones magnéticas del asiento dejaron clavado al robot en el sitio, lo que era mucho más cómodo que luchar contra la tendencia a flotar en el entorno de gravedad cero de la base. Un banco de consolas de control por ordenador y un holocomunicador completaban el extremo abierto del semicírculo. Detrás del círculo interior de sillas había un segundo círculo con más asientos. La ventana de la cúpula tenía grandes vistas a toda la base. Seguro que era el centro de operaciones cuando estaba en marcha algo importante.

—Bienvenido al puente de mando de la Base Orbital WISE. Actualmente estamos trabajando en la construcción de una serie de sondas y naves espaciales interestelares. Las primeras sondas están programadas para lanzarse en tres años. También estamos ampliando la infraestructura de la base orbital.

Mientras explicaba por encima el proyecto, Dina iba señalando las partes de la base orbital que se veían desde su privilegiada posición. Joe trató de retener todos los detalles, hipnotizado por la panorámica y la sensación de estar sentado en una base espacial en órbita. La nave parecía más austera, sólida y auténtica que otros facsímiles de RV que había encontrado. Después de la presentación, Dina hizo un resumen de los problemas más recientes.

—Durante el último mes, la construcción se ha visto ralentizada por una serie de problemas. Tuvimos un accidente al fallar el acoplamiento de dos secciones grandes, que provocó daños en un módulo de ensamblaje. Un error sin explicación. Lo único que sabemos es que se producen fallos extraños y no podemos llegar al fondo del asunto. Tengo quinientos mecas en primera línea con un centenar de pipabots coordinándolos. Cientos de personas en varias oficinas supervisan los robots. Tenemos una docena de personas en teletransportadores virtuales que deberían poder verlo todo a través de sus robots dirigibles. Las transmisiones de vídeo son continuas y tenemos a gente en las oficinas del WISE revisando el software automático que procesa todo el trabajo. Me parece incomprensible que con toda esta vigilancia no seamos capaces de acoplar correctamente esas secciones. Sobre todo porque hemos llevado a cabo operaciones más complejas con facilidad. —Concluyó su exposición mirando por el ventanal, visiblemente molesta.

Joe se fijó en la dinámica de la órbita.

—La base da la vuelta a la Luna cada seis días, ¿es correcto?

—Efectivamente, una órbita de halo casi rectilínea. Nos mantiene fuera de la sombra de la Luna y esto facilita la comunicación con nuestras oficinas en la Tierra. Simplifica el mantenimiento de la estación. Las plantas de fabricación se encuentran en tres bases lunares. Podremos transportar materiales y módulos acabados desde la superficie cuando nos acerquemos más a la Luna, dentro de la ventana de oportunidad de treinta y una horas que terminará pronto.

Joe se concentró en los detalles, observando los transportes de robots que se desplazaban desde el Mare Imbrium en un flujo constante hacia la estación. Sintió la necesidad de ver la base orbital desde el exterior.

—¿Sospechas que puede haber algún problema en el software de control de los robots?

—Hemos analizado los supuestos habituales sin éxito, así que es otra línea a seguir—respondió Dina.

Hablaron sobre cuáles deberían ser los próximos pasos. Joe empezaría a trabajar inmediatamente analizando cualquier comportamiento extraño que pudiera revelar un fallo de software. Podría utilizar el teletransportador para controlar un meca o un robot dirigible a fin de investigar las operaciones, centrándose en las interacciones entre mecas y pipabots. También revisaría los registros de datos en la oficina regional del WISE para evitar el retardo háptico del trabajo documental.

—Haz todo lo que puedas —le rogó Dina, dando por finalizada la reunión con otro firme apretón de manos. Con aspecto cansado, se giró para saludar a otros dos robots dirigibles que habían salido del ascensor y esperaban su turno educadamente. Aunque su robot dirigible era idéntico a los demás, por la forma de desenvolverse estaba claro que sabía controlar perfectamente esa gran máquina. Esa fue la impresión que Joe se llevó mientras bajaba en el ascensor.

Regresó al bastidor para anclar el robot y ejecutó la instrucción para salir. Las paredes de la oficina regional se materializaron de nuevo a su alrededor. El proyecto era todo un reto y parecía emocionante. Estaba ansioso por empezar.

Joe se encontraba dentro de su meca dirigible encaramado a una escalera. Después de seis días, la Base Orbital WISE ya no era ningún secreto para él. Podía trepar por la superestructura o flotar ingrávido en algún lugar para diseccionar el proceso de ensamblaje mientras trataba de relacionar el trabajo robótico con el calendario que Dina le había facilitado.

La colosal estructura estaba iluminada con tiras de luz para esquivar la oscuridad del vacío. La estructura central era una larga columna rectangular que medía mil trescientos metros de un extremo a otro. Además de los sistemas de soporte vital, la columna contenía dos pasillos móviles con placas de hierro por los que robots, robots dirigibles y, en alguna ocasión, humanos atravesaban toda la extensión en ambas direcciones empleando la menor energía posible. Había recorrido los pasillos móviles de un lado a otro en toda su longitud, con las botas Radus tintineando al golpetear la placa metálica estática central. Pero era más cómodo, y más emocionante, lanzarse por el exterior con propulsores. Con pequeñas ráfagas que lo empujaban sin hacer ruido, Joe podía observar los módulos de las cámaras de descompresión situados a intervalos, en los que atracaban las naves de transporte, así como los módulos de fabricación que colgaban de la columna de acero azul entre las cámaras. Allí había ahora varias naves, con los cascos cilíndricos sobresaliendo perpendicularmente de la columna central de la estación.

En cada extremo de la columna había un módulo de energía de fusión, separados el uno del otro para evitar un corte total de energía en la estación en caso de que se produjera un fallo catastrófico o una explosión. No se necesitaban paneles solares de nanotubos de disulfuro de tungsteno como los que se encontraban en los edificios de la Tierra, porque con un solo gramo de combustible se podría producir toda la energía de fusión necesaria. Los módulos de potencia, que parecían dónuts azules, albergaban los núcleos de contención de plasma toroidal revirados y sus reactores de fusión.

Anclado al centro de la base orbital, el módulo del puente era un platillo plateado de dos niveles, con el puente dentro de la cúpula de cristal en la parte superior. Parecía una nave espacial alienígena de un cómic antiguo. Sobresaliendo de la columna central a la misma altura había un cilindro largo de soporte y un anillo de gravedad artificial a su alrededor, como un dónut azul clavado en un palo, girando perezosamente para proporcionar un área de descanso de baja gravedad a las personas que pasaban largos periodos en la base.

La distribución de la estación tenía una nomenclatura que haría las delicias de cualquier matemático. Desde el módulo del puente central, una parte de la columna recibía el nombre de Alfa, mientras que la otra era Omega, y los reactores de fusión a cada extremo eran el Reactor Alfa y el Reactor Omega. Las diferentes secciones de la columna estaban separadas por cámaras de descompresión y tenían asignada una letra en orden alfabético: A, B, y así sucesivamente hasta el reactor Alfa; y AA, BB, y así sucesivamente hasta el reactor Omega. A Joe le encantaba admirar desde el exterior aquella fabulosa máquina.

Pero ahora gotas de sudor recorrían su rostro y le dolían los bíceps de maniobrar los controles del meca dirigible durante tres horas. Por si eso fuera poco, las necesidades fisiológicas apremiaban y tenía la vejiga a punto de explotar. Echó un vistazo al lateral de acero de una bahía de carga en la columna de la base y confirmó que sus botas estaban sujetas a un peldaño. Llenó los pulmones de aire y lo exhaló. Abrió su NEST y dijo:

—Meca en modo estático. Salir del meca dirigible.

La sección de carga, el meca dirigible y la plétora de estrellas a su alrededor se desmaterializaron y en su lugar apareció el cubículo del teletransportador virtual de la oficina regional del WISE. Se quitó el equipo húmedo, fue al baño y cogió un biofrasco de agua helada y una barrita energética. Regresó a la sala del teletransportador, dio un bocado a la barrita y se bebió toda el agua. Estuvo siete minutos flexionando los dedos y el cuello y esperó a que la ligera desorientación que sufría se fuera estabilizando, como el marinero que se reencuentra con tierra firme tras una travesía con fuerte oleaje. Joe volvió a instalarse en el teletransportador y tomó el control del meca dirigible.

El meca se materializó a su alrededor, anclado a la escalera donde lo había dejado. Flexionó los dedos y las manos mecánicas se movieron con un retardo de 2,6 segundos. Contempló la escena durante unos instantes para reorientarse y no sufrir vértigo. Lo único que se oía era su respiración.

Desde la Luna se elevó una estructura de acero que captaba destellos de la luz solar. Joe agrandó la imagen con su NEST. Los mecas la hacían avanzar hacia la base orbital. La amplió un poco y apreció en el lateral la inscripción MÓDULO DE FÁBRICA 17. Era el módulo más crítico que debía incorporarse ese año, el mismo cuya interceptación había fallado la última vez. Los mecas debían asentar el módulo de fábrica en la columna central junto a la sección de carga F, donde él se encontraba. Analizó metódicamente toda la actividad, sin perder de vista el nuevo módulo, los mecas y la Luna.

El módulo de fábrica, una estructura de cuarenta y tres metros de largo, se acercaba a la sección de carga. Los mecas que rodeaban el módulo lo guiaban con luces intermitentes hacia la posición de destino. Otros mecas estaban aferrados a las estructuras de acero azul que colgaban de la columna central. Cuando las órbitas se solaparan en la interceptación, los propulsores del módulo de fábrica debían encenderse para completar la transferencia orbital y los mecas lo soldarían a la estación.

Por encima asomaba la luna creciente, con la base girando cerca de su órbita elíptica. Joe observó la hilera de cráteres en la línea de sombra, 1500 kilómetros más abajo. El ritmo cardíaco se le aceleró sin que pudiera evitarlo. Esto era mucho más auténtico que el mejor de los juegos espaciales de realidad virtual a los que había jugado, y tan real como su meca dirigible, por mucho que estuviera materializado en él por medio del teletransportador.

Un temblor recorrió la sección de carga y le subió por los talones de su meca dirigible. Joe dio un respingo en el arnés. Un ruido sordo llegó a sus oídos. Los únicos sonidos en el espacio provenían del contacto y, cuando el módulo de fábrica dejó de moverse, la vibración de la escalera de metal le retumbó entre los dedos. Un extremo de la estructura se había estrellado contra la sección de carga, generando infinidad de fragmentos metálicos que salieron despedidos dando vueltas. Los mecas encendieron los propulsores para evitar que la estructura metálica girara. En el canal de comunicación local se escuchó la voz de un pipabot:

—Ensamblaje del módulo abortado. Estabilizad el módulo de fábrica, separadlo de la base orbital y suspended la órbita sincronizada.

. . .

No podía haber elegido un momento más inoportuno para hacer una pausa. ¿Me habré perdido algún detalle importante?

. . .

Soltó las abrazaderas de los talones y encendió sus propulsores en ráfagas cortas para maniobrar su meca dirigible y salir de la sección de carga. Flotó sobre el extremo del módulo de fábrica destrozado e intentó ver lo que había entre este y la columna. Los bordes más cercanos a Joe se tocaban, pero no estaban paralelos. Algo había salido mal, pero no pudo deducir lo que había pasado. No había ningún patrón claro en los movimientos de la docena de mecas adheridos al metal abollado, y Joe apretó los puños con impotencia.

La voz de Dina resonó en su NEST.

—Joe, veo que estás ahí fuera en un meca dirigible. ¿Puedes reunirte conmigo en el puente, por favor?

—Estaré ahí en diecisiete minutos.

Tras echar otro vistazo infructuosamente en busca de pistas sobre los patrones de actividad de los mecas, Joe maniobró el meca para regresar a una plataforma de acoplamiento. Pasó por la cámara de descompresión y se metió dentro con cuidado para no chocar con el techo bajo, tarea nada fácil teniendo en cuenta la altura del meca. Siguió el pasillo y tomó el ascensor de vidrio hasta el puente. El robot dirigible de Dina se le acercó, y tras el visor observó en su cara una expresión de perplejidad.

—Eras la única persona ahí fuera con los robots. ¿Puedes contarme lo que ha pasado?

—Maldita sea, no, no he podido ver nada. Todo iba bien hasta que la cosa se torció.

—Este incidente ha sido como el de la última interceptación de hace siete órbitas, cuando no pudimos acoplar el módulo. Ahí también sufrimos algunos daños.

Joe se frotó la barbilla y enseguida se dio cuenta de lo tonto que debió de parecer el gesto.

—Necesito analizar todos los mecas que estaban ahí para descargar sus datos. Tengo que encontrar pistas para acotar las causas.

Ella se lo quedó mirando.

—Has dedicado muchas horas a este proyecto, demasiadas, de hecho —dijo en tono crítico—. He revisado los registros. Esta semana ya has sobrepasado cinco veces el máximo permitido.

—Es imposible conseguir resultados con solo doce horas a la semana. Estoy trabajando el tiempo que necesito trabajar.

—Y yo estoy obligada a seguir los protocolos. —De repente, su tono se suavizó—. Pero respeto tu ética de trabajo y tus ganas de ayudar. Haré una excepción. Eres libre de trabajar tantas horas como quieras. Te daré los códigos de anulación para que investigues los mecas.

. . .

Dina es otra rebelde; no deja que unas reglas absurdas se conviertan en un obstáculo. Siento haberla decepcionado.

. . .

—Gracias. Y lamento no haber podido evitar el incidente de hoy.

—No ha sido tan grave como la última vez. Los primeros informes apuntan a que podemos reparar los daños en la órbita cercana a la Luna. He pedido recambios a la fábrica de la base lunar. Podremos intentarlo de nuevo de aquí a siete días, cuando volvamos a completar la órbita y la interceptación se produzca un día después del periápside.

—Haré lo imposible para encontrar la solución antes de ese día.

Capítulo 19

Después del accidente de la Base Orbital WISE, Joe se fue a su apartamento. Cenó y durmió once horas seguidas. Al parecer, Evie no había regresado, ni tampoco estaba allí cuando despertó. El piso estaba desierto, sin alma. Decidió que ahorraría tiempo si se mudaba a la oficina regional toda la semana. Metió lo imprescindible en una bolsa, pidió las provisiones semanales a 83, entregó la basura al limpiabot y cerró la puerta.

En el edificio regional del WISE solicitó un espacio más grande. Un pipabot le acompañó al tercer piso y le enseñó un despacho. Inspeccionó rápidamente la sala: más grande pero austera, con un holocomunicador de pared sobre un escritorio en una esquina y el teletransportador en el centro. Solicitó una cama plegable para dormir, un sintetizador de alimentos e ingredientes básicos. Los robots instalaron el equipo en una hora dejando todo lo que había pedido amontonado alrededor de la plataforma elevada del teletransportador. La sala le iría bien.

Joe se pasó las cinco horas siguientes en su nuevo escritorio analizando los registros de datos. Durante una breve pausa para comer, recibió un mensaje de Dina en el holocomunicador. Había programado una reunión en la base orbital para revisar el incidente a las 16:00 h. Joe acusó recibo del mensaje.

Una hora más tarde, se subió al teletransportador y estableció conexión con la base orbital. La habitación se desvaneció y Joe se materializó en su robot dirigible, de pie, en el bastidor de la pared.

Otros dos robots dirigibles se acercaron arrastrando los pies, con las botas chirriando sobre el suelo metálico. Reconoció a Dina en uno de ellos y la siguió hasta el ascensor.

En el puente, la cúpula de cristal ofrecía vistas a la luna menguante. En el semicírculo de sillas ya estaban sentados dos pipabots y dos personas. Al entrar Joe, los humanos alzaron la vista. Ambos llevaban puesto el traje espacial sin el casco. La primera era una mujer con melena de color rojo neón y cara de pocos amigos. A su lado había un hombre alto que hacía girar el casco con el dedo índice. El puente no tenía ningún asiento de mando; todos los asientos estaban dispuestos en estilo asambleario a propósito. Joe se sentó en una silla de espaldas a la Luna para poderse concentrar en los participantes.

—Os presento a mi personal ejecutivo —dijo Dina haciendo un gesto con la mano—. Empezaré por Robin Perez, nuestra directora de sistemas de Guía, Navegación y Control, o GNC.

Joe lamentó tener el almacenamiento desactivado en el NEST y haber prescindido de su PIDA, pero reprimió su malestar y se concentró en recordar los nombres y cargos.

Todavía con el gesto torcido, Robin se apresuró a intervenir:

—Comandante, te pido disculpas por no haber evitado el accidente. No permitiré que nada vuelva a causar daños a la base durante mi turno. —Sus mechones de lava brillaban fluorescentes con el espacio exterior como telón de fondo.

—Entre todos daremos con la causa. —Dina asintió con la cabeza—. A continuación tenemos a Chuck Williams, director de Sistemas de Acoplamiento, o SIA, para abreviar. —Señaló al hombre de gran estatura y pelo oscuro y rizado que había estado jugando con el casco. A Joe la amplia sonrisa de Chuck le recordó a Raif.

—Y por último —señaló al hombre que ocupaba un robot dirigible—, Jim Kercman, director de Operaciones de Construcción.

Joe pensó en un mnemotécnico rápido.

. . .

Robin de los bosques, Chuck el destripador y el capitán Kerc.

. . .

Dina se giró hacia los pipabots.

—Y ahora, nuestros robots. PIPA 13691, o Boris, es subdirector de Operaciones de Carga. Y PIPA 13693, o Natasha, es subdirectora de Sistemas de Datos. —La frente de los pipabots brilló en azul al ser presentados.

Dina explicó a los presentes la misión temporal de Joe. Hechas las presentaciones, pidió a los subdirectores que dieran su versión sobre el incidente del acoplamiento. Acto seguido, los directores expusieron brevemente la situación uno a uno. Después de cada resumen hubo algunas preguntas.

—Hemos analizado los vídeos y, hasta ahora, no hemos encontrado ninguna razón que explique el fallo del acoplamiento. —La frustración en el tono de Chuck era evidente—. El Centro de Operaciones Noroccidental del WISE ha analizado todas las transmisiones de los ARMO y ha realizado simulaciones de RV con los datos. No se ha encontrado ningún indicio en ninguno de los ángulos visuales captados por las cámaras. Ahora estamos revisando todos los robots y mecas involucrados, pero para ello tenemos que descargar los datos individualmente.

—En las operaciones de carga no se ha encontrado ninguna alteración del plan —apuntó Boris.

—En los sistemas de datos no se han encontrado errores relevantes —indicó Natasha.

Jim y Robin presentaron informes en la misma línea.

No había ninguna causa aparente.

Joe pensó dónde podría obtener datos adicionales para analizar el problema.

—Los mecas forman una red en malla para comunicarse entre sí y coordinar el trabajo. En esa red se comparten determinados datos de percepciones. ¿Se han analizado?

Jim se inclinó hacia adelante.

—No, que yo sepa. Son datos difíciles de entender. Los mecas van equipados con sensores de campo magnético, y los datos de magnetorrecepción se procesan mediante algoritmos de aprendizaje profundo. Esos sensores cubren 360 grados, inclusive detrás del meca.

—El problema radica en la diferencia de percepción entre los robots y nosotros —intervino Robin—. Para nosotros no es fácil entender cómo funcionan esos sensores magnetorreceptores de 360 grados.

—Es como intentar comprender qué se siente siendo murciélago —adujo Dina.

—Debe de haber datos de sensores de sonido procedentes de vibraciones a través del casco. Pero eso solo pasa cuando las estructuras entran en contacto —dijo Joe.

—En el espacio nadie te oye gritar —dijo Chuck, soltando una carcajada.

Joe se rió por lo bajo y Dina esbozó una sonrisa. Si estaba frustrada por la ausencia de avances, no lo demostraba.

Dina se recostó en su asiento.

—Intentemos buscar soluciones creativas. ¿Y si hacemos una lluvia de ideas? Sugiero que digamos todo lo que se nos ocurra y ya acotaremos la lista más adelante.

Haciendo caso omiso de los robots, los tres directores, Dina y Joe estuvieron aportando ideas durante treinta minutos. Dina mantuvo el ritmo de la sesión con eficiencia y el conjunto de ideas cristalizó en una lista de acciones. Boris y Natasha aportaron comentarios técnicos cuando les fueron requeridos, pero por lo demás no participaron en la sesión. Cuando las ideas empezaron a escasear, Dina dio por terminada la reunión con un rápido «buen trabajo, equipo» para insuflar ánimos, y todos salieron en tropel con las tareas encomendadas. Robin, Jim y Dina se marcharon rápidamente, mientras Joe y Chuck esperaban juntos el ascensor.

—Me alegro de que estés aquí. Este problema me compete directamente, así que agradezco cualquier ayuda —dijo Chuck.

—Es impresionante el liderazgo de Dina. Tenéis un buen equipo y me alegro de formar parte de él.

Chuck asintió.

—Dina trabaja sin parar y sabe lo que hay que hacer, por eso estamos tan motivados. Todos tenemos grandes proyectos gracias a ella.

—Aquí parece que nadie cuenta las horas —señaló Joe, y entraron en el ascensor.

—Me alegro de que tú tampoco lo hagas.

—Me he fijado en que los dos robots tienen cargos de subdirector.

—Sí. Aquí todos los responsables máximos son humanos. Los robots no son pensadores creativos.

Joe se rió entre dientes.

—¿No son capaces de pensar rompiendo esquemas?

—No. Claramente, lo suyo son los esquemas.

—Un proceso creativo, como es una lluvia de ideas, requiere sentirse cómodo con la ambigüedad. Y con la impaciencia, porque hacemos lo imposible hasta dar con la solución. Si supiéramos hacia dónde nos dirigimos, sería más fácil llegar —dijo Joe.

—¿Alguno de nosotros sabe adónde vamos?

Al salir del ascensor, Joe se fijó en que Chuck hacía girar el casco otra vez. Era un truco ingenioso, usar la fuerza centrípeta para mantenerlo en el dedo en gravedad cero. Sería aún más difícil hacerlo desde el interior de su robot dirigible con el retardo de 1,3 segundos, y el doble de eso antes de tener confirmación visual de lo que hubiera hecho su mano. En un impulso, Joe extendió un dedo, le quitó el casco a Chuck, le dio tres vueltas y lo volvió a agarrar con la mano antes de devolvérselo.

—¡Vaya! —exclamó Chuck, riéndose—. Nunca había visto a nadie hacer eso desde un robot dirigible.

Joe aceptó el cumplido con regocijo.

—Nosotros no somos como esas máquinas, y no debemos tomarnos la vida tan en serio como para perder la oportunidad de reírnos de vez en cuando.

. . .

Jardine tiene razón. Debemos recordar que podemos hacer cualquier cosa, incluso cosas poco convencionales e impredecibles. Y podemos reírnos.

. . .

—¿Tú también tienes subdirector robótico?

—No. —Chuck hizo girar el casco de nuevo mientras se alejaba, impertérrito—. Pero si me lo asignan, lo veo tartamudeando.

Joe le rió la gracia con un retardo de más de 2,6 segundos. «S-SIA... ahora lo pillo», pensó.

Capítulo 20

La mirada de Joe se detuvo un momento en la fea pared beige del despacho del WISE. Llevaba dos días allí metido con jornadas de once horas seguidas, analizando registros de datos o en el teletransportador. Revisar los registros de los mecas y pipabots que habían estado de servicio durante los dos accidentes era una tarea ardua, así que optó por realizar pequeños descansos con frecuencia. En el despacho al menos disfrutaba del sabor a comida real gracias al sintetizador de alimentos y de un sueño profundo por agotamiento en la cama plegable.

En cambio, con el robot dirigible en el espacio percibía una sensación de inmediatez e intensidad. Arrastrando los pies por la columna central, sentía la vibración de las obras exteriores que recorría el gran armazón metálico como si se tratara de un ser vivo. Bajaba velozmente por pasarelas móviles y recorría pasillos explorando la base acompañado por el tintineo de sus botas sobre el suelo metálico. Los mecas le adelantaban con aquellas cabezas triangulares que parecían no mirar a ningún sitio. Los pipabots de cabeza elíptica eran más atentos y solían obsequiarle con una sonrisa. Siempre se fijaba en las intermitentes luces frontales anaranjadas que delataban su condición de robots.

Los mecas y robots dirigibles, manejados por humanos a través de teletransportadores como el de Joe, pasaban con menos frecuencia. En la frente les brillaba una luz plateada, y Joe los saludaba a todos. Siempre le devolvían el saludo y solían detenerse a charlar.

Conoció a varios empleados más del WISE. Todos le expresaban su frustración por los recientes accidentes sin encontrar explicación a lo sucedido. Aun así, entender la dinámica del proyecto le hacía sentir bien.

Tres días después del accidente, el robot dirigible de Dina se acercó a Joe en el pasillo. Por una vez, no había una fila de gente esperando para hacerle consultas.

—Hablemos de la investigación, ¿te parece?

Complacido por la invitación, la siguió hasta el puente y se sentaron en el círculo exterior de asientos. Tres pipabots y un robot dirigible se encontraban en la consola de control comunicándose a través del holocomunicador. La base estaba en el apoápside de la órbita lunar y, a través de la ventana, se observaba la Luna suspendida en la oscuridad. Se había encogido comparada con tres días antes, pero aun así parecía cinco veces más grande de lo que se apreciaba desde la Tierra.

Centrando su atención en Dina, Joe repasó todo lo que había hecho. Ella asintió y dijo con una sonrisa irónica:

—Es mucho trabajo en solo doce horas.

Él le guiñó un ojo para seguirle el juego.

—Es gratificante volcarse en un trabajo que te llena. —Hizo una pausa y preguntó sobre la siguiente fase del proyecto WISE—. En el netchat se está especulando mucho sobre los primeros astronautas estelares. Supongo que aún no estás reclutando personal, ¿no?

Dina se rió.

—El futuro avanza más lento que en nuestra imaginación. ¿No sabes quién irá en la primera nave? Un robot muy específico: un meca miniaturizado con una IA avanzada. —La sorpresa de Joe se hizo evidente a través del visor—. Y ese robot saldrá décadas después de que enviemos una docena de sondas miniaturizadas para recabar información y determinar qué exoplanetas son los destinos más favorables.

—Pero ahora el volumen de construcción es colosal. ¿Por qué va todo tan lento?

Dina suspiró.

—Las ecuaciones de relatividad de Einstein todavía son válidas. Según su ecuación de masa y energía, se necesitará una cantidad estratosférica de energía para transportar cualquier masa importante a una décima parte de la velocidad de la luz que, como mínimo, es la que necesitamos conseguir. Dado el tiempo necesario para acelerar hasta ese punto, más el tiempo necesario para la desaceleración, tardaría alrededor de noventa y siete años en llegar a cualquier estrella o sistema solar. Y eso requiere un cohete complejo, miniaturizado y alimentado por fusión. Siendo realistas, tardaremos dos siglos más como mínimo en poder transportar personas en un viaje interestelar. En lo que se refiere a viajes interestelares, todavía estamos en la fase de entrenamiento inmersivo.

—Y no es por falta de esfuerzo. Es increíble la magnitud y la complejidad de este proyecto de construcción. Estás haciendo un trabajo colosal.

—Mi gestión de la Base Orbital WISE es uno de los muchos proyectos espaciales que existen. Tenemos una docena de bases lunares tripuladas, tres bases en Marte y una en Fobos. Sin mencionar los programas de astronomía, como el radio observatorio en la cara oculta de la Luna, las operaciones de minería en la Luna y las minas de xenón en Marte, con robots extrayendo minerales. Hemos automatizado completamente las operaciones de extracción de metales en las dos bases de asteroides NEO. Muchos de esos proyectos sustentan el trabajo del WISE. No es correcto atribuir demasiados méritos a una sola persona.

—Eres demasiado modesta.

—Ni siquiera soy exoterráquea todavía. No he pasado una década fuera, como han hecho ya más de mil personas. Es un compromiso enorme vivir la vida de esa manera y además hay que pagar un precio. Esas personas aceptan los riesgos que representa el espacio para la salud y se aclimatan a la baja o nula gravedad con ejercicios obligatorios. Durante largo tiempo, dejan atrás a toda la gente que conocen. —Dina miró hacia la Luna—. Son, para bien y para mal, como los pioneros del Oeste americano. Y no me refiero solo a nombres famosos, como Lewis y Clark, Fremont y Carson, sino también a los primeros habitantes de las casas de las praderas. Nuestros actuales exploradores espaciales hacen los mismos sacrificios.

—Pero tú lideras uno de los proyectos más importantes —recalcó Joe, en su intento de dejar constancia del inmenso respeto que le profesaba.

El visor de Joe se encontró cara a cara con el de Dina.

—Estamos en un momento crítico. Los seres humanos dan demasiada importancia a las acciones individuales de las personas. Históricamente, inventores como Tesla realizaron grandes innovaciones, pero incluso ellos tenían un equipo detrás en el laboratorio.

Esas piedras fáciles ya se levantaron, y la invención humana es un proceso grupal. Lo cierto es que, como dijo una vez Newton, solo unos pocos tienen la suerte de auparse a hombros de gigantes.

—¿No ves a los gigantes llamando a sus hermanos?

El semblante de Dina permanecía serio.

—Esa historia heroica está muy bien. Pero no, la verdadera historia del progreso humano es el trabajo colectivo liderado por la excelencia social.

Él insistió en su argumento.

—Dicen que un Einstein ya vale como toda una universidad. Y que un solo Atlas puede levantar el mundo entero.

—No niego la excelencia individual ni su importancia. Pero la confianza extrema en uno mismo también es un defecto. Magnificar la propia obra puede derivar en arrogancia y desdén hacia otras personas, y no hay justificación para semejante actitud.

—Tú valoras el individuo, pero también la colaboración. Respetas lo que la gente es capaz de hacer cuando trabaja en equipo.

—Podemos celebrar la excelencia y, al mismo tiempo, fomentar la humildad. No hay que caer en la arrogancia. Somos simios evolucionados, no ángeles caídos del cielo.

El robot dirigible del puesto de mando hizo una seña. El rostro de Dina adquirió una expresión estoica y se vieron obligados a terminar la conversación. Dina se acercó hasta el puesto de mando para saber cuál era el problema y Joe se dirigió al ascensor, de vuelta al trabajo.

◆

Al día siguiente, Joe se levantó al amanecer y se preparó un desayuno rápido antes de sumergirse en la monotonía del trabajo documental, en busca de alguna pista en los exabytes de datos. Después de cinco horas hizo una pausa rápida para comer. Las paredes desnudas del despacho local del WISE le devolvían una fría mirada. Revisó el NEST para comprobar si tenía mensajes, y para ver si Evie o alguien más había pasado por su apartamento. No había ninguna notificación. Minutos después, se asustó al darse cuenta de que llevaba un rato contemplando una pared en blanco.

. . .

Es hora de cambiar de escenario. Me siento encerrado y el
espacio puede ser un antídoto. Puedo tomar las riendas de
mi estado de ánimo.

. . .

Al cabo de once minutos se encontraba en el teletransportador
virtual para materializarse en un meca dirigible de la Base Orbital
WISE. Liberó la máquina del bastidor, se dirigió a la columna central
de la base, luego hacia una cámara de descompresión y se encaramó
a una escalera conectada al exterior del reactor de fusión Omega.

El trabajo continuaba sin parar mientras la base se acercaba a la
Luna. Los mecas cubrían la superestructura. Joe se ajustó el sensor
del implante corneal para observar de cerca uno de los mecas, pero
mantuvo la distancia para no interrumpir el trabajo. La intensa actividad le resultaba estimulante y se ensimismó con la visión de todas
aquellas operaciones coordinadas para lograr un fin común en la
colosal estructura.

Mientras descansaba en la escalera, se le acercó otro meca. Detrás
del visor vio el rostro de Dina, bajo la luz plateada de la frente
del robot.

—Supongo que estoy nerviosa por este nuevo intento de acoplamiento. —Su meca dirigible se aferró a la escalera junto al de Joe—.
Por eso estoy aquí fuera.

. . .

Valoro mucho su sinceridad. No es una persona pretencio-
sa en absoluto.

. . .

—Sí, por eso he venido yo también. No es que ver cómo trabajan
las máquinas ayude a desentrañar el problema. Pero me libera la
mente, me ayuda a concentrarme.

Bajaron de las escaleras y se acercaron al reactor Omega, de espaldas a la estación y a la Luna, y de cara a una profunda oscuridad
moteada con millones de imperturbables puntos de luz. Tras acli-
matar la vista, Joe se perdió un instante en los tonos pastel amarillos,
azules y rosas del mar de estrellas.

Esperando que se mostrase menos reservada flotando en el espacio en medio del vacío, Joe aprovechó la ocasión.

—Dijiste que te encantaba este trabajo, pero que te ocupa todo el tiempo. ¿Por qué lo haces?

—Joe, tú sabes lo que es tener determinación para conseguir algo. Tienes espíritu competitivo.

—Lo admito.

—Yo también. —Ella parecía contemplar las estrellas con la misma fascinación que él—. Tradicionalmente, la gente ansiaba riqueza, poder y fama. Hoy en día, lo primero es una tontería. Lo segundo todavía motiva a muchos, pero a mí me atrae menos. Prefiero contribuir a que todos avancemos juntos.

—Queda la fama.

—Sí. Me gustaría pensar que mi empeño en que la humanidad avance en la exploración espacial será recordado de alguna forma.

—Es un propósito loable.

Ella se volvió hacia él.

—Tenemos que estar al pie del cañón si queremos que la humanidad avance. Ya hemos visto que los robots no pueden hacerlo si no marcamos los objetivos ni resolvemos los problemas.

Joe se mostró de acuerdo.

—No hemos sido capaces de diseñar sistemas de IA ni robots que tengan una verdadera conciencia, ni siquiera una sintiencia que se pueda verificar. Aunque es magnífico ver lo que pueden construir siguiendo nuestras instrucciones.

Dina entrecerró los ojos, concentrada en la profundidad del espacio.

—Desde aquí, uno se da cuenta de lo insignificantes que son nuestras exploraciones y lo increíblemente inmenso que es el universo. Conocemos los cuásares, formados durante el universo primitivo, que contienen agujeros negros supermasivos que se han tragado veinte mil millones de soles de materia. Conocemos las estrellas de neutrones giratorias (púlsares de milisegundos) cuyos ecuadores giran a un cuarto de la velocidad de la luz. Somos capaces de hacer los cálculos matemáticos, pero los números son demasiado grandes para retenerlos en la mente. El universo fue diseñado a una escala colosal para empequeñecer nuestra limitada capacidad de imaginar. Sabemos de las asombrosas distancias entre estrellas y de las aún más asombrosas distancias entre galaxias. El tamaño del universo es tan abrumador que la mente humana no es capaz de comprender realmente su magnitud.

—Es imposible no sentirse insignificante aquí fuera —susurró Joe.

—Y con el límite de la velocidad de la luz nunca podremos explorar más que una fracción infinitesimal de ese espacio gigantesco en cualquier tiempo concebible. El universo terminará antes de que los humanos podamos hacer avances importantes en su exploración, y eso si llegamos a sobrevivir.

—Y aun así lo intentas.

—Y aun así lo intentamos —matizó Dina. Se despidió con la mano y su robot dirigible se propulsó para dirigirse a inspeccionar otra parte de la base.

Joe flotaba ingrávido cerca del reactor de fusión. Dina encarnaba las aspiraciones más elevadas de la humanidad, superando fronteras para saber más, para explorar más allá, dispuesta a sufrir privaciones y olvidándose de sí misma, en pos del avance colectivo de la humanidad. Otra forma de pasar por la vida.

Y qué maravilla era explorar el universo. Los mecas se agrupaban en una zona lejana de la base. A su derecha la Luna era un orbe menor, y a su izquierda navegaba, aislada y lejana, una Tierra aún más pequeña. La mayor parte de su visión la acaparaba la inmensidad del oscuro espacio.

. . .

Toda la galaxia está aquí, rodeándome. Una entre los cien mil millones de galaxias. Y una galaxia tiene de media cientos de miles de millones de estrellas, separadas por distancias tan enormes que las más cercanas difícilmente son alcanzables en una vida humana. Con todos mis conocimientos de matemáticas y física, ni siquiera puedo imaginármelo. Todo ese espacio, un inmenso vacío. Un montón de nada creado. ¿Creado? ¿O simplemente ocurrió? ¿Cómo saberlo?

. . .

Su respiración constante solo afianzaba la abrumadora ilusión de que estaba allí en el espacio, en una inmensa soledad. De repente, la sensación del espacio vacío se transformó. La negrura total parecía disolverse, moverse, llenarse de algo. Estaba flotando en *algo*.

. . .

La física cuántica convencional dice que el vacío, repleto de actividad, contiene partículas, materia oscura y energía oscura, pero todo ello a muy bajas densidades. Me asomo a este abismo, tratando de encontrar la clave de la naturaleza.

Ahora no veo la oscuridad, sino quizá un océano de partículas que entran y salen de la existencia a cada instante. Una colección de algo en ebullición, y yo formo parte de ello. Existo en relación con el universo.

. . .

Exhaló profundamente sintiendo la suave actividad de sus pulmones y volvió a centrarse en la oscuridad circundante. Ya no se sentía temeroso y solitario. Al contrario, mimetizándose se procuraba protección. Transcurridos unos minutos, maniobró su meca dirigible de nuevo hasta la estación base.

◆

Joe analizó todos los datos disponibles y no encontró nada. Ninguna de las ideas del equipo había arrojado resultados, y Dina, impaciente por el retraso, ordenó intentar de nuevo la interceptación orbital.

El equipo de construcción había transportado los componentes desde la base lunar de Mare Imbrium y estaba efectuando las reparaciones del módulo de fábrica en la órbita lunar cercana. Apenas estaría listo a tiempo dentro de la ventana de oportunidad de treinta y una horas para completar la órbita de transferencia de Hohmann parcial, porque la base había pasado el periápside, la aproximación más cercana a la Luna, y ahora se alejaba rápidamente en su trayectoria orbital exterior. Sincronizarían las órbitas a varios miles de kilómetros de la Luna.

Joe durmió toda la noche y regresó a la base virtualmente. Su robot dirigible se aferró a la escalera de la sección de carga. Un ejército de mecas cubría la columna central de la base mientras rotaban los componentes y los soldaban en su sitio. Desde donde él estaba, era como ver a un grupo de baile sobre el escenario de la base orbital, con los mecas haciendo giros en *piqué* sujetando los componentes con los brazos extendidos. Sabía que no existía un verdadero *arriba* o *abajo*, pero mentalmente colocó la Luna abajo en su marco de referencia, donde aparecía suspendida, grandiosa y fulgurante en la negritud del espacio. De repente, la luz de la Luna resaltó un destello de metal. Joe se ajustó el sensor corneal y divisó el elemento de acero que se aproximaba con la inscripción MÓDULO DE FÁBRICA

17 en un lateral. Contuvo la respiración. Esta vez no le quitaría ojo a la maniobra de acoplamiento.

El módulo se acercó a menos de cincuenta metros del punto de unión en la columna, sobre cuyo casco azul se reflejaban las sombras de la Luna. Cerca vio una escalera que le permitiría divisar el acoplamiento desde el módulo. Soltó los imanes de las botas de su meca dirigible, maniobró con los propulsores hasta el módulo y se agarró a un peldaño con ambas manos mecánicas.

Por encima de él había dos mecas guiando el módulo. No podía ver el punto de conexión donde se acoplarían las paredes de metal.

Con una intuición repentina, se soltó de la escalera. Los propulsores lo empujaron hacia el borde metálico. El meca dirigible se sujetó con las suelas magnéticas en el borde metálico de la junta. Joe miró fijamente el espacio que se cerraba entre la base y el módulo.

De repente, detectó que algo se movía junto al borde de la base de la columna. Era un limpiabot que se desplazaba hacia el lugar donde el módulo debía unirse a la columna. Los dos mecas guía que habían estado acercando el módulo lo alejaron bruscamente. Eso hizo pivotar el borde superior del módulo.

· · ·

Ese limpiabot no pinta nada ahí. ¿Qué está haciendo? Debe de tener el programa estropeado. ¡Ya está, es eso! Seguro que también estaba ahí durante el intento de la semana pasada. No puede volver a ocurrir.

· · ·

Joe emitió una instrucción desde su NEST con los códigos de anulación.

—Mecas, abortad la última maniobra. Continuad el acoplamiento como estaba previsto.

Un pipabot gorjeó por el canal:

—Hay un setenta y uno por ciento de posibilidades de dañar la sección de carga si se ejecuta esta contraorden.

—Ejecutad la contraorden. Continuad la maniobra de acoplamiento original.

Los mecas invirtieron el impulso y el módulo dejó de pivotar. Después de una pausa, se colocó en posición de acoplamiento. El espacio entre el módulo y la columna de la base se cerró y el módulo topó con la sección de carga antes de girar directamente contra la columna. El limpiabot fue aplastado en el tornillo de banco que formaban la base y el módulo. A través de las suelas le llegaron las vibraciones del metal triturado. Del módulo se desprendieron algunas piezas. Una esquina de la sección de carga quedó abollada, pero desde su posición el daño parecía leve. Los mecas soldaron los componentes.

El pipabot volvió a gorjear:

—Acoplamiento finalizado. Se están valorando los daños.

———————————◆———————————

Joe se encontraba en el puente de la Base Orbital WISE en su robot dirigible, admirando la maniobra realizada en compañía de Dina. El módulo se había acoplado en el lugar previsto sobre la columna de la base. La satisfacción era enorme.

—¿Así que el culpable era un limpiabot averiado? —Dina lo contemplaba por encima de la pirámide que formaban las manos de su robot dirigible.

—Es lo más probable. —Se inclinó hacia ella—. No se ha podido analizar porque se han recuperado muy pocos componentes de memoria. Me gustaría presentar los datos parciales a un conocido mío que es experto en bases de datos para que los evalúe. Se llama Raif Tselitelov.

—Si crees que es bueno, tienes mi permiso. Pero ¿por qué la presencia del limpiabot no quedó registrada?

—Los mecas que se encontraban en el punto de acoplamiento estaban de espaldas al robot cuando maniobraban para colocar el módulo. Probablemente, recibieron datos de magnetorrecepción indicando alguna obstrucción, pero no pudimos analizarlos lo suficiente para determinar lo que sabían.

—Entonces, ¿por qué los mecas abortaron el acoplamiento?

Se rascó la barbilla sin saber muy bien qué responder.

—Supongo que, aunque el limpiabot tenía dañado el sistema de IA, detectó su inminente destrucción y envió una señal de auxilio.

Dina comprendió rápidamente la situación.

—Ah, la tercera ley de la robótica: un robot debe proteger su propia existencia en la medida en que esta protección no entre en conflicto con la primera o la segunda ley.

—Exacto —asintió Joe.

—Y el anexo (un robot debe proteger la supervivencia de los demás robots siempre que dicha protección no viole las tres primeras leyes) se añadió para evitar la destrucción total de los robots si algo no funcionaba. No hay duda de que esa programación está enterrada en las profundidades del código arcaico. Por eso seguramente los mecas abortaron la maniobra de los dos primeros acoplamientos.

Dina no las tenía todas consigo.

—Que el robot apareciera ahí en ese momento también es muy raro.

—En realidad, no. —Joe se sentó de nuevo—. El limpiabot tiene un horario semanal y los tres intentos de acoplamiento ocurrieron en domingo. —Dina parecía muy interesada en la explicación—. Para descifrar esto no se necesitan algoritmos, solo aritmética elemental. El primer fallo se produjo siete órbitas antes que el segundo, es decir, seis semanas exactamente. Y este último intento también fue una semana después.

—No había caído en esa cuestión tan evidente. —Parecía abatida.

—Estás en tiempo orbital. A mí también se me pasó al principio. Luego me vino a la mente tu comentario de que yo era la única persona que estaba ahí fuera la semana pasada. —Joe levantó un dedo—. Ahí está el otro problema.

Dina esperó, observando la expresión exultante de Joe, imposible de disimular.

—Como el personal de la base trabaja tres días, cuatro horas al día, se agrupan en turnos de lunes a miércoles, y de jueves a sábado. Los domingos hay escasez de personal. Tal vez por eso nadie vio antes el limpiabot averiado.

—Y todo por culpa del límite horario —dijo ella, sonriente—. Me alegro de haber hecho una excepción contigo.

—Yo también. —Joe se aclaró la garganta—. Siento los pequeños daños en la sección de carga. Y la pérdida del robot.

—Yo habría hecho lo mismo para llevar a cabo el acoplamiento. Naturalmente, la conversación sería distinta si la pérdida hubiera sido de un ser sintiente.

—Sí, desde luego —dijo él, sin tener demasiado claro si le habría afectado tal extremo.

Segunda parte: El viaje hacia el exterior

«Hay un momento cuando cabalgas sobre la ola en que decides girar, y ese giro determina todo lo que viene después».

Joe Denkensmith

CÚPULA DE COMBATE

BOSQUE ESTATAL

COSO

TÚNEL DE SUMINISTRO

TÚNEL DE SUMINISTRO

ESTACIÓN DE TREN

PUEBLO

① Plaza principal	⑦ Palcos VIP	
② Anexo Alfa	⑧ Oficinas del coliseo	
③ Anexo Zeus	⑨ Apartamentos para invitados	
④ Anexo Omega	⑩ Plazas	
⑤ Centro médico	⑪ Tienda de Alex	
⑥ Almacén de mecas		

N

Capítulo 21

El zumbido del hiperlev que lo traía de vuelta desde la oficina regional del WISE sumió a Joe en una agradable ensoñación. En su cabeza aún resonaban los cálidos elogios de Dina, junto a la promesa de volver a invitarlo en proyectos similares. Al llegar a la estación se subió a un vehículo autónomo. Al poco, las puertas de piedra de la universidad le daban la bienvenida. El aire fresco del campus le sirvió para despejarse tras varias semanas recluido. En el despacho abrió el intercomunicador para ver si tenía mensajes y se topó con la cuantiosa bonificación de Dina por los servicios prestados. Con eso podría conseguir lujos a los que nunca había tenido acceso. Estableció una conexión cifrada con Raif y el holograma de este se materializó al cabo de un minuto.

—Parece que has estado ocupado —le dijo con un guiño—. ¿Has estado nadando?

—En el lugar en el que he estado las dos últimas semanas no había agua —replicó Joe y le puso al corriente del proyecto.

Raif se quedó impresionado al conocer la historia.

—¿Te has cargado otro robot? Joe, si yo fuera un robot empezaría a preocuparme por tus hazañas...

Joe se encogió de hombros y describió el acoplamiento del módulo con todo lujo de detalles. Raif le pidió que repitiera exactamente lo que hicieron los robots.

—Algo raro le pasaba a ese robot. Lo lógico es que los robots llevaran a término su objetivo, es decir, que completaran la operación de acoplamiento.

—Los robots siguen determinados objetivos —asintió Joe.

—Es realmente interesante, me gustaría analizarlo.

—Ya lo había pensado. Dina ha dado permiso para que revises los datos. Te enviaré la información de contacto. —La expresión de Raif era una mezcla de excitación y alivio, y Joe supuso que aún debía de estar esperando alguna oferta de trabajo.

—Una cosa más. —Joe bajó la mirada—. ¿Puedes ayudarme a cambiar crédito$ por crédito$ opacos?

—No hay problema. —Raif sonrió socarronamente—. Pero ¿a qué viene tanta preocupación? Siempre has confiado en las leyes de privacidad, aun cuando intentaba convencerte de que, en teoría, los fondos siempre son rastreables.

—A lo mejor mi compañera de natación me ha acabado de convencer. —Joe concretó la cantidad.

—¡Caramba, nadando en la abundancia! —exclamó Raif con una risa burlona—. Luego los cambio y te paso los códigos.

Joe sonrió y cerró la conexión.

———————◆———————

Joe subió apresuradamente las escaleras del apartamento y se paró en seco al llegar arriba. Vivir en el despacho del WISE le había dejado un poco desaliñado. Se atusó el pelo con la mano y se armó de valor. La luz del sol brillaba a través del ventanal de la sala de estar vacía. En la estancia reinaba el más absoluto silencio. Se quedó allí parado, con los brazos caídos. Fue como la primera vez que había entrado en aquella sala, sin la presencia de Raidne; como una persona sorda que se despierta.

De repente, la puerta de uno de los dormitorios se abrió y Evie entró en la sala de estar. Se paró frente a la ventana con la mano apoyada en la cadera y le regaló una reconfortante sonrisa.

Joe se la devolvió con gesto cómplice.

—Perdona la pinta que traigo. No he parado de trabajar últimamente.

—No hace falta que te disculpes por haber estado trabajando. —Se acercó a él, se lo quedó mirando un instante y le alisó la barba—. Estás más interesante con esta barba tan sexy.

Una sensación de sofoco se apoderó del rostro de Joe. Evie sonrió y la estancia se inundó de un cálido ambiente primaveral.

. . .

Es hora de poner al día mis probabilidades bayesianas. Me encuentra sexy.

. . .

Evie lo condujo al sofá y se sentaron tan cerca que sus rodillas se tocaron.

—Volví hace tres días y me preocupé al ver que no aparecías. ¿La investigación te ha llevado fuera del campus?

Joe negó con la cabeza y se encogió de hombros.

—No, bueno, la investigación no, ha sido un proyecto... que me ha llevado hasta la Luna.

Joe se pasó media hora explicando el proyecto WISE y respondiendo a las frecuentes preguntas de Evie. Al relatar la genial idea que le llevó a descubrir al limpiabot errante, fue modesto y atribuyó el mérito a todo el equipo. Cuando Joe le habló del equipo de dirección de la base, Evie lo miró con suma atención.

—Parece que les has ahorrado muchos problemas. O al menos un montón de crédito$. ¿Qué clase de persona es Dina? —Su mirada recorrió de un lado a otro el rostro de Joe, y él se sintió feliz al ver que ella se interesaba tanto por la historia.

—Una gran jefa. Y una gran líder. Sabe cómo dirigir a un grupo de personas hasta un objetivo. Inspira confianza.

—Debe de haber sido muy intenso formar parte de ese equipo.

—No he hecho otra cosa que trabajar. Pero solo nos veíamos de vez en cuando a través de robots dirigibles. Al final te acostumbras a ver el avatar de alguien a través del visor. —Joe siguió hablado sobre la experiencia de flotar en el espacio.

—Tengo hambre. Voy a preparar la cena —dijo Evie, sonriente.

Mientras ella se ocupaba de la cocina, Joe se dio una ducha. Se sentía feliz de volver a la rutina. Al regresar se le hizo la boca agua ante el delicioso aroma que desprendía el pollo guisado con pimiento y tomate, y fue directo al plato.

—*Poulet basquaise*, de la región del País Vasco francés —dijo ella cuando Joe levantó la mirada del plato.

—¿Cómo están tus amigos? —Joe empezó a comer.

Evie probó un bocado antes de responder.

—La mayoría están fuera de la cárcel. Muchos en libertad vigilada. Solo he podido visitar a unos cuantos, y con mucha discreción. Yo creo que ahora ya puedo volver, siempre con cautela y evitando las reuniones, que llaman demasiado la atención —dijo con cara de circunstancias—. No será fácil. Pero es lo que toca.

—Me cuesta imaginar cómo es tu vida.

—¿Quieres comprobarlo por ti mismo?

—Sí, me encantaría.

—Pues mañana vamos. —Evie sonrió, y Joe pensó que daría cualquier cosa por verla sonreír así todos los días.

◆

Tras pasar la noche cada uno en su habitación —un hecho nada sorprendente pero no por ello menos decepcionante—, partieron juntos a última hora de la mañana. Fueron en vehículo autónomo hasta la estación y después tres paradas en hiperlev hasta el extremo sur de Timsheltown, la ciudad más grande al sureste de la Universidad de Lone Mountain. Al salir de la estación, Joe miró fijamente el enorme monolito gris que ocupaba todo el horizonte. Le recordó el viaje virtual que había hecho a Borobudur, un antiguo templo budista. La cúpula principal brillaba bajo el sol rodeada por las tres cúpulas secundarias, que resplandecían como un collar de perlas. El camino peatonal de piedra caliza que conducía de la estación a la entrada se veía desgastado por el uso diario.

—¿Así que esa es la Cúpula de Combate? Es más grande de lo que imaginaba. No sabía que tenía esas otras cúpulas anexas. —Consultó el NEST y al instante le apareció la información en la interfaz corneal: «101 metros de altura, 140 053 metros cuadrados, capacidad para 200 029 espectadores». La cúpula principal solo era una parte del complejo.

—Así es como la llaman los medios, pero no los que vivimos aquí. Para nosotros es la Cúpula Comunitaria o, simplemente, la Cúpula.

Pasearon juntos por el camino peatonal. A cierta altura, los drones se encargaban de repartir los suministros que los robots descargaban y transportaban hasta el edificio de recepción. Los robots no entraban en la Cúpula, sino que un grupo de personas se encargaban de trasladar los suministros por un túnel habilitado para tal fin. La multitud que entraba y salía era como en cualquier otro lugar: una colorida variedad de individuos con infinidad de indumentarias y estilos.

Joe y Evie atravesaron el gran arco de la entrada. En el interior había un amplio bulevar circular rodeado de tiendas, cafés y entradas a las viviendas. El complejo estaba cubierto por un gran techo de cristal sobre la tercera planta, pero la hilera de árboles a lo largo del perímetro daba la sensación de estar al aire libre. Cientos de conversaciones simultáneas se fusionaban en un intenso murmullo. No se divisaba ningún robot, tan solo una marea humana. Y bicicletas. Joe solo había visto una en un museo. Se apartó para dejar paso a un grupo de chicos que venían directos hacia ellos, y el corazón le empezó a palpitar, no tanto por su propia seguridad, sino por la aglomeración de gente. Se imaginó la cantidad de accidentes y lesiones que podían ocurrir en un espacio tan concurrido. Observó un único letrero, que anunciaba los próximos juegos en enormes letras luminosas: COMBATES DE MECAS Y EXOMECAS 15:00 H.

Joe activó el ARMO para ver qué podía identificar a su alrededor, pero en el rabillo del ojo no le apareció nada.

—Parece que el ARMO aquí no me va del todo bien —dijo.

Evie se rió.

—Aquí nunca etiquetamos nada para la realidad aumentada excepto en el coliseo.

—¿Por qué no? —No recordó haber estado jamás en ningún lugar que su ARMO no reconociera. Era una sensación insólita y liberadora. Como quien explora un territorio desconocido.

—Porque al principio cuando surgieron las etiquetas eran para fines comerciales, y aquí en la Cúpula se decidió mantener los espacios vitales al margen de ese tipo de intereses.

Evie lo condujo hacia la izquierda por el bulevar circular. En dos ocasiones, al pasar por delante de un café, alguien saludó a Evie con la mano y ella le devolvió el saludo. Más adelante, giraron a la izquierda en una bifurcación. Joe consultó el ARMO y vio que era una de las muchas confluencias radiales que albergaban más viviendas. El suelo de travertino confería a las calles un aspecto rústico y acogedor, suavizado por la luz del sol que entraba por el techo de cristal.

Al pasar frente a otro café, Evie ralentizó el paso.

—¿Te apetece comer algo?

Joe asintió y se sentaron. Una joven se acercó y dio a Evie un fuerte abrazo.

—Bienvenida a casa —dijo la mujer, que parecía no tener intención de soltar a Evie—. No sé si lo sabes: Vinn y Bari se casaron hace dos semanas.

—¡Oh, qué buena noticia! Tendré que visitar a Vinn y felicitarla en persona. Gracias por decírmelo, Yvette. Mira, te presento a un amigo. Es la primera vez que viene. ¿Podrías traernos tu especialidad?

Yvette asintió, saludó a Joe con una gran sonrisa y se marchó. Minutos después, les sirvió unos vasos de té y unos espaguetis a la boloñesa, y los dejó a solas para que disfrutaran de la comida.

—¿Es pariente tuya? —Joe se preguntaba si sería aquí donde Evie aprendió a cocinar.

—No, es una vecina. Aquí formamos una verdadera comunidad, la gente conoce a sus vecinos y se preocupa por ellos. —Se quedó pensativa—. Bueno, no debería decir eso. Es más que una vecina y una cocinera creativa. También escribe poesía. Aquí la gente tiene muchos intereses, aunque rara vez tiene la oportunidad de demostrar su talento fuera de la comunidad.

El rico sabor de la salsa lo distrajo.

—Esto está delicioso.

—Aquí la mayoría de los restaurantes están regentados por familias. Las recetas se pasan de generación en generación y se comparten con la comunidad. —Levantó la vista del plato—. Por supuesto, todo es gratis.

—¿Y las bicicletas? —Se fijó en un hombre que pasaba en aquel momento—. Nunca había visto a nadie utilizar una. ¿No son peligrosas?

Evie se rió.

—No si la gente es educada y respeta el límite de velocidad, que es de once kilómetros por hora. —Después de otro bocado, prosiguió—. La gente que vive en la Cúpula y sus aledaños son de niveles del cuartil más bajo. Muchos son descendientes de los últimos operarios de maquinaria pesada. Se sienten cómodos con lo analógico.

—Y con aprender a montar en bicicleta.

La sonrisa irónica de Evie delataba que ella había montado en una.

—Si te caes, te vuelves a subir.

Terminada la comida, dieron las gracias a Yvette y siguieron callejeando por la Cúpula, con Evie de guía. Giró a la derecha en otra calle circular para seguir dando un rodeo al coliseo central. Joe se detuvo en una intersección para admirar la vista. Más adelante en la calle principal había una plaza presidida por una estatua imponente.

—Es el Anexo de Zeus, con su propia cúpula. Lleva un rayo en la mano.

—Es el dios griego de los rayos y los truenos, ¿verdad?

—Y de la justicia. El escultor representó el control humano sobre la tecnología. Mucha gente aquí desearía que la hubiera dominado con más fuerza.

—¿Y por qué no hay robots? ¿Tenéis una relación de amor-odio con ellos?

—Justamente —dijo con mirada cómplice—. Está claro que los robots hacen todo el trabajo peligroso, eso nadie lo discute. Pero se llevaron todas las oportunidades de empleo. La mayoría de la gente de aquí, o al menos sus abuelos, estuvieron alguna vez empleados en los trabajos más básicos. Eran esclavos asalariados. Trabajaron en industrias pesadas y dirigieron los primeros robots, modelos de exoesqueletos manipulados desde el interior de la máquina. Al final, incluso esos trabajos se acabaron perdiendo.

Volvieron a girar a la derecha, llegaron al bulevar principal y continuaron rodeando el coliseo. A Joe le llamó la atención una tienda.

—Una peluquería. ¿Aquí no cortan el pelo los robots, como en todas partes?

—Aquí la mayoría de los peinados y cortes de pelo los hacen personas. —Evie se echó la melena hacia atrás—. Hace sesenta años sí que se encargaban de ello los robots, con la última pandemia. Pero luego la biociencia neutralizó la amenaza, y a la gente de aquí le gusta ofrecer estos servicios personales como un regalo. Es otra manera de sentirse más en contacto con los demás.

—Sí, literalmente en contacto.

Al pasar por delante de una joyería, el dependiente, un hombre mayor, los invitó a entrar. El mostrador estaba cubierto por herramientas de corte por láser, máquinas y microscopios. El hombre de rostro curtido y mirada centelleante se llamaba Alex.

—¡Evie, cuánto tiempo sin verte! —Alex dio a Evie un abrazo paternal y ella le presentó a Joe—. Déjame que te enseñe mi última creación. —Apartó unos alicates y escariadores y los dejó sobre un banco contra la pared, abrió un cajón y sacó un anillo. Joe y Evie se acercaron para ver la joya, un anillo de titanio con un reluciente diamante rojo.

—Estos diamantes me los traen de Marte. ¿Qué os parece esta belleza?

—Magnífico —musitó Evie con la voz velada por la emoción.

—El primero que veo en mi vida —admitió Joe.

—Veámoslo en su hábitat natural —propuso el anciano con una sonrisa pícara y el rostro iluminado. Tomó la mano de Evie y le puso el anillo en el dedo con destreza. Le quedaba precioso. Lo acercó a la luz y la piedra emitió una sinfonía de destellos.

—¿Me dejas que te lo regale? —Joe se anticipó a la previsible protesta de Evie levantando la mano—. Tengo crédito$ opacos —le dijo al hombre.

El hombre se quedó mirando a Joe.

—Es un regalo, de corazón. Para Evie, que jugaba cerca de mi tienda cuando era niña.

Joe deseó no haber ofendido a Alex y trató infructuosamente de imaginarse a Evie cuando era pequeña. Era tan disciplinada... Como si hubiera venido al mundo siendo adulta.

Evie se inclinó y dio al hombre un beso en la mejilla.

—Lo acepto encantada.

Alex le apretó cariñosamente el hombro.

—¿Quién es tu acompañante?

—Un amigo íntimo —respondió ella.

Joe estrechó la mano de Alex y le agradeció su generosidad. Se despidieron y el alegre joyero volvió a sus ocupaciones.

. . .

Un amigo íntimo.

. . .

Continuaron por el bulevar y en el siguiente cruce giraron a la derecha para dirigirse al centro.

—Lo siento —se lamentó Joe—. Nunca imaginé que aquí no se pagaría por algo tan valioso.

Evie se detuvo, contempló el anillo y miró a Joe con ternura.

—Nuestra comunidad no tiene un interés comercial, pero fue un detalle por tu parte. Para mí, es como si también fuera un regalo tuyo.

Joe sonrió y siguieron caminando.

—Antes hablabas de salarios. Aunque de Marte se extraen toneladas de diamantes rojos, transportarlos a la Tierra tiene un coste. ¿Cómo puede tu amigo permitirse el lujo de regalar sus obras?

—Como los robots se encargan de extraer y transportar los minerales, los costes cada vez son más bajos. La gente aquí usa crédito$ opacos; necesita pagar por algunas cosas como, por ejemplo, estas piedras. Y como está desempleado, su tiempo no le cuesta crédito$, así que puede regalar sus creaciones a las personas que le importan. Valoramos mucho los regalos, pero no es una cuestión de bienes materiales. Lo que es impagable son los sentimientos ligados a los objetos por quienes los dan y los reciben.

—La gente de tu comunidad es muy generosa.

—La mayoría de la gente aquí sabe que no es necesario ponerle precio a nada. Es una lección que hemos aprendido en la comunidad de la Cúpula, y que el resto aún tiene que aprender.

El joyero de ojos vivos le había llamado poderosamente la atención.

—¿Por eso se dedica a crear joyas y luego a regalarlas?

—Es una razón. —Evie se detuvo frente a él y lo miró fijamente, como si no hubiera nadie más a su alrededor—. Alex es un astrofísico brillante. Sacó unas notas inmejorables en los exámenes de matemática avanzada, pero jamás pudo optar a ningún trabajo en el que desarrollar su talento.

—¿Notas inmejorables? —Joe sintió cierta sensación de sofoco.

—Es la misma razón por la que no pude conseguir ningún trabajo con mis títulos. Los niveles. —Evie señaló la joyería—. Para él, es lo más parecido a visitar Marte.

. . .

La carrera de la vida no es justa. Cada persona empieza en un punto diferente de la pista; las oportunidades no son las mismas para todos. No puedo congratularme por lo cerca que esté de la meta, solo por lo lejos que sea capaz de llegar.

. . .

Joe lo entendió por fin y su rostro debió de reflejarlo. Ella admiró el anillo de nuevo y, cuando volvió a mirarle a la cara, no estaba enfadada.

Llegaron a una entrada del coliseo, con la Cúpula visible a través de la pared de cristal. La gente pasaba junto a ellos y entraba por las puertas abiertas. Los juegos estaban a punto de empezar. Evie lo guió y ambos encontraron asientos en un lateral del anfiteatro.

—Hay tanta gente que sigue los juegos, que han instalado un gran centro de prensa para retransmitirlos a través del netchat. —Evie señaló el palco VIP de cristal en la grada opuesta del coliseo.

—Y un moderno centro médico para tratar las heridas y lesiones que se produzcan durante los juegos, según he oído.

Ella se rió.

—A veces se lesionan. En el netchat exageran mucho, no es algo que pase con frecuencia. Es raro que alguien llegue al extremo de perder un miembro, y en cualquier caso los sustituyen pronto.

—¿Y qué me dices de las alusiones a la fábrica de cíborgs?

Evie lo miró con incredulidad.

—Nunca ha habido ninguna fábrica de cíborgs. Millones de años de evolución apuntan a que no tenemos la mejor interfaz para combinar la biología humana con las máquinas, sino todo lo contrario.

—Solo la tecnología para arreglar las piezas dañadas —replicó él.

—Hay menos cíborgs aquí en la Cúpula que entre la población. La gente no quiere biochips y muchos rechazan los NEST.

—Todos hablan cara a cara. No veo que haya mucha gente preocupada por el PIDA.

—Aquí la gente tiene la impresión de que la vigilan cuando sale de la comunidad. Sospechan del gobierno, por eso casi nadie tiene PIDA. La comunidad tolera los robots, pero siempre que haya pocos. —Parecía que sabía cuál sería la réplica de Joe—. No digo que aquí la gente sea mejor. No es ni mejor ni peor que en cualquier otro sitio.

—La gente se conoce y prefiere no ser reconocida por la IA. Es natural que quiera vivir en el anonimato.

Joe observaba todo a su alrededor con gran atención. Solo había visto unos juegos antes en la red. Sabía que un meca competiría contra un humano encerrado en un exomeca. Ahora era la oportunidad de verlo de cerca.

Todos los asientos a su alrededor estaban ocupados. Junto a Joe se sentó un hombre corpulento de mediana edad, tal vez de unos setenta años. El hombre se enroscaba su tupida barba dorada con tres dedos mientras miraba expectante el escenario central. Cuando las paredes que sostenían la cúpula se encendieron con rayos láser rojos y azules, Evie le dio la mano a Joe. En el escenario, once cañones dispararon al aire columnas de llamaradas al ritmo sincopado de una música *otzstep* atronadora. La mayor parte del público —al menos todos los menores de 50 años—, bailaban sin cesar al son de la música. Evie se rió y se le acercó siguiendo el ritmo con un leve balanceo.

Los hologramas que flotaban sobre el imponente escenario estaban a punto de presentar a los primeros luchadores. Un exomeca dio unos pasos al frente desde el flanco derecho. Desde arriba, el holograma mostró un primer plano del operador humano y el nombre de este apareció en rótulos que se desplazaban lateralmente en las pantallas gigantes.

—¡Recibamos como se merece a... Underman! —gritó el locutor a la multitud, que empezó a jalear el nombre del luchador y a pisotear las gradas.

En el flanco izquierdo dio unos pasos al frente un meca normal. La voz del locutor retronó de nuevo:

—¡Y enfrentándose a nuestro héroe... Mace Face! —La multitud lo abucheó con más fuerza aún.

Igual que cuando veía un partido de fútbol, Joe sincronizó el NEST con la retransmisión holográfica. La respiración de Underman le retumbaba en la cabeza. La retransmisión le dio la perspectiva del contendiente humano en el interior del exomeca.

· · ·

Una de las razones por las que estos estadios están siempre a rebosar: en las retransmisiones holográficas uno nunca tiene la sensación real de ser el atleta. Seguir un deporte violento en directo va a ser una nueva experiencia.

· · ·

Después de los preliminares, las máquinas se pusieron en guardia una frente a otra. Ambos contrincantes clavaron las cuatro patas dotadas de tacos metálicos en el áspero coso, apoyándose sobre los nudillos. Joe se fijó en que preferían articular las patas en paralelo, pese a que ello les restaba equilibro. Los servomotores de las articulaciones empezaron a rugir, preparados para el estallido de potencia. Al sonar la bocina, ambos contendientes se abalanzaron y sus hombros chocaron con un monumental estruendo. Se enzarzaron en el cuerpo a cuerpo cuales luchadores de sumo de siglos pasados. El forcejeo se intensificó con los zarpazos de sus extremidades metálicas. Tras el primer embate se separaron y se movieron en círculo estudiándose mutuamente.

Mace Face embistió a su rival y estampó su cabeza sin rostro contra el brazo izquierdo de su oponente humano. La multitud le abucheó. El exomeca, con el codo en el suelo y el brazo izquierdo parcialmente incapacitado, permaneció inmóvil durante unos instantes. El holograma flotante mostraba el rostro sudoroso del humano mientras manejaba los controles frenéticamente.

El jadeo de Underman se adueñó de la cabeza de Joe, que sintió náuseas preso del pánico.

Underman hizo retroceder un metro al exomeca para evitar el siguiente embate. Joe se llevó la mano a la oreja y desconectó el NEST. Miró a su alrededor y se dio cuenta de que los residentes de la Cúpula sentados a su alrededor no seguían la retransmisión holográfica. Tampoco Evie, que seguía el combate sin ningún tipo de apasionamiento, más concentrada en el gentío.

El repliegue de Underman no le sirvió de mucho. Mace Face se abalanzó sobre él y volvió a empotrarle la cabeza en el brazo izquierdo, ya maltrecho. Underman se quedó con el brazo doblado a la altura del bíceps y los dedos totalmente inutilizados. Levantó el brazo destrozado, pero Mace Face lo golpeó de nuevo. Underman dejó caer el brazo izquierdo, pero con el derecho lanzó un gancho que alcanzó la axila del meca, que salió despedido hacia atrás y al golpear el suelo quedó tendido en el coso.

La multitud gritó: «¡*Uwatenage*!». Underman le golpeó duramente en el pecho desde arriba. El exomeca y el meca se enzarzaron a golpes durante algunos minutos, pero la posición de inferioridad del meca lo dejó a merced de su rival y los árbitros detuvieron la pelea. Underman levantó el brazo derecho ante la incesante aclamación del anfiteatro.

El hombre corpulento aplaudía a rabiar.

—Para que luego digan que somos inferiores a los robots... ¡Menudo *bot-arate*! —exclamó, y no pudo evitar reírse de su propia gracia.

El murmullo de júbilo entre el público se alargó hasta los prolegómenos del siguiente combate.

Joe se inclinó sobre Evie.

—¿Me ha parecido que limitan la capacidad de reacción de los mecas para dar una oportunidad a los exomecas?

—Sí, siempre, aunque el retardo es mínimo. Unos cuantos humanos han estado muy cerca de ganar en igualdad de condiciones —puntualizó Evie—. Siempre hay que tener en cuenta los factores analógicos, como el juego sucio y la imprevisibilidad.

. . .

Por eso vemos los juegos, porque nos hacen sentir como dioses que contemplan cómo chocan lo aleatorio con la voluntad, a ver qué sucede.

. . .

Evie le señaló la salida.

—Salgamos de aquí. Me gustaría enseñarte más cosas del complejo. —Lo condujo a un pasadizo lateral y bajaron por unas escaleras que daban a una puerta en las entrañas subterráneas de la Cúpula. La pantalla de la puerta se iluminó.

—Hola, Johnny —dijo Evie. La puerta se abrió y pasaron al interior.

En el puesto de control había un joven sentado en una cabina de guardia.

—Me alegro de verte —dijo el joven con una sonrisa.

—Yo también. Me gustaría dar una vuelta con un amigo para que vea todo esto, ¿es posible?

—Para ti siempre, Evie. —Les hizo señas para que se dirigieran a otro pasillo.

—Ese era el pequeño Johnny —aclaró Evie ante la mirada inquisitiva de Joe—. Ayudé a criarlo cuando era niño. En la Cúpula, la crianza de los niños es una tarea comunitaria, más que un trabajo de robots de guardería.

Señaló el pasillo que conducía al hospital, pero siguió recto hasta la zona del vestíbulo que daba a un gran almacén de mecas y exomecas. Joe se detuvo frente a un exomeca y se preguntó cómo meterse dentro. Se dio una vuelta y vio un pequeño escalón de metal que sobresalía de la pantorrilla en la estructura metálica de la pata. Joe apoyó el pie en él y se colocó en su interior, con los pies en los huecos de las patas. Deslizó los brazos por las mangas y tocó los controles con los dedos. Aunque podía ver a través de la placa frontal, la máquina se amoldaba a su cuerpo como un ataúd y le dio claustrofobia. Sacó las manos y salió de la carcasa.

—Deben de ser difíciles de manejar —dijo sacudiendo los brazos, como si quisiera librarse de la sensación de encierro.

Evie asintió y le dedicó una sonrisa fugaz. Joe se preguntaba qué tenía pensado ella, pero Evie siguió caminando antes de que él pudiera articular palabra.

Salieron por el otro extremo del almacén con el gentío rugiendo en la distancia. Ahora estaban en un lateral del escenario. Se sentía extraño moviéndose entre las sombras, fuera de la vista de la multitud. Observaron las dos máquinas forcejeando en el escenario durante unos minutos y sintieron la vibración del coso cuando una tiró a la otra al suelo. El alboroto de la gente era notorio mientras bajaban las escaleras y salían por la puerta del fondo. La puerta se cerró al salir y nuevamente se encontraron en el bulevar.

—¿Te parece si volvemos a casa a cenar y nos tomamos una copa de vino? —Evie parecía aliviada de estar en el exterior.

. . .

Volver a casa. Ella lo considera su hogar.

. . .

Pasearon hasta la estación. Antes de subirse al hiperlev, Joe encontró una bodega y compró un biofrasco de un excelente cabernet de Napa con crédito$ opacos.

Evie se metió en la cocina a preparar una de sus recetas en el sintetizador de alimentos y al poco rato sirvió la mesa con sendos platos de pollo bañado en una riquísima salsa oscura.

—Es mole de pollo, con guarnición de ensalada de frijoles negros con mango —dijo, y se quedó mirando a Joe mientras este saboreaba el primer bocado.

Joe sirvió dos copas más de vino antes de la puesta de sol. Se sentaron juntos en el sofá y disfrutaron del festival de tonos amarillentos y anaranjados fundiéndose en el horizonte. Con semblante reflexivo, Evie dio otro sorbo.

—Ahora ya sabes cómo es el mundo del que provengo.

—Gracias por compartirlo conmigo. No podía imaginármelo. El entorno donde yo crecí era mucho más aburrido, estéril y automatizado. Pero ahora que he visto de dónde eres, no me parece nada extraño. Es un lugar en el que se pueden aprender muchas cosas.

—¿Qué has aprendido?

—Me ha sorprendido la amabilidad.

—¿No te lo esperabas?

—Bueno, la Cúpula tiene fama de ser un lugar violento por los combates con exomecas.

—Eso no se puede negar, aunque estaría bien que la gente se diera cuenta de que la violencia es contra las máquinas, no entre las personas. —Evie sintió un escalofrío.

—La competitividad es algo natural, está claro.

—Sí, es natural. No podemos negar la evolución y nuestra naturaleza animal —dijo ella, buscándolo con la mirada.

—Podemos intentar ser mejores animales, pero no por ello dejaremos de serlo. —Joe dejó la copa de vino y sintió que se le aceleraba el pulso.

Evie abrió los ojos como si estuviera sorprendida y se rió.

—Joe Denkensmith, últimamente te veo menos encerrado en tus pensamientos.

Evie inclinó la cabeza como si fuera a preguntar algo y sus mejillas se sonrojaron. Él se le acercó, sus labios se rozaron y la besó apasionadamente, sintiendo las caricias de su melena en el rostro. Ella le correspondió con otro apasionado beso, que le dejó un ligero sabor a chocolate en los labios y desató en él un torrente de deseo. No podía dejar de besarla, y ella parecía ansiar lo mismo.

Se besaron durante un largo rato.

Los colores del día se desvanecían en el cielo. Evie se apartó con suavidad, remisa, y apoyó la cabeza sobre el hombro de Joe.

—Perdona que me haya costado tanto tiempo sentirme cómoda. La idea de los niveles me ha perseguido durante los últimos tres años. Pero siento que he perdido la oportunidad de conocerte antes.

—¿El conflicto de confraternizar con el enemigo?

—Sí, pero me estoy acostumbrando. —Evie se inclinó para besarlo con dulzura de nuevo, le dio las buenas noches y desapareció tras cerrar la puerta de su dormitorio.

Capítulo 22

A la mañana siguiente, Joe se despertó temprano pero permaneció en la cama absorto en sus pensamientos: su proyecto sabático, la Cúpula y la vida de Evie allí, esa polifacética mujer tan segura de sí misma... Todos reclamaban su atención. Pero hubo uno que se impuso sobre el resto. Ella ya debía de estar despierta. Salió de la cama, se aseó, se vistió y se dirigió a la sala de estar.

Evie estaba reclinada en el sofá con el omnilibro abierto en su regazo.

—Aquí hay mucho que leer de física y también de filosofía. No son lecturas fáciles.

Se sentó junto a ella.

—Intentarlo ya es un primer paso.

—Si me ha de servir para conocerte... —dijo entre risas—. No entiendo una cosa. Tengo claro que las matemáticas y la filosofía guardan relación con el problema de la conciencia de la IA. Pero también tienes un montón de libros de física. ¿Qué tiene que ver la física? —preguntó, encogiéndose de hombros.

—Ya te comenté que soy un realista científico. Quiero encuadrar las ideas científicas en una visión más amplia de lo que significa todo.

Evie se apoyó la mano en la mejilla.

—Dime un ejemplo de una idea científica.

Joe meditó unos segundos.

—Muy bien, aquí va una: la naturaleza del tiempo.

Ella asintió expectante.

—Según las teorías de Einstein, el tiempo solo es otra dimensión, como las tres dimensiones del espacio. El mundo que conocemos es un continuo de espacio-tiempo, lo que denominamos el espacio-tiempo de Minkowski. La dimensión del tiempo es única porque es unidireccional; a través del tiempo solo se puede avanzar. Los físicos creen que el universo está cerrado físicamente, que todas las dimensiones están unidas y que cada dimensión afecta a las demás.

—¿Hay alguna teoría sobre la cantidad de dimensiones?

Joe asintió.

—Pero los físicos aún no han concluido cuántas. Aunque la elegancia de las matemáticas nos da a entender que podrían existir diez u once dimensiones.

Evie frunció el ceño.

—¿No es cierto que a veces el tiempo pasa de manera diferente? Puede haber efectos extraños, como la cercanía de un agujero negro.

—Exactamente.

El aparente interés de ella lo llevó a profundizar más.

—La *paradoja de los gemelos* habla de un gemelo que abandona la Tierra en una nave espacial casi a la velocidad de la luz y envejece más lentamente que el gemelo que permanece en la Tierra. La velocidad de la luz es un límite, nada puede superarla. Eso preserva las reglas de causalidad en el universo. Toda esa tontería de que podrías conocer a tu padre antes de haber nacido es imposible que suceda.

—Muy bien, entonces ¿cuál es el problema?

—Parto de la idea de que las cosas existen. Es decir, me considero un realista en lo que concierne al universo. Todas estas dimensiones existen. El continuo espacio-tiempo existe. Eso implicaría que todo el tiempo existe a la vez.

Evie ladeó la cabeza con gesto dubitativo. Joe cogió el omnilibro de su regazo y lo sostuvo con ambas manos. El cruce de miradas y aquella repentina intimidad sobresaltaron a Joe.

—Te lo explicaré de este modo. —Señaló las esquinas cuadradas del omnilibro—. Nos cuesta visualizar las tres dimensiones del espacio además de nuestro movimiento a través del tiempo. Supongamos que todo el espacio-tiempo está representado en este bloque tridimensional. Ahora imagina que un momento en el tiempo es una porción del bloque. —Puso la mano como si cortara el bloque—. La dimensión a lo largo es como moverse a través del tiempo —dijo, deslizando la mano por la parte superior del omnilibro.

Evie se quedó mirando el omnilibro.

—O sea, una porción del bloque (que sería bidimensional) representa nuestro espacio tridimensional —dijo ella, señalando la sala con la mano.

—Eso es. Ahora bien, desde el exterior, solo está el bloque: todo el tiempo que existe a la vez. A primera vista parece una contradicción, pero intenta retener ambas perspectivas en la cabeza al mismo tiempo: dentro del bloque sería donde vivimos, y fuera del bloque sería una perspectiva cósmica.

Pensativa, miró fijamente el omnilibro. Luego extendió la mano y recorrió todo el omnilibro con el dedo. Joe imaginó sus dedos rozándole la piel y sintió un escalofrío.

Evie cerró los ojos y de repente los abrió de par en par.

—Este momento, en que estoy sentada aquí contigo, es como si estuviera sucediendo ahora; el tiempo está avanzando *ahora mismo*. Es lo que siento yo dentro de este bloque. ¿Pero tú dices que, desde la perspectiva exterior, esto ya ha sucedido? ¿Ese tiempo ya ha pasado?

—Exacto.

—Desde fuera, sería como observar una libélula conservada en ámbar. —Estaba entusiasmado por la claridad de su metáfora.

—El tiempo es *pasado* si podemos vislumbrarlo desde fuera del espacio y el tiempo. Está *todo ahí*, de la misma manera que está ahí toda la dimensión de la *longitud*. Pero no podemos vislumbrarlo desde fuera, porque vivimos dentro del tiempo. Solo podemos experimentarlo un instante cada vez, y solo en esa estrecha porción en la que nos encontramos.

—¿Podemos tener libre albedrío en un universo así, donde el tiempo, desde fuera, ya ha pasado?

—Es una incógnita —respondió Joe, arqueando una ceja—. Esta visión del tiempo no excluye el libre albedrío, siempre y cuando se cumplan otros criterios dentro de este universo físico cerrado. Si crees que el universo es determinista, no hay libre albedrío. Pero si el universo es indeterminista, si las decisiones de los seres conscientes que viven *dentro* del tiempo determinan lo que sucede a continuación, entonces sí, esos seres pueden elegir libremente. Estoy buscando respuestas a esos problemas para saber si se pueden resolver y cómo. Porque, si no, significa que el libre albedrío no existe.

—Pero empezaste hablando de la naturaleza del tiempo. ¿Hay algún consenso al respecto?

—Creo que existe todo el bloque de tiempo. Esa es la explicación más coherente con la relatividad. —Levantó ambas manos en un gesto de impotencia—. Pero los filósofos llevan siglos discutiendo sobre el tiempo. Algunos argumentan que solo existe la porción actual del bloque. Otros, que es un bloque en crecimiento y por eso solo existe la parte hasta el momento presente. —Hizo una pausa—. No obstante, esos no se ajustan a la relatividad porque, como has dicho, el tiempo no pasa uniformemente en todas partes. La velocidad y la gravedad deforman el espacio-tiempo.

—Pero todos pensamos en el pasado y vivimos en el presente —insistió Evie—. Y tenemos esperanza y hacemos planes para el futuro.

—Sí. Estamos cerrados herméticamente dentro del bloque. Es todo lo que sabemos. Y todo lo que sentimos es el momento actual en el tiempo.

—Ahora empiezo a entender tu proyecto sabático —dijo ella, con brillo en la mirada—. Te dije que pasabas tiempo encerrado en tus pensamientos. Pero no se trata de si vivimos en nuestros pensamientos o no, ya que lo que hacemos en la vida es ser conscientes de nuestra experiencia. Se trata de encontrar la alegría de vivir el presente. —Evie se echó el pelo hacia atrás con un gesto de determinación en su rostro—. Vivamos el presente. Ya sé dónde podemos ir.

◆

Cogieron el hiperlev cinco paradas hacia el suroeste y luego hicieron transbordo. Mientras el tren atravesaba un frondoso valle con vegetación y árboles frutales, Evie le explicó el plan y Joe activó el NEST para hacer las reservas.

—Esta vez invito yo —propuso Joe.

—Asegúrate de que tengan tablas de surf normales —le pidió ansiosa.

—¿No usaremos tablas autónomas?

—No. Y nada de olas artificiales, solo olas reales.

En la estación les esperaba un vehículo autónomo. Los llevó por las colinas de la costa y se detuvo junto a una casita frente a la playa. Tenía el techo de color granate, las paredes de color crema, una terraza de madera y un gran ventanal con vistas al mar. La marea alta se estrellaba contra la arena blanca a cincuenta metros de distancia y Joe sintió un cosquilleo en la nariz por el intenso olor a mar. Tecleó un código en la entrada y transfirió los crédito$ opacos desde la tesela púrpura que tenía en el bolsillo.

La puerta principal daba a una sala de estar con un dormitorio y un baño a la izquierda, y la cocina-comedor a la derecha. Evie desapareció por la puerta trasera y regresó sonriente.

—En la parte de atrás hay dos tablas de surf, como prometiste. Voy a cambiarme. —Evie se dirigió al dormitorio.

Joe echó un vistazo a la sala de estar y se fijó en el sofá cama plegable. En el tren ella había dado el visto bueno a la casa que él había sugerido, y esperaba que esa no fuera una de las razones. Acto seguido, fue a cambiarse al baño.

Cuando salió, Evie lo estaba esperando con un traje de baño rojo. Cogieron las tablas de surf y ella lo guió hasta a la playa. Él se limitó a seguirla, ajeno a cualquier otra cosa que no fuera la visión de sus caderas.

Se detuvieron más allá de un montículo para admirar el paisaje y la suavidad de las olas rompiendo en la orilla. En el borde de la bahía los surfistas montaban olas más grandes, pero la zona frente a ellos estaba desierta.

—Este será un buen lugar para empezar. —Evie le dio una rápida lección sobre la marcha y Joe trató de relacionar sus instrucciones con lo que recordaba de haber surfeado con teletransportador. Nadaron hacia la cálida corriente—. Para avanzar te recomiendo que hagas el pato.

Le enseñó cómo mantener el impulso hacia adelante aunque las olas le empujasen hacia atrás. Cuando llegaron a una zona que Evie consideró suficientemente alejada, se mantuvieron a flote aferrados a las tablas.

—Procura ponerte rápido de pie.

Dejaron pasar varias olas hasta que ella exclamó:

—¡Prueba esta!

Se montó en la tabla y remó hacia la playa delante de la ola. Cuando tuvo la ola detrás, intentó ponerse de pie pero cayó estrepitosamente al agua.

—Lo conseguirás —le dijo para animarlo—. Prueba a poner los pies un poco más adelante.

Joe lo intentó una y otra vez, pero siempre acababa en el agua. Se dio cuenta de que empezaba demasiado tarde. En la siguiente ola, remó con fuerza para mantener el impulso. La tabla se elevó en el agua, Joe se puso de pie y logró mantener el equilibrio. Montó la ola hasta la orilla. Saltó al agua y se volvió hacia Evie lanzando un grito de júbilo. Esta alzó el brazo y le saludó con un *shaka*.

En las horas siguientes Joe cazó muchas olas, se cayó en muchas más y quedó deslumbrado por la increíble habilidad de Evie. Su destreza quedó patente cuando giraba la tabla para permanecer al lado de Joe, incluso cuando él viraba bruscamente.

Cuando Joe vio que ya no podía ni levantar los brazos para remar un metro más, decidieron ir a comer al chiringuito de la playa. Allí, un camarero robótico les sirvió unos bocadillos fríos y fruta.

—¿Nos echamos unas olas más? —preguntó ella, con energías renovadas—. ¿Cómo lo ves?

Joe asintió y estiró los brazos. El breve descanso le había rejuvenecido.

Remaron de nuevo, esta vez más lejos, y se acercaron a donde se formaban las olas.

—Tal vez sea demasiado pronto, pero podrías intentar un *bottom turn* —propuso ella.

—Lo intentaré.

Evie le dijo lo que tenía que hacer para meter el canto en la ola.

—Transfiere el peso para girar —le aconsejó.

Joe se sintió más confuso que instruido, pero lo intentó en varias ocasiones. Cazaba las olas, pero no conseguía girar.

—Donde miras es donde vas —le dijo para ayudarle.

Cada intento de giro se saldaba con una voltereta. La última vez se hundió a cierta profundidad y notó el tirón de la correa que le sujetaba el tobillo. Salió a la superficie como pudo.

—¿Quieres que lo dejemos? —le preguntó ella.

—No, ni hablar —se apresuró a contestar. La adrenalina había hecho desaparecer cualquier tipo de dolor o molestia.

Giró la cabeza para elegir el siguiente intento y vio que se aproximaba una buena ola verde. Remó como una fiera, se subió a la tabla y sintió toda la potencia bajo sus pies. En la cresta de la ola se inclinó hacia adelante sobre el labio para mantenerse en el *pocket* y metió el canto. La tabla cayó sobre la cara de la ola y dio un giro. La ola lo llevó en volandas y conservó el equilibrio en otros dos giros antes de sumergirse de nuevo en la espuma. Salió escupiendo agua salada, pero con una gran sonrisa para que Evie viera lo bien que se lo estaba pasando.

—Es como montar en bicicleta, supongo —se aventuró Joe.

Evie se rió.

—Dijo el hombre que no sabe montar en bici. Pero sí, es pareci-do... Ahora que has aprendido a montar una ola, ya no lo olvidarás.

Remaron de vuelta a la orilla, con Joe cansado pero feliz.

—Además es tu primera vez con una tabla de verdad, ¿no? Qué crack. —Los elogios de Evie eran música para sus oídos, aunque te-nía claro que no era más que un novato.

—Vamos a algún sitio donde pueda verte surfear olas más gran-des —propuso Joe. Caminaron un poco más lejos hasta llegar al rompiente. El viento soplaba en dirección a tierra, pero no era lo bastante fuerte para que el oleaje estuviera picado. Ella le hizo un gesto y se adentró en el agua con la tabla, remando con eficiencia.

Evie se unió a los otros surfistas que estaban en formación lejos del oleaje. Joe, con el sol de cara, entrecerró los ojos para no per-derse detalle. La vio en la cara de la ola haciendo hábiles cabriolas y giros perfectamente enlazados. En comparación, la última ola de Joe había sido un juego de niños. Cuando terminó, Evie se dio la vuelta para remar y sus curvas se acentuaron por los brillantes ria-chuelos que le recorrían la piel bajo el sol. Cada maniobra era más espectacular que la anterior y Joe disfrutaba admirándola desde una zona poco profunda.

. . .

Qué momento tan sublime. El mismo sol que calienta mi piel está danzando sobre la suya. Consciente o no, en cada instante surfeo un momento en el tiempo. Manteniendo el equilibrio entre el pasado y el futuro, ahí estoy montando la ola.

. . .

Evie estaba de nuevo en formación esperando el momento. Una ola gigante venía directo hacia ella. Hizo un *take off* perfecto. Aceleró por la cara de la ola, giró para recorrerla en paralelo a la cara y se marcó un imponente *backflip*. Joe contuvo la respiración mientras seguía serpenteando hasta dar un giro completo y otro medio giro para llevar la tabla a la cima de la ola, mirando hacia atrás. Con un salto rápido invirtió los pies y ya estaba surfeando la ola de nuevo. Joe se quedó petrificado.

Mientras flotaba sobre el mar en calma, pasó remando otro surfista.

—Tu chica lo ha bordado.

—Sí... ¿Cómo se llama ese truco?

—Un *rodeo flip*. Uno de los mejores que he visto.

Joe le hizo un *shaka*.

Ella maniobró para llegar hasta Joe y permanecieron balanceándose suavemente con las tablas sobre el agua.

—Qué maravilla terminar con esa ola —dijo ella.

Joe le sonrió con admiración y orgullo.

—*Eso* sí ha sido una lección. Y para mí, solo el comienzo.

Evie exhibió una sonrisa seductora con sus ojos de color avellana, tan profundos como el mar. Le tocó la barba y le dijo:

—Ahora está llena de sal.

Remaron hasta la orilla. Evie caminaba por la arena delante de él con el cabello mojado sobre los hombros y llevando la tabla como si no le pesara.

Al llegar a la casa, dejaron las tablas de surf en el porche. La tarde era cálida. La sonrisa de Evie reflejaba su euforia por las olas.

—Es mejor quitarse la sal enseguida. —Entró en la casa y se dirigió al baño. Él se quedó en el porche para no dejar la sala perdida de agua. Aún obnubilado por ella, no se percató de que la ducha se cerraba y Evie apareció ante él envuelta en una toalla blanca.

—Te toca —dijo ella, y desvió la mirada con un atisbo de rubor.

Joe se quitó el traje de baño y entró en la ducha. Se frotó bien el pelo con un generoso chorro de champú para quitarse los restos de sal. Se secó, se ciñó la toalla a la cintura y entró en la sala de estar.

La puerta del dormitorio estaba abierta. Evie estaba recostada en la cama, cubierta con la toalla. En el dormitorio, blanco y limpio, apenas cabía la cama y una mesita de noche adornada con una concha marina. El suave rumor del océano de fondo se colaba furtivamente a través de la ventana abierta. Ella lo miró con una sonrisa alentadora en sus labios. Con un delicado movimiento abrió la toalla y dejó al descubierto su lánguido cuerpo desnudo. El diamante rojo destellaba sin cesar. Su cuerpo era más hermoso de lo que él había imaginado.

Un intenso deseo se apoderó de él. Dejó caer la toalla y se metió en la cama con el cuerpo trémulo. Ella lo atrajo hacia sí abandonándose a la pasión, y él la besó una y otra vez.

Evie abrió los ojos y lo miró, y en ese mar turbulento Joe encontró a una persona real sonriéndole con felicidad y anhelo, a él, a *él*. El corazón le latía con fuerza.

Acarició lentamente cada centímetro de su piel fresca, desde la mejilla hasta el pie, erizándole el vello con el cálido tacto de sus dedos. Al notar el roce de la barba entre sus muslos ella dejó escapar un suspiro y se estremeció de placer.

—Sí... sigue... —Evie lo estrujó entre sus piernas. Y Joe se imaginó el océano.

. . .

Sabor salado. Su piel es el océano. ¿Pero qué hago pensando en metáforas? Otra vez encerrado en mis pensamientos. Basta, vuelvo a este momento.

. . .

Evie se puso encima de él con su abundante melena sobre su pecho, balanceándose lentamente hacia atrás y hacia delante, y el tiempo pareció detenerse. Joe sintió el tórrido deseo de aquel cuerpo que le tenía prisionero. Ella lo miró con ternura, abrazándole con su piel suave y acogedora, y a él le pareció que el mar resonaba con más intensidad, como si tuviera una caracola de mar pegada al oído. Rodaron lentamente, resguardados en el tubo de una ola. Joe notó una leve descarga en los dedos al rozar su piel.

—No pares... —susurró ella. La sintió elevarse en el aire, levantada por una ola, con la espalda arqueada. La ola la arrastraba hacia el vórtice, casi ahogándola, pero ella se elevaba de nuevo, con los labios entreabiertos.

A Joe todo le daba vueltas mientras la casa de la playa se disolvía en la niebla. No pensaba en el pasado, no planeaba el futuro. En ese instante estaba en un solo lugar del tiempo y el espacio de todo el universo.

Capítulo 23

Pasaron tres días más en la playa. Cada día, salían a media mañana para hacer surf y por la tarde regresaban a la casa para hacer el amor. Cenaban en un restaurante cercano y por la noche volvían a dar rienda suelta a la pasión. La casa de la playa era su rincón, un mundo aparte. Para Joe, el océano y las paredes que los rodeaban se desvanecían y eran reemplazados por el tacto de la mano y el cuerpo de Evie y, más tarde, de sus cabellos tendidos sobre su hombro. Cada mañana dormían hasta que los rayos del sol bañaban las sábanas del dormitorio.

La última mañana, él se despertó primero por el graznido de una gaviota. La mano de Evie descansaba sobre su brazo y prefirió no moverlo.

. . .

Estoy enamorado de su tacto, de cada pelo de su cuerpo, de cada expresión de su cara.

. . .

Evie se despertó con una sonrisa soñolienta y le acarició la barba con un gesto travieso.

—Bueno, profesor, aquí los dos damos lecciones.

—Es justo dar y recibir a la vez. Juntos formamos una sinfonía.

—Es cuestión de encontrar el momento adecuado.

—Hablando de momentos, ahora lo entiendo. Solo viviendo el momento puedes tener días perfectos como estos.

Ella se apoyó con el codo.

—Me encanta hablar contigo y escuchar lo que sucede en tu cabeza. Joe Denkensmith, eres una buena persona con un gran corazón.

—Me temo que soy un tipo normal, con todas las debilidades de un ser humano. —Su mirada confirmaba la sinceridad de sus palabras—. Pero me esfuerzo.

—Y hablando de... música —dijo ella, coqueteando con los rizos del pecho de Joe. Un brillo travieso le iluminó los ojos—. Ahora me gustan tanto los movimientos lentos como los rápidos.

Hicieron el amor de nuevo y se despertaron horas después con el sol en lo alto del horizonte. Tras la ducha y un buen almuerzo, había llegado la hora de volver a casa. Joe cerró la puerta de la entrada con una profunda sensación de pesar y pasearon de la mano por la playa de camino a la estación.

Cogieron el hiperlev tres paradas en dirección norte, acurrucados mientras veían pasar las fértiles tierras de cultivo.

Salieron de la estación para hacer transbordo y coger el tren hacia el este. La gente abarrotaba el andén que daba a la plaza central. Joe se abrió camino entre el gentío, pero la multitud se detuvo en mitad del andén. Joe y Evie trataron de ver qué pasaba. El murmullo expectante fue silenciado por un altavoz.

—Prepárense para presenciar este acontecimiento público. La circulación de los trenes se interrumpirá durante diecisiete minutos.

Joe se asomó por encima de la muchedumbre mientras Evie se esforzaba por ver algo.

Una columna de robots se abrió paso hasta la plaza a siete metros de ellos, apartando a la gente con determinación.

—No pinta bien —dijo Joe con preocupación. Evie le tiró de la mano para echarse atrás a medida que iban llegando más robots, obligando a la multitud a formar una delgada elipse alrededor de la plaza mirando hacia el centro. Ella se aferró a su mano entre empujones.

. . .

Están rodeando a todo el mundo. ¿O será a nosotros? ¿Se me habrá escapado algo?

. . .

—Es la Quema —susurró Evie.

—¿La qué?

Antes de que pudiera responder, una silueta se acercó al centro de la plaza con tres polibots y cinco mecas. El hombre se giró en círculo observando a todo el mundo. Se hizo el silencio entre la multitud.

—En este país, las últimas tecnologías han alcanzado un alto grado de perfección. Pero incluso aplicando los más rigurosos estándares, las cosas pueden salir mal. La gente muere. —Se detuvo, hizo una pausa con toda la intención y asintió ante la multitud.

Joe agudizó la vista. El movimiento oblicuo de cabeza de aquel hombre... Volvió a conectar el NEST y acercó la imagen para verle la cara. El hombre blandió una especie de porra de cuyo extremo irrumpió una luz cegadora. El tono corneal de Joe se atenuó para protegerle la visión. El hombre apuntó al cielo con la cortadora de plasma.

—¡Así que ahora el pueblo hará justicia!

Joe se inclinó hacia Evie y le susurró al oído:

—Es Zable, la mano derecha de Peightán. —La mirada de Evie se endureció por momentos.

En la plaza entraron dos vehículos autónomos y se detuvieron en el centro. Detrás les seguía un gran camión. De repente se abrió la parte trasera del camión, se extendió una rampa y por ella bajaron cinco robots en formación. Zable proclamó en tono solemne:

—El año pasado, en esta zona del país fallecieron un total de cinco humanos en accidentes en los que se vieron implicados robots, y otros dos a causa de vehículos controlados por IA. El Ministerio de Seguridad solicitó las condenas pertinentes y estas han sido dictadas. Ahora se ejecutarán las penas.

El camión se marchó de la plaza. Los cinco mecas avanzaron en formación y rodearon los dos vehículos. Iban pertrechados con cortadoras de plasma en ambos brazos. Las cortadoras escupieron brillantes chorros de fuego y los mecas cortaron los vehículos en rodajas. Sobre el montón de chatarra se elevaban columnas de humo.

Con los vehículos hechos trizas, los mecas se colocaron en formación detrás de los cinco robots, que permanecían firmes. Los robots giraron la cabeza lentamente de izquierda a derecha, con la frente rosada, escaneando a la multitud. Las cortadoras de plasma se encendieron de nuevo. Las llamas eran demasiado intensas para mirarlas directamente. Les asestaron tres hachazos a cada uno y los restos metálicos flameantes de los robots se precipitaron sobre la plaza.

Algunas personas prorrumpieron en vítores entre la multitud, pero el resto permaneció en silencio. El tizne acre de las manchas ennegrecidas formaba un reguero incandescente que se iba disipando poco a poco. Los polibots que tenían acorralada a la multitud abandonaron el lugar. Cuando el destacamento, ataviado con capas de tela metálica, se alejó seguido de Zable, Joe respiró aliviado. Los vehículos de extinción de incendios se acercaron y rociaron las llamas con agua. Los mecas cargaron el metal humeante en los camiones.

Joe y Evie se abrieron paso entre la multitud sin separarse ni un instante para esperar el próximo tren.

—Es la primera vez que lo veo. —Joe escrutó la multitud que se dispersaba.

—Es una ceremonia para que la gente se sienta mejor que los robots por un día.

—Zable parecía estar cerca del orgasmo.

—Le he estado observando el brazo. —Evie se tocó el antebrazo—. Estoy segura de que es biónico.

—Un auténtico cíborg, y no debe de hacerle muy feliz.

—Nunca se sabe el dolor que pueden padecer otras personas. Van por ahí como si nada y nunca ves lo que les atormenta.

—No me cae bien este tipo —dijo Joe, desconfiado—. Hay algo malvado en él.

Tanto la Quema como Zable le habían enervado la sangre y no podía quitarse de la boca el sabor químico del humo mientras subían al segundo tren.

A la mañana siguiente, Joe besó tiernamente a Evie antes de salir de la cama y esta entreabrió los ojos con cara de sueño. Habían pasado la noche juntos en la habitación de ella.

—Odio tener que marcharme, pero necesito ir al despacho a ver cómo está todo.

Al entrar en el despacho, la luz roja del intercomunicador estaba parpadeando. Se dio cuenta de que había desconectado los mensajes durante días. Tecleó el código de cifrado y el holograma de Raif apareció con expresión burlona.

—¿Qué, desaparecido en combate? Me tenías preocupado.

—Estaba haciendo surf.

—¿Nuestra broma de siempre?

—No, realmente estaba haciendo surf. Bueno... sí, nuestra broma de siempre.

Raif se rió y acto seguido se puso serio.

—Bueno, iré al grano.

—¿Sí? —dijo Joe, inclinándose hacia adelante.

—Freyja y yo hemos estado trabajando en el tema de la integridad de la base de datos. Los datos del limpiabot averiado han revelado algo importante. —Hizo una pausa antes de continuar—. Tenemos un problema más gordo.

Mientras Raif esbozaba los detalles, Joe se frotaba la frente incrédulo.

—Necesitamos involucrar a más gente en este asunto de inmediato.

—Espera. —Raif desapareció del holograma durante un momento—. Estoy hablando con Freyja. Sugiere que hablemos con Mike.

—Dile a Freyja que le llame. Yo iré directamente al despacho de Mike. —Joe quería verlo en persona.

—Entendido. —Raif cerró la sesión.

Joe se dirigió al despacho de Mike. Allí se encontró también a Freyja, con aire pensativo. En pocos minutos, Mike había establecido contacto con Raif y Dina Taggart y sus hologramas flotaban en la sala.

Mike abrió la reunión.

—Dina, solo he oído el resumen de Freyja, pero Joe ha descubierto algo importante que tiene que contarnos.

Joe se dirigió a Dina.

—Pasé una copia de los datos del limpiabot dañado al experto que te comenté. Raif es uno de los mejores programadores de encapsulación de robots. Raif y mi colega, Freyja Tau, han colaborado en la investigación de los problemas de integridad de las bases de datos. Han analizado tanto el incidente del WISE con el robot averiado como otros presuntos problemas en el Ministerio de Seguridad.

Raif pasó directamente a las conclusiones.

—Es el gusano informático más sofisticado y peligroso que he visto en mi vida. Es una anomalía potencialmente letal y una fuga en las encapsulaciones que separan los sistemas de IA. Hemos encontrado rastros que al poco tiempo han desaparecido. En un caso, pudimos aislar el gusano informático, pero tenía un cifrado muy potente y no pudimos entrar. Luego se autodestruyó y eliminó todas las pruebas. El gusano ha encontrado la manera de burlar todas las medidas de seguridad y se esconde en billones de líneas de código. No podemos usar sistemas de IA para encontrarlo y aún no sabemos cómo se propaga.

El rostro de Mike era un poema, igual que el de Dina.

—Pronto tendré setecientos robots en la Base Orbital WISE —dijo Dina—. No podemos permitir que se infecten con un gusano informático desconocido.

—Es peor. —El tono normalmente alegre de Freyja era de profundo pesimismo—. La mayoría de los módulos de software son compartidos. En teoría podría infectar la IA de los controles de sistemas y de cualquier robot. Incluso podría infectar los PIDA.

—Y robots militares —señaló Mike.

—¿Hay alguna forma de limitar la propagación? —preguntó Dina.

—No lo sabemos. —Joe nunca había visto a Raif tan serio—. Tenemos la esperanza de que la encapsulación física impedirá que el gusano se propague, a menos que se traslade físicamente a otra IA, a través de un robot, por ejemplo.

—Tenemos pruebas sólidas de que una de las bases de datos del Ministerio de Seguridad está dañada, así que podría ser obra de alguien de fuera (algún pirata informático) o de dentro —dijo Joe frotándose los ojos. Acto seguido, miró a Raif—. ¿Has buscado información sobre cDc, el hacker al que mató la policía hace dos meses?

Raif negó con la cabeza.

—No, pero es una buena idea. Si es obra de alguien de dentro, tal vez cDc descubrió algo importante... de consecuencias fatales para él.

—Si no es de alguien de dentro, ¿podría provenir del extranjero, tal vez de una nación-estado o una organización terrorista? —Mike se puso delante del holocomunicador.

—Aún nos falta información para saberlo con certeza —respondió Raif—. Descubrir el origen será una odisea. —Miró a todos los reunidos—. Esta operación hay que llevarla en secreto. No podemos desvelar nuestras intenciones, porque quien esté detrás de esto podría esconderse mejor de nosotros.

—Esto podría hacer caer todo el país —sentenció Mike.

El colosal hallazgo de Raif y Freyja puso de nuevo a Joe en acción. No sabía por dónde empezar ni cómo rastrear el gusano. Un análisis tan secreto obligaba a disponer de bases de datos y fondos a los que ni él ni Freyja tenían acceso, ni siquiera Mike. Miró a Dina, y se dio cuenta de que ella le estaba observando.

—Necesitamos respuestas, y necesitamos obtenerlas con sigilo —dijo Dina, acaparando la atención de todos—. Tengo acceso a fondos reservados que estoy dispuesta a utilizar. Este proyecto necesita un equipo secreto más numeroso.

Joe suspiró profundamente. Los problemas a los que se enfrentaba el grupo no habían cambiado, pero en la sala ya se respiraba una atmósfera de determinación más que de pesimismo. La conversación se prolongó durante otra hora. Al final, Dina sugirió las tareas de cada uno y los pasos a seguir. Ella organizaría un espacio de reunión y crearía un equipo mayor, con Raif y Freyja al mando. Joe y Freyja dejarían su trabajo actual en la universidad y se integrarían al proyecto a tiempo completo, de modo que Joe pudiera dedicarse a los módulos de software de IA que corrían mayor riesgo.

Cuando regresó a casa, Joe tenía la boca seca. Nunca se había enfrentado a un reto tan trascendental. Quería confiar en Evie, pero no estaba en su mano decírselo.

Cuando le explicó que necesitaría trabajar muchas horas, Evie lo traspasó con la mirada y supo que le ocultaba algo.

—¿No puedes contarme nada?

Él le cogió las manos.

—Ojalá pudiera contarte más, pero es información confidencial que no puedo revelar.

Evie asintió resignada.

—Está bien. Hay veces en que los acontecimientos nos compelen a actuar.

—Tengo que hacerlo. Pero solo quiero pasar tiempo contigo.

—Tenemos las noches —dijo, y se lo llevó al dormitorio.

Capítulo 24

Tal como había prometido, Dina habilitó una oficina de operaciones en el suroeste para aislar al equipo y garantizar la confidencialidad. Pero hasta que el edificio estuviese preparado, la sede temporal sería la oficina local del WISE. La tarde siguiente, Joe se encontraba de nuevo en su escritorio llamando a Raif.

—Hola, *brat.* —Su sonrisa angelical era más discreta que de costumbre.

—¿Está un poco tenso con su nuevo trabajo, doctor?

—Sí, un poco. Es una decisión importante mudarme al suroeste y colaborar contigo.

—Y con Freyja.

Raif sonrió. Él era el que solía hacer las bromas, así que Joe no perdió la ocasión.

—A nivel profesional y personal, tú decides si ahogarte o ponerte a nadar. —Raif se relajó y Joe se dio cuenta de que la broma de la natación no había calado y que su amigo debía de estar pensando en Freyja. No pudo evitar hacer de amigo protector.

—¿Quieres un consejo? No te precipites. Mantén la calma y actúa con naturalidad.

La semana siguiente, las reuniones se desarrollaron a un ritmo frenético. Dina, Freyja y Raif contrataron a cinco expertos y a cada uno le encomendaron una parte del proyecto. Siguieron contratando a más gente en secreto y formaron diversos equipos con cientos de hackers. Joe se sentía con más energía que nunca. No parecía acusar las largas horas de trabajo de día o de noche. La adrenalina y la testosterona lo mantenían activo sin la ayuda del INSTAMED. Cada noche cenaba tarde con Evie y hablaban de todo menos del proyecto.

Una noche, antes de que él se durmiera, Evie le preguntó:

—Joe, no te voy a pedir que me expliques el proyecto secreto, pero está claro que estás metido hasta el cuello. ¿Has abandonado tu proyecto sabático?

Joe le acarició la mejilla.

—Solo temporalmente. Pero me has recordado la visita que le debo a Gabe para que sepa al menos que no me he dado por vencido.

Gabe respondió al mensaje del NEST de Joe con una invitación para reunirse al día siguiente. Joe se pasó toda la mañana en el despacho del campus aclarando ideas y revisando sus últimas notas. ¿En qué punto había dejado el proyecto? Como creía en un universo físicamente cerrado, aún necesitaba averiguar si la mente podía ser la causante de algo.

Joe encontró a Gabe en una plazoleta lateral del campus, sentado en un banco del parque bajo un gran roble. Hombre de costumbres, Gabe sirvió dos tazas de té verde Dragonwell de un biofrasco y le pasó una a Joe.

—Has estado fuera unos días —dijo Gabe.

—Trabajando en un proyecto importante del que lamentablemente no puedo hablar, y que me ha mantenido alejado de estas cuestiones que tanto me interesa abordar contigo.

—Ojalá pudiera ayudarte con el proyecto, pero los temas prácticos no son lo mío.

—Tal vez sí puedas. Tu clarividencia me sería útil. Te sugiero que hables con Mike. Es la persona que puede ponerte al corriente.

—Me alegro de que me hayas llamado y de que no hayas tirado la toalla con tu proyecto sabático. —Gabe contempló los árboles—. Te comenté que he sido mentor de miles de estudiantes. Con el tiempo he perdido el contacto con muchos de ellos. Los buenos acaban sus estudios y encuentran trabajo en otros lugares, repartidos por el mundo. Incluso con la rapidez del transporte y la comunicación instantánea de hoy en día, es difícil mantener el contacto.

—Es complicado tomar una taza de té con ellos...

—Exacto. —Gabe lo miró a los ojos—. Disfruto con estas conversaciones que tenemos. Creo que podrías estar cerca de lograr una síntesis que haga avanzar el debate filosófico.

. . .

Ojalá eso sea verdad algún día. Con el proyecto secreto no estoy seguro de cuándo podré centrarme de nuevo en estas cuestiones. De momento, voy a disfrutar de esta conversación con Gabe, que para mí ya es como un mentor y un amigo.

. . .

—Gracias. Estoy aprendiendo mucho de ti. Reflexionar sobre los problemas filosóficos es más agradable que mi trabajo anterior.

Tras un breve silencio, Gabe dijo:

—Antes de empezar la conversación de hoy, tengo otro consejo. Este campo puede llevarte a una vida solitaria y a pasar mucho tiempo absorto en tus pensamientos. Busca un equilibrio.

Joe asintió. El comentario parecía provenir de la experiencia personal.

—También he hecho avances en eso.

Gabe se sirvió otra taza y se giró hacia Joe.

—Bien, ¿dónde te has quedado en tu lista de misterios filosóficos?

—Estoy un poco atascado en el problema de la causalidad mental. El argumento de que la mente es meramente un epifenómeno, que nada es causado por la mente sino por partículas en movimiento, contraviene todas mis intuiciones.

—Eso nos pasa a todos. Esperamos que no todo esté perdido y que aún podamos afirmar que nuestras decisiones tienen consecuencias.

—Los matemáticos cuestionan las premisas cuando se enfrentan a ese tipo de argumentos. Las premisas equivocadas pueden arrojar conclusiones erróneas. Ese es mi planteamiento —dijo Joe.

—Bien. ¿De qué hablaremos hoy?

—He estado pensando en la causalidad. ¿Puedes ayudarme a plantearla desde una perspectiva filosófica?

—¿A qué te refieres con *causalidad*? —precisó Gabe.

—Me refiero a la causa-efecto, por la cual un proceso, una causa, da lugar a otro proceso.

—En ese caso, parece que la pregunta es metafísica. ¿Te preguntas cómo es que algo del mundo real puede ser causado por otra cosa?

—Eso es.

Gabe sonrió, y las líneas de expresión en su rostro evidenciaron que su INSTAMED no le proveía de los elastómeros para la piel de uso corriente.

—Esa pregunta nos lleva a uno de mis filósofos de cabecera, David Hume. Su contribución más importante fue la idea de una *conexión necesaria*.

Gabe dejó la taza de té, juntó los dedos y miró fijamente hacia los árboles.

—Hume dividió los objetos de la razón humana en dos categorías: *relaciones de ideas* y *cuestiones de hecho*.

—No conozco esos conceptos —reconoció Joe.

—Hume lo dividió todo en dos cubos: un cubo blanco y un cubo verde. —Gabe formó sendos cuencos con las manos. Joe asintió, imaginando al sabio sosteniendo todo el conocimiento en ambas manos.

—En el cubo blanco había cosas como las matemáticas. Son las *relaciones de ideas*. Las relaciones de ideas solo se pueden conocer con el pensamiento. Esto incluye tus demostraciones matemáticas. Podemos conocer las matemáticas a través de la demostración y estar absolutamente seguros de que las conclusiones son verdaderas a partir de premisas válidas. No se necesita ninguna prueba que proceda del mundo, solo pura lógica. Por ejemplo, pongamos por caso el hecho matemático de que todos los ángulos de un triángulo euclidiano suman 180 grados. Uno puede conocer su verdad a priori, como dicen los filósofos, como una necesidad lógica, sin ninguna referencia al mundo.

—Puedo estar de acuerdo con esto —dijo Joe, frunciendo los labios—. Sé que las demostraciones matemáticas pueden ser ciertas.

—En el cubo verde va todo lo demás que no son relaciones de ideas, es decir, todo lo relacionado con el mundo. Hume dijo que no podemos saber nada de este cubo con certeza.

—Muy bien. —Joe se fijó en la palma de la mano izquierda de Gabe, con las venas azules transparentándose a través de la piel—. Hablemos del cubo verde.

—Hume llamó a la segunda categoría *cuestiones de hecho*, que son aquellas que surgen de la forma en la que es nuestro mundo y engloban todos los hechos empíricos que aprendemos sobre el mundo a través de la observación. Es en esta segunda categoría donde Hume hizo su brillante avance lógico al demostrar que no hay ninguna necesidad lógica en las cuestiones de hecho. Solo podemos conocerlas por asociación tras ver lo que ocurre en el mundo y, a partir de ahí, dar por sentado que se repetirán en el futuro.

—No estoy seguro de captar la idea —confesó Joe.

Gabe extendió el brazo sosteniendo el biofrasco.

—Sostengo en el aire este recipiente. Ambos damos por hecho que, si lo suelto de mi mano, caerá al instante. Pero no hay nada en la posición inicial que sugiera que el objeto caerá hacia abajo, hacia arriba o en cualquier otra dirección.

—Pero ambos creemos que caerá.

—Sí, ambos podríamos llegar a esa conclusión por la experiencia, ya que la *conjunción constante* de soltar el objeto va seguida de la caída al suelo. Creemos que es así por nuestras asociaciones pasadas. Cada vez que hemos visto una situación similar, el objeto cae. Tenemos una clara explicación científica para ello: la gravedad. Pero, de nuevo, no es necesaria la lógica para justificar la conclusión, a la que llegamos gracias a nuestra experiencia en el mundo.

Gabe observó la expresión de Joe.

—Veo que aún tienes dudas. Te pongo otro ejemplo. Supongamos que tenemos dos relojes de pared antiguos muy precisos. El primer reloj suena un minuto antes de la hora en punto y el segundo suena a la hora en punto. A un observador que no conozca el mecanismo interno, le puede parecer que el primer reloj hace sonar el segundo. Este supuesto *conocimiento* se demostraría falso al agotarse la fuente de alimentación de cualquiera de los relojes.

—Verás, hemos construido una teoría científica monolítica. Realizamos innumerables experimentos que confirman las relaciones entre varias teorías y probamos esas teorías contrastándolas con el mundo. Eso nos da cierta confianza. Pero no hay una necesidad *lógica* de creer que estas teorías sobre el mundo sean ciertas.

—Las afirmaciones que son lógicamente necesarias lo son por su propia estructura; por ejemplo, *todos los solteros están sin casar*. Es lo que me gusta de las matemáticas, que uno puede estar seguro de la verdad —dijo Joe.

—Exacto. Esa afirmación está en el cubo blanco. Pero en el cubo verde no hay nada similar, ninguna afirmación lógicamente necesaria. Ahí dependemos de nuestra experiencia en el mundo, y de esa experiencia es posible que podamos inferir ideas que no son ciertas.

—La ciencia no para de desarrollar nuevas teorías. —Joe sorbió el té—. Las nuevas teorías suelen explicar los hechos del mundo de una manera más elegante que las teorías anteriores. La evolución de esas teorías representa el avance del conocimiento científico. Pero raramente quedan invalidadas ideas que han perdurado durante mucho tiempo.

Gabe asintió.

—Cuando sucede eso se produce un cambio de paradigma, como cuando la relatividad de Einstein sustituyó la teoría de Newton con nociones más completas de la mecánica del universo.

—La Física lleva mucho tiempo sin un cambio de paradigma. Pero eso significa que tampoco hemos progresado mucho.

—Cuando se dan, sacuden nuestras ideas fundamentales del mundo —dijo Gabe.

Joe reflexionó sobre el argumento.

—Entonces, ¿por qué la idea de Hume se denomina *conexión necesaria*?

—Al observar que si soltamos el objeto, este cae, solo estamos observando una *conjunción* de las dos acciones, no una *conexión*. El hábito promueve la idea de una conexión, pero no se trata de una implicación lógica. Según Hume, no podemos estar seguros de qué causa qué.

—¿Estás diciendo que, para todo lo que creemos saber sobre el mundo, que es todo lo que investiga la ciencia, el conocimiento que tenemos no es seguro y nunca lo será?

—Efectivamente.

—El mundo parece diseñado para mantener a los seres conscientes haciendo equilibrios al borde del desconocimiento.

—Sí.

—¿Cuál es la conclusión final de Hume sobre la causalidad? —Joe dejó la taza de té vacía y se frotó las manos—. ¿Acaso no es simplemente la idea ya extendida de que la correlación no implica causalidad?

—Ese es un resultado simplificado de lo que dice Hume, aunque él defendía un posicionamiento epistemológico más profundo: que no podemos saber nada con certeza sobre el mundo. —Gabe recogió las tazas de té y las metió en una bolsa—. En cualquier caso, Hume era un verdadero empirista. Sostenía que el conocimiento no se podía obtener independientemente de la experiencia sensorial. Cada efecto es un suceso distinto de su propia causa. La observación y la experiencia son necesarias para inferir cualquier causa o efecto. Y aun así, solo podemos saber que hay una conjunción, pero no podemos estar seguros de la causalidad.

Joe reflexionó sobre la idea.

—Así pues, tenemos que ser escépticos ante nuestras ideas de la causalidad. Lo que podemos saber es más limitado de lo que había imaginado.

—Así es. —Gabe parecía satisfecho de que Joe hubiera entendido la teoría—. Es una verdad epistemológica (lo que podemos saber) que nuestras mejores teorías físicas siguen sin poder demostrar a ciencia cierta algo tan fundamental como la causalidad. Dados los límites de lo que podemos saber con certeza, no estamos seguros de qué causa qué en el mundo.

Capítulo 25

Tras el día de descanso para hablar con Gabe, el fin de semana Joe volvió a trabajar en el proyecto secreto. Lamentaba no poder pasar más tiempo con Evie, pero ella no se quejaba y salía unas horas todos los días. No le explicaba nada de lo que hacía pero, por las conversaciones que mantenían a la hora de la cena, él dedujo que estaba usando una estación de comunicación cifrada del centro para contactar con los seguidores de su movimiento. Solo la veía por las noches antes de irse a la cama y caer en un profundo sueño.

Cuando Evie le entregó un sobre que 83 había dejado en la puerta principal, Joe encontró la excusa perfecta para compartir un rato libre con ella. Era una invitación del Dr. Jardine a su recepción anual del departamento, a la que los profesores podían acudir con un acompañante. Por la elaborada descripción, parecía una cita más elegante, seguramente más entretenida y menos centrada en el mundo académico. Llegaba en buen momento porque tenía los nervios de punta. Ese mismo día, Raif había advertido al equipo de la reacción que habían provocado sus indagaciones. Quienquiera que fuese el responsable del gusano informático les había seguido el rastro, y Joe había pasado todo el día con el resto del equipo trabajando frenéticamente para eliminarlo de nuevo. Era como jugar al gato y al ratón, solo que no sabían quién era el gato.

—No tengo ni idea de cuánto va a durar todo esto. —Se guardó la invitación en el bolsillo y se sentó a degustar la última creación culinaria de Evie—. Es como si fuera mi propio Proyecto Manhattan.

—¿Ese proyecto no fue para construir una bomba? ¿Y no duró años? —Evie se sentó en la silla de enfrente. Como era tarde, ella ya había comido.

—Sí, pero si no hago este trabajo, podrían suceder cosas terribles.

Joe se concentró en el guiso picante, acompañado de un excelente Burdeos que acababa de abrir. Con Evie al otro lado de la mesa, la tensión diaria se desvanecía. Al rato llevó las copas a la sala de estar, donde se acomodaron a contemplar el cielo estrellado.

—Mira que te gusta gastar crédito$ opacos. —Evie se rió y cogió la copa.

—Aún me quedan muchos del proyecto WISE, así que me dedico a vivir el momento —dijo él, levantando la suya.

—Y sigues con tu rutina de ejercicios.

—Necesito seguirte el ritmo con la tabla de surf. —Joe dio un sorbo y sus miradas se encontraron a través del cristal—. Creo que nos merecemos un descanso. ¿Vamos mañana a la playa?

Los ojos de Evie se iluminaron.

—Otra cosa, el Dr. Jardine me ha invitado a un cóctel informal pasado mañana y puedo llevar a un acompañante. ¿Te apetecería ir?

—Me has hablado tantas veces de tus amigos y de tus colegas que es como si ya los conociera. —¿Había un atisbo de inquietud en su rostro?—. Me encantaría que me los presentaras.

Joe la besó.

—Y a mí presentártelos.

Evie se acurrucó en su hombro.

—¿Cómo es Raif?

—Diría que como yo... pero un poco más experimentado. —La estrechó contra su cuerpo—. Pero no está aquí en la universidad. Lo conocerás en otra ocasión.

—¿Es tu mejor amigo?

—Sí, hemos pasado muchos momentos juntos.

—¿Cuidas de él?

—Nos cubrimos las espaldas mutuamente. —Joe desearía haber hecho más para que Raif y Freyja estuvieran juntos, pero igualmente parecía que se las apañaban muy bien solos.

Evie se sentó para contemplarlo.

—Es una de las cosas que me encantan de ti. Eres tan leal. Háblame de Mike —dijo, apoyando la cabeza sobre su hombro.

—Podría ser tu alma gemela, tiene ideas sobre la igualdad muy parecidas a las tuyas. Y Gabe también te caerá muy bien: puede parecer un intelectual muy formal y meticuloso, pero es un auténtico sabio y tiene un gran corazón.

—¿Y Freyja, la matemática?

—Está volcada en su trabajo y muy comprometida profesionalmente. Pero tiene un trato muy cordial.

—Qué ganas de conocerlos a todos... Estoy un poco nerviosa —confesó Evie.

La duda que había albergado momentos antes estaba despejada.

—Tu movimiento es esencialmente en favor de la igualdad —dijo Joe—. Deberías ponerlo en práctica y darte cuenta de que eres igual que todos los demás. Tu valor viene de dentro, de tu personalidad.

—Lo creo de forma abstracta, pero no es fácil asimilarlo emocionalmente porque el mundo en el que vivimos no lo admite.

—Todos estarán encantados contigo, ya lo verás —dijo Joe. Él sabía que ella podía salir airosa de cualquier situación. De sí mismo ya no estaba tan seguro.

———◆———

La casa de la playa estaba tal y como la habían dejado. El sol se reflejaba en el tejado marrón, y los sonidos de las gaviotas y las olas al romper formaban un dúo de bienvenida. Joe se concentró en los *bottom turns*. La playa estaba vacía y el mar demasiado calmado para Evie, así que se limitó a permanecer cerca de él, tumbada en la tabla o surfeando a su lado. Después del almuerzo, volvieron a la casa. Pasaron la tarde haciendo el amor, ya más acostumbrados al cuerpo del otro, más seguros de sus reacciones mutuas. Al atardecer, el sol bañaba el horizonte en tonos azafrán mientras escuchaban la sinfonía del mar acariciando la arena.

—Estoy pensando en la recepción de mañana por la noche —dijo ella, y se acurrucó en su pecho—. ¿A tus amigos no les importará mi nivel?

—No, en absoluto. Ni preguntarán. La universidad es un lugar igualitario.

—Pero estamos violando la ley.

—Llevo infringiendo la ley desde que llegué aquí. —La apretujó entre sus brazos para animarla—. Y he analizado las estadísticas de los casos que se denuncian. No son tantos como cabría esperar, lo que da a entender que la gente ha encontrado maneras de vivir en armonía a pesar de esa ley absurda. Creo que las autoridades miran hacia otro lado a menos que necesiten alguna razón para ir a por a alguien. Lo siento, pero te has topado con otro rebelde.

Evie se apoyó con el codo y él detectó un gesto de determinación en su rostro.

—Tropezar conmigo fue un accidente que propició que nos conociéramos mejor. Pero esto está empezando a ser otra cosa.

. . .

Las olas rompen en la orilla. Las veo encresparse en mi cabeza. Hay un momento cuando cabalgas sobre la ola en que decides girar, y ese giro determina todo lo que viene después.

. . .

—Es algo más. Me he enamorado de ti.

—Yo también te amo —dijo Evie, con la mirara rebosante de felicidad.

———————————◆———————————

Llegaron a la recepción diecisiete minutos tarde. Evie vestía un impresionante mono de color crema sin mangas con una cola que caía hasta el suelo, formando una media elipse a lo largo de sus interminables piernas. Joe le ofreció el brazo.

—Parece que también disfrutas gastando mis crédito$ opacos y duplicando su valor.

—Necesito lucirme en este papel.

Cruzaron el rellano.

La sala estaba repleta de gente vestida más formalmente que de costumbre: los hombres con americana y las mujeres con elegantes monos largos. Se alegró de que Evie le hubiera sugerido ponerse chaqueta y que le hubiera llevado de compras esa mañana para ayudarlo a elegir una. El murmullo general era el de un ambiente festivo. Vio que Mike y Gabe estaban juntos. Ninguno había venido con acompañante.

—No veo al Dr. Jardine, pero estoy seguro de que también te gustará conocerle. —La acompañó a coger dos copas de vino y se acercaron a los dos hombres.

Joe le presentó a Gabe y Mike. Evie saludó a Gabe primero con su alegre sonrisa y, acto seguido, se volvió hacia Mike.

—Es un placer conocerle, profesor Swaarden. Me llamo Evie Joneson.

—Por favor, llámame Mike. Joe ha mencionado tus licenciaturas en ciencias políticas y en económicas, justamente algunas de mis áreas. ¿Entiendo que la justicia social forma parte de ello?

—Así es. Llevo años aplicando mis estudios de ciencias políticas al mundo real.

—Queda mucho trabajo por hacer. Las leyes están lejos de ser justas. —Mike asintió con un gesto de aprobación—. No sé cómo hemos permitido que este abominable estado de cosas haya durado tanto tiempo.

Evie sonrió con franqueza y se le acercó.

—La ley natural la descubren las personas que se rigen por la razón y que eligen entre el bien y el mal. Difundir las injusticias puede propiciar el cambio.

—Sí, pero no es fácil luchar contra el propio interés que mantiene el *statu quo*. Forma parte de la naturaleza humana.

—¿Quizá te refieres a Hobbes? Yo comulgo con las ideas de Joseph Butler. La humanidad tiende al altruismo y la bondad. Necesitamos buscar esos indicios en nuestra naturaleza para que nos guíen por el camino correcto.

Mientras seguían conversando, Joe tuvo la impresión de que Mike había adivinado mucho más sobre Evie de lo que se había dicho. Joe y Gabe se quedaron al margen, disfrutando de la charla.

—Veo que has encontrado un equilibrio en tu vida —dijo Gabe, y en sus ojos oscuros brilló una chispa—. Ah, y Mike me ha incluido en su proyecto.

—Excelente. Me alegro de tenerte en el equipo.

Detrás de Gabe, se acercó Freyja, con sus radiantes ojos azules. Llevaba un collar dorado y un mono azul cobalto con una capa a juego.

Evie devolvió el cálido saludo a Freyja.

—Joe me ha dicho lo mucho que disfruta conversando sobre matemáticas contigo.

Freyja sugirió a Evie que la acompañara a la mesa de aperitivos y se alejaron charlando amigablemente. Joe no las tenía todas consigo sobre cómo sería el encuentro, y se sintió aliviado al ver que todo iba bien. Se tomó la copa de vino con Mike y Gabe.

—Una conversación tonificante —comentó Mike con una sonrisa.

—Evie tiene una mente despierta y una cara adorable —añadió Gabe.

—La mente y la cara de un ángel —dijo Joe.

—¿Es un hombre versado, o simplemente afortunado, quien mantiene a un ángel así a su lado? —bromeó Gabe.

Antes de que Joe pudiera responder, la furia se apoderó de Mike.

—Pensé que esa víbora se había esfumado ya.

Joe lo siguió con la mirada. Peightân bajaba las escaleras desde el rellano, enfundado en sus altas botas negras. Instantes después se cernió sobre Evie, con la mandíbula masticando las palabras mientras le hablaba.

Joe cruzó apresuradamente la sala, a tiempo de escuchar a Freyja defenderla.

—Deje de molestarla. Es una invitada, cálmese. ¿Por qué no se va a la playa a tomar el sol?

Peightân no le hizo ni caso, pero lanzó una mirada a Joe cuando este se aproximó.

—Ah, señor Denkensmith, como era de esperar. Me estaba presentando a su amiga. —Al volverse hacia Evie, su demacrado y arrogante rostro no ocultaba su satisfacción—. Como decía, me he convertido en un experto en la debilidad moral humana. La cantidad de delitos que la gente es capaz de cometer es extraordinaria.

—¿A qué ha venido? —Joe apretó las manos, ligeramente sudorosas.

Peightân lo miró sin inmutarse.

—Con tiempo suficiente para analizar el océano de datos que recopilamos, al final siempre encontramos todo lo que queremos saber. —Lanzó una mirada implacable a Evie—. Tal vez estoy aquí porque mi trabajo a veces es aburrido. Los humanos eran más malvados en el pasado. Ahora resulta que me interesan más los delitos que pueden parecer insignificantes pero que tienen profundas implicaciones sociales. Sin ir más lejos, este reciente movimiento de protesta, o los hackers que piratean nuestras bases de datos. —Evie se topó con la mirada gélida de Peightân—. Algunos creen que saben más que los legisladores.

—Los seres humanos dictan las leyes —replicó Evie con mirada firme—. También podemos cambiar nuestra opinión sobre lo que está bien y lo que está mal. Son convenciones sociales.

El tono de Peightân se volvió victorioso.

—Ah, ha caído en la tentación de pensar que puede juzgar lo que es mejor para todos. La ley dice que las jerarquías son buenas para la sociedad y reconoce que algunas personas son superiores a otras. Todo el mundo tiene el nivel que le corresponde y realiza perfectamente las funciones que le han sido encomendadas. Estoy aquí para hacer cumplir escrupulosamente la ley. —Clavó la mirada en Evie—. Usted y yo somos iguales. Ambos luchamos para defender aquello en lo que creemos.

Evie tembló pero se mantuvo firme.

—Sí, nos parecemos como un clavo a una herradura.

Él bajó el tono de voz hasta hacerlo casi imperceptible.

—Y usted, con su bajo nivel, está más cerca de la muerte que yo, y eso que por mi profesión coqueteo con la muerte a menudo. Pronto lo descubrirá.

—¿A qué se refiere? —preguntó Evie con la cara pálida.

—Sus amigos están muertos.

Evie se llevó la mano a la boca y el estremecimiento la hizo tambalear. Joe la sujetó por la cintura.

En un instante, Gabe se puso al lado de Joe.

—¿Qué le está haciendo a esta joven? ¿No tiene humanidad?

—He venido a arrestarla. Y a él. —Peightân parpadeó, probablemente por alguna comunicación con su NEST. Acto seguido, las puertas de arriba se abrieron de golpe y Zable entró con dos polibots. Bajaron las escaleras y rodearon a Evie y a Joe. Uno de los robots agarró el brazo derecho de Joe y se lo retorció para obligarle a darse la vuelta. Le agarró la mano izquierda y le colocó las esposas. El otro robot hizo lo mismo con Evie.

Zable miró a Peightân, que asintió satisfecho, y se giró hacia la sala para anunciar en voz alta:

—Por orden del Ministerio de Seguridad, arrestamos a estos terroristas por delitos graves. Esta amenaza ya no representa ningún peligro para ustedes.

La concurrencia se quedó atónita mientras los robots se llevaban a los dos detenidos entre empujones. Un transbordador les esperaba fuera con los motores en marcha y los robots los introdujeron en él.

Las esposas rozaron las muñecas de Joe cuando cayó en el asiento, y Evie se apretó contra él, temblorosa, mientras la aeronave se elevaba en el aire.

Capítulo 26

En la cárcel de máxima seguridad, un polibot condujo a Joe desde su celda hasta una sala de visitas lúgubre y gris. Llevaba puesto el mono naranja de los internos y le habían esposado por delante. La burbuja de privacidad, de tres metros de diámetro, se encontraba en una plataforma elevada en el centro de la habitación. Mike Swaarden le esperaba en la cabina de visitas. Joe se sentó en la cabina del prisionero y Mike activó la burbuja, que brillaba en color azul.

Mike miró a través de la rejilla de metal que los separaba.

—Esperemos que esta burbuja proteja realmente nuestra privacidad. Derecho de confidencialidad entre abogado y cliente, ya sabes.

—Me lo han dicho. Gracias por ofrecerte voluntario para ser nuestro abogado.

—No prometo nada. Lamentablemente, poco puedo hacer. —Mike parecía estar en un funeral.

—Me han quitado la fuente de alimentación del NEST y me han tenido en régimen de aislamiento. ¿Han pasado tres días?

—Sí, tres días. Es el procedimiento estándar.

Al inclinarse hacia adelante, la tensión muscular en el cuello y los hombros que Joe arrastraba desde la detención se le acentuó aún más.

—¿Cómo está Evie? Cuando nos separaron estaba temblando.

—Acabo de verla. Está apagada pero no derrotada, tratando de asimilar las noticias sobre sus amigos.

—Bien. —Joe respiró profundamente pero no consiguió relajarse.

—¿Qué piensan hacer con nosotros?

—Han presentado formalmente los cargos. Habrá juicio de aquí a dos semanas: justicia rápida, la llaman.

—¿De qué se nos acusa?

Mike se frotó la frente.

—Los cargos menores son fomentar asambleas de protesta ilegales y relacionarse con niveles incompatibles. A ti te acusan además de algo estúpido: horas de trabajo encubiertas. Y de conspiración y encubrimiento de delincuentes. —Mike hizo una pausa.

—¿Hay más?

—Sí. La principal acusación penal es la de terrorismo. Consideran a Evie como el cerebro de un grupo terrorista anarquista. A ti te acusan de ser cómplice voluntario. El día antes de la recepción explotó otra bomba. Esta vez mató a un congresista.

—¡Dios mío! —La voz de Joe sonó temblorosa a sus propios oídos.

. . .

Otra persona muerta, una tragedia para su familia. Y me han acusado a mí de ese terrible crimen. Si me condenan, nunca recuperaré la libertad.

. . .

Mike continuó.

—El Ministerio de Seguridad tiene pruebas de ADN que os sitúan a ambos en la escena del crimen.

—Imposible. —A Joe se le dilataron las fosas nasales—. ¿El día antes de la recepción? Estábamos en la playa.

—Ya lo he comprobado. —Mike sacudió la cabeza—. No hay registros de ningún tipo que os sirvan de coartada. —Apretó los labios—. Hay más. Conocía personalmente al legislador que murió en la explosión. Era un buen tipo, un idealista. Casualmente, era muy crítico con el elevado presupuesto del Ministerio de Seguridad.

Joe pareció captar la probable cadena de sucesos y Mike asintió con la cabeza.

—Peightân mata dos pájaros de un tiro. Planifica la explosión y cambia las pruebas de ADN. Fácil, porque tiene acceso a las bases de datos. Nos ha tendido una trampa.

—Es lo más probable —dijo Mike.

Joe reflexionó durante un momento.

—Raif mencionó que descubrieron nuestro intento de intrusión de la semana pasada, pero que logramos ocultar nuestras identidades. Al día siguiente, la bomba explota. ¿Crees que Peightân vino a encontrarse con Evie cara a cara para ver si sabía lo de la última intrusión?

Mike asintió.

—Eso implicaría que el gusano informático es obra de alguien de dentro, y que los polibots de Zable mataron a cDc después de que este descubriera algo en una base de datos. —Un escalofrío le recorrió la espalda—. Peightân hará cualquier cosa para encubrir lo que sea que esté sucediendo.

—Es perverso. El equipo está trabajando para atraparlo, pero si continúa borrando sus huellas tan bien, solo podremos especular. Podría llevarnos mucho tiempo.

—¿Qué podemos hacer?

Mike suspiró.

—Menos de lo que desearíamos. Hoy en día, la mal llamada justicia se rige por los números. Y estos han sido manipulados. —Levantó las manos encogiéndose de hombros—. A menos que tengamos un golpe de suerte, no podemos refutar las muestras de ADN encontradas en la escena de la explosión.

. . .

El resultado parece tan predecible y tan seguro como una demostración matemática: el destierro a la Zona de Exclusión. Y con él, la muerte para Evie y para mí en algún desierto dejado de la mano de Dios, mucho antes de que alguien pueda probar nuestra inocencia. Nunca he estado tan cerca de la muerte. El jinete se acerca.

. . .

Joe tragó saliva.

—¿Qué te ha dicho Evie?

El rostro de Mike se iluminó fugazmente.

—Evie es una optimista. Me pidió que te dijera que ya ha empezado a prepararse físicamente para la supervivencia.

En el rostro de Joe se dibujó una sonrisa, atenuada por el miedo que le encogía el estómago. Se acordó de que Evie había hecho acampadas en el pasado y pensó que no estaría del todo indefensa. ¿Qué podría aportar él?

—¿Qué enseres nos dejan llevar?

—En la Zona de Exclusión no permiten nada de electrónica ni de tecnología biomédica, pero puedes llevarte todos aquellos aparatos arcaicos y provisiones que seas capaz de transportar.

Joe recordó el concepto de destierro del gobierno.

—Ya, claro. Nos dan una oportunidad.

—Con una pátina de decoro internacional.

Joe se frotó las muñecas por debajo de las esposas.

—Te daré una lista. Consigue también una lista de Evie. Usa mis crédito$ opacos. Están escondidos debajo de la licorera en mi apartamento. Ahora te paso la clave de cifrado.

Mike sacó papel y un bolígrafo de su maletín y lo pasó por la fina ranura de la rejilla.

—El maldito robot no nos deja usar ninguna tecnología electrónica. Apúntalo todo en este papel.

Joe cogió el bolígrafo con mala cara y se puso a garabatear el papel, esforzándose por recordar el proceso aprendido en alguna clase de caligrafía de su infancia. Se lo devolvió y se sacudió la mano acalambrada.

Al leer la lista, Mike fue asintiendo con la cabeza.

—Comida, agua, equipo de supervivencia primitivo... muy bien... —Detuvo el dedo en un punto con varios subapartados—. Plantas comestibles, flora y fauna del suroeste, habilidades de supervivencia, caza y pesca, fabricación artesanal de jabón, archivos de noticias... ¿todos estos libros? ¿En un omnilibro? No puedes...

Joe levantó la mano.

—Sé que no podré llevarme el omnilibro a la Zona de Exclusión. Pero puedo memorizarlo.

———————————◆———————————

La sala del tribunal estaba abarrotada. Joe y Evie se cogieron de la mano, con Mike a su lado. El juez robótico se mostraba impasible sentado en su sillón, moviendo metódicamente la cara plateada de Joe a Evie y de Evie a Joe.

—Por favor, lea los cargos en voz alta —dijo.

Un pipabot dio un paso al frente.

—Joseph Denkensmith, se le acusa de colaboración en la fuga de una terrorista nacional, así como de participar en una conspiración terrorista que culminó con el asesinato de un humano... —El robot siguió hablando durante un minuto más y pasó a leer en voz alta los cargos contra Evie—. Evie Joneson, se le acusa de liderar una organización terrorista nacional que constituía una amenaza para la vida humana y que planeó el asesinato de un humano en un atentado en un centro comercial...

Finalizada la lectura, ambos miraron al juez.

—Las pruebas empíricas son abrumadoras y no encontramos motivos para dudar de ellas. —Antes de anunciar el veredicto, el juez clavó en ellos las lentes que incorporaba a modo de ojos—. Joseph Denkensmith, se le declara culpable de todos los cargos. Evie Joneson, se le declara culpable de todos los cargos.

El juez siguió mirándolos atentamente.

—La fiscalía solicita para cada uno de los acusados tres años de destierro en la Zona de Exclusión. Aunque la sentencia recoge la pena máxima prevista, queda justificada por las circunstancias especiales de este caso. —La frente del juez emitió un destello azul durante tres segundos, que se transformó en morado al girarse expectante hacia el juez humano sentado a su derecha.

El juez humano dictaminó:

—Estoy de acuerdo con la decisión de su señoría. No encuentro motivo jurídico alguno para no estarlo. —Hizo una pausa y se dirigió a ambos—. Los actos cometidos son despreciables. No toleraremos que los terroristas socaven nuestro sistema político. La sentencia se ejecutará en un plazo de cuarenta y ocho horas. —Golpeó una maza y todos los asistentes se levantaron en cuanto los jueces se dispusieron a abandonar la sala.

Siete polibots los escoltaron fuera de la sala. Mike les siguió tres metros por detrás. Las miradas de Evie y Joe se cruzaron y ella se mantuvo erguida. Salieron con la cabeza alta, mirando al frente de forma desafiante. Al abrirse las puertas, se enfrentaron a un enjambre de cámaras que captaban la escena para los medios de comunicación. Fueron conducidos a través de un pasillo lateral, lejos de la mirada del público y hacia la zona penitenciaria. Mike siguió a Joe y a Evie a una burbuja de privacidad y la activó. Los polibots esperaron fuera.

Mike se miró las manos.

—Aunque la sentencia era previsible, siento que os he fallado. En principio, los jueces dotados de IA siguen una lógica rigurosa, se basan en las pruebas y son completamente imparciales.

—Con datos manipulados... —dijo Joe, dejando la frase a medias—. No te culpamos, Mike. —Puso cara de circunstancias—. Aunque esperaba ver más caras en la sala como muestra de apoyo.

—Dina decidió que nadie más debía asistir al juicio porque podrían rastrear las operaciones del equipo. Están abatidos, Joe, de verdad. —Respiró profundamente y se secó la lágrima que le caía por la mejilla—. Escuchad, solo tenemos unos minutos, así que iré al grano. El equipo está tratando de resolver el gran misterio del gusano informático con la esperanza de que nos lleve a descubrir cómo se falsificaron las pruebas. Pero nadie cree que suceda pronto.

—Aún no estamos muertos —dijo Evie. Acto seguido, miró a Joe—. Y nos tenemos el uno al otro. —Joe le dio un cálido abrazo y la besó. Luego se despidieron de Mike con un abrazo y los robots los trasladaron al centro médico contiguo. La última imagen que Joe tuvo de Mike fue alzando el puño en actitud desafiante.

Los hicieron entrar sin dilación. Evie miró asustada a Joe mientras un robot se la llevaba por un pasillo. El polibot condujo a Joe a una habitación esterilizada donde tuvo que esperar con los nervios a flor de piel. Al rato entró un medibot.

—Señor, voy a desactivarle todos los dispositivos electrónicos y el INSTAMED. Por favor, quítese la camisa.

Una de las manos octofalángicas del robot exploró la zona encima de la oreja izquierda de Joe y encontró el NEST. Comprobó que le habían retirado la fuente de energía. Seguidamente, le inyectó analgésicos con la punta de un bisturí y le practicó una incisión en la piel a la altura de la cadera derecha. Con gran precisión, le retiró la batería del INSTAMED y volvió a cerrar el tejido.

—¿Qué pasa con la tesela biométrica?

—Tengo instrucciones de dejar que conserve ese dispositivo pasivo integrado para que le puedan identificar en caso necesario.

—¿Para identificar más fácilmente nuestros cuerpos?

Pensó que el robot había preferido pasar por alto el comentario, pero respondió:

—Correcto. En caso de deceso, el dispositivo envía una señal de geolocalización. —El robot retrocedió un metro—. Señor, ahora debo comprobar su estado de salud para certificar que esté en perfectas condiciones cuando se vaya. —Levantó la mano metálica—. Por favor, desnúdese del todo.

Joe accedió, temblando bajo los focos.

La fría mano de acero se le acercó.

—Tosa, por favor.

—¡Ca-brón! —profirió Joe al toser.

Joe miró de reojo a Evie.

—Mañana es el día. ¿Estás preparada?

Evie apretó la mandíbula.

—A la guerra se va con convicción absoluta. Me he preparado lo mejor que he sabido. Y tú, ¿te sientes preparado?

Joe se encogió de hombros, pensando en si las semanas que se había pasado memorizando los textos de supervivencia le serían tan útiles como esperaba en la Zona de Exclusión.

—Todo lo que he podido. Solo el tiempo lo dirá. —Evie le apretó la mano.

Los robots los habían sacado del aislamiento y los habían dejado solos en una gran celda. En el centro había una pila de ropa especial junto a dos mochilas. Las provisiones eran cortesía de Mike, que había cumplido todas sus peticiones. Los polibots habían comprobado que no hubiera ningún tipo de electrónica ni tecnología biomédica prohibida.

Evie examinó las prendas de ropa para comprobar que fueran de su talla y abrió su mochila para ver lo que contenía. Las mochilas, enormes, eran parecidas y estaban fabricadas con un material ligero muy resistente. Joe levantó la suya para sopesarla.

—Por suerte, no hay ninguna norma que impida usar materiales modernos —dijo, inspeccionando el equipo de gran calidad.

—Nada como usar tus crédito$ opacos para una buena causa. —La sonrisa irónica de Evie era un fiel reflejo de lo que sentía el propio Joe—. ¿Qué es eso que llevas atado en el exterior de la mochila?

Sacó el hacha de doble filo y la blandió.

—Un hombre necesita sus herramientas. Mira, este modelo tiene un mango telescópico. Es un arma de mano, pero con el mango extendido puedes cortar madera. —Levantó el hacha con la mano derecha para sopesarla.

—¿Y el arco y las flechas? ¿Sabes cómo usarlos?

A Joe eso le preocupaba poco.

—Nunca he disparado con arco, pero puedo aprender. Vale la pena cargar con el peso extra. —No quería pensar en el uso que le daría al arco, y Evie no cuestionó la necesidad de llevarse esa arma.

Al colocar una de las flechas con punta de cuchilla, comprobó la longitud de tiro del arco de poleas. Tiró del cable hasta la comisura de la boca y las ruedas giraron suavemente en los extremos.

—No es exactamente primitivo —señaló Evie.

—Un par de siglos de antigüedad. Pero no tiene nada electrónico, solo una lente de aumento en la mira óptica. —Él hizo un gesto con la barbilla señalando un bastón junto a la mochila de Evie—. ¿Es un bastón para caminar?

Evie cogió el palo, de casi dos metros, y lo hizo girar entre ambas manos, moviendo las muñecas con habilidad y cambiándolo de una mano a otra. Luego lo giró con una sola mano y los extremos se empezaron a desdibujar al imprimirle mayor rapidez. Por último, dibujó un extenso arco con el palo y lo volvió a dejar en pie.

—Es un bastón *bō*. Tradicionalmente son de madera, pero este está hecho de una aleación metálica moderna más ligera. Además, le hice poner una cuchilla retráctil en el extremo, así que también sirve como arma ofensiva. —Dio la vuelta al bastón y señaló la cuchilla accionable con una palanca lateral—. Con este accesorio, si es necesario también lo puedo convertir rápidamente en una *naginata*, un arma de asta tradicional.

Joe estaba impresionado.

—Bien pensado. —Dejó el arco y rebuscó en la mochila—. Seguro que Mike ha comprobado que no nos llevemos cosas duplicadas. Lo que más me preocupa es que nos quedemos sin agua.

—La Zona de Exclusión es un gran desierto, ¿no? —preguntó Evie, mordiéndose el labio.

—Eso creo. —Joe había pedido a Mike todo el material de lectura que pudiera encontrar sobre la Zona de Exclusión y le hizo un resumen a Evie—. Antiguamente el área estaba poblada, pero con el calentamiento global el calor se volvió insoportable. Debido a la megasequía del suroeste americano, que duró más de un siglo, la zona de Nevada Central quedó prácticamente despoblada. El gobierno obligó a los rezagados a abandonarla porque quería convertir el área en lo que es ahora: una prisión al aire libre. Por lo que sé, hay algunas montañas, pero no tengo ni idea de si hay bosques o manantiales. El gobierno censuró todos los mapas e información sobre la zona. Los mapas solo muestran una extensión con forma de patata. Tendremos que encontrar nuestro camino por la configuración del terreno.

—¿No se supone que tienen que dejarnos en algún lugar donde tengamos probabilidades de sobrevivir?

—Sí, aunque el porcentaje real de supervivientes es muy inferior al cincuenta por ciento. —Intentó sonreír—. Esperemos que con nuestra preparación podamos vencer las adversidades, sean las que sean.

—Llevo toda la vida luchando contra las adversidades —dijo Evie, fijándose en los contenedores de agua—. Podríamos morir antes de sed. Mejor será que nos llevemos toda el agua que podamos.

—¿Puedes cargar más que esto?

Evie levantó la mochila.

—Puedo transportar mi peso —dijo con determinación.

Joe asintió.

La puerta de la celda se abrió y entraron cinco polibots seguidos de Peightân y Zable. Peightân, con su habitual mirada autoritaria, vestía uniforme oficial con hombreras. Los robots y Zable se pusieron en guardia detrás de él.

—He venido a cumplir con la formalidad de despedirme de ustedes antes de su partida. —Su tono era nítido y profesional—. Por decreto, se les prohíbe llevar consigo cualquier tipo de dispositivo electrónico o biomédico a la Zona de Exclusión. El gobierno les permite llevarse cualquier otra cosa que crean necesaria para sobrevivir, con la única condición de que puedan cargar con ella.

—Tomamos nota de su preocupación por nuestra supervivencia. —Del sarcasmo pasó a las cuestiones prácticas—. Necesitamos siete litros más de agua cada uno.

—Petición concedida —dijo Peightân con un suspiro—. Bien, ¿se comprometen a comportarse como es debido y explicar a todos los que están ahí fuera que se les ha dispensado un trato correcto conforme a la ley?

—Te daremos el espectáculo que buscas. —Las palabras de Evie destilaban amargura.

Peightân hizo una pausa ante la fría mirada de ambos.

—Han sido sentenciados a pasar exactamente tres años de destierro en la Zona de Exclusión, a partir de mañana. La Zona de Exclusión es una región despoblada del país y desprovista de máquinas modernas. Tiene una extensión aproximada de cuarenta mil kilómetros cuadrados. Está cercada con un muro electrificado de mil kilómetros de longitud. El muro tiene cinco puertas. El mismo día en que termine su condena, exactamente de aquí a tres años, podrán salir al mediodía por cualquiera de ellas. Los mecas que las custodian les permitirán salir sin el menor problema.

Peightân siguió hablando mientras Joe memorizaba todos los detalles.

—Los mecas autónomos que custodian la Zona de Exclusión tienen permiso para abatir a cualquier humano. Si alguien intenta escapar del muro antes de cumplir su sentencia, morirá. ¿Lo han entendido? —Peightân arqueó las cejas a la espera de una respuesta afirmativa.

—Sí, hemos entendido las típicas formas en que mueren los prisioneros en la Zona de Exclusión. Pero elegiremos nuestro propio camino.

—Todos tenemos que morir un día u otro.

Capítulo 27

Joe miró a través de los barrotes de su celda. Las sombras proyectadas por la luz del techo, tenue y solitaria, se desvanecían en la oscuridad del pasillo vacío. Él era el único prisionero en esa sección de las instalaciones. Sentir el aire húmedo y mohoso contra su rostro le recordó una simulación háptica de una mazmorra medieval mediante RV. Para humillarlo por última vez, le habían vuelto a poner las esposas.

Había mantenido el tipo desde el arresto, tratando de parecer fuerte delante de Evie y Mike. Pero ahora, solo en la oscuridad, la realidad había hecho mella en él y se sentía asustado y enfadado.

. . .

Siempre he actuado de forma conservadora, como si eso me protegiese. Pero ahora es imposible. Voy a morir ahí fuera. Y Evie morirá conmigo. El final suele parecer muy lejano. Hasta que deja de parecerlo.

¿Tomé la decisión correcta al ayudarla? Lo hice con la cabeza y con el corazón. Sentí que era una persona virtuosa, que valía la pena correr el riesgo, y tenía razón. El mundo pone a prueba cada decisión que tomas, sea por acción o por omisión. Uno no puede quedarse de brazos cruzados; hay que elegir un camino y seguir adelante. No me arrepiento de haber elegido a Evie.

. . .

Sus pensamientos se alejaron de Evie y regresaron a la prisión. Con el estómago encogido, notaba cómo la furia le subía por la garganta y la bilis le ardía como un demonio tratando de escapar. Preso de la ira, se abalanzó hacia los barrotes, los agarró con fuerza y los intentó sacudir, pero sus músculos cedían impotentes contra el metal inmóvil. Los golpeó una y otra vez hasta que los grilletes le magullaron las muñecas. El estruendo resonó en el pasillo pero se desvaneció en el silencio de la piedra inmutable.

. . .

Dios, si existes, ¿dónde estás ahora? En el universo físico cerrado no hay ninguna prueba de que existas.

. . .

Con el corazón disparado y lágrimas en las mejillas, Joe cayó de rodillas frente a la puerta de la celda. Se agarró a los barrotes y lanzó un angustioso aullido antes de desplomarse en el suelo de hormigón.

. . .

No, no odio a Dios, sino la maldad de las personas y las injusticias que estas permiten. Malditos sean los horrores que cometen. Ahora entiendo la pasión de Evie. Rabia, siento rabia por todo ello.

. . .

Oyó el crujido de una puerta que se abría. Por el pasillo se acercaba una luz tenue acompañada de unos pasos. Cerró los ojos hasta que alguien se detuvo a escasos centímetros de su rostro sudoroso. Al alzar la vista se topó con el semblante extasiado de Zable, dándose golpecitos con la porra en la mano izquierda. Joe se secó la nariz mientras la furia volvía a brotar en su interior.

Se puso de pie y clavó la mirada en aquellos ojos perversos.

—¿Disfrutando de un momento de *schadenfreude*? —La voz de Joe sonó áspera por la falta de sueño y el estrés, y le gustó el tono gruñón de su sarcasmo.

—Déjate de rollos en lengua extranjera. Como suponía, eres un cobarde sin pelotas. Es difícil de entender por qué una chica, incluso de mi antiguo nivel, perdería el tiempo contigo.

—Si te refieres a su personalidad, tienes razón. Ella es mejor que nosotros dos, pero ni se te ocurra mentarla, cabrón esférico.

—¿Esférico? —Zable puso cara de no entender nada.

—Como cierto astrónomo dijo una vez, te mire por donde te mire, solo veo un cabrón.

A Zable se le ensancharon las fosas nasales. Retrocedió un paso y tocó con la porra el pecho de Joe a través de los barrotes. Un destello rojo y blanco cegó a Joe mientras su cuerpo convulsionaba de dolor. Con las manos esposadas temblando, se aferró involuntariamente a los barrotes mientras resistía la sacudida eléctrica que le recorría todo el cuerpo. Sentía como si el cerebro le fuera a explotar por la parte superior del cráneo.

La corriente eléctrica volvió a sacudirle el pecho y le tensó los pulmones. No podía respirar. Zable se rió y le propinó una tercera descarga. El dolor era insoportable. Era como tener diez mil abejas recorriéndole la piel, y se quedó colgado de los barrotes con los puños cerrados. Zable pulsó el arma una vez más. Perdió la visión, la cabeza le empezó a palpitar y sus músculos sucumbieron al dolor.

—Te crees tan elitista. Bajas de tu nivel y tomas lo que quieres, como a *ella*. Pues mira, algunos sabemos subir de nivel para conseguir lo que queremos —dijo Zable malhumorado. Joe soltó un gemido y se alejó rodando de la puerta de la celda.

—Lástima que tengamos que dejarlo aquí. Hora de volver a encender las videocámaras. Precisamente cuando más me estaba divirtiendo. Hasta mañana, calzonazos.

Oyó que Zable se alejaba y se cerraba la puerta al final del pasillo. Tenía la entrepierna mojada. Se había orinado encima con las descargas. Se puso de pie y fue tambaleándose hasta el catre. Cayó desplomado y poco a poco se fue liberando del dolor con un odio enconado hacia Zable. Dejó que el odio persistiera hasta que imaginó la tenue luz de la mañana apareciendo fuera de la cárcel, aunque su celda continuara siendo un agujero negro.

Le vino a la mente la imagen de Evie, tras abrazarla por última vez, mirando desafiante al polibot que los condujo de vuelta a sus celdas. ¿Era odio lo que sentía ella? Era un odio a la injusticia, no a personas concretas. Su resistencia era más noble.

Envuelto en la oscuridad, solo contaba con una tosca manta bajo su espalda que lo anclaba al mundo. Permaneció quieto, con las lágrimas ya secas. Su enojo por la aparición de Zable en lugar de Dios fue reemplazado por la infinita negrura de saber que estaba solo. Con la mirada fija en la oscuridad y aferrado a los barrotes, susurró con gesto desafiante:

—No pienso rendirme.

Joe y Evie se encontraban en el vestíbulo del edificio del Ministerio custodiados por siete polibots. Llevaban las mochilas llenas a rebosar, con los biofrascos de agua de más que habían pedido. Evie vestía una chaqueta verde sobre una camisa a cuadros, pantalones caqui remetidos en unas botas negras de montaña y un sombrero para protegerse del sol. Joe echó un vistazo a sus Mercury. Las había configurado con caña alta y color marrón antes de que los polibots les quitaran la electrónica. Se abrochó la chaqueta transformable.

La pantalla de la pared mostraba lo que ocurría en el exterior, al otro lado de las puertas. En la explanada se había congregado un gran gentío. Frente a la entrada se agolpaban multitud de periodistas y robots con grabadoras. En el extremo opuesto de la plaza había estacionado un solitario transbordador de la policía. Un nutrido grupo de polibots formaron un cordón policial desde el edificio del Ministerio hasta el transbordador. Los robots se giraron hacia la explanada, con las capas de malla de kevlar colgándoles de los hombros en líneas simétricas. La multitud esperaba con expectación.

—Comienza el espectáculo —dijo Evie.

—Más bien el escarnio del reo. Quieren que todos vean lo equipados que vamos, como dando a entender que la pena no es mortal de necesidad. Y quieren que nos mostremos arrepentidos.

—Cuando la gente conozca todos los hechos, serán ellos los que se arrepentirán —dijo Evie, enojada—. Hasta entonces, nos basta con saber que tenemos la verdad de nuestro lado. Ahora ha llegado el momento de irnos de acampada.

. . .

Oh, sí, de acampada, ya he *leído* todo lo necesario sobre eso.

. . .

Las puertas se abrieron y los guardiabots condujeron a Joe y a Evie entre empujones por el cordón policial hacia el transbordador. Joe se giró para ver la austera fachada del edificio del Ministerio, un monumento brutalista a la autoridad. Evie atrajo la mirada de Joe con un gesto inquisitivo y él asintió con determinación. El súbito recuerdo de la noche anterior le había hecho vacilar pero, al ver el paso decidido de Evie, se recompuso con entereza.

Sobre sus cabezas flotaban unos hologramas: los periodistas entreteniendo a la multitud. Con los polibots alineados como lápidas, Evie y Joe fueron escoltados hasta la plaza. Le recordó el estilo en que los comentaristas deportivos narraban las acciones durante los juegos de la Cúpula de Combate:

«...que limita con las poblaciones fantasma de Tonopah y Ruth, en Nevada, y con el Valle de la Muerte al sur. Es una zona sin carreteras, completamente deshabitada y sin ningún tipo de maquinaria...»

«...después de que el calentamiento global elevara la temperatura una media de cinco grados, la población abandonó el lugar al desaparecer la agricultura y el empleo. La administración pública compró los terrenos y construyó el muro perimetral en...»

«...hubo un tiempo en que fue habitada, por lo que no es imposible...»

Una pantalla gigante en un edificio que daba a la plaza mostraba a una presentadora de noticias robótica. «Los Estados Unidos se adhieren a todos los convenios internacionales relativos a las penas, como en el caso de la abolición de la pena de muerte el siglo pasado. El destierro simplemente impide utilizar nuestra tecnología común y obliga a estos delincuentes a valerse por sí mismos con los medios de civilizaciones anteriores».

Joe quería apagar el sonsonete, pero no había nada que apagar porque tenía el NEST desactivado. Hizo un gesto de displicencia y se concentró en Evie, que iba delante de él. Ella era un ángel hermoso, vengadora de las injusticias, inquebrantable. Cuando llegó al transbordador, Evie se dio la vuelta y exhibió ante la multitud una sonrisa deslumbrante y confiada, agitó la mano despreocupada y entró en la aeronave. Él la siguió y se sentó.

—Que se acuerden de esto cuando volvamos dentro de tres años —sentenció ella.

Con el zumbido de los motores, la nave se elevó sobre la plaza y, tras unos instantes inmóvil, se alejó de la civilización.

Se acomodaron en el aerodeslizador, con las mochilas en el suelo. Un polibot les vigilaba sentado en la banqueta de enfrente. De repente, se abrió la puerta de la cabina y apareció una cabeza inclinada con una sonrisa vengativa.

—Es hora de vuestro último paseo.

—Disfrutas demasiado de tu trabajo. ¿Qué haces aquí? ¿No es poca cosa el traslado de prisioneros para tanta soberbia?

Zable dio un paso adelante, giró la cabeza y se mofó a escasos centímetros de la cara de Joe.

—No me perdería esto por nada del mundo.

Joe sintió una gran sensación de vacío en el estómago.

—La sentencia son tres años en la Zona de Exclusión, con la oportunidad de sobrevivir —reivindicó Joe.

—El ministro Peightân hace cumplir la ley al pie de la letra. Pero a mí me gusta hacer cumplir el espíritu de la ley. Y la ley os quiere muertos.

Zable se sacó un pequeño rectángulo negro del bolsillo y se lo entregó al polibot.

—Es una actualización de memoria —dijo. El robot parpadeó dos veces y se lo quedó mirando—. Ve a reiniciar la ruta de vuelo. Aquí están las coordenadas. —Zable leyó los números y el robot desapareció en la cabina.

A Joe se le hizo un nudo en el estómago aún mayor cuando Zable empezó a darse golpes con la porra en la otra mano, como esperando una razón para usarla. El dedo de Zable jugueteaba con el interruptor camuflado en el lateral y a Joe se le llevaron los demonios. Conocía demasiado bien el poder de aquella arma, que parecía una porra cualquiera.

. . .

No, no tengo una mala opinión sobre Zable por su nivel. La tengo por su maldad. Algunas personas eligen el camino del mal y son incapaces de dar marcha atrás.

. . .

—¿Cuánto hace que conoces al ministro Peightân? —La actitud tranquila de Evie ayudó a Joe a concentrarse en algo más que en su propia rabia.

—Toda mi vida profesional. —Pareció sorprendido por tan afable pregunta—. Me ha ayudado a subir de nivel rápidamente.

—Se le ve realmente motivado. —Las palabras de Evie sonaron casi como un cumplido hacia Zable.

Zable asintió con orgullo.

—Consigue todo lo que se propone. Nunca se da por vencido. El ministro trabaja duro.

—¿Es fácil trabajar para él?

Zable se acercó a Evie.

—Se preocupa por mí y me da todos los crédito$ que quiero. Y naturalmente, con el dinero viene el poder y todo lo que ello trae consigo. Como las chicas dulces como tú. —Zable la miró de arriba abajo con lascivia.

Joe le habría dado un puñetazo en la cara de no ser porque Evie le disuadió sutilmente con la mano mientras mantenía la mirada fija en Zable.

—Y te da todos los trabajos buenos, como las Quemas.

—Así es —dijo Zable, con la mirada todavía distraída. Instantes después, la sonrisa devino perplejidad y la observó fijamente. —¿Cómo te has enterado de eso?

. . .

No nos vieron en la Quema. No deben de tener el control inmediato de todas las bases de datos. Sea cual sea su verdadero plan, puede que tarden tiempo en llevarlo a cabo. Raif y el resto del equipo de hackers jugarán al escondite en la red.

. . .

Evie se encogió de hombros y se alejó de él.

—Me imagino que debe de ser una tarea de lo más satisfactoria.

—Lo es, ver esos robots convertirse en humo —dijo riéndose.

El polibot regresó de la cabina y volvió a sentarse en la banqueta.

—¿Peightân y tú buscáis el poder? —Joe forzó la pregunta con naturalidad.

—No hay razón para ocultártelo. Total, vas a morir ahí fuera. Estoy en esto por dinero y por poder. Me gusta dar órdenes. —Zable señaló al robot con el pulgar—. Peightân y yo somos los primeros en la fila para decirles a estos montones de chatarra lo que tienen que hacer.

—El señor Zable tiene razón. Yo sigo sus órdenes —señaló el polibot.

—¿Qué posibilidades nos das de sobrevivir? —A Joe se le ocurrió preguntar al robot mientras Zable lo miraba con gesto burlón.

El robot respondió obedientemente a la pregunta directa, como Joe había previsto.

—Ahora sus probabilidades de sobrevivir son del uno por ciento.

En los labios de Evie se dibujó una sonrisa rebelde sin perder de vista a Zable.

—Qué casualidad. Las mismas que tengo de llegar al nivel 1.

—Ahora son mucho más bajas, querida. —La risita de Zable hizo que Joe apretara los puños.

Joe era incapaz ya de controlar la ira.

—Vas detrás de Peightân y obedeces sus órdenes.

Zable se cambió al asiento más cercano a la cabina, desde donde podía mirarles directamente.

—Yo soy yo. —Seguía dándose golpecitos en la mano con la porra—. Verás, es muy simple. Hay dinero y hay poder. Yo me cansé de esperar mi parte, así que busqué la manera de conseguir ambas cosas.

—Hay más cosas en la vida aparte de dinero y poder. —Joe no esperaba que Zable estuviera de acuerdo con él—. Están la gente y las ideas.

—A lo mejor pienso en ello más adelante, pero por ahora será que no.

Permanecieron en silencio durante una hora, y Joe sintió que le hervía la sangre mientras Zable los miraba con los ojos entornados, como el gato que juega con el ratón.

El transbordador inició el descenso y apareció el suelo del desierto para recibirlos: una cuenca árida entre lejanas montañas grisáceas. La nave aterrizó y se abrieron las puertas. Zable irguió su mediana estatura mientras el polibot sacaba las mochilas y los escoltaba al exterior.

Zable los miró fijamente, esbozando una malévola sonrisa.

—No tengáis prisa en morir. Os lo podéis tomar con calma.

Las puertas se cerraron y la nave se elevó levantando un montón de polvo. Joe se limpió la arenilla de la boca. La nave se fusionó con el aire fulgurante del desierto. Al alejarse, el único sonido perceptible en el cálido silencio fueron los latidos de Joe.

Tercera parte: El viaje hacia el pasado y hacia el futuro

«...El ser humano es ya como uno de nosotros, conocedor del bien y del mal [...] Así que Dios, el Señor, lo expulsó del jardín de Edén, para que labrase la tierra de la que había sido formado».

Génesis 3:22-23

«Es un viaje sin confines allá donde quieras ir».

Evie Joneson

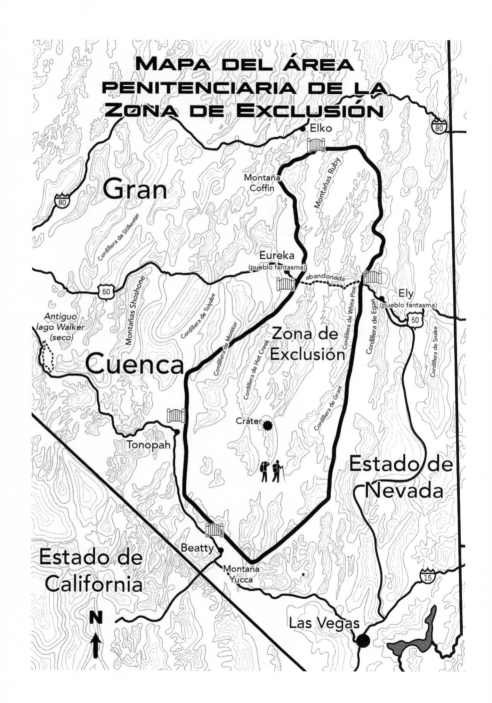

Capítulo 28

Allí estaban, uno frente al otro, perdidos en medio de la nada. El odio que Joe sentía hacia Zable, la sensación de suciedad en la boca y el repentino calor del desierto desataron un sentimiento de furia en su interior. Tuvo que hacer un gran esfuerzo para contener la ira.

Evie lo observó.

—¿Tienes algo personal contra Zable?

—Se podría decir que sí. Y él tiene algo personal contra mí. Motivado por la envidia, imagino. Anoche me hizo una visita en la celda.

La preocupación nubló su rostro.

—Te quedarías de piedra.

—Sí, un auténtico *shock*. Le llamé cabrón esférico.

Evie se rió.

—Sé algo de historia de la astronomía y conozco la referencia.

Joe sonrió para desterrar el doloroso recuerdo y no preocupar a Evie. Había que centrarse en la urgencia del momento. Se protegió los ojos y miró a su alrededor.

El profundo silencio del desierto les envolvía los sentidos. El sol alto de última hora de la mañana abrasaba las llanuras a sus pies, un páramo sin la triste sombra de un árbol. Evie rompió el silencio.

—Este paisaje tan horrible me recuerda una frase de un libro: «porque polvo somos y en polvo nos convertiremos».

—Lo pone a uno cara a cara con su propia muerte. —Aunque le sonaba la cita, Joe no conseguía ubicarla—. ¿De dónde es?

—Del Génesis. Perdona. Será mejor que evitemos ese tipo de pensamientos y nos centremos en seguir vivos. —Inclinó la cabeza y lo miró expectante, sin rastro de temor en su rostro—. ¿Y ahora qué hacemos?

. . .

La pregunta me suena. Pero ahora es ella la que tiene la experiencia y no yo. Y la que está más acostumbrada a luchar contra las adversidades.

. . .

—Estamos juntos en esto y juntos lo decidiremos.

—A mí no me tiembla la mano a la hora de tomar decisiones —dijo Evie, arrugando la frente—. Pero tú siempre estás cavilando. Me gustaría saber la lógica de tus pensamientos.

Joe contempló la salina vacía.

—Bueno, no podemos quedarnos aquí. —Señaló las montañas lejanas—. Por ahí, dirección norte-noreste.

Evie se quedó pensativa.

—Estoy de acuerdo en que no podemos quedarnos aquí, pero ¿por qué no esas otras? —preguntó señalando otros picos distantes al sur.

Jose se puso de pie y se echó la pesada mochila al hombro.

—¿Confías en mí? Puedo explicártelo mientras caminamos.

Ella asintió y cogió el bastón *bō* para la travesía. Caminaron fatigosamente por la llanura de álcali, pasando junto a un sinfín de arbustos secos.

—Primero, no podemos ir hacia el oeste. Lo vi por la ventana del transbordador. Por el ángulo del sol, antes de aterrizar volábamos hacia el este. Y cruzamos salinas y el desierto vacío.

—Bien, no vamos al oeste. ¿Y no podríamos continuar hacia el este?

—No creo que sea buena idea. Por lo poco que leí sobre destierros anteriores, normalmente la gente no regresa. Son datos estadísticos negativos. Eso me recordó una historia extraída de una guerra mundial hace más de dos siglos. Los matemáticos estudiaron el patrón de los agujeros de bala de los bombarderos que regresaban. Dedujeron que los aviones que lograban regresar era porque habían sido dañados en zonas no esenciales o, dicho de otro modo, que las áreas *no* dañadas podían ser los puntos más vulnerables (estadísticamente, los aviones que no regresaron debieron de ser alcanzados ahí), así que reforzaron los aviones en esos puntos. Al encontrar patrones en los datos que faltaban, los matemáticos dedujeron las vulnerabilidades y gracias a ello regresaron más aviones.

—De la misma forma que la evolución se vio influida por quienes fueron devorados por un león.

—Exacto. Leí todas las noticias de gente que no logró salir con vida y, a partir de ahí, saqué conclusiones. —Evie lo escuchaba atentamente—. Peightân mencionó que el muro que limita la Zona de Exclusión tiene cinco puertas. Han sacado cuerpos por la puerta suroeste, la de Tonopah, y por la puerta sur, la de Beatty. Beatty es un pueblo que está cerca del depósito de residuos nucleares de Yucca Mountain, que construyeron allí en parte por su inhóspito paisaje. También han llevado cuerpos a Eureka y Ely, los pueblos fantasma que delimitan los extremos oeste y este de la antigua Ruta 50. La única que no mencionan al hablar de los cuerpos recuperados es la puerta norte. Creo que los únicos que lograron sobrevivir son los que se aventuraron a adentrarse lo suficiente en el norte para pasar el invierno y el verano. Si seguimos hacia el norte sin detenernos demasiado pronto como sospecho que hicieron otros, creo que podríamos tener una oportunidad.

—Pues tenemos una larga travesía por delante.

—Me temo que sí. Y otro detalle deprimente: al suroeste de la puerta norte hay una instalación de aterrizaje de drones llamada la *Montaña de los ataúdes*.

—Gracias por toda la información —resopló Evie—. Mantengámonos alejados de ese lugar.

Anduvieron toda la tarde hasta que el sol se posó sobre las montañas del oeste. El paisaje no era diferente de donde habían empezado, con arbustos caídos y ningún árbol a la vista. Joe montó la tienda, guardó las mochilas y colocó el saco de dormir doble en el interior. Evie añadió agua a un preparado de proteínas liofilizadas y lo calentó sobre un hornillo portátil que encendió con un omnifósforo.

—Parece que también le han sacado la electrónica a esto —comentó.

—Sí, pero el pedernal funciona.

—Tenemos combustible para cocinar unos doce días, así que necesitaremos leña.

Evie inspeccionó los alrededores pelados. Cuando hubieron terminado de cenar, la luz se había desvanecido. Sin luz artificial, se metieron en el saco de dormir y cayeron al instante en un profundo sueño.

———————◆———————

Partieron al alba, aprovechando que la temperatura no era tan sofocante. El paisaje era menos llano pero aun así árido, y continuaron hacia el norte por un valle poco profundo flanqueado por montañas.

A medida que avanzaba el día, la luz se reflejaba en las montañas adquiriendo unos tonos apagados rojizos y blanquecinos. Los remolinos de polvo danzaban sobre la tierra agrietada. Para abstraerse del dolor muscular durante las horas de caminata, Joe trataba de identificar las plantas que había memorizado en el omnilibro: plantas de sal, *grayia spinosa* y salicornias. Para descansar al mediodía y evitar las peores horas de calor, colocaron la tienda sobre un arbusto marchito a modo de cobertizo para sentarse a la sombra. Acamparon en el antiguo lecho de un lago, convertido ahora en una salina. Por la noche, las rachas de viento levantaron la sal en el aire. Joe y Evie se resguardaron dentro de la tienda, que aguantó las sacudidas durante horas.

El desayuno consistió en otro preparado de proteínas liofilizadas mezcladas con agua hirviendo. Joe guardó la tienda en la mochila y se frotó la espalda dolorida.

—¿Cómo tienes la espalda? —preguntó él—. Tu mochila debe de pesar como la mía.

Evie dudó un momento y sopesó la mochila de Joe.

—Pesa más.

Joe levantó una mochila y después la otra. Sacó varios biofrascos de agua de la mochila de Evie y los colgó en el lateral de la suya.

—No te he pedido que...

—Lo sé.

Caminaron durante horas y se detuvieron a comer para evitar el calor del mediodía. Mientras masticaban las barritas de proteínas, Joe meditó sobre el trecho recorrido observando las colinas al noroeste.

—Sé que la Zona de Exclusión tiene forma de patata. Teniendo en cuenta lo seco que es todo esto, supongo que Zable nos dejó en la mitad sur. Sé la longitud del muro perimetral, así que si calculo la distancia aproximada y la dirección en la que caminamos cada día, puedo saber aproximadamente dónde estamos.

—Siempre es útil tener un matemático a mano.

Tras el frugal refrigerio, reanudaron la marcha. Joe no se podía quitar de la cabeza la sequedad que sentía en la lengua y la garganta. Sin nubes ni árboles que les dieran sombra, el sol fustigaba el paisaje imponente y a los dos caminantes. La despiadada esfera comenzaba a ocultarse tras las desnudas laderas del oeste y decidieron acampar junto a una nudosa formación volcánica. En la entrada de la tienda, con la mano de Evie en la suya, Joe contempló la vista dominada por escarpados montículos de peculiares tonos anaranjados.

<hr />

Los dos días siguientes fueron físicamente agotadores y mentalmente insoportables. Joe no sabía cómo cargar con la mochila, que le dejaba fuertes marcas en los omóplatos. Con los pies doloridos y dos uñas ennegrecidas, las Mercury parecían pesar más que nunca.

Evie mantenía un ritmo metódico y nunca se quejaba. Si el terreno se volvía complicado, se ponían en fila india y se iban turnando. Cuando Joe iba delante podía marcar el ritmo, que no era más ágil que el de ella, pero su mente se perdía en oscuras conspiraciones en las que Zable y Peightân tramaban todas las miserias que le asolaban. Cuando Evie tomaba el testigo y él la seguía a rebufo, sus ensoñaciones se refugiaban en fantasías protagonizadas por aquella mujer de piernas tonificadas y sinuosas caderas. El bastón *bō* que Evie llevaba amarrado a la mochila se balanceaba al ritmo de sus pasos.

Durante un tramo de terreno más fácil, Joe exteriorizó su preocupación por algo en lo que había intentado no obsesionarse.

—Calculo que estamos recorriendo entre quince y veinte kilómetros al día. Tenemos que mantener este ritmo durante varios días para no quedarnos sin provisiones antes de llegar a algún lugar donde podamos sobrevivir. Pero si vamos demasiado rápido, podríamos cansarnos demasiado y no llegar a ninguna parte. —Al verbalizarlo, tuvo la sensación de que la mochila le pesaba el doble.

Evie le dio la mano y Joe percibió inquietud en su rostro.

—Ojalá encontremos rastros de agua. Esta tierra está totalmente seca, y eso que solo estamos a finales de primavera. —En su última parada de descanso habían bebido pequeños sorbos del último biofrasco que Mike les había proporcionado. Ahora solo les quedaban los litros de más que habían pedido a Peightân—. Aunque hubieran dejado a Celeste y Julian en un lugar menos inhóspito, no es difícil adivinar lo que les sucedió —dijo Evie con gran entereza.

Prosiguieron el viaje y acamparon bajo las montañas que se elevaban desde los barrizales al este. El quinto día trajo más barrizales. Al final de la tarde habían ascendido cien metros por las colinas rocosas, donde acamparon. Evie se quitó la bota ardiente. Los dos tenían ampollas en los dedos gordos.

—¡Madre mía, que mal huele! —dijo ella, con la nariz pegada a la bota.

Joe olfateó la suya y el hedor le traspasó los sentidos.

—Creo que te gano.

—Daría lo que fuera por poder lavarme.

—Yo mataría por un poco de agua. Tengo seca hasta la boca por dentro.

Mientras ella preparaba la cena, él subió a lo alto de la loma. Al oeste, la arena y el vacío se extendían hasta donde alcanzaba la vista en el horizonte, donde el sol se ponía sobre otra cordillera. Joe supuso que el muro del perímetro no debía de estar muy lejos.

Subió a otra loma al este. Al llegar a la cima, vio un enorme cráter que parecía de otro mundo, un impresionante agujero de un kilómetro de ancho. Joe calculó que el fondo negruzco tenía al menos cien metros de profundidad. Se parecía a los cráteres lunares que había observado desde la Base Orbital WISE. Y cuando cayó la noche, al igual que en la base, se vio rodeado por un gran vacío. Bajó la colina con dificultad, cenó y se acurrucó junto a Evie en el saco de dormir, recordándose a sí mismo que, mientras la tuviera, nunca estaría solo.

El día siguiente amaneció frío, con el viento del oeste soplando con fuerza. Evie abrazó a Joe y este se mostró reacio a abandonar la calidez de su cuerpo. Salieron del saco de dormir y prepararon el desayuno a base de proteínas. Les quedaban siete litros de agua.

Para no pensar en ello, Joe dijo lo primero que se le ocurrió.

—No habría estado mal traer café.

—Y justo cuando me estabas enseñando a disfrutar del buen vino, no lo cataré en años.

—Mejor no seguir con la lista porque nos deprimiremos.

—Hablando de beber, tú eres más corpulento que yo y necesitas beber más agua.

—Tenemos demasiado desierto por delante para eso. Ojalá estuviera tan en forma como tú.

—Vas por buen camino. —Evie se frotó las manos con el semblante tenso—. Siento haberte metido en esto.

—Nos hemos metido los dos. Fue un trabajo de equipo.

Comenzaron la mañana subiendo al cráter que Joe había avistado la noche anterior. Las rocas de lava desmoronadas dominaban un paisaje con kilómetros de basalto desnudo sin rastro de plantas. Rodearon el cráter por el lado oeste y pasaron a través de un campo de piedras volcánicas. Durante la siguiente media hora avanzaron lentamente a través de afilados cascotes.

Al rodear un afloramiento, Evie salió corriendo boquiabierta hacia una pequeña depresión rocosa. Joe se acercó también, olvidándose durante un momento de las ampollas que le martirizaban los pies y los hombros.

Unos pocos centímetros de agua salobre yacían intactos. Evie se inclinó sobre el estanque y Joe vio el ansioso reflejo de ella sobre la superficie difusa.

Joe se arrodilló ante el precioso hallazgo y alargó la mano. Incluso con el regusto a sal y azufre, el agua le alivió la sequedad de la boca.

—Podría ser potable. —Buscó en su mochila una manta térmica y la colocó sobre la charca. Evie hundió la fina manta con su bastón *bō* al fondo del agujero para que el agua se concentrara en la superficie. Entre los dos levantaron los costados y llenaron tantos biofrascos como les fue posible, hasta que el agua grisácea se agotó.

—Leí algo acerca de estos charcos naturales pero nunca esperé que nos toparíamos con uno —reconoció Joe—. Es una pequeña balsa rocosa que retiene el agua estancada. Hemos ganado unos días.

Evie sonrió y chocó la mano de Joe con entusiasmo, y él siguió albergando esperanzas de sobrevivir.

Continuaron la travesía por paisajes volcánicos que parecían más propios de otro planeta. Al este se divisaba una elipse de sal blanca que se extendía a lo largo de varios kilómetros, vestigio de otro antiguo lago. Durante la hora siguiente pasaron junto a un gran cono de escoria de color anaranjado por el efecto de los rayos solares. Tres kilómetros más adelante encontraron una carretera abandonada. El asfalto tenía grietas laberínticas y le faltaban trozos, pero era un camino relativamente fácil, así que giraron al noreste para seguirlo.

Aunque estuviera en mal estado, por la carretera era más fácil caminar en paralelo y la conversación les hacía olvidar temporalmente el malestar.

Todas las reticencias que Evie había mostrado cuando se conocieron se habían evaporado. Era tan transparente como el aire del desierto y el cielo azul. Le contaba anécdotas de su infancia en la Cúpula Comunitaria y charlaban de música y de sus amigos. A Joe le llamó la atención lo mucho que ella apreciaba a sus amigos de la Cúpula, a los que trataba como a la familia que no tuvo.

Pero al cabo de un rato se les secó tanto la boca que dejaron de hablar. Aminoraron el paso en la tarde abrasadora. Las mochilas les irritaban la piel de los hombros y a Joe se le cayó el alma a los pies al ver un fuerte repecho en el camino. Al caer la tarde, acamparon al oeste de un muro de lava.

—Tenemos que tomar una decisión. Estamos yendo hacia el norte. Nos esperan dos cadenas montañosas, una al norte y otra al este, ambas a dos o tres días de distancia. Parece que esta pared de lava marca una división norte-sur, así que seguir hacia el norte podría ser complicado. —Se inclinó sobre el hornillo que calentaba la cena—. En cambio, si seguimos por esta carretera hacia el noreste, evitaremos la lava y será más fácil... pero nos llevará a través del desierto por el valle entre las cordilleras. Me preocupa que no encontremos agua.

—Ahora tenemos suficiente agua para cruzar el desierto. —Parecía tan cansada como él—. Yo voto por seguir hacia el noreste.

—Joe se mostró de acuerdo. Cenaron y lo recogieron todo en silencio antes de meterse en el saco de dormir.

Joe se despertó sobresaltado. Evie se había aferrado inconscientemente a su pecho, como si tuviera una pesadilla. Él le acarició la mano y logró calmarla sin despertarla.

A pesar de estar deshidratado le entraron ganas de orinar y salió del saco. Caminó unos metros con los pies doloridos y permaneció a la intemperie bajo la cúpula de estrellas. En condiciones normales habría admirado una vista tan bella, pero ahora su lejanía no le ofrecía ningún consuelo y únicamente le recordaba lo solos que estaban. Joe y Evie merodeaban furtivamente por el terreno como cualquier otro animal. Salvo que en este lugar árido eran los únicos. Joe se metió en el saco de dormir y abrazó a Evie para no sentirse tan solo.

Al amanecer, descendieron por el puerto a lo largo de la pared de lava, tomando como referencia un pico negro al sur para orientarse.

El camino no se acababa nunca, con la espada negra cortando el noreste a través de la cuenca de color sepia. Junto a ella, algunas plantas de sal y yodo luchaban por sobrevivir en el suelo alcalino. Joe se imaginaba luchas entre las plantas marchitas, que finalizaban con una planta absorbiendo la humedad de la otra. Evie también parecía ausente. La deshidratación les estaba afectando, pero no había nada que hacer. La puesta de sol les sorprendió acampando sobre las espiguillas a un lado del camino. Montaron la tienda en silencio y, tras comer algo, se fueron a dormir.

Joe estaba arrodillado en la entrada de la tienda, listo para meterse en el saco junto a Evie, cuando una lagartija se aproximó arrastrándose por la arena. La criatura saltó de una roca a una brizna del matorral. Se detuvo, inmóvil, como si quisiera contemplar la luz que se desvanecía.

. . .

Aquí estamos los dos, perdidos en esta tierra estéril. Pero esta es tu casa. ¿Cómo se sobrevive en una tierra tan desalmada? ¿Qué te hace seguir adelante? Cuéntame tu secreto para que yo también pueda continuar.

. . .

◆

Las siguientes dos jornadas de monótona travesía fueron un auténtico calvario. Entre ellos y las montañas, aún lejanas, se extendía un desierto implacable e inhóspito. A media mañana, la temperatura había subido y las gotas de sudor caían por la espalda de Joe hasta secarse y convertirse en una costra de sal. Al tratar de sonreír a Evie cuando esta lo miró, se le partió el labio.

—Mierda. —Se relamió el labio, agradecido por la vana sensación de humedad. Ella desvió la mirada, impasible.

Después de un breve descanso al mediodía y de dar pequeños sorbos de agua, Evie parecía revitalizada. Cuando reanudaron la marcha, ella se mantuvo a ritmo constante a su lado.

—Está costando una eternidad atravesar este desierto —se lamentó Joe.

Ella se rió.

—Me estás leyendo el pensamiento. ¿Sabes lo que pensaba Milton de la eternidad? La eternidad apenas es un instante en la plenitud del tiempo.

¿También sabía de poesía? Eso era un pequeño aliciente en el complicado día de Joe.

—¿De dónde sale esta reflexión?

Ella le dedicó una mirada onírica.

—Este lugar me recuerda un viejo versículo: «Preparad en el desierto un camino al Señor».

—Como nosotros.

—Tienes una hipótesis negativa sobre por qué debemos ir hacia el norte. Me recordó un tema de tu omnilibro que me atrajo: la serie de libros sobre la vía negativa.

—Algunos de los textos de filosofía más oscuros. —Joe estaba impresionado—. No me he leído todos los libros de mi antiguo omnilibro. Pero recuerdo la idea genérica, que describe a una Divinidad por negación, es decir, por lo que la Divinidad no es.

—La idea es que Dios es inefable y escapa a cualquier descripción humana, que nuestras limitadas capacidades humanas no pueden acercarnos a ninguna comprensión, y que lo mejor es rendirnos a la nube del desconocimiento. Viene a decir que cualquier concepto de Dios debe formularse a través del corazón.

Los engranajes de la extenuada mente de Joe cobraron vida de nuevo y recordó una conversación con Gabe sobre la existencia de Dios. En aquel momento, Joe había concedido a esa idea una baja probabilidad.

—¿Crees que existe una Divinidad? —preguntó Joe.

—¿Una pregunta sobre fe, viniendo de un matemático y científico?

—Es una pregunta que me hago a mí mismo. Me gustaría saber qué opinas.

—¿Recuerdas lo que dijiste sobre el tiempo? Que el espacio-tiempo es un solo bloque.

—Sí.

—Dices que no hay pruebas científicas de que haya un Dios cuyos actos tengan efectos dentro del espacio-tiempo. Así que ningún Dios está dentro de este universo.

—Todas las pruebas científicas apuntan a que no hay interferencia. Las leyes tienen una coherencia interna. Es un universo físico cerrado.

—Una libélula conservada en ámbar.

—Eso creo.

Evie rió triunfante, con la voz ronca pero llena de vitalidad.

—Por lo tanto, si Dios existe y está fuera del espacio-tiempo, nunca tendremos pruebas de ello. No hay manera de responder a la pregunta que me has hecho. Nos quedamos sin saber si Dios existe o no.

—La lógica es impecable. De ello se deduce que solo existe la fe, sin ninguna base factual.

—Yo repito una conclusión a la que llegaron pensadores de la Ilustración, como Thomas Paine, Benjamin Franklin y Thomas Jefferson. —Evie sonreía mientras caminaba y Joe imaginó lo atenta que debía de estar en sus clases de ciencias políticas—. Creían en el poder de la razón. Muchos de ellos eran deístas. Descartaban la revelación como una fuente de conocimiento acerca de Dios y, de existir, no pensaban que Dios interfiriera con el mundo.

—Un enfoque científico.

—Podría decirse que es un enfoque más científico que el actual. Estaban dispuestos a confrontar lo que no podían saber y aun así debatirlo. Al menos no escondían ninguna prueba. No podían ignorar las pruebas, por ejemplo, de por qué el universo parece estar construido de una forma tan elegante. Hay una belleza especial en el mundo. —Evie señaló la árida extensión ante ellos—. Incluso en este inmenso desierto.

—O en ti, caminando en el desierto.

Evie sonrió para agradecerle el cumplido y continuó con el razonamiento.

—¿De dónde proviene esa belleza?

—Muchas veces me he hecho la misma pregunta sobre las matemáticas. Los matemáticos no las crean; las descubren. Y las matemáticas son fundamentales para el universo. Si existe una Divinidad, debe de ser matemática.

. . .

Volviendo a Wigner, a la irracional efectividad de las matemáticas en la descripción de la naturaleza y a mi larga conversación con Freyja. ¿Qué puede explicar ese milagro? Quizá aquí, enfrentándome a la muerte en una tierra inhóspita, ha llegado el momento de poner al día las probabilidades de que tal Divinidad exista. Si fallamos, pronto tendré la oportunidad de responder a la pregunta cara a cara con la eternidad.

. . .

Evie interrumpió las cavilaciones de Joe.

—¿Por qué a veces te refieres a Dios como la *Divinidad*, en femenino? La idea de la vía negativa es que Dios escapa a nuestro poder de comprensión.

—Tiendo a antropomorfizar a los dioses y las máquinas, y usar el género masculino me parece arcaico y paternalista. Por eso muchas veces uso el femenino. Pero tienes razón: de existir una Divinidad, escaparía a nuestra comprensión y sería un ser superinteligente por haber creado un universo tan asombroso.

—Entonces, de existir, Dios está fuera del universo, no interfiere, y es incognoscible y mucho más inteligente de lo que podemos comprender.

—Así es.

—¿No crees que hay un Dios que responde a las plegarias?

—No. —La fe de Joe no había crecido ni un ápice desde que comenzaron ese viaje.

—Estoy de acuerdo. Sigamos adelante y hagámoslo lo mejor que podamos allá donde estemos.

Continuaron caminando en silencio, ensimismados en sus pensamientos.

. . .

La contemplación en el desierto ha dado pie a muchas creencias, muchos dioses a los que adorar. El ser humano tiene predilección por anhelar que los dioses nos ayuden y consuelen. Para algunos, ha sido una muleta y una excusa de su mala conducta. Para otros, una fuente de energía. Ninguna de esas creencias es coherente con un universo físico cerrado. Si voy a valorar la existencia de una Divinidad, me inclino por una explicación alternativa: es una Divinidad no intervencionista. Estamos solos en el desierto, tanto para vivir como para morir.

A muchos no les parecería atractiva una historia así, con una Divinidad no intervencionista. Pero, ¿cómo se desarrollaría esta historia si fuera verdad? ¿Podría una historia así encajar de manera lógica con una postura científica para entender el universo?

. . .

Joe se aclaró la garganta ante la repentina necesidad de confesar algo.

—La razón por la que vine a la universidad no fue para descifrar la conciencia de los robots. Estaba tratando de entender la mía, de descubrir si tenía libre albedrío. Si lo tengo, ahora debo averiguar cómo usarlo y encontrar una razón de peso para seguir caminando. —Joe señaló el horizonte—. Incluso si es a través de un desierto como este.

Ella lo miró y, por un momento, pareció más alta.

—Aquí no tendrás compañeros de dialéctica, como Gabe y Freyja, pero puedo ayudarte a encontrar razones.

Se dieron la mano y las balancearon al ritmo de los pasos.

—Me haces reflexionar continuamente y te quiero por ello.

Capítulo 29

Al frío de la noche le siguió el calor abrasador del día. A medida que se acercaban a las montañas, el agotamiento era más intenso. Joe rompió el silencio.

—Tengo la impresión de que la carretera continúa hacia el noreste entre los picos. No estoy seguro de la distancia que falta para llegar al muro de la prisión. ¿Qué opinas?

—Según tu teoría negativa sobre las puertas, deberíamos evitar la del este. Eso significa que es mejor dejar la carretera y dirigirnos hacia las montañas del norte, aunque el terreno sea más difícil —propuso Evie.

Joe se mostró de acuerdo y abandonaron la maltrecha carretera. Giraron hacia el norte por una bajada accidentada al oeste de las montañas en busca de vegetación o de algún indicio de agua. La artemisia se entremezclaba con algunos pinos piñoneros aislados y el enebro de Utah, con las ramas enmarañadas por el viento.

Evie señaló un nopal, con sus palas verdes secas pero aún intactas, y dejó la mochila en el suelo. Sacó el cuchillo y raspó las espinas de una pala, la agarró con cuidado y la sacó del cactus. La colocó sobre una roca y la raspó a fondo.

—Haremos una ensalada de nopal sencilla —dijo. Terminó la primera pala y no paró hasta esquilmarlas todas. Amontonó su tesoro en biofrascos de comida y los metió en la mochila.

Siguieron caminando montaña arriba, donde los árboles eran cada vez más altos. Los abetos blancos se agrupaban en un valle entre las crestas de las montañas. El peso de las mochilas y el dolor muscular habían pasado a un segundo plano ante la idea tácitamente compartida de encontrar agua cerca.

Joe fue delante un kilómetro más disfrutando del fresco aroma del bosque. Subieron doscientos metros por un barranco y, sin mediar palabra, Evie señaló el horizonte. Joe contempló la vista con recelo, sin acabarse de creer que no se trataba de un espejismo. Su mirada se topó con un barranco repleto de árboles bañado por un arroyo que descendía por el boscaje e iba a parar a un pequeño estanque. Se abrazaron y Evie se balanceó entre sus brazos como si bailaran un vals. Iban a sobrevivir al menos una semana más.

Evie sacó unas tazas de la mochila y regaron con agua clara sus agradecidas gargantas. Se pararon junto a la minúscula piscina, riendo y salpicándose mutuamente.

—¡Qué ganas tengo de lavarme! —exclamó ella. Joe se quitó la ropa antes de que ella terminara de hablar. Ella hizo lo mismo y se metieron en el agua hasta los tobillos. Se lavaron y se secaron desnudos en la orilla cubierta de hierba.

En la sombra hacía más frío y Joe no tardó en volverse a poner la ropa húmeda, temblando. Evie montó la tienda mientras él llenaba todos los biofrascos, feliz de eliminar del todo los restos de azufre. Exploraron la ladera de la colina en busca de leña y regresaron con los brazos cargados de ramas y troncos. Joe cortó los troncos con el hacha, prendió un omnifósforo y la fogata empezó a crepitar junto a la tienda. Evie chamuscó las palas de nopal en las brasas ardientes, les quitó la piel y las cortó. Joe sintió cómo una abrumadora y gloriosa acidez le estallaba en el paladar. Evie cerró los ojos mientras saboreaba su primera comida de verdad en más de una semana.

Se acurrucaron junto a las débiles llamas.

—Mañana no tenemos que levantarnos y caminar hasta caer rendidos —dijo Joe, acariciando el brazo de Evie.

Evie se volvió hacia él, risueña.

—¿Cuánto tiempo crees que podemos quedarnos aquí?

Joe dejó escapar un suspiro y se estiró.

—Con tres días de descanso, ya decidiremos si este lugar tiene comida suficiente para mantenernos. Ahora lo que necesitamos es recuperarnos física y mentalmente. —Joe sacudió la cabeza—. No sé tú, pero yo jamás pensé que mi mente podía caer tan rápido en el desánimo. Parece que aquí podremos descansar y relajarnos un poco, sobre todo si encontramos comida.

Ella lo miró con dulzura, sin disimular su preocupación.

—La deshidratación te ha afectado más a ti que a mí. Yo también me he resentido, pero no quería preocuparte.

La mano de ella sobre su mejilla fue lo último que recordó Joe antes de dormirse.

◆

Los rayos del sol le acariciaron los párpados hasta despertarle. Se inclinó hacia Evie y la besó.

Mientras desayunaban un preparado deshidratado de las escasas provisiones, Evie observó la vegetación que cubría el barranco.

—Aquí podríamos encontrar comida. De niña fui a muchos campamentos y aprendí un poco sobre cómo buscarla.

—Yo estudié para el examen mientras estábamos a la espera del juicio. Esa es toda mi experiencia en la materia —reconoció él.

—Aquí es donde hay que demostrar si uno se ha preparado bien. —Evie se puso de pie y empezó a mover los brazos en círculos para calentar—. Voy a explorar. No me alejaré mucho.

Joe se quedó pensando en cómo podría ser útil. El agua y las plantas del subsuelo permitían intuir la presencia de pequeños animales. El arco que había llevado con tanto esfuerzo era inútil hasta que aprendiera a usarlo. Debería empezar por intentar poner una trampa.

Cogió la mochila y metió dentro un biofrasco de agua, algunos restos de nopal, un rollo de cuerda fina y un cuchillo. Subió por el barranco siguiendo el curso de agua hasta la arboleda. La maleza era más espesa y dificultaba el rastreo de excrementos y huellas de animales entre la vegetación y los rayos de luz entrecortados.

. . .

Piensa como un conejo. ¿Cómo sería? No es consciente pero sí sintiente, tiene emociones primitivas y se preocupa por su próxima comida, el agua y los depredadores. Vive al día y sigue el camino más sencillo.

. . .

En el omnilibro había leído las instrucciones para construir una trampa. Eligió un lugar donde un tronco caído estrechaba el sendero junto al arroyo. De entre las abundantes rocas diseminadas por el barranco, eligió una losa plana y la arrastró hasta el sendero. Con el hacha cortó una rama en cuatro partes: una para el poste, otra para la palanca, el extremo delgado para el palo del cebo y otra para el gatillo. Clavó un trozo de nopal en el palo del cebo. Cortó un pedazo de cuerda, ató el pasador del gatillo a un extremo y luego fijó el otro extremo a la palanca.

Levantó la roca para colocar el poste y la palanca, encajando el palo del cebo en el gatillo. Intentó colocar el otro extremo en la parte inferior de la losa, pero se soltó y al caer la piedra casi le rompió la mano. Al tercer intento logró que todo se aguantara en su sitio. Por último, inspeccionó el montaje, convencido de que era tal como lo había visto dibujado en los libros.

Joe colocó dos trampas más. Las losas significarían la muerte instantánea de cualquier criatura que tuviera la mala suerte de activar el cebo. No quería ni pensar en lo que tendría que hacer para convertir el animal atrapado en algo comestible.

Regresó al campamento y encontró a Evie junto a la tienda, lavando las plantas que había recolectado y guardando hojas verdes y flores blancas en un tarro.

—He encontrado mucha hierba gallinera —le explicó.

—Yo no he encontrado nada que valga la pena, pero he puesto algunas trampas Paiute. Es una piedra plana sostenida con un palo y un gatillo ingenioso.

—¿Qué esperas atrapar?

—En la Gran Cuenca debería de haber animales, incluso con el aumento de la temperatura por el cambio climático. Espero que haya liebres, ardillas, zorros y ciervos. Hay muflones, pero son difíciles de cazar. Tenemos que tener cuidado con los coyotes, los lobos, las serpientes de cascabel, y tal vez también con los gatos monteses y los pumas. —Joe terminó de contar lo que había estudiado en el omnilibro.

Evie escuchó la lista y se limitó a asentir sin hacer comentarios. Joe se sentó y miró fijamente el fuego. Al final, sucumbió a los pensamientos que le atormentaban.

—Pronto necesitaremos más proteínas, Evie. Sin más calorías, moriremos.

Evie se puso en cuclillas a su lado.

—He estado pensando en eso. No esperaba encontrar carne alternativa por aquí. —Sonrió y le besó la mejilla—. Podemos limitarnos a alimentarnos de animales que estén en el extremo inferior de la escala de conciencia-sintiencia y hacerlo lo mejor que podamos teniendo en cuenta las circunstancias. Incluso en el mundo moderno comíamos pescado y pollo.

Oyeron el silbido de una ardilla en el árbol que tenían encima y un pensamiento oscuro se apoderó de la mente de Joe ante la idea de matarla.

—Como animales que somos, tenemos capacidad para dar muerte a la vida que nos rodea.

—Deberíamos tratar de ser buenos animales.

—Eres un ángel —dijo él esbozando una sonrisa.

A la mañana siguiente, Joe se despertó al amanecer. Ansioso por revisar las trampas, se escabulló sigilosamente del saco de dormir y subió por el barranco. Pisaba la maleza con cuidado, fijándose en las plantas que cedían más fácilmente y evitando las ramas quebradizas. La primera trampa estaba intacta, con la piedra en equilibrio tal como la había dejado. Subiendo el barranco vio la segunda trampa. Se había disparado.

Joe respiró profundamente y levantó la losa. Debajo, una liebre yacía sin vida. Apartó la piedra y, lleno de culpa, tocó el animal ya frío.

. . .

Me alegro de que no conociera a cazadores humanos; me lo ha puesto más fácil. Ahora es alimento. Soy un animal y como animales para vivir. En el pasado ya era así, pero era una cuestión abstracta, fácil de pasar por alto. Ya no puedo ignorar mi papel en la naturaleza. Soy como esa lagartija que se arrastra por la tierra. Aunque la conciencia añade una carga que la lagartija no tiene.

. . .

Joe volvió a preparar la trampa, cargó el animal muerto en la mochila y subió el barranco. En la última trampa yacía inmóvil una segunda liebre. Joe se debatía entre sentimientos contradictorios de orgullo y culpa. Cogió un cuchillo mediano y destripó los animales con poca destreza, tratando de adaptar las instrucciones que había memorizado a la sangrienta realidad. Al regresar al campamento, no parecía orgulloso ni alegre, sino determinado a abrazar su nueva vida en la Zona de Exclusión, no sin pesar.

Evie se quedó gratamente sorprendida al ver las presas, pero cuando él las sostuvo en la mano, le tembló el labio y un gran sentimiento de culpa le nubló la vista. Joe reconoció en ella lo mismo que había sentido al destripar el animal: la conmoción de enfrentarse a la muerte, una revelación rara vez vivida en la sociedad moderna.

Se alejó con el cuchillo hacia un arbusto río abajo para acabar de limpiar una de las liebres. Al cortarle la cabeza, los huesos del animal crujieron bajo el cuchillo. Momentos después, la despellejó y la lavó. Luego cortó una rama delgada y la ensartó.

A su regreso, Evie le cogió la rama sin mediar palabra y la colocó hábilmente entre dos rocas para centrar la liebre sobre el fuego. Antes ya había puesto a hervir un cazo con raíces. Joe se quedó mirando las llamas fijamente. Minutos después, Evie señaló el cazo.

—Son *claytonias lanceolatas*. Las encontré junto al arroyo. Cuesta un poco desenterrarlas, pero aportarán almidón a la dieta. —El bastón *bō* estaba en una roca cercana, junto a una pila con las peladuras de los tubérculos.

Joe volvió en sí y trató de olvidarse de la liebre.

—Eres una mujer de recursos. —Se acercó al río para lavarse las manos y luego se sentó junto al fuego en silencio para observar a Evie preparándolo todo.

A Joe se le hizo la boca agua ante el delicioso aroma. Evie sirvió en unas hojas los trozos de liebre a la brasa y ambos se miraron a los ojos mientras masticaban aquella carne desconocida. Tenía un sabor más fuerte e intenso que el pollo, pero se les antojaba un festín después de la triste comida liofilizada.

—No soy un ángel —dijo Evie, lamiéndose la grasa de los dedos. Joe arqueó una ceja—. Anoche me dijiste que era un ángel. No lo soy. Aquí solo soy una criatura más, devorando a otra para sobrevivir. —Rechupó el hueso hasta dejarlo sin carne y lo arrojó a un lado—. No somos ángeles, ninguno de los dos. Y doy gracias por que te las hayas ingeniado para proveernos de comida.

Durante los dos días posteriores siguieron la misma rutina. Joe se ejercitó caminando por el bosque sin hacer ruido, revisó las trampas y colocó cinco más. Al día siguiente cazó dos liebres. Supuso que los animales eran propensos a caer en las trampas porque no tenían experiencia con humanos. Una vez comprobada la presencia de caza menor en la montaña, había llegado el momento de probar el arco. Poner trampas era una experiencia nueva, pero la idea de disparar con arco le motivaba.

Preparó un blanco a base de ramas y hojas entrelazadas. Se alejó once pasos, se giró y colocó una flecha. Apuntó con cuidado a través del visor y soltó la flecha, que sobrevoló el objetivo hasta perderse entre la maleza. Contrariado, trató de recordar todo lo que había leído sobre la caza con arco. Siguió practicando, soltando la flecha sin dejar que saltaran los dedos y probando con diferentes posiciones de los brazos y el cuerpo, hasta que dio en el blanco siete veces seguidas. Ya podía probar suerte en el bosque.

Subió la montaña siguiendo el curso del agua con las trampas y continuó un poco más. Se movía con cautela, pendiente de cualquier movimiento entre la maleza. Era una tarea lenta y resultaba complicado no hacer ruido. Acalorado y agotado, se sentó en una roca y echó un buen trago del biofrasco. Cerró los ojos y respiró profundamente, deleitándose con la suave brisa y el susurro de las hojas. Se oyó el canto de un pájaro cerca, luego otro. Abrió los ojos y escrutó el paisaje.

Trece metros más arriba vio moverse algo cerca del riachuelo, que acabó perfilándose nítidamente en el horizonte: una liebre. Conteniendo la respiración, colocó una flecha, levantó el arco y apuntó a través del visor. La mano le temblaba pero, tras una larga exhalación, logró sostener el arco con firmeza sin prestar atención a los dedos pellizcados por la cuerda. Al soltarla, los dedos convulsionaron y la flecha salió disparada con un silbido. La liebre dio un salto levantando una pequeña polvareda hasta perderse entre los helechos.

Joe miró decepcionado la tierra desnuda, aunque parte de él se alegró de haber fallado. Fue a recuperar la flecha pero debió de haber disparado alto, porque la flecha había desaparecido sobre la colina. Después de buscarla durante una hora en la ladera lejana, al final la dio por perdida.

. . .

Soy un cazador que no está preparado para este mundo inhóspito. Necesito mucha más práctica antes de volverlo a intentar. Las flechas son un bien preciado.

. . .

Al caer la tarde, Joe regresó al campamento con las manos vacías. Para cenar, Evie asó una liebre cazada el día anterior y se fueron a dormir bajo la tenue luz del anochecer.

Al día siguiente, en las trampas solo recogió una ardilla. Le preocupaba que las capturas fueran a menos. O los animales se estaban volviendo más cautos o no había suficientes en esa cordillera aislada para mantenerse por mucho tiempo. Para desayunar, Evie recolectó hierba gallinera y raíces de *claytonias lanceolatas* al no encontrar nada más que valiera la pena.

—Ha sido una buena parada de descanso, la necesitábamos, pero me parece que ha llegado el momento de reemprender la marcha —propuso Joe, convencido.

Evie asintió.

—Gracias a Dios que encontramos este lugar, pero no tiene lo suficiente para mantenernos.

—El polibot nos dio un uno por ciento de posibilidades de sobrevivir. Imagino que no lo calculó basándose en la cantidad de personas condenadas al destierro, sino en el lugar donde nos dejaron, en medio de ese paisaje lunar. Aún estamos a días de distancia de las montañas del norte, donde creo que es más probable sobrevivir a largo plazo.

Evie miró fijamente el riachuelo que los había salvado.

—Dudo que este arroyo dure todo el verano. Necesitaremos una fuente de agua segura. Este bosque es muy pequeño, solo hay unos pocos pinos blancos, y estas montañas son demasiado áridas.

—Seguiremos hacia el norte —sentenció Joe.

Capítulo 30

A media mañana levantaron el campamento. Antes de partir, Joe fue a ver todas las trampas y solo encontró una ardilla. Las desmontó y recuperó las cuerdas.

Caminaron hacia el norte uno al lado del otro. Llevaban los biofrascos llenos de agua amarrados en los laterales de las mochilas. Joe se sentía recuperado, con los hombros prácticamente curados, pero la mochila seguía siendo demasiado pesada. Intentó no pensar en ello.

Treparon por el flanco occidental de la sierra, convencidos de que la altura les daba más posibilidades de encontrar agua que si se adentraban en el desierto. Al atardecer acamparon en una arboleda de pinos blancos. Joe se alegró de encontrar leña porque cada vez les quedaba menos combustible para el hornillo.

El camino hacia el norte los apartó de las montañas. Atravesaron un paisaje gris moteado de árboles raquíticos que conducía a unos arbustos de salvia blanca y verde, y finalmente se desvanecía en unas salinas lejanas. Al tercer día de dejar el campamento, llegaron a otra carretera abandonada. Era la más ancha de cuantas se habían encontrado y serpenteaba de este a oeste a través de las tierras enjutas hacia las montañas lejanas.

—Diría que esta es la antigua Ruta 50 —conjeturó Joe, mirando a ambos lados de los maltrechos carriles.

—Y conduce a las puertas donde llevaron a la gente que no logró sobrevivir —recordó Evie.

Joe supo que Evie estaba pensando en Celeste y Julian.

—Sí. No tiene sentido ir hacia el este ni hacia el oeste, porque todo esto todavía es demasiado seco. Pero es probable que en las tierras del norte llueva más.

Montaron el campamento y Joe extendió el saco de dormir sobre el asfalto agrietado, que aún retenía el calor del día. Acto seguido, hizo una fogata con los últimos restos de leña que habían traído de las montañas. Con la caída del atardecer, un águila solitaria sobrevoló la tierra reseca buscando presas en vano antes de alejarse hacia el norte.

Sentados uno frente al otro sobre el saco, royeron la carne de ardilla sobrante y se partieron las últimas verduras deshidratadas. Evie comió lentamente y se relamió los dedos al final, ajena a la mirada de Joe. Algo se encendió dentro de él y, por un momento, olvidó la sensación de vacío en el estómago y el dolor muscular.

Joe se puso detrás de ella y le empezó a masajear los hombros, enrojecidos por las correas de la mochila, y bajo el cielo del desierto, adornado con mil millones de estrellas, dieron rienda suelta al amor.

◆

La esperanza de encontrar agua al norte fue en vano. Dejaron atrás la carretera y la sierra que habían atravesado. El desierto era un océano gris salpicado de monótonas artemisias verdes y plateadas que parecían bolas flotantes sobre una mancha de tierra reseca. Una nube permanecía inmóvil en el cielo azul cristalino. Y, al igual que el océano, el desierto interminable se alzaba en el horizonte e iba descendiendo a su paso.

El paisaje se iba difuminando a medida que se adentraban en otro salar. La superficie seca y resquebrajada del antiguo lago era como un mosaico formado por millones de piezas hexagonales. Algunos trozos gruesos se descantaban con las punzadas del bastón *bō* de Evie. La tierra, que desprendía un olor terroso y calcáreo, parecía absorber el aliento de ambos. Por las mañanas, el sol le quemaba la cara a Joe, que caminaba con los ojos entornados por la escasa protección del sombrero. Por la tarde, le quemaba el cuello y el sudor se convertía en una costra salina que le apelmazaba la ropa. Volvieron a salirle ampollas en los hombros y los residuos de sal le aguijoneaban la piel agrietada.

Absorto, se imaginaba flotando en una piscina de agua dulce, cuando la voz de Evie le interrumpió.

—Estás muy pensativo. ¿Qué te preocupa?

—Me arrepiento de no haber traído algunas cosas. Protectores de ojos analógicos para el sol, por ejemplo. Los implantes de córnea no me sirven de nada sin el NEST.

—Yo tampoco lo pensé —reconoció ella.

—Estamos tan acostumbrados a la tecnología que nos olvidamos de que la tenemos. —Antes de terminar la frase ya se había sumergido de nuevo en su fantasía de agua dulce. Instantes después, se dio cuenta de que Evie le había hecho una pregunta.

—¿Qué...?

—¿Te arrepientes de haberme ayudado?

—En absoluto —zanjó Joe, deseando que su tímida sonrisa le inspirara confianza. Y probablemente lo consiguió, a juzgar por el gesto de complicidad de Evie. Caminó detrás de ella mientras el sol azotaba con fuerza. Se movían por el vacuo paisaje como gotas de aceite en un plato caliente a punto de evaporarse en la nada.

. . .

¿Si me arrepiento de haber ayudado a Evie? Jamás. Ella no había hecho nada malo y ayudarla fue lo correcto. ¿Fue un accidente enamorarme de ella? El mundo une a la gente de manera aleatoria y luego cada uno decide el camino que desea tomar. Amarla me llena de vida. No, no fue un accidente. La elegí por propia voluntad. Y ella me eligió a mí.

Evie es muy tenaz. Yo soy un mero reflejo de su fortaleza. Necesitamos perseverar o ambos moriremos. Las cartas están echadas, pero falta jugar la mano y vamos a jugarla bien.

En eso estoy, en jugar cada carta. Tener un propósito en la vida y centrarme en algo, aunque solo sea en la supervivencia, me hace sentir bien. Pero la razón para sobrevivir es doble, porque he encontrado a alguien con quien compartir mi vida.

. . .

Al final del segundo día tras cruzar la carretera, acamparon y revisaron la comida que les quedaba. Después de la puesta de sol seguía haciendo un calor sofocante, así que salieron de la tienda y dejaron el saco de dormir en el suelo. Joe sacó de la mochila un trozo de liebre seca.

—Esta es la cena. ¿Te queda algo en la mochila?

—Ya nos hemos acabado la comida deshidratada —dijo ella.

Al coger la mochila de Evie, Joe se dio cuenta de que otra vez era más pesada que la suya.

—¿Qué más tienes aquí?

—Lo he estado guardando —respondió ella. Joe rebuscó en el fondo de la mochila.

—Hay siete kilos de semillas de trigo de temporada corta mejoradas genéticamente para plantar en primavera. Y levadura, y semillas de alubias.

—Y dijiste que *yo* era el planificador...

—Tú llevabas el arco y yo el pan. Tenemos días de supervivencia por delante, pero luego años que planificar... si es que encontramos una fuente de agua fiable. Estoy dispuesta a pasar un poco más de hambre si es por salvar esto.

La tomó entre sus brazos y la besó.

—Yo también.

◆

Al día siguiente, las montañas del norte siguieron creciendo en el horizonte, invitándoles a avanzar. El paisaje inmutable, yermo y despiadado les absorbía toda la energía. Tropezaron dos veces con viejas pistas de grava construidas para llegar a antiguas minas olvidadas, que no conducían a ningún sitio que no fuera el desierto. Marchaban como soldados en el campo de batalla, inmersos en una tierra ardiente y vacía.

De las montañas emanaban arroyos polvorientos. Joe y Evie terminaron el día hambrientos y exhaustos. Lo más grave era que los biofrascos estaban casi vacíos. Al caer la tarde, con el aire abrasador, volvieron a acampar en la arena sin montar la tienda.

A Joe el hambre le carcomía las entrañas. No podía dejar de pensar en las semillas de la mochila de Evie. Mientras ella se acomodaba

en el saco de dormir junto a él, su mirada resuelta hizo que Joe siguiera viviendo su agonía en silencio.

Tumbado sobre el saco de dormir, hacía una pila de arena con la
mano en un gesto maquinal. Formando una pirámide, los nuevos
granos le caían de los dedos sobre el vértice y rodaban por la pendiente angulosa. Evie le puso la mano sobre el hombro y él se apartó
al sentir el roce con la piel en carne viva. Joe se sentó y la miró con
una sonrisa dubitativa.

Evie no se la devolvió.

—¿Qué pasa? —preguntó ella mientras miraba el montón de arena—. ¿Qué haces?

Él contempló su pequeña pirámide.

—Desde que hablamos sobre la vía negativa, he estado pensando en mi proyecto sabático. —Joe no mencionó que era sobre todo
para ignorar la dolorosa realidad física de la caminata y que además
carecía de importancia, teniendo en cuenta que las posibilidades de
llegar a una conclusión y de vivir para contarlo disminuían a diario.
Pero las largas horas le habían dado tiempo al fin de organizar sus
pensamientos.

—¿Tu pregunta de si tenemos libre albedrío?

Joe asintió.

—He estado organizando en mi mente todas las conversaciones
que tuve en la universidad. Están empezando a tener sentido.

Evie se apoyó con el codo en la mochila.

—¿Me lo puedes resumir?

Joe respiró hondo, dispuesto a compartir la profundidad de sus
pensamientos.

—Doy por hecho que vivimos en un universo físicamente cerrado, tal como sugiere la ciencia. Para que los seres conscientes tengan
libre albedrío, se necesitan al menos tres cosas. Primero, o no existe
una Divinidad o, si existe, está claro que no es intervencionista. Esa
suposición explicaría en parte por qué hay maldad y penurias en el
mundo.

—Tal como dijimos.

—Segundo, en el universo debe haber cierto indeterminismo. En
una máquina determinista no puede haber libre albedrío porque, de
ser así, todo estaría ya decidido para nosotros.

Ella asintió.

—Tercero, sea cual sea nuestro *yo*, ese *yo* debe ser causal. Gabe
esgrimió un argumento preocupante sobre la causalidad mental,

afirmando que los filósofos no encuentran la manera de demostrar por qué nuestra mentalidad puede ser causal en un universo físico cerrado. A menos que averigüe cómo desentrañar ese complejo argumento, el libre albedrío no existe.

—Esa última parte suena especialmente complicada.

—Muy difícil, teniendo en cuenta lo que dice la física de un universo de partículas en movimiento.

Sus ojos de color avellana esperaban una respuesta.

—No tengo las respuestas —admitió Joe—. Pero, tal como me enseñó Gabe, el primer paso es definir el problema.

—¿Y qué tiene que ver todo eso con que estés jugando con la arena?

—Pensando en el segundo requisito (que haya un indeterminismo suficiente en el universo), la física se ha centrado en lo minúsculo, como las partículas, en parte porque se prestan a experimentos cuantificables. Pero a medida que nos movemos hacia grandes conjuntos de cosas, a cosas que nos importan, como las rocas y los árboles, estos conjuntos no se prestan a grandes experimentos. Freyja planteó esta cuestión al sugerirme que me centrara en los sistemas no lineales complejos. Ahora mismo pensaba en cómo los patrones más grandes de material, como este montón de arena, caracterizan realmente lo que está sucediendo.

—¿Y cómo lo hacen?

Joe vertió más arena en la parte superior de la pirámide y esta se derrumbó en una pequeña cascada.

—¿Ves cómo parece alcanzar la estabilidad? La arena se desliza hasta que alcanza un ángulo de reposo. Si sigo añadiendo arena, al final se acaba produciendo una pequeña avalancha.

—Es lo que tiene la arena...

—La pregunta es: ¿*cuándo* vuelve a deslizarse?

—¿Lo que quieres saber es qué determina el momento en que se desliza?

—El montón de arena es un sistema complejo y un ejemplo de criticidad autoorganizada. Es un sistema dinámico, fuera de equilibrio, y no es lineal, lo que significa que las matemáticas no permiten predecir cuándo podría colapsarse. Sabemos que, cuando se derrumba, el tamaño de la avalancha resultante obedece a una distribución de la ley de potencias. Podemos crear un modelo estadístico. A un metanivel, podemos predecir que al final acabará colapsándose. Pero no exactamente cuándo.

Evie se animó.

—¿Es esa la prueba que resuelve el problema del indeterminismo?

—No lo creo, pero demuestra que el determinismo no es la respuesta más fácil. Demuestra que los patrones a gran escala de las partículas que actúan juntas sí importan, aun cuando el patrón esté impulsado por una cierta aleatoriedad.

Joe sintió de repente un gran agotamiento y se puso la mano en la cabeza.

—Perdóname, Evie, no he sido yo mismo. Este viaje... ha sido mucho más de lo que esperaba.

Ella le bajó delicadamente la cabeza para que descansara y tiró del saco para taparse ambos. A Joe se le cerraron los ojos involuntariamente bajo la pálida luz del anochecer.

—Ahora descansa, amor mío. Necesitas recuperar fuerzas. Mañana será un día difícil.

───────◆───────

Joe se despertó aturdido, agitado.

—Tres sorbos de agua cada uno —dijo Evie, ofreciéndole el biofrasco. Joe bebió con avidez y se lo devolvió. Su estómago estaba tan vacío que ya ni le rugía.

—Descansaré un poco más.

Ella le dio unas sacudidas al ver que se había vuelto a dormir.

—¡Despierta! Tenemos que llegar hoy a la ladera de la montaña.

Joe intentó sentarse y salir del saco. Le dolía todo el cuerpo.

—No puedo cargar contigo físicamente. Pero no voy a abandonarte. O te mueves o moriremos aquí los dos juntos. Y no quiero morir. —Se miraron a los ojos. Joe vio que a ella le caía una lágrima por la mejilla y se la secó con el dedo. La probó y su lengua se impregnó de un sabor salado.

—¿Usul dándome humedad? Aún no estoy muerto del todo.

Ella se secó los ojos con la mano temblorosa y soltó una risita.

—*Dune.* Muy apropiado. Ya vuelves a pensar con claridad. Vamos, levántate. —Hubo algo en su tono que activó la poca energía que le quedaba a Joe, y consiguió ponerse de pie con las piernas tambaleantes. Evie ya había preparado las mochilas. Joe guardó el saco de dormir, se echaron las mochilas al hombro y reanudaron la marcha por el desierto.

Capítulo 31

Se estaban acercando a la cordillera del norte, pero Joe tenía la mente totalmente nublada por el hambre, la sed y la fatiga, y todo le parecía igual. Trató de concentrarse volviendo a calcular la distancia que habían recorrido, que era de unos trescientos kilómetros.

Como habían hecho hasta ese momento, descansaron al mediodía para evitar las horas de más calor. Desplegaron la tienda entre dos matorrales y se sentaron debajo, espalda contra espalda. Solo les quedaban unas gotas de agua del último biofrasco. Encontrar agua se había convertido en una cuestión de vida o muerte, pero al otear el paisaje que se extendía entre ellos y las colinas al noroeste, Joe solo divisaba más desierto. Sus cuerpos se estaban deshidratando a marchas forzadas.

Se sobresaltó al darse cuenta de que estaba solo. Evie se había levantado para orinar detrás de un arbusto unos metros más allá. Clavando la vista en el último biofrasco, el sonido del líquido le despertó una necesidad imperiosa de beber. Con las manos temblorosas, apretó la tapa sin llegar a beber. Evie volvió a su lado, buscándolo con una mirada insegura.

—Joe, tenemos que irnos. Todavía podemos llegar a la ladera antes de que oscurezca.

Joe se puso de pie con dificultad.

—Espero que uno de los dos siempre resista cuando al otro le fallen las fuerzas.

—Así será.

Caminaron en dirección noroeste y atravesaron el lecho de un lago seco que, por la poca profundidad, parecía una laguna estacional. A finales de la primavera, el agua ya se había evaporado. Se detuvieron cerca de algunas plantas secas.

—Creo que son juncos —dijo Evie, examinando las hojas marchitas. Tiró de uno para extraer el tallo y lo peló con la ayuda de su bastón *bō*. Luego lo puso en la boca de Joe. Este lo sorbió instintivamente y el amargo sabor a pepino le dejó una ligera sensación de humedad en la garganta. Lo sorbió hasta que no quedó nada y luego cogió otro. Estuvieron un buen rato arrancando juncos, pero Evie no perdía de vista el cielo y pronto tuvieron que seguir avanzando por la planicie desértica.

Al caer la tarde, empezaron a ascender lentamente por la ladera de la montaña y acamparon entre unos arbustos. Joe dejó caer la mochila y se desplomó, y Evie se sentó a su lado con la mirada llena de determinación.

—Vamos a buscar agua juntos —dijo ella.

Avanzaban con dificultad, sorteando las hondonadas que surcaban el terreno. Joe no quería dar un paso más. Su intención era tenderse junto a las mochilas y no volver a levantarse en la vida.

De repente, mientras se arrastraba pendiente arriba, le pareció oír el mágico golpeteo del agua sobre la piedra. Allí, de una grieta en la roca granítica brotaba un pequeño manantial. El agua salpicaba contra la roca reluciente y caía en una poza de un metro. Un arroyo se precipitaba desde la poza por una garganta cubierta de lirios blancos y amarillos.

Tumbados en el suelo, ambos sumergieron la barbilla en el agua burbujeante y luego, sin levantarse, se abrazaron. La risa de Evie se mezclaba con lágrimas de felicidad y alivio.

Llenaron todos los biofrascos, bebieron hasta hartarse y se lavaron la cara polvorienta. Joe, muerto de cansancio, se sintió hidratado de nuevo. Trepó por la garganta y encontró varios sitios en los que colocar trampas cerca del agua. Vio algunas aves revoloteando por los arbustos, pero sabía que sus habilidades con el arco no bastarían para cazarlas y temía perder más flechas. Para cenar se acabaron los juncos, que les calmaron el dolor de estómago, y luego se metieron en el saco de dormir para pasar la noche.

A la mañana siguiente, Joe se despertó con energías renovadas. Al extender el brazo hacia Evie se dio cuenta de que ella no estaba. La llamó, pero había desaparecido del campamento. Esperando a que apareciera, se dirigió a una colina cercana para revisar las trampas. Bajo una gran roca descubrió con gran alegría que en una de las trampas había una ardilla atrapada. Joe destripó y limpió el desayuno, y lo clavó en un asta para llevarlo de vuelta. Recogió unas cuantas ramas y encendió una pequeña hoguera que empezó a prender justo cuando Evie apareció con la mochila rebosante de brotes silvestres. Joe no trató de ocultar su alivio, porque en su fuero interno temía que le hubiera abandonado.

Ella le regaló una mirada llena de ternura.

—Pareces mucho más animado, estoy más tranquila. Mentalmente no te habías rendido, pero tu cuerpo ya no podía soportar la deshidratación.

—Me siento mucho mejor. Me alegro de que estés conmigo.

Asaron la ardilla sobre el fuego y comieron la carne fibrosa junto con los brotes que Evie había recogido. Joe se irguió y, con los ojos entrecerrados, miró hacia las montañas del este que se extendían en dirección norte. Le pareció que podrían albergar más árboles que la zona en la que se encontraban, con vegetación escasa.

—Tal vez esas sean nuestras montañas —dijo Evie. Cargaron las mochilas y se dirigieron hacia el norte a través de innumerables barrancos en busca de una zona más frondosa.

Acamparon al pie de otra colina con las laderas cubiertas de artemisia. En las partes más elevadas también se erguían pinos.

—Si hay árboles, seguro que también habrá agua en cotas más altas —aseveró Joe.

—Mañana podemos seguir ascendiendo en dirección norte —respondió Evie. Joe asintió, deseoso de seguir adelante.

Al día siguiente, a última hora de la mañana cruzaron un valle abierto en cuyo extremo norte se elevaba una cordillera más alta. Un camino de tierra atravesaba la parte baja del valle, pero decidieron no tomarlo y seguir hacia las colinas de tono verde aceituna que se alzaban enfrente. Fueron ascendiendo por las laderas inclinadas, repletas de lupinos sin rastro ya de la floración primaveral. En una de las paradas para descansar, bebieron agua tibia mientras dirigían la mirada hacia el pico donde habían acampado la noche anterior.

Luego siguieron con el duro ascenso. El paisaje era diferente de las montañas donde Joe había puesto sus primeras trampas; la tonalidad del follaje aquí era más viva, con abundantes plantas verdes, lo que hacía presagiar una mayor presencia de agua. Joe tuvo una corazonada: esta era la región de la Zona de Exclusión que habían encontrado todos los supervivientes.

Aceleró la marcha y Evie le alcanzó a paso ligero.

—¿Notas algo especial en este lugar?

—Solo una intuición.

Descendiendo por otra sierra, encontraron un arroyo de caudal escaso pero incesante.

—Avancemos un poco más —dijo Evie, y en la siguiente sierra encontraron otro riachuelo. Con una señal, Evie indicó su intención de seguir subiendo y avanzaron a través de verdes laderas coronadas por abetos, píceas y pinos. Evie fue la primera en alcanzar la cima y cayó de rodillas.

Joe llegó a su lado en unos instantes jadeando por el esfuerzo de la subida. Ante ellos se extendía un estrecho valle de varios kilómetros de ancho, surcado por un profundo río verde esmeralda. Los extremos norte y este del valle estaban coronados por una elevada cresta montañosa. Más arriba de la línea de árboles, los picos de las montañas, de roca granítica grisácea, marcaban un contorno anguloso contra el cielo, pero las cimas de menos altura estaban cubiertas por un manto boscoso.

Con el pulso acelerado, a Evie se le escapó una sonrisa.

Rápidamente descendieron por la ladera hasta el centro del valle, donde la corriente de agua fresca descendía a borbotones, flanqueada por álamos y chopos a lo largo de la orilla. Joe y Evie dejaron caer las mochilas y se tumbaron juntos a beber el agua dulce en grandes tragos.

La risa de Evie resonó entre las ramas.

—Creo que hemos encontrado nuestro hogar.

A primera hora de la tarde, el sol todavía calentaba. Se desnudaron y se metieron en el agua fría para quitarse de encima toda la suciedad acumulada durante semanas caminando por senderos polvorientos. Luego se tumbaron en la orilla para descansar mientras se secaban, con los suaves rayos del sol acariciándoles la piel.

El sol le calentaba la cara a Joe, que se había quedado dormido. Evie también y, cuando Joe la besó para despertarla, sus párpados se agitaron.

—Deberíamos explorar la zona para elegir el lugar donde montar el campamento —dijo él.

Se vistieron, cargaron las mochilas y se dirigieron río arriba. Aprovecharon un tronco caído para cruzar el río en un punto en el que este se estrechaba y lo volvieron a cruzar al convertirse en un torrente entre dos peñas. Siguieron remontando la corriente por el margen oriental, en el que el terreno era menos agreste y se dibujaba un sendero invadido por la vegetación. Seguramente lo utilizaban los animales para ir a beber agua. El sonido de la cascada les parecía milagroso tras semanas en el desierto. A medio kilómetro corriente arriba, Evie se detuvo y señaló hacia una roca de granito situada a menos de cincuenta metros, a la orilla del arroyo, junto a la que se alzaba una cabaña.

A medida que se acercaban les iba embargando la emoción. Dejaron las mochilas bajo un árbol nudoso frente a la cabaña y examinaron la vetusta estructura. Los rayos del sol destellaban a través de las grietas entre los tablones de las paredes. Tenía una cubierta baja a dos aguas hecha de bastas tejuelas de madera. Al abrir la puerta chirriaron las bisagras oxidadas. La luz del sol que penetraba por una ventana intacta iluminaba la estancia principal y una segunda habitación, en la que cabía una cama. El polvo cubría el rústico mobiliario: una mesa, unas cuantas sillas de construcción tosca y los restos de una estructura de cama hecha de cáñamo. Joe entró en la habitación lateral y descubrió un agujero en el techo por el que se veía el cielo. Evie inspeccionó la chimenea junto a la pared posterior, ennegrecida por el uso. A su alrededor, la ceniza cubría el entarimado de madera.

Detrás de la cabaña, Joe observó que la mayor parte de la chimenea se encontraba en buen estado, aunque se habían desprendido algunos ladrillos a la altura del tejado. A varios metros de la puerta trasera había una letrina con las paredes torcidas.

Joe y Evie se abrazaron exultantes por el hallazgo.

—Necesitará mucho trabajo —dijo Joe.

—Pero será nuestro hogar.

Joe vibró por la emoción del momento y la felicidad iluminó el rostro de su compañera. De repente, la expresión de Evie cambió, inclinando la cabeza con la mirada distante.

Joe se acordó de la primera vez que la había contemplado en la sala de estar de su apartamento. Desde ese momento, había estado jugando con la suerte como nunca antes. Pero habían ganado, estaban vivos. Sonrió pletórico y la volvió a abrazar, apretando su barbilla contra la oreja de Evie. El corazón de Evie latía rápido y fuerte. De fondo se oía el murmullo del riachuelo y de las ramas que danzaban a merced de la brisa.

—¿Y ahora qué? —Él le colocó un mechón de pelo detrás de la oreja y ella lo miró sin rastro de temor en su rostro.

—Saldremos de esta. Sobreviviremos y lo haremos juntos.

—Te prometo que seré fuerte como tú y que podrás confiar en mí. Te amaré y cuidaré de ti.

La cara de Evie se iluminó.

—Y yo te prometo que seré fuerte y que podrás confiar en mí. Te amaré y cuidaré de ti. Hasta que la muerte nos separe.

—Hasta que la muerte nos separe. —Joe no pudo evitar que le temblara la voz al pronunciar la palabra—. Trabajaremos juntos y disfrutaremos al máximo de todo lo que la vida nos ofrezca.

—Ya me diste un anillo —dijo Evie.

—Diamantes y rubíes, te daré. Y todo mi amor.

La besó con todo su ser y se fusionaron en un abrazo, sabiendo que el futuro tenía mucho que ofrecerles.

Capítulo 32

Esa mañana un martilleo constante resonaba en el aire. En el claro junto a la cabaña, Joe cortaba madera de pino blandiendo el hacha de doble filo en grandes arcos. La luz del sol refulgía en la hoja con cada golpe. No llevaba camisa y una capa de sudor le cubría la piel. Con cada leño partido, sus músculos aprendían a encontrar el mejor ángulo y la velocidad más adecuada. Su mente estaba totalmente concentrada en el hacha y la madera. Balanceaba la herramienta con una cadencia rítmica perfecta para meditar.

A primera hora había colocado cinco trampas en una línea que ascendía paralela al arroyo. Como en las laderas colindantes abundaba la madera, Joe había recogido docenas de brazadas de leña y las había llevado a la cabaña. Para cortar la leña utilizaba un tronco como base, ahora cubierto de astillas. Hasta el momento había conseguido apilar un metro cúbico de leña.

· · ·

Comida, leña y reparar la cabaña. Hay mucho que hacer.
Primero una cosa y luego la otra.

· · ·

Hasta que repararan la cabaña, comerían fuera bajo el árbol añoso que daba al arroyo, de tronco encorvado y corteza gris rojiza. Su espeso ramaje ofrecía sombra para protegerse del calor del mediodía. Estaba en plena floración y desprendía un ligero aroma que perfumaba los alrededores. Joe lo observó y se dio cuenta de que era un manzano. El color de la corteza le hizo recordar un detalle de la primera vez que inspeccionó la cabaña y, en la parte de atrás, encontró un segundo manzano en flor. Al advertir el zumbido de las abejas, pensó que alguien habría plantado ambos árboles para facilitar la polinización cruzada. Joe se emocionó tanto que empezó a bailar en círculos levantando las manos.

Hasta que tuviera tiempo de mejorar el mobiliario, temporalmente usarían en el exterior un par de troncos como asientos. Los colocó debajo del manzano a modo de mesa y sillas, y se sentó satisfecho en su nuevo trono.

Evie salió del bosque y sonrió al verle. Antes de que ambos partieran a hacer sus tareas por separado, se había lavado el pelo en el frío arroyo y ahora lucía resplandeciente a la luz del sol.

—Mira, he encontrado mímulo y bayas de manzanita —dijo levantando la mochila.

Entre los dos hicieron rodar varias piedras para formar una hoguera circular cerca de los asientos improvisados con troncos. Joe prendió el fuego mientras Evie hervía bayas de manzanita para elaborar una sidra y preparaba una ensalada con el mímulo.

—Tenemos poca comida, pero el final de la primavera es un buen momento para conseguir alimento.

—Y en el arroyo debería de haber truchas. Mientras buscaba leña río arriba, encontré unos estanques que prometen.

Una vez terminado el almuerzo, cada uno volvió a sus quehaceres de la tarde. Joe estaba empezando a verle la gracia a las trampas, que hacían el trabajo mientras dormía. Esto le hizo pensar en la fotografía de la trampa para peces que había visto en el omnilibro. Podía construir dos cilindros de madera abiertos, uno más pequeño metido parcialmente dentro del otro, formados por aros hechos con tallos finos y anudados con travesaños.

Después de recoger una pila de ramas delgadas, las fue doblando en forma circular y atando los extremos con cuerda. A continuación, cortó los travesaños y los anudó a los aros para terminar el cilindro exterior. Siguió el mismo método para crear un cilindro más pequeño, que introdujo por un extremo de la trampa antes de atarlo en su lugar. Joe contempló la trampa con satisfacción. Funcionaba como un embudo: si un pez entraba en el cono, tendría dificultades para encontrar el camino de salida a través de la abertura reducida. Observó el pequeño corte que se había hecho en el dedo con el cuchillo y se limpió los restos de sangre con la manga.

Arrastró la trampa río arriba hasta el primer estanque de más de un metro de profundidad que encontró e introdujo dos piedras para que no flotara. Le ató una cuerda para poder sacarla y la metió en el agua. En un primer momento, decidió probar la trampa sin ponerle cebo. Si no pescaba nada, lo intentaría al día siguiente con cebo.

A la vuelta, aprovechó para comprobar sus trampas Paiute y encontró una ardilla en una de ellas. La llevó a la cabaña y encendió una hoguera fuera.

Evie apareció poco después con la mochila llena de hierba gallinera y lechuga de minero, y se puso a preparar una ensalada mientras Joe asaba la ardilla.

—En cuanto podamos, deberíamos encender la chimenea de la cabaña —dijo ella.

—Lo dejo para mañana. Tendré que subir al tejado para colocar los ladrillos y limpiarla de escombros.

—Queda mucho trabajo que hacer —dijo, apoyando la barbilla sobre la mano mientras contemplaba la cabaña—. La vida misma es trabajo. —A Joe le pareció que a ella la idea no le desagradaba y citó unos versos de memoria:

—«Hijos e hijas degenerados,
la vida es demasiado fuerte para vosotros;
hay que tener vida para amar la vida».

—¿Un poema antiguo? —preguntó ella, sosteniendo la sartén humeante—. Me gusta la emoción que transmite.

—Lo que has dicho me ha ayudado a entender mejor estos versos. Creo que significan que se debe encontrar un propósito y luego vivir la vida sin miedo.

Evie sonrió.

—Me alegro de verte tan decidido.

—Es extraño. Por primera vez, no tengo ni tecnología ni civilización que me ayuden a vivir. Es como empezar de cero, desde el principio.

—Como si fuéramos las dos primeras personas del mundo.

Joe asintió.

—Si no asumimos toda la responsabilidad de nuestra situación, moriremos. Todo depende de nosotros. ¿Puede ser que la vida siempre haya sido así y no me haya dado cuenta?

—Es la historia de la humanidad. No ha cambiado —dijo ella, encogiéndose de hombros—. Intentamos tratar de mejorarla vistiéndola de diferentes maneras.

—Pero ahora hemos vuelto a los orígenes. Agua, comida, cobijo. Te obliga a centrarte. Y al no tener tiempo para darle vueltas a las cosas, libera el pensamiento de preocupaciones innecesarias.

Evie sirvió la comida y se sentaron en los troncos junto al fuego.

—¿En qué piensas? —preguntó Joe.

—Pienso en toda la energía que puse en el movimiento de protesta para tratar de cambiar el mundo, y en el gran coste que supuso: perder a mis mejores amigos. Ahora parece como si todo eso formara parte de otra vida.

Siguió reflexionando mientras daba unos bocados, y luego lo miró fijamente.

—No he renunciado a la lucha.

—Volveremos y seguiremos luchando —aseguró Joe, consciente de que la lucha ya no le incumbía solamente a ella. Pero en la expresión de Evie no encontró el coraje habitual, sino un aire pensativo.

—Querer algo diferente a la realidad que nos rodea es lo que suele provocar más sufrimiento —dijo Evie, resignada—. Aunque soy una luchadora, hay cosas que no podemos cambiar. No me doy por vencida, pero lo único que puedo hacer para luchar contra las leyes de niveles es sobrevivir. Así que, por ahora, acepto la realidad de este mundo en el que estamos, y este será mi mantra para vivir esta vida contigo.

. . .

Justo cuando creo que está en su momento de mayor fortaleza, me vuelve a sorprender. Me he enamorado de una estoica.

. . .

Sentados cerca el uno del otro, disfrutaron de ese rato de descanso junto al fuego fuera de la cabaña. El sol se puso sobre las montañas al oeste. Joe era consciente de que, sin fuentes de luz artificial, lo mejor era adaptar sus horas de actividad. Añadió una nota mental a su creciente lista de proyectos: fabricar velas.

—Es hora de acostarnos —dijo.

Pero Evie no estaba contemplando la puesta de sol, sino que observaba fijamente el fondo del valle.

—Eso de ahí parece humo.

Joe dirigió la mirada hacia donde apuntaba Evie y distinguió un leve hilo de humo en la tenue luz del anochecer. Evie se estremeció a su lado. Ya era demasiado tarde para investigar y estaba demasiado lejos como para que supusiera una amenaza inmediata. Joe apagó el fuego con los pies, la abrazó y la llevó de vuelta a la cabaña. Se metieron en el saco de dormir y se quedaron dormidos sobre el suelo.

Un grito agudo despertó a Joe. Evie se aferraba a él e intentaba librarse del saco al mismo tiempo. Con la adrenalina disparada, Joe se incorporó de golpe y agarró el hacha, escrutando la cabaña oscura con los ojos abiertos como platos.

—Me ha parecido como si algo con pies y garras se me paseara por encima. Me ha pegado un susto horrible.

—Probablemente solo fuera un ratón. —Joe respiró hondo para calmarse—. Lo más seguro es que haya entrado por la chimenea, atraído por las semillas de trigo. —Como su explicación no sirvió para tranquilizarla, dejó el hacha y la abrazó—. Pronto taparé los agujeros de esta vieja cabaña.

. . .

¿Todo este tiempo ha demostrado su valentía y, en cambio, le da miedo un ratón? Quizá hay algo que se me escapa. Cada uno tiene sus propios temores. Al menos ahora puedo ser el fuerte.

. . .

Joe se recostó y la sostuvo contra su pecho hasta que Evie respiró tranquila. Se quedó despierto, mirando el cielo estrellado a través del agujero del techo, pensando en ratones y hombres.

◆

Después de desayunar, Joe se puso a arreglar la chimenea. Para terminar cada tarea tardaba el triple de lo que había calculado. La construcción de una simple escalera con dos troncos de pino cortos, varias ramas gruesas y una cuerda le ocupó media mañana, y el resultado era escasamente funcional. La apoyó contra el tejado por la parte posterior de la cabaña y subió los peldaños con cuidado. Aun tambaleándose, parecía aguantar su peso.

Echar los residuos por la chimenea fue bastante fácil. Luego cargó en la mochila los ladrillos desprendidos y se encaramó al tejado para ponerlos en su sitio. En aquel momento decidió no usar mortero porque solo quería que la chimenea funcionara.

Fue a buscar una brazada de leña y, una vez dentro de la cabaña, puso trozos de yesca en la chimenea, encendió el fuego con el omnifósforo y lo avivó para que prendiera. Las llamas tiraron con fuerza dentro de la chimenea. Joe salió fuera y observó la humareda negra y espesa provocada por la vegetación seca que había escapado a su precipitada limpieza.

Tras dejar que el fuego se convirtiera en brasas, Joe volvió a subir por la escalera para evaluar el enorme agujero en el techo. Las bastas tejuelas de madera tosca eran cuadriformes, de dos centímetros de grosor. No lo veía nada claro. Necesitaría una sierra y una cuña para poder sustituirlas, pero no tenía ninguna de las dos cosas.

—Hola, amigo, parece que necesitarás una escalera decente para no romperte el cuello.

Joe se encontró con la dura mirada de un hombre apostado en el límite del bosque detrás de la cabaña. Era alto, de unos cincuenta años, con el pelo rizado y una barba entrecana espesa y poco cuidada. Iba ataviado con un extraño abrigo de ante sobre una camisa de camuflaje y un atuendo militar raído. El hombre sujetaba con sus largos dedos la correa de un arco de poleas, que llevaba colgado del hombro.

Joe controló su inquietud e intentó sonreír con naturalidad.

—Hola, ahora mismo bajo —dijo elevando el tono para que Evie lo oyera. Descender por la escalera de espaldas al hombre le provocó una incómoda comezón en el espinazo. Cuando iba por el último peldaño, Evie dobló la esquina de la cabaña, con el bastón *bō* en la mano, y se colocó a su lado, manteniéndose alerta.

—Veo que sois dos, para bien y para mal —dijo el hombre—. Me llamo Eloy.

Joe y Evie se presentaron y le estrecharon la mano.

—¿Te apetece tomar un té con nosotros? —preguntó Evie. Eloy la siguió hasta la parte delantera de la cabaña, con Joe detrás. Sobre el fuego había una olla. Evie cogió las dos tazas y una pequeña cacerola que habían traído, y vertió un líquido pálido en los tres recipientes. Le alargó la taza a Joe, ofreció su taza al invitado y se quedó con la pequeña cacerola entre las manos. Eloy se sentó en el tronco opuesto a ellos bebiéndose el té.

—El té de puntas de abeto no es el mejor, pero tiene vitamina C. Recolecté las puntas esta mañana con mi bastón *bō* —dijo, mostrándole la hoja.

—Muy rico —dijo Eloy. Chasqueó los labios agrietados y se fijó en el bastón *bō*. Tenía la cara bronceada, con la piel curtida por el sol.

—¿Qué querías decir con que somos dos, para bien y para mal? —preguntó Joe tras dar un sorbo.

—El doble de bocas que alimentar. Aquí ganarse la vida es difícil, a menos que todo el mundo esté dispuesto a trabajar. Lo único que conseguiréis será lo que logréis producir con vuestras propias manos. Solo valen las reglas económicas elementales —explicó tomando otro sorbo—. Luego está la cuestión social. Hace siglos, los pueblos originarios nunca habrían enviado un escuadrón de tres guerreros a hacer la guerra. Tenían que ser dos, cuatro o más. Tres causaban problemas porque dos siempre acababan luchando por llamar la atención del líder —dijo encogiéndose de hombros—. Así es la naturaleza humana.

Evie iba cambiando la mirada de uno a otro. Cuando parecía que iba a intervenir, Eloy retomó la palabra:

—¿Os gusta la cabaña?

—Llegamos ayer. —La desconfianza de Joe se iba desvaneciendo.

Eloy se rió.

—El año pasado estuve viviendo aquí hasta que una tormenta de viento hizo ese agujero en el techo. Me pareció que había llegado el momento de mudarme río abajo. Tengo otra choza destartalada y un granero, más espacio para dedicarme a mis labores.

—Eso explica por qué estaba todo tan ordenado. —Evie abrió los ojos de par en par—. Y por supuesto nos iremos en cuanto...

Eloy agitó sus enormes manos, llenas de durezas.

—Podéis quedaros. Desde aquí las vistas son más bonitas. Y no parece que haya nada mejor que elegir o, al menos, nada que yo sepa. He recogido todo lo que se podía aprovechar. La mayoría de las casas están en ruinas o han sido arrasadas.

Evie ladeó la cabeza, con gesto inquisitivo.

—¿Cómo acabaste en la Zona de Exclusión?

Una expresión de vergüenza se dibujó en el rostro de Eloy.

—Formaba parte del ejército de mecas destacado en la frontera sur. Llevaba un exomeca.

—Profesión peligrosa —apuntó Evie.

—Antes lo era. Ahora todo está automatizado y los robots se ocupan de la defensa real. Son las máquinas las que matan. Las guerras no terminan en semanas, sino en horas. Nadie puede adentrarse en esos campos de batalla.

—Qué suerte que ya no haya guerras —dijo Joe, inclinándose hacia adelante—. Ahora la estrategia es defensiva y se limitan a mantener las máquinas a punto, ¿no?

—Así es. Cuando dejé de llevar el exomeca, empecé a supervisar algunas de las máquinas que patrullaban la frontera y luego me asignaron a reparaciones. Me gustaban las tareas mecánicas, trabajar con las manos —dijo, mostrando las manos endurecidas como prueba. Sus dedos eran el doble de gruesos que los de Joe—. Pero había mucho trabajo y la gente empezó a escaquearse. Y a mí no me gustan nada los holgazanes. Me gané una *excursión al corral de las gallinas.*

Joe frunció el ceño, sin entender muy bien a qué se refería, pero Evie entrecerró los ojos.

—¿Deberíamos preocuparnos?

—No, solo tuve un pequeño altercado, nadie resultó herido. Me sentenciaron a seis meses de cárcel, pero con la ley militar puedes elegir cumplir solo una tercera parte de la pena en la Zona de Exclusión. Te dan esta opción porque se supone que los condenados que eligen la Zona de Exclusión reinciden menos. Elegí la pena de dos meses, pensando que aquí encontraría suficiente comida.

—¿Cuánto tiempo llevas aquí? —Joe se preguntaba si tener un vecino sería bueno o malo.

—Antes de responder, me gustaría saber cuánto tiempo vais a quedaros. No tenéis pinta de pertenecer al ejército.

—Tres años —dijo Evie con voz tranquila y pausada.

Sobresaltado, Eloy casi dejó caer la taza.

—¡Madre mía! ¿Debería preocuparme *yo*?

Evie sonrió.

—No, nos enfrentamos a alguien con poder político.

Eloy los observó atentamente con sus ojos oscuros bajo unas pobladas cejas, y asintió.

—Está bien. Parece que os vais a quedar una temporada. —Observó a Evie con su bastón *bō* y luego se dirigió a ambos—. Tenemos que establecer algunas reglas sobre cuestiones económicas.

—Evie es la economista —dijo Joe, tocando a Evie con el codo.

Eloy esbozó una enorme sonrisa y se volvió hacia ella.

—Yo estudié los cuatro años de Economía en Texas.

—Yo me licencié en Berkeley.

—Mira, qué casualidad. Entonces seguro que entenderás lo que voy a decir. La primera cuestión es que vosotros vivís río arriba y yo, río abajo. El dilema de la tragedia de los bienes comunales. Así que no me contaminéis el agua.

Evie asintió y a Joe le pareció que su mirada vagaba lejos, como si estuviera recordando una antigua lección.

—Esto ha sido un problema desde que los humanos empezaron a ocupar las islas de la desembocadura del Tigris y el Éufrates. Nos respetaremos mutuamente y mantendremos el entorno limpio. Luego está el tema de la caza y las trampas. ¿Sabéis cómo construir una trampa?

—He instalado una pequeña línea de trampas más arriba de la cabaña, y también una trampa para peces— explicó Joe.

—Aprendéis rápido. Vamos a establecer un límite entre vuestra cabaña y la mía para poner trampas. La caza abunda tanto en vuestro coto como en el mío, y lo mismo ocurre con la pesca.

Todos asintieron con la cabeza y Eloy prosiguió, animado.

—Podemos cazar con arco en todas partes. Como somos los únicos habitantes, encontraremos muchas presas en estas montañas. Pero atravesar colinas y valles no está hecho para los débiles.

Se mostraron conformes de nuevo.

—Ya sabemos lo que cuesta cazar una presa, así que será fácil llegar a un intercambio justo. Cada cual se las apaña con lo suyo.

Luego señaló el tejado.

—No me importa prestaros herramientas, siempre que me las cuidéis bien. Pero si os presto algo, espero que me lo devolváis enseguida. No quiero tener que reclamarlo nunca.

Se pusieron de pie y se dieron la mano. Eloy le devolvió la taza a Evie, agradecido, y luego se dirigió a Joe.

—Si quieres tener el techo arreglado cuanto antes, será mejor que me acompañéis.

Joe cogió su mochila y el hacha, y los tres descendieron por el sendero junto al arroyo.

Capítulo 33

Caminaban en fila india. Eloy encabezaba la marcha, esquivando las rocas con rapidez y avanzando por la hierba junto a la orilla. Pasaron el lugar en el que habían visto el arroyo por primera vez. A un kilómetro de la cabaña, Eloy les dijo:

—Este es el punto medio. Esta roca será la frontera. —Evie y Joe asintieron y siguieron descendiendo. Pasaron por varios recodos del río y dos cascadas. Un poco más adelante se alzaban varias edificaciones envejecidas a ambas orillas del arroyo.

Eloy señaló las casas:

—A esta orilla está mi cabaña, y justo al lado tengo un granero y un ahumadero un poco más allá.

Los edificios de madera envejecida se encontraban sobre un terreno llano al mismo nivel que el río, donde el agua era más profunda y avanzaba lentamente. En la orilla apuesta, junto a una pasarela, se alzaba otra cabaña provista de una rueda hidráulica.

Se hacía difícil apartar la mirada de la hipnótica rueda en movimiento. Tenía unos dos metros de diámetro y palas de madera que se sumergían en la superficie del río. La tranquila corriente empujaba las palas y el eje de madera chirriaba al girar. Clavados en los extremos de las palas había botes de metal, que se iban llenando de agua a medida que la rueda giraba. Al elevarse la rueda, los botes se vaciaban en una canalización de madera. El agua burbujeaba al pasar por la esclusa junto a la cabaña más cercana.

Eloy sonrió al ver la cara de Joe.

—Es agua corriente.

—¿Lo has construido tú?

—Es una noria, y sí, la hice yo con tablas y clavos que encontré. Las norias se han construido así desde hace miles de años. Te ahorran tener que llevar el agua de un lado a otro. —Eloy sonreía, orgulloso de su trabajo.

Luego los condujo al granero y al huerto que había plantado justo al lado. Un canal llevaba el agua de la noria a las plantas, que crecían verdes en la tierra recién arada. El agua se podía dirigir al jardín o a la cabaña con una pieza móvil colocada en el canal de madera. Frente al granero había un corral, cercado con trozos de baranda. Dentro, una yegua vieja de color pardo pastaba brotes tiernos, mientras un puñado de gallinas picoteaban sin cesar entre sus patas. Tres ovejas yacían tranquilamente sobre la tierra en un rincón. Joe supuso que una de ellas era un carnero, por sus grandes cuernos curvos.

—Una *excursión al corral de las gallinas* —dijo Joe. Evie soltó una risita nerviosa y Eloy se rió cortésmente mientras dirigía una mirada perspicaz a Evie. Perplejo, Joe empezó a dudar de que cuando Eloy había usado antes esa expresión se estuviera refiriendo realmente a unas gallinas.

—Esto es maravilloso —admiró Evie apoyándose en un poste de la valla—. Tienes carne, leche y lana. ¿Qué has plantado?

—Tomates, calabaza y maíz. Husmeando en una bodega de raíces, tuve otro golpe de suerte y encontré semillas.

—Nosotros tenemos semillas de trigo C4 mejoradas y algunas alubias.

—¡Trigo! —exclamó Eloy emocionado—. Cómo echo de menos el pan. Podemos hacer trueques si conseguís que crezca.

—Puedo plantarlo en la planicie al este de la cabaña, pero necesito hacer llegar el agua del arroyo. ¿Puedes enseñarme a construir una? —preguntó Joe señalando la noria.

—Claro —respondió escueto pero sin esconder su entusiasmo—. La propiedad intelectual debe ser libre transcurrido cierto tiempo. De lo contrario, todos estaríamos tratando de volver a inventar eso —dijo señalando la rueda y riendo su propia gracia.

Joe se rió y decidió pedir algo más.

—Podría construirla más rápido si tuviera tablones y clavos. ¿Hay alguna posibilidad de que me los cambies por algo?

—Veo que nos vamos entendiendo. —Eloy accedió a ayudarle a construir la noria a cambio de una parte de la cosecha de trigo y algo de leña cortada—. División del trabajo —añadió Eloy con satisfacción—, todo el mundo cumple su parte.

Evie miró fijamente al otro lado de la pasarela, y luego de nuevo a Eloy.

—Mencionaste dos guerreros, o cuatro —dijo.

—No se te escapa nada. —Eloy se rió y los condujo a través del puente. El tablón crujió a su paso, con los rayos del sol reflejándose en los remolinos bajo sus pies. La puerta de la cabaña situada al otro lado estaba abierta. Una mujer más joven, de unos treinta y tantos años y ojos castaños de mirada dulce, les esperaba con la mano apoyada en el marco de la puerta. Primero dirigió la mirada hacia Joe y luego hacia Eloy, perpleja. Levantó la mano con delicadeza para apartarse las trenzas pelirrojas del hombro.

En la puerta, Eloy inclinó la cabeza amistosamente.

—Fabri, estos son Evie y Joe. Evie es economista, como yo. Serán nuestros vecinos durante una temporada.

Al oír sus palabras, toda la tensión que acumulaba el rostro de Fabri desapareció y le cogió las manos a Evie.

—Bienvenidos. —Antes de hacerlos entrar en la cabaña, dio un abrazo rápido a Joe.

Toda la estancia desprendía un delicioso aroma a caldo de gallina procedente de una olla que hervía a fuego lento. A Joe se le hizo la boca agua y el estómago le rugió. En la esquina había una mesa de madera. Fabri se metió en el cuarto trasero y regresó arrastrando un banco para complementar las sillas alrededor de la mesa.

—Nunca había tenido invitados. —Trajo cucharas y tazones de arcilla marrón, que llenó de sopa hasta arriba—. Estáis de suerte. Ayer decidí que ya era hora de que esta vieja gallina cumpliera con su último deber.

—Tuve que convencerla —dijo Eloy, volviéndose hacia Evie—. Prefiere quedárselas para tener huevos. Incluso los gallos —dijo guiñándole un ojo.

—No hace falta decir que todas las criaturas de Dios merecen respeto —dijo Fabri. Acto seguido miró a Eloy, atando cabos sobre el comentario de los gallos y los huevos, y le dio un codazo muerta de risa. —Muy bueno, Eloy.

Se sentaron alrededor de la mesa y el estómago de Joe rugió aún más fuerte con la primera cucharada.

—Una sopa deliciosa —dijo.

Fabri asintió agradecida.

—¿Cuánto tiempo lleváis aquí? Me extraña no haber oído ninguna aeronave. Es bastante fácil oír los motores con tanto silencio.

—Calculo que nos dejaron en la Zona de Exclusión a 337 kilómetros al sur de aquí. Tardamos más de tres semanas en encontrar estas montañas.

Joe se alegró de no haber olvidado las distancias en su delirio. Se sentía como si llevara años en la Zona de Exclusión. Seguidamente, tomó unas buenas cucharadas de aquella sopa tan reconfortante.

—Se diría que alguien os quiere muertos —conjeturó Eloy.

Fabri le lanzó una mirada inquisitiva.

—¿Quién os envió a la Zona?

Joe hizo una pausa. Pensando que posiblemente iban a ser vecinos durante una temporada larga y que era mejor no complicar las cosas, decidió no mencionar a Peightân ni a Zable.

—Uno de los cargos que presentaron contra nosotros fue el hecho de mantener una relación entre niveles incompatibles —dijo Joe, mirando a Evie—. Supongo que no se puede luchar contra el amor.

—A mí me pasó lo mismo —dijo Fabri, esbozando una pequeña sonrisa—. Pero mi marido me engañó y me pidió el divorcio con la excusa del nivel.

—Nos tendieron una trampa —aseguró Evie, enojada.

—Yo también me puse hecha un basilisco —dijo Fabri, agitando la cuchara—. Cada día lucho por encontrar un poco de compasión dentro de mí para mi exmarido.

—Ah, ¿no vinisteis juntos? —preguntó Evie.

—No, no. A la semana de llegar, bajé de la cabaña —explicó Eloy, señalando río arriba con la cabeza—. Encontré estas casas y también a Fabri.

—Por aquel entonces no se me daba muy bien encontrar comida y tenía que cumplir una pena de cinco meses. Fue una bendición que Eloy se quedase para ayudarme —dijo, dirigiéndole una mirada agradecida al otro lado de la mesa—. Eloy tuvo una infancia atípica y ya sabía lo que era vivir en condiciones duras. Algún día os lo contará. Para mí ha sido un regalo del cielo —añadió, alargando el brazo por encima de la mesa para tomarle la mano.

Eloy le sonrió.

—Superado el invierno, llegó el buen tiempo y todo se puso precioso, así que nos quedamos.

—Entonces lleváis aquí... —Evie intentó echar cuentas.

—Siete meses. Fabri valora mis técnicas de supervivencia, pero también es verdad que hemos tenido suerte. Al ser los únicos habitantes, me he podido quedar con todo lo que he encontrado. La yegua, Bessie, era demasiado vieja y lenta para escapar, así que le puse un cabestro y la adiestré para que me ayudase a cargar las cosas.

—Y no olvides la bendición que fue encontrar estas cabañas. En el granero había cosas —dijo Fabri.

—Sí, supongo que no todo el mérito es mío —admitió Eloy—. Hace años, la gente que vivía aquí fue acumulando herramientas, semillas y otros enseres. Yo lo considero propiedad intelectual que se debe compartir. Me da la impresión de que las montañas Ruby son el mejor lugar para sobrevivir dentro de la Zona de Exclusión.

—Entonces, si habéis cumplido la pena, ¿ya podéis salir por la puerta? —preguntó Joe.

—Sí, podemos irnos, pero los guardias no vienen a buscarte a menos que mueras —dijo Eloy con voz firme, como si presagiara algo—. Localizan la tesela biométrica para encontrar el cuerpo y se lo llevan en una aeronave autónoma. Pero no intentéis cruzar el muro hasta haber cumplido la pena —se apresuró a advertirles, aunque enseguida su gesto se tornó pensativo—. Nosotros aún no hemos decidido hasta cuándo nos quedaremos.

—Parece que conoces bien a los guardias— dijo Evie.

—Son los mismos milmecas que vi en el ejército, solo que están en un destacamento independiente y actúan con total autonomía.

—¿Con total autonomía? —Evie verbalizó lo mismo que estaba pensando Joe: su última conversación con Peightân.

—Sí. Pueden matarte sin haberlo consultado con un humano, pero solo si intentas atravesar el muro antes de tiempo. Según el Derecho Internacional Humanitario, las armas autónomas están prohibidas, salvo en las prisiones y el control fronterizo —explicó Eloy.

Después de comer, Joe ayudó a Fabri a lavar los platos en el fregadero mientras charlaban amigablemente. Fabri cogió algunos tomates de la cocina y los puso en una bolsa para Joe.

—Esto os alegrará la cena.

—Gracias —dijo Joe. Un alimento fresco que no fuera carne o plantas verdes era un verdadero lujo.

—El chico ya se las apaña bien solo. No me lo malcríes —gruñó Eloy. Fabri no le hizo caso y se fue a buscar una olla de acero y un cubo.

—Evie, podéis colgar la olla sobre el fuego para cocinar mejor. Y con el cubo lo tendréis más fácil para ir a buscar agua hasta que pongáis en marcha la noria.

Evie le estuvo profundamente agradecida.

—Pero bueno, Fabri, si les vas a ir regalando nuestras cosas, no les volveré a invitar —dijo Eloy con una mirada amable para suavizar sus palabras. Joe y Evie se pusieron de pie para marcharse con los enseres que Fabri les había regalado.

—Es importante mantener una buena relación con los vecinos —se justificó Fabri mientras se despedían—. Hasta pronto.

Eloy resopló y les condujo por el puente peatonal hasta el granero, situado en la margen oriental del arroyo. En la pared había colgadas herramientas de todo tipo en diferentes fases de reparación.

Seleccionó una herramienta de metal y se la dio a Joe.

—Este hendedor te será útil porque la hoja parte tejuelas más rápido que una sierra.

También eligió un serrucho, un martillo y una bolsa de clavos, y acordaron construir la noria la semana siguiente.

Joe y Evie se despidieron de Eloy y subieron por el arroyo, con el cubo en la mano y la mochila llena con las herramientas y la olla.

Esa noche se sentaron frente a la chimenea dentro de la cabaña. Joe había encontrado una trucha arcoíris en la trampa y Evie la asó sobre el fuego y la sirvió con los tomates.

. . .

Apenas llevamos dos días en la cabaña y ya se ha adaptado. Está siguiendo su nuevo mantra para abrazar la realidad del mundo en que vivimos. A esto lo llamo yo resiliencia.

. . .

—Me alegro de estar aquí con alguien tan capaz —dijo Joe.

—Gracias. Eloy tiene razón. Tenemos que trabajar juntos si queremos salir de aquí.

—Parecía muy contento cuando supo que eras licenciada en Economía.

Evie sonrió, con la mirada fija en la trucha mientras la giraba con cuidado.

—Me cae bien. Es gracioso.

—¿No te importa que yo esté tan pez en temas económicos comparado con vosotros?

—Te quiero. Tú también eres divertido —dijo en un tono desenfadado y algo condescendiente. Se sentó sobre sus talones y le sonrió—. Pero no debes fingir que sabes cosas que no sabes, como lo de la «excursión al corral de las gallinas».

Joe puso cara de avergonzado.

—Me has pillado. ¿De qué iba eso?

—Jerga militar. Se refiere a una ,Expulsión por Conducta Grave'.

Joe se sonrojó.

—Ahora me entero. Bueno, haré como Bessie, me limitaré a hacer el trabajo pesado. —Joe flexionó los bíceps y Evie se rió—. Cuando estaba ayudando a Fabri con los platos, me dijo que era un nivel 99. Le hice ver lo mal que me parecía que su marido usara ese argumento para divorciarse, y creo que se ha pensado que soy de un nivel similar al de ella. Los niveles no tienen la más mínima importancia aquí, ni en ninguna otra parte, y no quiero que este tema nos afecte en esta nueva vida. Me gustaría que siguiera pensando así, ¿te parece bien?

Evie asintió mientras servía la comida en los platos.

—Como quieras.

Probó un trozo de pescado y, contenta con el resultado, le pasó el plato a Joe.

—Ha sido increíble conocer a Eloy y a Fabri. Saber que río abajo tenemos una pareja de amigos experimentados... —dijo riéndose Joe, sin creerse todavía la suerte que habían tenido—. Lo lograremos, Evie.

Evie se acercó y lo besó con pasión, y el sabor ahumado y salado del pescado le recordó a Joe el largo recorrido que habían hecho desde el mar. Lo besó de nuevo, con una furia que lo dejó atónito, tanto que no pudo ni cerrar los ojos. Evie apretaba los ojos con fuerza, y la suave piel de las comisuras dibujaba una expresión de amor, deseo y posesión, toda para él, que le derritió el corazón.

◆

Joe pasó la semana fuera, concentrado en buscar proteína y arreglar el refugio, mientras que Evie se dedicaba a recolectar, cocinar, hacer fuego y fregar los platos. Tras haber temido tanto por su vida en el desierto, sus quehaceres diarios les reconfortaban mucho por agotadores que fueran.

Joe añadió una decena de trampas para animales y otra para peces en un segundo estanque más arriba. En la montaña abundaba la caza y regresó con tres ardillas. Evie levantó la vista del fuego y esbozó una sonrisa al ver las presas.

—¿Me podrías enseñar a poner trampas?

A la mañana siguiente, Evie lo acompañó a recorrer la línea de trampas. A media ladera, Joe observó que en una de ellas había algo. Juntos levantaron la piedra y debajo encontraron una enorme liebre. Joe le enseñó cómo destripar el animal y limpiar la canal con agua del biofrasco para no contaminar el arroyo. Aunque Evie no se inmutó, la compasión que sentía por el animal era evidente. Joe ya se había insensibilizado a la muerte de los animales, y eso le tenía preocupado.

Decidió que había llegado el momento de construir una trampa con una caja de madera. Este tipo de trampas eran más humanas que las otras porque el animal moría rápido, aunque era Joe el que tenía que matarlo con un garrote o un cuchillo. La proximidad física de la muerte y tener que participar en ella le habían conmocionado. Una noche, después de matar una liebre de un golpe, Joe había soñado que Zable, con cara de liebre, le había golpeado hasta dejarlo inconsciente. Al incorporarse súbitamente, despertó a Evie.

—¿Hay ratones? —gritó ella palpando las mantas con pavor.

—No —respondió Joe con una sonrisa, más tranquilo al darse cuenta de que había tenido una pesadilla—. Pero supongo que es hora de arreglar el techo y las paredes.

Salió al amanecer con el biofrasco, el hacha y el hendedor en la mochila. Subiendo por el bosque, encontró un pino de corteza blanca que había caído en un prado. Alrededor de la cepa la tierra estaba levantada de hacía poco, y Joe imaginó las raíces del gigantesco árbol luchando por agarrarse al suelo contra el viento invernal antes de quedar postrado. Repasó mentalmente los consejos de Eloy y se arremangó.

Para completar el juego de herramientas, se fabricó un mazo con una de las ramas gruesas. Para probarlo, lo levantó con la mano y lo dejó caer con un fuerte golpe contra el árbol. Con el serrucho, cortó el tronco en varios trozos. El silbido rítmico de la hoja se unió al gorjeo de los pájaros de la pradera.

Horas después, estaba rodeado de leños. Mientras hacía una pausa para beber un trago, decidió cuáles debían ser los siguientes pasos y volvió al trabajo. Colocó un leño en un extremo como banco de trabajo y arrastró otro leño encima para convertirlo en tejuelas. Colocó el hendedor para obtener el grosor correcto y lo golpeó contra el tronco con el mazo. Tiró del hendedor girándolo y la tejuela saltó del tronco con un corte limpio. A Joe la sencilla herramienta le pareció tremendamente útil y dio las gracias a Eloy para sus adentros. Continuó con el resto de los leños, perfeccionando el método y aprendiendo a detectar si el nudo de algún tronco podía estropearle la pieza. A sus pies se iba acumulando una buena pila de tejuelas.

Por último, terminó cada tejuela con el hacha, cortando aquí y allá para que fueran lo más uniformes posible. Luego metió las herramientas en el fondo de la mochila y la acabó de llenar con tantas tejuelas como pudo. Tuvo que hacer seis viajes para transportarlas todas y apilarlas detrás de la cabaña.

—Ahora puedo cocinar la liebre de todas las formas imaginables —dijo Evie, saliendo de la cabaña—. Estofado de liebre, liebre asada, pinchos de liebre... Lástima que esté harta de comer liebre. Necesitamos especias.

—¿Especias como las del *Bunny Chow*? —Joe sonrió tanto por su broma como por el recuerdo del curry.

Una expresión de nostalgia se dibujó en el rostro de Evie.

—Chile, cilantro, salsa de soja... ajo, albahaca, romero... comino, cítricos... —sacudió la cabeza y suspiró—. ¿Listo para el almuerzo?

Se sentaron en los bastos asientos de leña bajo el manzano. Evie sirvió dos cuencos humeantes con una salsa espesa y Joe reconoció la suculenta liebre cocinada con plantas desconocidas que Evie había encontrado. Comieron el plato sencillo, regado con un cuenco de agua fresca del arroyo.

Después de comer, Joe cargó el martillo, los clavos y un montón de tejuelas escalera arriba. El trabajo de colocar las tejuelas era lento. Joe se desplazaba metódicamente, clavándolas a las correas desde abajo del tejado hacia arriba. Tenía que dar forma a cada tejuela con el hacha pero, como ya le había ocurrido con otras tareas, a base de prueba y error fue aprendiendo trucos para ir más rápido.

Cuando terminó de cubrir el último agujero del techo, el sol se estaba poniendo en el horizonte. Recogió las herramientas, bajó la escalera y encontró a Evie esperándolo mientras inspeccionaba una línea de pequeñas marcas de hacha en la pared trasera de la cabaña.

—¿Para qué son?

—Son los días que llevamos en la Zona de Exclusión. Pienso hacer una cada día que pasemos aquí.

—Cinco semanas de supervivencia —dijo mirando fijamente la pared. Sus ojos centellearon con una chispa repentina—. Sobreviviremos y saldremos adelante. Construiremos nuestra vida aquí.

—◆—

Durante las semanas siguientes se dedicaron a convertir la destartalada cabaña en un hogar. Además del techo, repararon la cama, construyeron una pequeña despensa para almacenar la comida que recolectaba Evie y fregaron suelos y paredes. Luego rellenaron las grietas de las paredes.

De pie, casi sin ropa y con las manos embadurnadas de barro, resanaban la última pared aplicando la mezcla entre los tablones grises. Para fabricarla, Joe había recogido arena y barro de la orilla del arroyo, y Evie había añadido unos musgos que había encontrado y secado al fuego. Estaba animada. Tenía la esperanza de que esto mantendría a los ratones alejados y haría de la cabaña un lugar más agradable.

—Joe, ¿recuerdas cuando dijiste que un idealista es alguien que piensa que el mundo es una creación de la mente?

—Sí.

—Bueno, ese concepto se me quedó grabado porque parece absurdo.

Joe se rió.

—La universidad en la que te licenciaste lleva el nombre de uno de los primeros defensores del idealismo subjetivo, o teoría del inmaterialismo, tal como lo denominaba el obispo Berkeley.

Evie agitó la mano embarrada.

—Conozco a Berkeley. Pero te digo una cosa —dijo aplastando el musgo y la arcilla húmeda entre los dedos y luego rellenando otro hueco—. ¿Cómo puede creer alguien que esto no es real?

Joe se volvió a reír.

—El doctor Samuel Johnson refutó el argumento con una reacción parecida: darle una patada a una piedra. *Argumentum ad lapidem*. Literalmente, ‚apelar a la piedra‘.

—Así refuto tu argumento —murmuró Evie, lanzándole un pegote de arcilla, que le dio de lleno en el pecho y se fue deslizando hacia abajo dejándole un reguero marrón sobre la piel bronceada.

Joe se lo quitó y lo aplicó a la pared, fingiendo estar abstraído en sus pensamientos.

—Sí, las ideas del obispo Berkeley parecen una locura, pero no las rechazaría sin más. Nos llevó a plantearnos si las ideas de lo que consideramos *real* son reales de verdad. ¿Dónde se encuentran las ideas complejas? ¿Y cómo se entrecruzan con lo que es nuestra mente, lo que somos nosotros? Por ejemplo, ¿dónde está la idea de la Universidad de Berkeley? Cuando pensamos en esta idea, nos imaginamos algo más que edificios de ladrillo. ¿Dónde reside esa idea?

Evie embadurnó otra grieta con arcilla.

—La idea existe en alguna parte. Cuando me imagino una universidad, pienso en los estudiantes. Y en los profesores. —Arrojó más arcilla a Joe con naturalidad, que de nuevo volvió a resbalarle hasta el ombligo—. Y en muchas otras cosas.

Joe recuperó la arcilla de su barriga y la aplicó con cuidado en la pared.

—Berkeley afirmaba que un objeto, como esta arcilla, es una recopilación de todas las ideas que nuestros sentidos nos transmiten sobre ella. Las ideas complejas se fundamentan en los objetos físicos en los que pensamos. La idea de una universidad es la relación entre muchas cosas. Pero, a su manera, la idea también es real. —Se acercó a Evie y le acarició la mejilla—. Supongo que es una relación entre otras ideas. —Joe fingió una expresión seria y luego se rió.

Evie abrió los ojos de par en par y se tocó la mejilla.

—Solo estabas actuando, fingiendo que te ponías serio. —Le alborotó el pelo con la mano, riéndose al ver que le había ensuciado la cabeza de barro.

Joe le restregó las manos por los muslos para limpiarse el barro, y al cabo de un segundo empezaron a volar pegotes de arcilla. Ambos reían a carcajadas, esquivando y lanzando pegotes, y Joe se volvió a sentir como un niño, corriendo alrededor de la cabaña en una batalla simulada.

En un momento en que Joe se escabullía por delante de la puerta, una mano le agarró el brazo y tiró de él hacia el fresco interior de la cabaña. Justo antes de que ella se le echase encima, Joe se dio cuenta de que se había quitado la ropa. Cayeron enmarañados al suelo. El cuerpo de Evie olía a tierra, y en un segundo la ropa de Joe se unió a la suya.

Joe le puso las manos en las caderas y le acarició cada curva. Con la mirada ardiente de deseo, Evie acercó su cuerpo al suyo, piel contra piel.

—Así refuto tu argumento —jadeó mordiéndole la oreja a Joe, que fue incapaz de responderle con expresión alguna, ni en latín ni en ninguna otra lengua.

Capítulo 34

A la mañana siguiente, Joe bajó a la cabaña de Eloy para cumplir su promesa de cortarle la leña. Pasó medio día partiendo troncos y apilándolos junto al granero. El trabajo le parecía gratificante y hasta le sorprendió que su cuerpo se hubiera adaptado tan bien a la vida manual.

—Estás haciendo un buen trabajo —dijo Eloy, que se había acercado por detrás, elogiando el montón de leña. Joe levantó la vista del hacha y vio a Fabri en la pasarela que le saludaba alegremente con la mano y luego seguía alimentando a las gallinas.

Eloy lo llevó al granero y la puerta chirrió al abrirse. Una vez dentro, le enseñó una carreta.

—La encontré en una de las granjas abandonadas. Le he construido unos ejes nuevos con madera de roble y los he engrasado, y ahora funciona. Bessie puede tirar de ella, siempre que vayamos despacio.

La yegua de color pardo sacudió la cabeza al oír su nombre.

—A propósito del trigo —dijo Eloy—, la temporada de la siembra ya está avanzada; será mejor que plantes pronto para tener una cosecha antes de que llegue el frío. ¿Cuántas semillas tienes?

—Siete kilos.

—Suficiente para hacer varios centenares de hogazas y semillas para el año que viene —dijo Eloy con una sonrisa, mostrando sus blancos dientes entre la barba—. Tenemos que construir la noria. Me apetece muchísimo comer pan.

Eloy inspiró mirando fijamente al cielo.

—Tal como quedamos, te prestaré las herramientas y te ayudaré a arar el campo y a construir la noria. —Se dieron la mano para cerrar el trato.

De un rincón del granero Eloy sacó un artilugio en forma de triángulo con mangos de madera.

—Este arado estaba colgado en la pared de una granja en ruinas, como si fuera una obra de arte —dijo Eloy entre risas.

—Pan artesanal —bromeó Joe.

—Es del siglo XIX. ¿Ves la vertedera y la cuchilla? —Eloy apuntó a la delgada hoja de la parte frontal inferior de la estructura oxidada—. Podemos enganchar a Bessie al arado y terminarás de arar en un momento. Vamos a poner en el carro las herramientas que necesitamos.

Juntos cargaron el pesado arado en el carro. Eloy metió un hacha, un cubo lleno de grasa y una pila de botes como los que Joe había visto en los extremos de las palas de la noria. Por último, Eloy añadió un taladro manual y un cubo con pernos grandes.

Fabri cruzó la pasarela desde la cabaña, cargada con una caja de madera.

—¿Quién cocina, tú o Evie?

—No puedo más que inclinarme ante el arte culinario y la creatividad de Evie —admitió Joe, sintiendo un repentino orgullo por ella.

—División del trabajo. —Eloy asintió con la cabeza en señal de aprobación.

—Me alegro de que os tratéis con igualdad —dijo Fabri—. He pensado que también iré para ayudar. Tengo un montón de cosas para la cocina.

—Los estás consintiendo otra vez —se quejó Eloy.

—No hay nada malo en ayudar.

Fabri se subió al carro y se sentó junto a la caja que había cargado.

Eloy enganchó la yegua a la carreta y se acomodó con Joe en el pescante. Al tirar de las riendas, comenzaron a subir la colina por un camino de carros poco señalado que Joe no conocía y que discurría a lo largo de la orilla este del arroyo. Joe tuvo que bajarse tres veces para limpiar el sendero de matorrales con el hacha.

A unos cincuenta metros de la cabaña, el terreno se volvía llano. Eloy detuvo el carro y observó el arroyo. Recorrió la orilla más allá de la cabaña y retrocedió de nuevo murmurando entre sí. Al cabo de un rato le hizo señas a Joe y juntos caminaron río arriba.

—Ahí es donde deberías poner la noria —dijo, apuntando a una plataforma rocosa que se adentraba dos metros en el arroyo—. Es el mejor lugar para construirla con el menor esfuerzo. Puedes colocar una piedra plana como base y luego soportes de madera para la rueda.

Joe estudió el lugar y le pareció bien la idea de Eloy. La roca plana podría sostener un soporte de madera, y el otro soporte se podría colocar sobre una base de piedra en la otra orilla, con la corriente de agua fluyendo entre ambas. Al menos, en teoría.

Eloy se atusó la barba entrecana. Con el brazo extendido, añadió:

—Aprovechando la gravedad, puedes canalizar el agua corriente en dirección este hacia la cabaña, y luego al campo.

Joe ya se imaginaba el agua regando un campo de esbeltas espigas doradas y sonrió por la facilidad con la que su mente le mostraba la creación terminada.

Fabri había llevado la caja de madera a la cabaña. Cuando Joe y Eloy se dirigieron hacia allí, encontraron a las mujeres charlando. Nada más entrar Joe en la cabaña, Evie le mostró unas cosas blancas alargadas.

—Mira, Fabri nos ha traído tubérculos salvajes.

—Los tenía en la bodega de raíces desde que los encontré a finales de otoño. Ahora es el momento de comerlos —explicó.

Eloy arrugó la frente pero no hizo ningún comentario. Joe sirvió cuatro tazones de sopa y comieron juntos, sentados en los troncos bajo el árbol fuera de la cabaña.

Fabri elogió las flores del manzano.

—En verano tendréis unas manzanas deliciosas.

—Con la harina de trigo podemos hacer tarta de manzana —sugirió Evie, y todos suspiraron con la idea. Con un sintetizador de alimentos, se tardaba menos de cinco minutos en hacer una tarta de manzana. Nadie dudaba de que los esfuerzos futuros para lograrlo valdrían la pena.

—Con las alubias de Evie y el maíz y la calabaza, ya tenemos los tres ingredientes que plantaron los primeros pobladores. —Eloy sorbió los restos de sopa—. Para mí lo mejor sería plantarlo todo junto en mi huerto. Luego podemos hacer un trueque con vuestras manzanas.

Joe asintió.

—Ya nos pondremos de acuerdo llegado el momento.

—Veo que has encontrado yuca banana. ¿Qué tal sabe? —preguntó Fabri a Evie.

—Encontré los tallos que empezaban a florecer en el valle de al lado, a un kilómetro hacia el este. Todavía tienen textura jabonosa pero, cuando el fruto madure en unas semanas, estarán dulces. —Evie señaló unas plantas que Fabri había traído—. ¿Cómo sabes tanto de plantas?

—Me aficioné al estudio de las plantas medicinales. Al trabajar en un hospital, sentía curiosidad por conocer los orígenes de la medicina, que damos por sentados porque todo está sintetizado. —Fabri sonrió—. Este año he aprendido más sobre plantas comestibles de lo que nunca soñé.

—Aquí todos aportamos nuestra propiedad intelectual. —La gratitud que sentía Eloy por Fabri era evidente.

—Como mínimo a eso no le pones precio —dijo Fabri, arqueando una ceja.

—Puedes burlarte de mí todo lo que quieras, Fabri, pero sé que me ayudarás si alguna vez me pongo enfermo. —Eloy le dio una palmadita en el brazo y luego se dirigió a Evie, con un gesto de complicidad—. Evie, ¿estás de acuerdo conmigo en que no podemos olvidarnos de la economía ni siquiera aquí, en plena naturaleza?

—Creo en la responsabilidad personal —dijo Evie mientras servía la yuca banana—. Poner precio a las cosas históricamente ha permitido mantener el control, pero es mejor ayudarse los unos a los otros.

Eloy frunció el ceño, pero Fabri le dio la razón sin reservas.

—No se puede poner precio a la compasión. Se trata de ser amable con los que te rodean. La vida ya es bastante difícil de por sí.

Joe se mantuvo neutral, y el tema de conversación se desvió hacia los mejores lugares para buscar plantas comestibles. El sonido del arroyo le hizo pensar en el agua corriente, y se dirigió a Eloy:

—¿Cómo vamos a construir la noria?

—Juntos podemos hacerla en una semana. La parte más difícil es mover las piedras para hacer los pilares —dijo masticando un bocado de yuca—. Luego tendremos que cortar y transportar las vigas de roble para sostener la rueda.

—Bessie puede ayudarnos a cargar el peso —sugirió Joe.

Se pusieron en pie, dieron las gracias a las mujeres por el almuerzo y se dirigieron a la planicie que en el futuro se convertiría en el campo de trigo, donde habían dejado a Bessie y la carreta con las herramientas. Después de descargarlas, inspeccionaron el campo en busca de piedras, que fueron cargando en la carreta hasta que

Eloy consideró que ya tenían suficientes. Bessie tiró de la carreta hasta el lugar en el que instalarían la noria. Los hombres cargaron las piedras terraplén abajo y las colocaron en su lugar, metidos hasta las rodillas en el agua helada. Las rocas resbaladizas hacían difícil mantenerse en pie y Joe apuntaló las piernas con firmeza para no caerse. Como el frío le había ido calando el cuerpo, agradeció tener que ir a por más rocas. Trabajaron el resto de la tarde colocando las bases de forma uniforme bajo el agua, y terminaron el día secándose junto al fuego.

Poco a poco fue recuperando la sensibilidad en los dedos sintiendo un intenso hormigueo. Una animada conversación le avisó de que Evie y Fabri regresaban del bosque, cada una con un cesto repleto de comida que habían encontrado. Por mucho que Joe y Evie se lo pasaran tan bien juntos, era agradable poder charlar con otras personas.

Eloy se puso de pie con un gruñido y se estiró.

—Supongo que es la señal de que ha llegado la hora de irnos. Nos vemos mañana por la mañana. Colocaremos los soportes de madera y luego empezaremos con la rueda.

Desenganchó a Bessie, dejó la carreta en el campo y se montó en la yegua. Fabri le dio la cesta y montó detrás de él. Se despidieron y se marcharon en dirección al oscuro crepúsculo.

Evie le dio a Joe unas verduras para que las lavara y las cortara y se pusieron a preparar la cena en armonía. Una vez calentada la sopa que había sobrado, se sentaron bajo el manzano a contemplar los últimos destellos del atardecer.

—Parece que a Eloy y Fabri les gusta discutir —comentó Joe removiendo con la cuchara un trozo de tubérculo dentro del cuenco de sopa.

—Al menos a Eloy sí le gusta. Es muy competitivo.

—Yo también soy competitivo, pero tú y yo no discutimos.

—Eres competitivo en situaciones concretas. Eso me gusta de ti. Pero Eloy es competitivo... —Evie hizo un gesto señalando a su alrededor— por encima de cualquier otra cosa.

—¿Por encima de cualquier cosa? ¿Cómo qué?

—Por ejemplo, la compasión. Fabri valora la compasión y le recuerda a Eloy lo importante que es, cuando él solo piensa en hacer trueques.

—Ya veo por dónde vas: se complementan el uno al otro. Espero que se queden, porque podrían irse en cualquier momento.

Evie le apretó la mano.

—Yo también espero que se queden. Desde luego, son unos vecinos fantásticos y no es bueno para los humanos estar solos —dijo Evie, riéndose—. A menos que Eloy no pueda reprimir su antojo de comer pan. No sé si será capaz de esperar hasta la cosecha. —Su semblante se volvió serio—. Pero aunque se fueran, Joe, lo lograríamos. Lo lograremos.

Eloy regresó al alba al día siguiente, y también al otro. Durante varios días dedicaron todas las horas de luz a construir la noria. Talaron árboles, cortaron largos troncos y los cargaron en el carro, taladraron agujeros y atornillaron los soportes. La estructura, fijada con vigas transversales y suspendida sobre el agua, se elevaba sobre los pilares de granito.

Al tercer día, Eloy se llevó la carreta y volvió a la mañana siguiente cargado de tablas que había sacado de un edificio en ruinas. Eloy las guardaba apiladas detrás de su cabaña, pero había llegado a la conclusión de que, si las usaba Joe para la noria, eso les beneficiaría a los dos. El eje del centro de la rueda lo fabricaron con un tronco recto de pino ponderosa al que habían quitado la corteza. Montaron la estructura central, clavando las tablas con clavos gruesos para formar los radios y los arcos de la rueda. A continuación, colocaron las palas.

Después de terminar cada sección, la montaban sobre las vigas de soporte, un trabajo no exento de riesgo. Desde esa altura, cualquier caída podía significar romperse la pierna. Apuntalaron la rueda justo encima del soporte definitivo, con el borde inferior unos pocos centímetros sobre el agua fría. Para terminar, Eloy clavó los cubos metálicos en el lateral de la rueda. Solo faltaba bajar la rueda y el eje hasta colocarlos sobre los soportes de apoyo, ya a punto y engrasados.

—¿Listo para ver nuestra obra? —preguntó Eloy.

Joe asintió nervioso y una extraña sensación de expectación le recorrió todo el cuerpo.

Colocaron la rueda en su lugar, dejando caer los extremos del eje en los soportes de apoyo. El agua empujó la parte inferior de la rueda, que empezó a girar con una sacudida. Los botes de metal se fueron llenando de agua, se elevaron y volvieron a verterla en la corriente. Joe gritó de emoción, eufórico por esa simple máquina que les cambiaría la vida. Eloy le dio una palmada en la espalda y sonrió.

Evie salió de la cabaña y se quedó observando la noria unos minutos, hipnotizada por el movimiento de los cubos levantando el agua.

—Ahora ya casi somos civilizados —exclamó, rebosante de alegría.

Cenaron fuera los tres juntos. Mientras se despedía, Eloy les recordó:

—Para cerrar el trato, mañana te ayudaré a arar el campo y lo dejaremos en condiciones para sembrar el trigo. A partir de ahí, tendréis que poneros manos a la obra para que todos tengamos pan.

Tal como prometió, Eloy regresó a la mañana siguiente. Los tres se tomaron una taza de té humeante que Evie había preparado con plantas de efedra. Luego ella partió hacia la montaña para empezar otra jornada de caza. Joe y Eloy llevaron a Bessie de nuevo a la planicie que quedaba más abajo de la noria. Eloy dibujó una línea sobre la tierra con el talón.

—Si calculas bien la pendiente, el agua de riego irá hasta donde la necesites.

. . .

Eso lo podría haber deducido yo solo, tampoco soy tonto. Pero... es curioso que me gustara recibir consejos de Gabe sobre conceptos intelectuales y, en cambio, me moleste que Eloy me aconseje sobre temas prácticos. ¿Tengo algún tipo de prejuicio del que no soy consciente?

. . .

Joe asintió y decidió prestar más atención a Eloy. Marcaron cuatro esquinas con estacas, y Eloy condujo a Bessie y el arado a la posición de inicio. Se acuclillaron junto a la antigua herramienta y Eloy le mostró cómo limpiar la cuchilla para que no se le quedara adherida la tierra del campo. Luego enganchó el equino al arado.

—Joe, ¿por qué no diriges tú el arado mientras yo llevo a Bessie?

Indeciso, Joe agarró los mangos del arado como si fuera una bicicleta. Eloy le hizo un chasquido a la yegua y el arado se puso en marcha con una fuerte sacudida. Joe a duras penas consiguió sujetarlo y mucho menos mantenerlo en línea recta. El arado removió la tierra negra y el ambiente se inundó de un aroma dulce y margoso. Cuando llegaron al final, Eloy le hizo una señal para que levantara el arado y lo girara hacia un lado, y la hoja emergió de la tierra.

—No ha estado mal. —Eloy le dio la vuelta la yegua. Joe trató de encarrilar el arado en una línea paralela a la anterior, mientras Eloy dirigía a Bessie por la suave pendiente.

—Si lo hacemos así, tendremos un solo surco muerto en medio del campo, mientras que el resto estará ocupado por carreras rectas y ordenadas —explicó.

Los mangos del arado le dieron otro tirón en los dedos, aunque Eloy mantenía la yegua a un ritmo lento y constante. Al avanzar por la tercera amelga, el arado iba volcando la gleba sobre la primera.

Siguieron arando de un extremo al otro, deteniéndose de vez en cuando para dejar que la yegua descansara y, de paso, para dar tregua a los extenuados brazos de Joe. También tenían que ir quitando la tierra adherida a la reja del arado, momentos que aprovechaban para beber un buen trago de agua. Joe dio unas palmadas en el flanco húmedo y almizclado de Bessie para animarla a seguir tirando del arado bajo el intenso calor del mediodía. La yegua movió la cola para espantar las moscas que se arremolinaban a su alrededor.

A primera hora de la tarde, casi habían terminado.

—Ahora haremos que Bessie marque un surco hasta la noria. Luego puedes cavarlo con un pico y una pala para construir la acequia —añadió Eloy. La yegua se resistió, pero acabó arrastrando el arado por última vez en una larga carrera hasta el arroyo. Eloy le dio una palmada en la cabeza, la desenganchó y la dejó pastando junto a la cabaña de Joe.

Finalmente, se sentaron bajo un abeto cercano para descansar.

—¿Dónde aprendiste tanto sobre el campo? —preguntó Joe dándose un masaje en la nuca, dura como una piedra. Todavía no le había cogido el truco al arado.

Eloy se encogió de hombros y se quedó mirando el biofrasco de agua que tenía en la mano.

—Antes de alistarme en el ejército, vivía en una granja, que es donde crecí. Aunque el trabajo lo hacían los robots, mis padres eran gente de campo y les interesaban las viejas costumbres, así que aprendieron las técnicas tradicionales. —Mirando el campo de reojo, se pasó los dedos manchados de tierra por el pelo rizado.

—Pues aprendiste muy bien de ellos.

—Me considero autodidacta en casi todo. Pero sí, reconozco que algo tienen que ver.

—Hay algo que me tiene un poco intrigado. —Eloy lo miró expectante—. Ya has cumplido tu condena. ¿Por qué sigues aquí?

Eloy se quedó pensativo.

—Para empezar, sería ilegal que Fabri y yo estuviéramos juntos. Aunque no es algo que me haya importado en otras ocasiones —dijo, observando el cielo—. Quizá sea el desafío que supone estar aquí fuera. Casi nadie podría lograrlo, todo el mundo depende de la tecnología moderna. Aquí puedo hacer algo diferente, vivir la vida de otra forma. Solo dependo de mí mismo y no estoy en deuda con nadie.

—Ni tienes que preocuparte por los niveles.

—Por supuesto. Me importa un pimiento que la sociedad me etiquete, y ahora tampoco le importa a nadie más. No tengo que ponerme medallas por algo con lo que nací, ni usarlo como excusa de nada. Sigo mi propio camino y solo yo decido hasta dónde quiero llegar.

—La idea tiene algo de romántico. —Joe se rascó la barba, que estaba más larga que nunca—. Sé que es por puro egoísmo, pero me alegra mucho que hayas decidido quedarte, porque nos da muchas más probabilidades de sobrevivir.

—Solo tienes que seguir haciendo tu parte —asintió Eloy mientras se ponía de pie con intención de marcharse. Enganchó a Bessie a la carreta, se subió al pescante, saludó con la mano y partió por el accidentado camino que llevaba a su cabaña.

Joe no acabó de sembrar el campo de trigo hasta la semana siguiente. Para cada nueva tarea tardaba más de lo que había previsto, sobre todo al tener que hacerlo sin la ayuda y los consejos de Eloy. Terminar el proyecto de riego le llevó dos días de duro trabajo. Taló más árboles, los arrastró hasta la noria y los cortó con el serrucho para hacer tablones de apoyo. Usó las tablas de Eloy para conectar un canal de madera sin pulir con el surco. En sus primeros intentos se filtraba el agua, y hasta el cuarto no funcionó. Finalmente, necesitó un día entero para excavar una acequia decente con la que llevar el agua hasta el campo.

Evie se había pasado la semana llenando la despensa con plantas que había recolectado y cocinando. Pero ahora Joe necesitaba que le ayudara un par de días para aplanar el campo arado. Joe se pasó un día entero sembrando a mano, depositando las valiosas semillas de trigo C4 en hileras y enterrándolas una a una para evitar que se las comieran los pájaros hambrientos. La última tarea fue abrir una compuerta para dirigir el agua hacia el canal. El agua borboteó hacia el campo y llenó las carreras a ambos lados. Joe y Evie regaron las zonas menos accesibles con el cubo de agua.

—Ha sido agotador. Mañana descansaremos, en el séptimo día —dijo Joe, dejando el cubo en el suelo y admirando su trabajo. Habían transformado el claro en un campo sembrado e irrigado.

—Quizá no sea momento de descansar todavía, amor mío —dijo Evie, para sorpresa de Joe—. Antes de devolverle las herramientas a Eloy, aún quedan cosas por hacer.

Al día siguiente, Joe añadió un lavadero y una bañera al sistema hidráulico. Para hacerla, cavó un agujero junto al lavadero y lo recubrió con las tablas restantes. El excedente de agua de la bañera iría a parar al campo, transportándola desde el arroyo.

La pila se llenó de agua cristalina. Orgulloso de su obra, llamó a Evie para que saliera.

El agua estaba limpia y, aunque helada, invitaba a tomarse un baño. Se miraron el uno al otro y, sin pensárselo dos veces, se desnudaron y se metieron en el agua abundante. Desde la bañera contemplaron la tierra mojada del campo, que pronto daría vida a sus valiosas semillas.

Las tonalidades anaranjadas del horizonte se transformaron en rojizas. Los pájaros fueron cesando sus cantos y se alejaron para posarse en cotas más bajas del valle.

Joe contempló la naturaleza que le rodeaba, dejando que el paisaje y los sonidos se adueñaran de su mente para crear una imagen más rica de su nuevo mundo. Por primera vez en meses, se limitó a no hacer otra cosa que pensar.

La claridad del mundo físico real contrastaba con los buenos recuerdos que guardaba de las conversaciones con Gabe. Había comenzado su año sabático con el objetivo de encontrar respuestas a preguntas apremiantes que le acercaran a la sabiduría. Gabe era un auténtico sabio. Joe era consciente de que la búsqueda de la sabiduría pasaba necesariamente por encontrar a sabios, ya fueran mentores reales o en los libros. Pero, más allá de eso, la sabiduría era una búsqueda solitaria. Uno llegaba y se iba del mundo solo. Era un viaje individual. Lo mismo pasaba con la adquisición de la sabiduría.

. . .

Si en la Zona de Exclusión se pueden superar los problemas y tareas de la vida cotidiana, puedo aprovechar el tiempo que me sobre tanto para vivir como para pensar. ¿En qué punto se ha quedado mi proyecto y qué respuestas he obtenido a mis preguntas?

Cuando estábamos en el desierto, llegué a la conclusión de que existen tres requisitos para el libre albedrío. El primero es que, en un universo físico cerrado, no puede haber interferencias externas. El segundo es que en el universo debe haber cierto indeterminismo. Y el tercero es que, sea cual sea mi *yo*, ese *yo* debe ser causal. Por lo tanto, debe haber una forma de imaginar que tal mecanismo causal puede existir dentro de un universo físicamente cerrado.

. . .

Permaneció en la bañera junto a Evie, perdido en la calma de sus propios pensamientos, hasta que la luz se desvaneció. Evie le tocó el brazo y salió del agua. Joe se quedó, disfrutando de la oscuridad que le rodeaba. Al fin, era un hombre solo en medio de la naturaleza, sin saber qué le depararía la suerte, pero tomando las riendas de su propio destino. Todavía no estaba seguro de qué era ese *yo*, pero sabía que existía y que estaba eligiendo la vida.

Capítulo 35

Joe apuntó con cuidado al objetivo que había situado a trece metros de distancia en un poste en el límite del nuevo campo de trigo. Centró el punto de mira en la diana del arco, vació todo el aire de los pulmones con una larga espiración y, en cuanto se quedó totalmente inmóvil, soltó los dedos de la cuerda tensada. La flecha atravesó el aire con un silbido. Al ver el grupo de cinco flechas dispuestas en una estrecha elipse, descansó.

Alzó la vista para observar la siembra, donde los nuevos brotes de trigo se abrían paso a través de la oscura tierra removida. Río arriba, la noria giraba con la rueda salpicando rítmicamente a medida que los botes recogían el agua y la volvían a verter en el arroyo.

Con la mochila a cuestas, Evie apareció por la colina sobre la cabaña y se le acercó con una sonrisa.

—¿Ha habido suerte hoy?

—Una ardilla en una de las trampas montaña arriba. Me alegro de que me enseñaras a colocarlas. Son muy útiles para cazar y pescar.

—No te he hablado de las que no funcionan —confesó Joe, resignado—. He abandonado una docena de trampas en la sierra a tres kilómetros al este, y otra media docena en el barranco al noroeste. A pesar del tiempo que les dediqué, creo que estaban mal situadas. Todavía no sé por qué unas trampas funcionan mejor que otras —dijo con un suspiro—. Mucho me temo que no podremos contar solo con las trampas para pasar el invierno.

Evie señaló el arco con un gesto.

—Tendrás que cazar un ciervo también.

—A veces los veo a primera hora de la mañana. Esta mañana le disparé a uno pero fallé —se lamentó—. Tardé una hora en encontrar la flecha. Así que esta tarde he construido una plataforma de madera en un árbol colocando un tablón sobre una rama gruesa. Es posible que me ayude a cazar porque no se esperarán que las flechas les lleguen desde arriba y es menos probable que perciban mi rastro. Está cerca de un sendero donde he encontrado marcas en algunos árboles y excrementos de ciervo. Mañana lo intentaré de nuevo.

Evie asintió y le dio la ardilla que había destripado tal como él le había enseñado. Con el cuchillo grande, Joe la despellejó y la cortó en pedazos para terminar el trabajo. Evie sabía cómo hacerlo, pero le daba escalofríos. En cambio, él ya se había acostumbrado porque no había más remedio.

Joe llevó la carne dentro, donde Evie estaba lavando y guardando los brotes que había encontrado. Joe ensartó la carne y la puso sobre el fuego para asarla. Luego se lavó las manos y se quedó observando las labores de Evie.

—Me gustaría aprender tus trucos para encontrar comida. Sigo sin reconocer la mitad de las plantas que encuentras.

—Ya te enseñaré. Tendríamos que aprender un poco de todo para poder sobrevivir, por si acaso... —Con las manos iba separando las hojas marchitas de las frescas.

Joe hizo caso omiso del comentario porque no quería ni pensarlo.

—Podría aprender a cocinar algunos platos. Me sabe mal que tengas que cocinar por obligación.

Evie levantó la vista, sorprendida.

—Me gusta cocinar —dijo sonriente—. Si tú te ocupas de mantener a los ratones alejados, yo me ocuparé de alimentarte.

—Hasta ahora lo he logrado —replicó, recordando cómo se había deshecho de un ratón con un palo mientras ella buscaba comida—. No me importa mantener esta división del trabajo.

Sentado con los codos sobre la mesa, Joe apoyó la cabeza en las manos y la observó andar de un lado a otro frente al fuego. Le encantaba contemplar la gracilidad de sus movimientos mientras hacía las labores cotidianas.

Evie se detuvo, se acercó a la mesa y se sentó en su regazo, masajeándole el brazo con picardía.

—Te has puesto en forma. ¿Crees que ahora eres más fuerte que yo?

Joe se rió, y luego se puso serio.

—¿Estás a gusto conmigo?

Ella lo miró confundida. Joe hizo una pausa intentando formular su pensamiento con más claridad.

—Cuando nos conocimos, le dabas mucha importancia a la cuestión de los niveles. Ahora que estamos en plena naturaleza, los niveles no importan. Quiero que seamos iguales. ¿Este nivel de igualdad es suficiente para ti?

Evie dejó de acariciarle el brazo y lo miró fijamente.

—Sí, siento que tenemos una relación igualitaria. Es lo que ansiaba —dijo, y lo abrazó con fuerza.

◆

No había un ápice de luz en la cabaña cuando Joe se vistió, cogió el arco y otras herramientas apiladas en la esquina, y salió sin hacer ruido. La luna estaba en cuarto menguante, en una posición suficientemente alta en el cielo como para iluminar sus pasos a través del bosque. Tras semanas practicando cómo andar entre la maleza, había aprendido a moverse con el sigilo de un gato, retrocediendo sobre sus pasos hasta llegar a la plataforma de madera. Se encaramó al árbol con la cuerda que le quedaba, sacó su equipo y se instaló en la plataforma.

Hacía fresco y el aire estaba calmo. Si el viento empezaba a soplar, sería en dirección a él, hacia el desfiladero cerca de donde creía que dormía el ciervo mulo. Esperó con el arco preparado y una flecha colocada en la cuerda.

Joe se imaginó lo que haría al ver un ciervo. Recorrió el camino con el arco como si siguiera a un animal en movimiento e imaginó el punto exacto del tórax del animal, ajustando mentalmente su altura en el árbol. Solo pensar en matar a un animal sintiente le hacía sentir culpable, pero aparcó sus remilgos.

. . .

Los carpinteros curvan la madera, los flecheros doblan las flechas, los sabios se forjan a sí mismos.

. . .

Sus pupilas se habían adaptado a la luz tenue y distinguía las siluetas de los pinos. Sus oídos estaban atentos a cada susurro: el chirrido de los insectos, el gorjeo matutino de los pájaros cantores, cada melodía entrelazándose con la siguiente. Era una estatua de Azrael escondida en la penumbra.

De repente, oyó un leve crujido. Una cierva se movía entre las sombras en dirección al desfiladero. Con movimientos titubeantes, alzó la cabeza para olfatear el aire antes de seguir avanzando. La seguía un ciervo de majestuosa cornamenta.

En cuanto la cierva hubo pasado por debajo del árbol, Joe se concentró en el macho. Los animales se detuvieron y el ciervo se giró dejando el lomo a la vista, movimiento que Joe aprovechó para apuntarle al cuerpo través del visor.

Joe disparó la flecha, que cruzó el aire con un silbido mortal. El ciervo brincó y resolló, y finalmente dio un gran salto adentrándose en la maleza. Joe descendió de la plataforma, colocó otra flecha en el arco y corrió por el camino. El rastro de manchas de sangre se alejaba del camino y le llevó hasta el ciervo, que yacía sobre unos arbustos de cerezo silvestre. La cierva había desaparecido.

Joe permaneció varios minutos junto al venado, temblando y con una mezcla de adrenalina y euforia recorriéndole las venas. La cara del ciervo era gris claro, con una raya blanca en el cuello y la frente marrón. Solo cuando la mirada de Joe se cruzó con sus ojos sin vida le sobrevino el remordimiento por haberle arrebatado la vida a un ser sintiente.

Sacó el cuchillo de la mochila y procedió a destripar el animal. Encontró la punta de caza en el lugar en el que había disparado, alojada junto a una costilla entre los pulmones. Un fuerte olor metálico le inundó las fosas nasales al desentrañarlo. Tiró las vísceras al suelo para los animales carroñeros y giró el cuerpo inerte para drenar la sangre sobre la hierba. Luego regresó a la plataforma del árbol para recuperar la cuerda, que le sirvió para izarlo y colgarlo de un árbol. Por último, se enjuagó las manos con agua, recogió la mochila y el arco, y descendió la montaña.

Joe encontró a Eloy escardando las malas hierbas de las judías.

—A juzgar por cómo tienes las manos diría que has cazado un ciervo mulo —dijo Eloy.

Joe se limpió la sangre que no había visto con la parte posterior de los pantalones.

—¿Me podrías ayudar a traerlo aquí con la carreta? ¿Y me dejarías usar el ahumadero? Podríamos compartir la carne antes de que se eche a perder.

—Encantado de ayudar —respondió Eloy—. Es más fácil usar la carreta que un *travois*. He utilizado los dos sistemas.

Eloy enganchó a Bessie a la carreta y se dirigieron montaña arriba bajo el sol de la mañana.

—Un buen ejemplar —constató Eloy cuando llegaron al árbol donde estaba colgado—. Sobre todo teniendo en cuenta que es el primero. Abatido con un disparo limpio. Parece que no ha sufrido mucho. —Joe asintió con tristeza. Juntos cargaron el animal, lo transportaron hasta el granero de Eloy y lo colgaron de una viga.

Eloy le enseñó a Joe cómo descuartizarlo, apuntando con su cuchillo de filetear mientras Joe realizaba los cortes. Joe le quitó la piel y la dejó a un lado, deshuesó la canal e hizo el despiece para obtener los diferentes cortes: lomo, pierna, hombro, rabadilla, costillas y caña.

—Me imagino que cuando terminemos tendrás treinta kilos de carne magra. —Eloy señaló los restos—. Guarda la grasa para poder hacer jabón más adelante.

—¿Todo esto lo aprendiste en la granja? —Joe había memorizado cómo despiezar una res, pero los diagramas que tenía en la cabeza no se habrían correspondido con los cortes y habría desperdiciado buena parte de la carne.

Eloy dio un suspiro mientras blandía el cuchillo.

—Supongo que debería contártelo. Mi familia tenía una granja, sí, pero era la excusa para llevar el peculiar estilo de vida que querían mis padres. No es que tuvieran curiosidad por las antiguas costumbres, es que estaban obsesionados con el tema. Cuando éramos pequeños, siempre íbamos de acampada. Al principio era como un juego pero, al ir creciendo, me di cuenta de que éramos unos parias. En casa nunca vi a otra persona que no fuera de la familia. —Alargó la mano ensangrentada para rascarse la nuca, pero se detuvo antes de tocársela—. Tenían unas ideas conservadoras que no iban conmigo. Tras huir a la universidad, nunca volví a casa. De ahí ya me fui al ejército. Pero aprendí a ser autosuficiente desde pequeño.

Joe miraba fijamente a Eloy, que inspeccionaba los cortes y evitaba todo contacto visual. Le costaba imaginar una educación así. ¿Ir de caza siendo un niño? ¿No tener contacto fuera de la familia? Se preguntó si usaban NEST o INSTAMED, pero no quiso hacerle sentir más incómodo de lo que ya estaba.

—Desde luego, has ido a parar al lugar correcto. Te agradezco tu ayuda, y tu amistad.

Eloy esbozó una tímida sonrisa y le devolvió la mirada antes de retomar su habitual expresión huraña.

—Llevemos la carne al ahumadero.

Junto al granero había un cobertizo que servía de ahumadero, construido con tablas de pino y una puerta bien ajustada. El humo se introducía en el cobertizo por un humero de piedra desde un horno de ladrillos situado a un metro de distancia. Mientras Eloy metía leña en el horno y encendía el fuego, Joe colgaba los trozos de carne en los travesaños de madera. Acabaron de colgarlos entre los dos y, al salir, cerraron la puerta herméticamente.

—También sirve para ahumar la piel de ciervo y hacer mantas —dijo Eloy, explicándole la técnica.

—Muy ingenioso. He leído mucho sobre cómo hacer piel de ante, pero con esto el último paso será mucho más fácil —dijo Joe, barruntando su próximo proyecto.

Estaba metiendo tres grandes filetes en la mochila cuando se le acercó Fabri, que venía de cruzar el puente.

—Evie me ha pedido que te agradezca la pastilla de jabón que nos diste —dijo Joe.

—A todo el mundo le gusta estar limpio.

—Joe nos ha traído la cena para esta noche. —Eloy señaló sus tres filetes—. Llevaré la cuenta de lo que comemos para devolvértelo con el próximo ciervo que cace.

—Estoy seguro de que a la larga todo quedará compensado —respondió Joe, haciendo un gesto con la mano.

—Es lo que yo le digo. De eso se encarga el de allá arriba —rió Fabri.

———————◆———————

A la mañana siguiente, Joe se despertó al amanecer, ansioso por empezar a curtir la piel del ciervo. Sintió la humedad en el ambiente y sobre su piel, y el intenso olor a hierba. Bajo la delicada luz, las telarañas resplandecían con sus pacientes habitantes ocultos en los aleros de la cabaña.

Joe arrastró hasta el patio junto a la cabaña una larga viga procedente de un tronco caído. Puso un extremo sobre una especie de caballete y colocó la piel encima. Con un raspador metálico que

Eloy le había prestado, despellejó metódicamente cada centímetro de carne y grasa adheridas a la piel.

A continuación, preparó la solución alcalina para el curtido mezclando agua y cenizas de la chimenea en un cubo hasta lograr una pasta espesa. El día anterior Fabri les había regalado unos huevos, y Joe cogió uno de la cabaña para probar la alcalinidad de la solución. Tras modificar las proporciones de agua y ceniza, finalmente logró que el huevo flotara en el cubo, con solo la punta sobresaliendo en la superficie. Sacó el huevo y metió la piel en el cubo, la removió varias veces y le colocó una piedra encima para sumergirla y dejarla en remojo junto a la puerta de la cabaña.

Acababa de encender el fuego y poner un cazo de agua a calentar cuando Evie regresó con el botín de su excursión matinal: cinco pajaritos sin vida en un morral hecho de juncos entretejidos.

—¿Cómo los has cazado? —preguntó Joe sin ocultar su sorpresa.

Evie sonrió satisfecha.

—Estuve estudiando tus trampas y se me ocurrió cazar pájaros con una red que fabriqué con los juncos largos y fibrosos que recogí en el arroyo. Es a lo que me dedicaba cuando tú construías la noria. Tardé mucho en entretejerlos. Luego la coloqué con postes cerca de unas zarzas. Tendré que estar pendiente.

—Muy ingenioso, mi querida Artemisa. Así añadiremos algo de variedad a la liebre.

—¿Cómo va el curtido? —Dejó la mochila y se sentó junto a él en un tronco.

—Bastante bien, teniendo en cuenta que nunca había tocado una piel de ciervo de verdad. —Se pasó la mano por la frente—. Pronto tendremos ropa nueva y mantas.

—¿Y luego qué hay que hacer? —preguntó echando un vistazo al cubo.

Joe contó los pasos con los dedos.

—Después de tres días en la solución alcalina, tocará raspar el pelo y desflorar el cuero, y parece que eso da bastante trabajo. Luego la dejaré en el arroyo en remojo durante la noche para enjuagarla. El siguiente paso es lijar el descarne y curtir la piel con el cerebro, que es lo que estoy preparando ahora. Eloy me dejará usar su ahumadero para ahumarla; así se mantendrá suave aunque se moje.

Evie señaló el cráneo del ciervo que Joe había colocado cerca del fuego y arrugó la nariz. Joe había raspado el pelaje y la carne, y lo había lavado, consciente de que a Evie no le gustaría ver la cabeza del animal.

—¿Y qué harás con eso?

—Para curtir la piel tengo que mezclar el cerebro del ciervo con agua caliente y luego introducirla en esta mezcla para que se ablande.

Evie alargó la mano y recorrió la parte superior del cráneo con el dedo sin mucho convencimiento. Todavía tenía la cornamenta en su sitio, como recordatorio de la belleza efímera de aquella criatura que una vez había estado viva.

—Pobre ciervo. Bendecimos tu vida, a la que has renunciado para que podamos comer y vestirnos.

—Los filetes con tomates y cebollas silvestres estaban deliciosos —dijo Joe, relamiéndose los labios.

—Hablo en serio. Les quitamos la vida a estos animales, lo menos que podemos hacer es respetarlos.

Joe hizo una mueca, recordando la fracción de segundo en que había soltado la flecha.

—Llevo unos días preguntándome hasta qué punto debería sobrecogernos la idea de la muerte, o la vida. Noto que me he insensibilizado ante la muerte de... la mayor parte de... los animales que nos alimentan, y solo me siento mal cuando pienso en mi vida antes de entrar en la Zona.

Joe se acercó a la hoguera para contemplar el baile de las llamas.

—Gabe y yo estuvimos hablando del epifenomenalismo, que es la teoría según la cual la mente es una ilusión. Lo mental no puede causar lo físico.

Durante varios minutos, Joe fue hilvanando la conversación que había mantenido con Gabe sobre la causalidad provocada por las partículas en movimiento y no por la mente. Al no aceptar el argumento, no podía usarlo para justificar sus acciones. Pero le había vuelto a la mente al matar el ciervo.

Evie se lo quedó mirando con curiosidad.

—¿Realmente crees que el universo solo está formado por partículas en movimiento?

—No, es absurdo.

—¿Por qué?

Joe ordenó sus pensamientos con la vista clavada en el fuego.

—Cuando tiro de la cuerda del arco, la flecha está lista para salir disparada. A nivel de las partículas, esas partículas concretas están interactuando entre sí a la velocidad de la luz, por lo que un segundo después los efectos pueden haber viajado trescientos mil kilómetros. Hay un lapso de tiempo, pero no es suficiente para que nos demos cuenta. Así que, en la práctica, podemos considerar que en el mundo de las partículas todas están entrelazadas. Esa es la interpretación reduccionista. Pero esas fuerzas no son lo importante. Lo que realmente importa es cómo las relaciones entre cada elemento en un instante en el tiempo sientan las bases del instante posterior. Si suelto la cuerda del arco, se liberan unas fuerzas. Pero esas interacciones no tienen nada que ver con el *sentido* de matar un ciervo. Yo tenía la intención de matar el ciervo. Son estas metarrelaciones (en este caso, mi *intención*) las que rigen la manera en que se desarrolla el mundo, y eso queda fuera de la explicación reduccionista. Esa es la clave. La explicación reduccionista describe un universo donde tales metadescripciones son inexistentes, y ese no es el universo en el que nos encontramos. Por lo tanto, la explicación reduccionista es falsa.

Evie se quedó pensativa.

—El segundo requisito para el libre albedrío es que el universo no sea totalmente determinista, ¿verdad? Pero ya has dicho que en algunos aspectos no lo es.

Joe asintió.

—En los conjuntos aleatorios de materia, como rocas, árboles o un simple montón de arena, parece que las cosas suceden de una manera que no se puede captar mediante la mera descripción de los movimientos de las partículas. También se producen grandes patrones *intencionales* no aleatorios de cosas que parecen romper el determinismo. Yo provoqué la muerte del animal directamente, de mi mente al dedo y de este a la cuerda del arco. Mi intención era clavarle la flecha en los pulmones.

Evie cogió el cráneo del animal y se lo colocó en la rodilla asiéndolo por las astas.

—Fui yo quien dio la orden de crear el movimiento y, al darla, provoqué todo lo que sucedió a continuación...

Evie agarró el cráneo y se estremeció.

—Pero, ¿de dónde viene esa idea de injusticia? ¿Qué es lo que te llevó a crear el movimiento antiniveles y a transmitir ese mensaje a otras personas para que se unieran a la causa? El disparo de pulsos electromagnéticos en la mente, junto con una red de reacciones químicas y tu propia experiencia, es lo que te llevó a tener esos pensamientos. Luego los compartiste con otras personas con capacidad de raciocinio. El mensaje en sí se transmitió desplazando las partículas al hablar, pero la *idea* es lo que puso en marcha la cadena de acontecimientos.

—Sí.

—Este es otro ejemplo de por qué es absurdo atribuir el resultado a las partículas en movimiento. Los electrones de esos pulsos electromagnéticos no causaron ningún hecho tan complejo como el que ocurrió. Tu mensaje, que contenía una idea, hizo que otras mentes actuaran.

—¿Mi acto fue la causa, y la muerte de Celeste y Julian fue uno de los efectos?

Joe le puso la mano en el hombro para intentar aligerarle la sensación de culpa.

—Sí, aunque de forma mucho menos directa que mi acto de soltar la flecha. Peightân y Zable sí fueron la causa directa, porque mataron a tus amigos de forma intencionada. En cambio, tú actuaste en beneficio del grupo, con el conocimiento limitado que tenías. No era tu intención causar daños con ese acto, y su muerte fue una consecuencia no deseada.

—Puse en marcha una cadena de sucesos que provocó la muerte de personas a las que quería.

A Joe le dolieron cada una de sus palabras.

—Abordamos cada decisión con una visión reducida del pasado y de nuestro presente, y con poca capacidad de prever el futuro. Siempre habrá consecuencias imprevistas. ¿Quién puede conocer todos los efectos que se producirán? Debemos decidir, porque incluso el hecho de no tomar ninguna decisión ya es una decisión en sí.

—Entonces lo haremos lo mejor que podamos—dijo Evie, mirando fijamente el cráneo con una mano sobre el estómago.

———————————◆———————————

Para cenar se habían comido una deliciosa trucha arcoíris que Joe había pescado en una de las trampas. Luego Evie se puso a practicar movimientos lentos y precisos con su bastón *bō* junto al arroyo, dibujando arcos con él mientras el sol se ponía sobre las montañas. Con una idea distinta de lo que significaba relajarse, Joe se sentó apoyando la espalda en el manzano, con las manos entrelazadas sobre la barriga llena. La luna creciente iluminaba las ramas y perfilaba las manzanas que colgaban sobre él. Joe pensó en la conversación sobre causalidad mental que había mantenido con Gabe al observar las pelotas azules y rojas en el espacio de realidad virtual. El argumento de que la mente era una ilusión era absurdo, y necesitaba entender por qué.

Joe levantó la vista y cogió una manzana. Le dio un mordisco y la boca se le llenó del jugo ácido de la fruta, todavía verde. Giró en su mano la esfera de piel verde manchada y pensó en las propiedades de color y acidez, y en las conversaciones filosóficas con Gabe sobre la superveniencia de las propiedades. Joe encontró otra manzana que ya empezaba a madurar. La arrancó y la sostuvo con la otra mano.

. . .

Gabe diría que una manzana verde como esta representa las propiedades mentales, mientras que una manzana roja como esta otra representa las propiedades físicas.

Las propiedades físicas primarias incluyen el movimiento, la solidez, la extensión, la masa y el número. Las propiedades físicas secundarias comprenden sensaciones como el color, el sabor, el olor y el sonido. El color visible de esta manzana roja solo existe en la escala de luz, porque la luz reflejada produce la sensación de color. La acidez y el olor de esta manzana me despiertan sensaciones en la lengua debido a la interacción de moléculas específicas. Pero a escalas más pequeñas, ya no reconocería esta manzana.

Pensamos en las propiedades sobre todo en función de la escala humana, lo que podemos tocar, ver y sentir. Si pienso en las partículas, la materia que forma un objeto, puedo imaginarme sumergiéndome en el mundo microscópico. Paso de esta manzana roja al tamaño de las células orgánicas, luego a las ondas de luz visible, a las moléculas y al tamaño de un núcleo atómico. Y luego a algo todavía más pequeño, a un protón, y hasta los quarks que componen el protón, y finalmente a la espuma cuántica que conforma el espacio-tiempo.

A medida que me sumerjo en escalas cada vez más pequeñas, se van desprendiendo casi todas las propiedades tradicionales secundarias y primarias.

La existencia de propiedades es la piedra angular que sostiene el *problema* de la causalidad mental, pero la investigación científica a nivel microscópico plantea la cuestión de si existen las propiedades. Como mínimo, las propiedades no existen *dentro* de otros objetos. En la física actual, dentro de las dimensiones del espacio-tiempo, no hay pruebas concluyentes sobre las propiedades.

Pero tal vez esa sea la clave. Cada vez estoy más convencido de que las propiedades *no* existen. De ser así, esto invalidaría por completo el argumento de la causalidad mental.

Tal vez no está todo perdido y podemos creer que nuestras mentes generan causalidad en el mundo y que el libre albedrío realmente existe. Pero si las propiedades físicas no existen, ¿de dónde procede nuestra experiencia con el color, la luz y el sonido? ¿Qué es lo que sustituye la función que los filósofos atribuyen a las propiedades? Debe haber un elemento alternativo fundamental de una ontología. Necesito encontrar otra explicación.

. . .

Joe terminó de comer la manzana ácida, disfrutando del cosquilleo que le producía en las papilas gustativas. Permaneció sentado bajo el árbol, reflexionando, hasta que le rodeó la oscuridad y salieron las estrellas. Se llevó la manzana roja para compartirla con Evie. Al entrar en la cabaña, la encontró despierta con una vela encendida y se metió en la cama junto a ella. En la luz tenue, vio que tenía los ojos humedecidos.

—¿Estás llorando? —preguntó tras tocarle la cara.

—Estoy pensando en la vida y la muerte.

—¿En Celeste y Julian?

—Sí —dijo con un prolongado suspiro—. No, más bien estoy pensando en la vida...

Joe la acercó hacia él y, con el corazón latiéndole con fuerza, Evie susurró:

—Creo que estoy embarazada.

Capítulo 36

—Vosotros traed leña y nosotras ya nos encargaremos del horno. —Fabri formó una hogaza con la masa y le hizo tres cortes en la parte superior. Sobre la mesa había varios cuencos con la masa en reposo que desprendían un intenso aroma a levadura. Evie amasaba el pan frente a Fabri y la masa de trigo integral se le pegaba en las manos. Haciendo caso omiso de la petición de leña, Eloy y Joe estaban sentados observando a las mujeres. Joe sabía que ambos estaban pensando lo mismo: habían hecho su parte y les tocaba descansar.

—Ya falta menos para volver a probar el pan —dijo Eloy con una sonrisa de oreja a oreja.

—Todavía no me creo lo bien que nos ha quedado el molino, Eloy. Las piezas que creamos encajaron mejor de lo que había imaginado y funcionaron a la primera.

—Te hice construir las partes difíciles —sonrió Eloy.

Joe se observó las manos y los callos que le habían salido al cincelar las ranuras en la piedra de molino. Arrastrar las dos piedras planas y cargarlas en la carreta había sido un esfuerzo agotador, y construir el marco de madera para alojarlas tampoco había sido fácil. Pero Eloy había trabajado tanto como Joe y ambos lo sabían.

—Formamos un buen equipo. Y Bessie se encargó de girar el mecanismo. También debes reconocerle el mérito —dijo Joe con una sonrisa.

—La buena de Bessie. Me alegro de que hayamos podido usar el molino para la cosecha antes de que lleguen las lluvias. Por suerte se han retrasado.

Habían tardado semanas en preparar la cosecha. Joe había cortado los altos tallos dorados con una hoz, disfrutando del movimiento oscilante de la hoja. Eloy había trabajado a su lado. Habían atado el trigo en gavillas con paja, que luego habían apilado en garberas para secarlas en el campo. Dos semanas después hicieron la trilla para separar el grano de la paja. Eloy trajo la carreta para llevar el trigo al granero, donde continuaría secándose antes de que empezara a diluviar en la montaña.

Durante el proceso, a Joe le asaltaban dudas sobre los frutos de su trabajo. A cada paso agotador le seguían semanas de espera. Pero la cosecha les proporcionó suficiente pan para pasar el invierno y las semillas necesarias para la cosecha del año siguiente.

—El año que viene me daré el lujo de plantar al principio de la primavera. —Joe se puso las manos entrelazadas detrás de la cabeza.

Evie interrumpió la perorata.

—Bueno, Fabri, este pan ya está listo para volver a subir. ¿Empiezo con la base de la tarta de manzana? Ya casi puedo saborearla.

—Parece que alguien está recuperando el apetito —insinuó Fabri.

Evie sonrió.

—Al menos para la tarta de manzana. Pero sí, durante la última semana no he tenido tantas náuseas. Todavía no puedo mirar un huevo sin que me den arcadas, pero ya ha pasado lo peor. —Evie se palpó el abdomen, en el que Joe todavía no apreciaba ningún cambio—. Y creo que se me empieza a notar un poco.

Fabri la observó.

—No me lo parece, pero pronto lo verás. Cada mujer percibe los cambios en momentos diferentes. No hay por qué preocuparse.

Evie miró hacia abajo con inquietud.

—Todavía me siento estúpida por olvidarme de que el método anticonceptivo de mi INSTAMED estaría desactivado.

—Se nos pasó a los dos. —Joe intentó reconfortarla con sus palabras. La gente, y menos la de su edad, no pensaba en ello hasta que decidía tener hijos.

Evie le sonrió unos instantes, pero luego volvió a mirarse la barriga con desasosiego.

—Un embarazo natural... No conozco a nadie que lo haya tenido. Incluso las mujeres que viven en la Cúpula recurren a la fecundación in vitro. Me siento como si hubiera perdido el control de la situación. —Una expresión de duda cruzó su rostro, algo que Joe rara vez veía en Evie, pero que se había hecho más habitual en las últimas semanas. A menudo la sorprendía en momentos de quietud con la mano sobre el abdomen y una mirada de incertidumbre en su rostro. Al no tener conocimiento alguno sobre la gestación —ni la gametogénesis in vitro ni el embarazo natural—, sentía que la situación le iba grande y no podía hacer mucho para consolarla.

Sin embargo, Fabri se mostraba confiada.

—Evie —dijo, esperando a que le devolviera la mirada—, eres joven y estás sana, y llevarás el embarazo a la manera tradicional. Las mujeres han dado a luz desde el principio de la humanidad. Todo saldrá bien.

La expresión de Evie se iluminó con la determinación a la que Joe estaba acostumbrado.

—¿Quieres que prepare la cena? —preguntó Evie, limpiándose las manos.

Joe se levantó para cederle el sitio a Evie, dispuesto a encargarse él de la cena, pero Fabri le lanzó una mirada.

—Si te apetece, adelante —respondió Fabri.

Evie asintió y Joe volvió a acomodarse en la silla. Se puso a cocinar los filetes de venado sobre el fuego, que chisporrotearon en la sartén y desprendieron su aroma en el acogedor ambiente de la cabaña.

El embarazo había introducido una dinámica en su relación que no sabía del todo cómo manejar. Joe recordó algunos momentos de las últimas semanas en que Evie le había reprendido por encender el fuego por la mañana o preparar la cena, tareas que siempre había asumido ella. Tal vez sobreprotegerla no era la mejor forma de tratarla y, por lo visto, Fabri pensaba igual. Llegó a la conclusión de que lo mejor sería ayudarla cuando se lo pidiera y confiar en lo que ella se sintiera capaz de hacer.

Mientras Evie preparaba la cena junto al fuego, Joe miró a Eloy, que se había colocado de espaldas a la mesa. Fabri se acercó a Eloy y le puso la mano en el brazo. Joe le dirigió una sonrisa fugaz y luego desvió la mirada.

—Toda esa tecnología para el parto, esa propiedad intelectual a la que no tenemos acceso... —le oyó decir a Eloy. Fabri fijó la mirada en el suelo unos instantes antes de ponerse frente a Eloy y cogerle las manos.

Con la sensación de estar metiéndose en una conversación privada, Joe se dio la vuelta de nuevo para volver a mirar a su amada, agradecido por la vida que crecía en su interior.

Eloy fue el primero en sacar una hogaza del horno y, haciendo equilibrios con las manos, la dejó sobre la mesa para que se enfriara.

—¡Ostras, cómo echaba de menos el pan!

Acompañaron las rebanadas tibias con tomates y calabazas de los huertos, además de los gruesos filetes de venado.

—Este pan es un poco rústico, por lo que recuerdo —dijo Eloy mientras cogía otra rebanada.

—Lo de compartir nos está funcionado estupendamente —comentó Fabri entre bocado y bocado, mirando a Eloy.

—Es porque están cumpliendo su parte. —La respuesta de Eloy hizo que Fabri lo mirara expectante.

Eloy terminó el bocado de pan y carraspeó.

—Sí, bueno... Fabri y yo hemos pensado algo. Cuando nazca el pequeño, os irá bien tener algo más de leche. Me gustaría daros una de mis ovejas. —Los hombros de Eloy se relajaron al ver la gran sonrisa que se dibujaba en el rostro de Fabri—. Para cuando nazca el bebé, os tendré preparada una. Dan buena leche.

Encantados con la idea, Joe y Evie se deshicieron en agradecimientos. Joe se puso a hablar con Eloy sobre la cría de ovejas mientras Evie servía la tarta de manzana. El ambiente se impregnó del dulce aroma de las manzanas calientes. Siguieron conversando hasta que el sol alcanzó el horizonte, momento en el que Joe y Evie decidieron marcharse.

Ya en casa, Evie se sentó en la cómoda silla que Joe le había construido.

—Joe, ¿me podrías traer un poco de agua? —Él le trajo una taza y se arrodilló junto a ella. En el semblante de Evie no halló rastro de la determinación que había observado en casa de Fabri. Ahora solo expresaba miedo y cansancio.

Bebió un trago largo, le devolvió la taza y se pasó una mano por la cara.

—Todo esto me resulta tan nuevo, Joe, y no lo digo en el buen sentido. Debería ser capaz de hacer todo lo que he hecho siempre, pero no puedo. Enseguida me canso. He notado que estás tomando el relevo, pero esto no puede seguir así para siempre, tienes que hacer mil cosas, como hacer velas y cazar para prepararnos para el invierno. —Las lágrimas le caían por las mejillas y a Joe se le partió el corazón—. Pienso en los riesgos de dar a luz aquí, lejos de la civilización, sin médicos ni tecnología. Y de criar a un bebé sin asistencia médica. ¿Y si algo va mal?

De pie junto a ella, Joe se inclinó para abrazarla y la dejó llorar en sus brazos durante un buen rato. Le besó suavemente el pelo y, cuando finalmente dejó de sollozar, la apretó contra él y se volvió a arrodillar frente a ella.

—Saldremos adelante, como hemos hecho hasta ahora. Lo haremos lo mejor que podamos. Y tenemos a Fabri y Eloy para ayudarnos.

Evie resolló.

—Es una suerte tenerlos como vecinos.

—Sí. —Le tendió la mano y la ayudó a ponerse de pie para abrazarla—. Y yo también tengo mucha suerte de tenerte a ti y al pequeñín.

Evie le estrechó fuerte y Joe sintió cómo asentía con la cabeza contra su pecho.

Juntos iban a traer una nueva vida al mundo. Y él era responsable. Desde luego que lo era.

◆

Joe fue a ver cómo estaba el ahumadero, que había pasado a ser de propiedad comunal. Ahí iban a parar todas las presas que cazaban. Eloy controlaba la carne que se llevaba cada uno con una hilera de marcas hechas con el hacha en el interior de la puerta, y Joe observó con consternación que, aunque su fila de marcas era más corta, no quedaba carne. Volvió a la cabaña con las manos vacías.

Cuando regresó, encontró a Evie preparando la cena.

—¿No quedan filetes de venado?

Joe negó con la cabeza.

—Esta es la última liebre que he cazado con una trampa. —Evie señaló con cara de asco la pieza que se estaba asando en el fuego—. Yo no comeré, solo de pensarlo se me revuelve el estómago. Con los piñones, las alubias y la ensalada tengo suficiente.

Joe se dio una palmada en el estómago. El olor a carne asada, aunque fuera liebre, le hacía salivar.

—Me parece que ya sé dónde irá a parar esa liebre. Además, mañana necesitaré energía para ir a cazar a la sierra hacia el este. Estaré fuera todo el día. —Evie asintió y se sentaron a comer.

Joe se despertó mucho antes del amanecer. Era una mañana de finales de noviembre y la incipiente escarcha brillaba sobre la hierba, que aún conservaba su verdor. Era la época de celo del ciervo mulo y eso aumentaba las probabilidades de éxito. Cargó con la mochila y el arco y caminó varios kilómetros hasta la sierra oriental, con la luna llena descendente iluminándole el camino. La sutil luz del amanecer acariciaba las laderas de las colinas mientras recorría la montaña escarpada en busca de presas.

Tras cinco horas infructuosas peinando las cimas, el sol brillaba en lo alto y el ambiente era extrañamente caluroso. Recorrió una de sus líneas de trampas para comprobar si se había activado alguna y se consoló al encontrar una liebre. Luego se sentó bajo la sombra de un pino ponderosa y abrió la mochila para sacar el almuerzo. La temperatura seguía siendo elevada a primera hora de la tarde, y el trozo de liebre que había sobrado de la cena del día antes tenía un sabor desagradable. Se lo comió de todos modos y bebió agua del biofrasco para que bajara.

Cuando entró por la puerta, Evie levantó la vista.

—No te esperaba tan pronto.

Joe se sentó pesadamente en la mesa.

—Solo traigo una liebre.

—Viviremos al día.

Evie se le acercó con un vaso de agua y le dio un beso antes de ponerse a preparar la cena.

Comieron en silencio y Joe se acostó pronto. Estaba cansado tras el largo día y sabía que el día siguiente sería igual.

Se despertó sudando en mitad de la noche. Le dolía el estómago y tenía un débil recuerdo de haber vomitado en el suelo. Una vela se encendió en la oscuridad e iluminó la cara de Evie, visiblemente preocupada. Joe notó el frescor de un paño húmedo sobre la cara. Ella le dijo algo, pero él fue incapaz de desentrañar sus palabras.

La luz se apagó y Joe se encontró arrastrándose por un sombrío sendero del bosque, con una presencia grande y aterradora acechándolo. Joe corría, pero la distancia cada vez era menor y los pasos de la bestia retumbaban en sus oídos. De un zarpazo, la bestia le desgarró las entrañas y un olor fétido brotó de su vientre ensangrentado. La bestia lo esposó y lo empujó, y Joe cayó sobre sus propios excrementos. La bestia empezó a torturarle aplicándole descargas eléctricas. Las náuseas se apoderaron de él. La bestia se le puso enfrente y Joe miró fijamente a través de las cuencas negras de su cráneo.

Volvió a sentir el paño húmedo sobre el rostro y notó que alguien le levantaba los brazos, los lavaba y se los volvía a bajar. Le temblaban las entrañas, la frente le quemaba y le dolía la cabeza.

—Tiene mucha fiebre.

Joe reconoció la voz de Fabri. Notó humedad en los labios y, al abrir los ojos, vio que Evie le ofrecía un cuenco de agua.

—Joe, bebe un poco más. El agua te irá bien.

Bebió unos sorbos.

—Toma un poco de caldo también —dijo Fabri. Joe tomó un poco del líquido salado e intentó no vomitar—. Le está bajando la fiebre.

—Nunca había visto a alguien tan enfermo. —A Evie le temblaba la voz. Joe quiso tocarla, pero los brazos le pesaban.

—La biología sintética ha permitido curar todas las enfermedades humanas más comunes. Pero hay miles de bichos que pueden provocar una intoxicación alimentaria. —Pese a tener los sentidos nublados, Joe oyó la explicación de Fabri.

Por fin pudo enfocar con claridad la cara de Evie, que lo observaba con preocupación.

—Amor, seguro que es culpa de la liebre que asé. Lo siento mucho —se lamentó.

—No hay razón para que te apuñales el corazón, mi Julieta. —Su voz era apenas un débil murmullo, pero esbozó una frágil sonrisa.

—Ya vuelve a bromear —dijo Fabri aliviada—. Señal que empieza a mejorar.

Al día siguiente, Joe ya pudo sentarse en la cama. Se había obligado a tomar un cuenco de sopa y había conseguido retenerla, aunque se sentía como si le hubieran dado una paliza.

Joe vio por la ventana que Fabri se preparaba para marcharse. Le dio un sentido abrazó a Evie, que le correspondió cogiéndole las manos mientras se despedían. Evie volvió a la cabaña y se sentó cerca de la cama para ir ofreciéndole sorbos de agua.

—Siento no poder ayudar en nada —se lamentó Joe.

—Calla, bobo. Eloy trajo filetes de venado, y te haré un buen caldo.

—Gracias. —Joe se quedó mirando la chimenea. Tras haber comido un trozo de carne en mal estado y haber pasado tres días de auténtica pesadilla, nunca en su vida se había sentido tan débil—. Los dos echamos de menos la tecnología médica. Es mejor no romantizar la vida en la montaña.

—Estemos donde estemos, tendremos nuestra dosis de romanticismo. —Le besó la frente y lo arropó con la manta de ante.

Capítulo 37

Joe puso arcilla sobre el torno. Con el pie accionó el pedal y la rueda giró con brío mientras la húmeda mezcla se alzaba entre sus hábiles manos. La posibilidad de hacer cerámica era un milagro de la misma magnitud que haber construido el torno, con piezas que Eloy le había prestado del granero sin obligación de devolverlas. Una vez terminado el cuenco, lo dejó junto a los demás. Si por la mañana no estaba nublado, tendría tiempo de cocer las tazas y los cuencos en el horno de ladrillos.

La lluvia repiqueteaba sobre el tejado de la cabaña. Tras examinar el techo a conciencia, llegó a la conclusión de que no se filtraba agua entre las tejuelas y dio gracias por encontrarse a cubierto y resguardado del frío. Joe recorrió con la mirada todo su mundo: el sencillo conjunto de mesa y sillas, el cristal salpicado por la lluvia de la única ventana, la chimenea crepitante, la pila de leña y las ollas para cocinar, la limpia tarima de madera, el dormitorio con la cama individual y las mantas de piel de ciervo dobladas encima, la estancia principal de la cabaña y la diminuta cuna que había construido para el bebé, el arco y el hacha colgados en la pared junto a la puerta de entrada...

Se lavó las manos en una vasija grande, frotando bien los surcos de las callosidades. Aquellas manos ya eran como las de Eloy, nudosas y recias, y al darse cuenta se sobresaltó.

Entre las enseñanzas de Eloy y sus propios aprendizajes, ahora Joe podía arreglar cualquier cosa que se rompiera en su pequeña granja, y lo cierto era que las tareas de mantenimiento no terminaban nunca. Cada día se levantaba antes del amanecer y trabajaba hasta el anochecer. Junto a la cabaña tenía una torre de leña apilada. Tardó semanas en cavar una bodega de raíces, techarla e instalar una puerta fabricada con madera talada. Llenaron la bodega de manzanas y plantas recolectadas que se pudieran conservar. Instaló líneas de trampas a lo largo de varios kilómetros para tener controladas nuevas zonas de la montaña y las comprobaba todos los días, al igual que las trampas para peces.

En el ahumadero de Eloy había dos ciervos mulo, cuya carne y piel les proporcionaban proteínas y ropa para el invierno. La noria precisaba mantenimiento periódico, como engrasar el eje. El trabajo era incesante, pero estaba satisfecho y dormía como un tronco.

El único respiro del trabajo era la pesca. Joe había cortado un árbol joven y se había fabricado una vara sencilla, y le encantaba usarla para pescar las truchas que nadaban despreocupadas por las sombrías aguas del arroyo. Si quería cazar con arco debía realizar largas y extenuantes caminatas durante horas para alcanzar nuevas cotas. Había un aroma en particular que Joe aspiraba hasta lo más profundo de sus pulmones cuando recorría los bosques de la zona occidental: efluvios de pino y maleza, polvo árido y aire fresco de montaña que recordaría para siempre. Para él, ese aroma era sinónimo de libertad.

Cruzó los brazos y se apoyó en la puerta contemplando la cara de Evie, sentada en una esquina. Estaba concentrada en coser pieles de liebre para hacer ropa para el bebé con una aguja que se había fabricado. La enorme barriga se le movió y Evie se detuvo para respirar profundamente.

—Menuda patada te ha dado.

Evie levantó la vista y sonrió.

—El pequeño, o pequeña, me da muchas más patadas de las que se ven. Esta ha sido muy fuerte.

Visiblemente incómoda, se estiró y cambió de posición. No se quejaba, pero Joe sabía que a menudo le dolía la espalda. Fabri decía que tenía la barriga bastante grande y se preguntaba si habían calculado mal el día en que salía de cuentas. También les decía que no tenían nada que temer, pero estaban preocupados.

—¿Podrías traerme unos piñones? —Su mirada era una mezcla de vergüenza y disculpa—. No puedo parar de comer.

Joe trajo un cuenco.

—Tienes que alimentarte. ¿Te apetece alguna hierba o planta en especial?

Se metió media docena de piñones en la boca y negó con la cabeza.

—Me alegro de que te estés encargando de buscar comida. Ya no me puedo ni agachar.

—Has sido una buena maestra. Ahora puedo diferenciar *la mayoría* de las plantas comestibles.

Evie se rió y luego le enseñó su obra.

—Tanto si es niño como si es niña, esto le irá bien. —Evie examinó las puntadas con detenimiento—. Aunque debo reconocer que es muy primitivo. Fuera de la Zona habría podido encargar prendas de piel sintética perfectas —dijo con un suspiro.

—¿Estás criticando mis pieles curtidas?

—No, solo recordando lo que dejamos atrás.

Joe asintió con una sonrisa melancólica, aunque enseguida se le iluminó la expresión.

—Espera, piensa en los objetos que fabricamos. Parece que solo son partículas en movimiento, pero lo que les añadimos, como el cariño con el que coses estas prendas para el bebé, es lo que les da sentido. Y ese sentido no se puede comprar.

Ella le sonrió.

—Se me ocurre otra cosa que hemos fabricado sin proponérnoslo, y que tendrá más sentido que todo lo que hemos hecho hasta ahora.

Joe se le acercó y le puso la mano sobre la espléndida panza.

—Tendremos un bebé al que podremos amar y cuidar.

Se entrelazaron las manos y compartieron ese momento de esperanza.

—El bebé aún no está listo para venir a este mundo. —Evie le apretó la mano—. Pero pronto lo estará.

La puerta repiqueteaba con las fuertes ráfagas de viento que soplaban fuera de la cabaña. Joe tiritó y echó leña al fuego. Los troncos prendieron con el contacto de las brasas, formando una danza de llamas amarillas y rojas cada vez más altas y llenando la cabaña de un agradable aroma a pino. Se colocó detrás de Evie para hacerle un masaje en los hombros y en la espalda. La calidez del fuego les arropaba. Estaban protegidos en su mundo, esperando el próximo giro que iban a dar sus vidas con la llegada de la primavera.

◆

La nieve todavía cubría las cumbres, pero ya había pasado lo más crudo del invierno y la escarcha matutina se desvanecía más rápido cada día. El arroyo discurría ligero junto a la cabaña. El vientre de Evie le había crecido tanto que le impedía realizar la mayor parte de sus tareas habituales. A pesar del dolor de espalda y de pies, seguía preparando las comidas y confeccionando ropita y mantas con las pieles curtidas. Joe trabajaba de sol a sol para mantener la granja en funcionamiento. Eloy solía acercarse a menudo a echar una mano y Joe cada vez lo agradecía más.

Un día que bajó al ahumadero para llevarse un par de filetes, se detuvo ante la cabaña de Fabri y llamó a la puerta. Fabri abrió y lo invitó a entrar, pero él sacudió la cabeza.

—Solo quería saber tu opinión, Fabri. Está... enorme, y tiene mucho dolor.

—No hay nada de qué preocuparse. —Fabri le dio una palmadita en el brazo—. La barriga le ha crecido mucho, pero es posible que no hayamos calculado bien la fecha en la que sale de cuentas. Podría ser pronto. Pase lo que pase, estaré aquí. Lo que tienes que hacer para ayudarla es *mantener la calma*, Joe.

Joe respiró profundamente y asintió.

—Tienes razón. Gracias, Fabri.

Joe regresó a la cabaña.

—Ya tengo la cena para esta noche —dijo, poniendo el paquete de filetes sobre la mesa.

Evie estaba sentada en el borde de la cama, respirando profundamente, con una toalla húmeda en la mano.

—Creo que hoy te va a tocar cocinar a ti. He roto aguas.

Joe se quedó atónito, siguiendo el reguero oscuro que recorría el suelo de la mesa a la cama. Evie sostenía serena una toalla entre las piernas, pero estaba pálida y parecía preocupada.

. . .

Mantén la calma. Tienes que estar tranquilo.

. . .

—Vale, lo estás haciendo muy bien, Evie. Voy a buscar a Fabri y vuelvo enseguida.

Joe se le acercó para darle un beso antes de correr colina abajo como una cabra montesa. Fabri agarró su botiquín y ambos se dirigieron a toda prisa hacia la cabaña. Joe abrió la puerta de la cabaña y se encontró a Evie balanceándose de un lado a otro con los ojos cerrados.

Fabri se puso manos a la obra, dándole órdenes con seguridad.

—Joe, mantén el fuego encendido y pon agua a calentar. Tenemos que esterilizarlo todo al máximo. —Fabri se acercó a Evie. Joe siguió las instrucciones, contento de poder ayudar. Esta lección no estaba en el omnilibro.

Fabri se lavó las manos, extendió toallas y mantas, y sacó sus escasos suministros médicos. Joe se abstuvo de comentar lo poco que había o el hecho de que probablemente todo lo había encontrado Eloy.

—Contaré cada cuándo tienes contracciones. —Fabri hablaba con voz serena. Se sentó en la silla y tomó la mano de Evie—. Concéntrate en respirar hondo y lento.

Joe ya había encendido el fuego y el cazo de agua hervía cuando Evie empezó a gemir.

—Relájate y respira. —Fabri se inclinó hacia ella y volvió a cogerle la mano—. Lo estás haciendo muy bien.

Joe se puso de pie junto a Evie y le cogió la otra mano, acariciándole la suave piel con el dedo. Ella parpadeó y le apretó la mano.

Durante las cinco horas posteriores las contracciones fueron aumentando en intensidad y frecuencia, lo que, según Fabri, indicaba que el parto estaba avanzando. Pero a Joe le parecía como si estuvieran atrapados para siempre en un bucle de gemidos, respiraciones pesadas y su propia impotencia. Se paseaba de un lado a otro, luego le cogía la mano, le secaba la frente y volvía a pasearse. Fabri mantuvo en todo momento una expresión serena y una actitud positiva. Se iban turnando para aplicarle paños empapados en agua caliente en la zona lumbar.

—Dejémoslo correr —dijo, gimiendo de nuevo.

Fabri reprimió una risa.

—Cariño, esta criatura va a venir al mundo sí o sí. Intenta relajarte al máximo. —Le volvió a aplicar otro paño caliente y Evie se relajó por un momento. Joe se arrodilló para frotarle la espalda.

Al cabo de un instante, Evie gritó:

—No puedo hacerlo, no puedo, no puedo... —Su voz se fue apagando hasta convertirse en un gemido. Joe clavó los ojos en Fabri, que tenía la mirada puesta entre las piernas de Evie.

—El final está cerca, cariño. ¡El bebé ya está aquí! Ya casi estás, deja que tu cuerpo haga el trabajo. Solo tienes que respirar y luego *empujar*.

Evie lloraba de dolor y jadeaba entre una contracción y la siguiente.

—Ya veo la cabeza, Evie. Vamos, lo estás haciendo muy bien —murmuró Fabri.

Joe, aterrado pero eufórico, le secó el sudor de la frente. Evie apretó la cara con fuerza y volvió a gritar. Joe vio cómo la cabeza y los hombros del bebé se deslizaban en las manos expectantes de Fabri. El olor acre del parto le recordó el agua de mar, y también el día en que destripó su primer ciervo. No se imaginaba que habría tanta sangre.

—Un empujón más, Evie, solo uno más.

Y con un último grito, Fabri tuvo entre sus manos al bebé. Evie jadeó y se recostó, cerrando los ojos unos instantes. El agudo llanto del bebé le hizo mirar a su alrededor con un instinto salvaje, pero Fabri ya se lo estaba colocando sobre el pecho.

A Fabri se le llenaron los ojos de lágrimas.

—Es un niño.

Evie miró hacia abajo con asombro, y luego a Joe.

—*Tenemos* un hijo —susurró con voz frágil. Joe le acarició la cabeza, todavía incrédulo ante ese ser diminuto, hinchado y enrojecido que tenía delante. Su hijo.

. . .

Somos meros animales, simios evolucionados. Pero mira de lo que es capaz la evolución.

. . .

Fabri se limpió las manos.

—Tendremos que cortar el cordón, pero nos lo podemos tomar con calma mientras se acostumbra a respirar. Toma, Joe, límpiale los ojos.

Le dio un paño limpio y Joe se lo pasó por los ojos con ternura. El bebé, recostado sobre el pecho de Evie, lloraba con fuerza.

Finalmente, Fabri ató el cordón umbilical y lo cortó con unas tijeras. Los ojos de Evie, agotada, tenían un brillo especial.

—Hemos decidido que se llamará Clay.

Joe contempló la cara angelical de su hijo sollozando.

Evie dio un alarido y su cuerpo tembló con otra contracción. Joe tomó a Clay en brazos, al ver a Evie retorciéndose de dolor. ¿Por qué había sangre entre sus piernas otra vez? Fabri se afanaba a lavar las toallas ensangrentadas en la pila. Cuando se volvió a sentar, Joe le susurró:

—¿Se está muriendo?

Fabri resopló.

—El rojo también es el color de la vida, no solo de la muerte. Tienes que ser positivo. La placenta ya ha salido. Todo va bien. —Fabri se limpió la frente con el dorso de la mano. Parecía cansada pero decidida—. Pero ha vuelto a romper aguas. Parece que hay otro dentro.

—¿Dos? —Joe sujetó a Clay con más fuerza.

. . .

¿Me está pasando esto a mí? ¿Voy a ser padre... por partida doble? ¿Cómo me las arreglaré? Pero mira lo hermoso que es mi hijo. Es un milagro perfecto.

. . .

Evie se puso de lado, de nuevo llorando de dolor.

—¿Por qué me duele tanto todavía?

—Tienes a otro en camino, preciosa —dijo Fabri con seguridad, inclinándose hacia ella—. Tú puedes.

Le pasó un paño frío por la frente y luego le dio un masaje en la zona lumbar.

—Ahora respira hondo.

Evie respiró entrecortadamente y Joe, sosteniendo a Clay, trató de no exteriorizar su ansiedad. El bebé se acurrucó, emitiendo pequeños gemidos de hambre con la boquita entreabierta. Joe acunó al pequeño, recostado en el hueco del codo.

—Pronto te daremos comida, pequeñín. —Joe miró a Evie, que en ese momento emitía otro gemido de dolor—. O eso espero.

Fabri se volvió a colocar frente a las piernas de Evie para comprobar el avance y Joe le acarició el hombro, pero Evie se zafó de su mano. Joe miró a Fabri sin saber qué hacer y ella le indicó con la cabeza que retrocediera.

—Ya se acerca al final, Joe. Su cuerpo necesita concentrarse en la tarea, no se puede distraer con tu contacto.

Acto seguido, con una voz más suave, dijo:

—Evie, una vez más. El segundo es más fácil. Ya lo tienes.

Evie sollozaba y empujaba.

—¡Ya... ya está aquí!

El segundo bebé se deslizó hasta las manos de Fabri. Un llanto agudo cortó el aire en cuanto el bebé hizo su primera respiración.

—Dos niños.

Recostada, Evie jadeaba, riendo y llorando a la vez, y luego le hizo un gesto a Joe, que le entregó a Clay, cuyos gemidos se habían convertido en llanto al oír los lloros de su hermano. En un instante, se enganchó al pecho de Evie. Joe tomó al segundo bebé de los brazos de Fabri y lo miró maravillado. Luego lo sostuvo para que Evie lo viera. Su segundo hijo.

—Asher —dijo Joe fascinado. Se alegró de que les hubieran gustado dos nombres, porque así no tenían que elegir. Asher abrió sus ojos de color avellana y parpadeó ante la luz.

La segunda placenta salió mientras Evie amamantaba a Clay, pero apenas se dio cuenta, cautivada como estaba por su retoño. Le resiguió las orejitas mientras comía de un pecho y luego del otro. Cuando terminó, Joe lo intercambió cuidadosamente por Asher. Clay cerró los ojos y se durmió. Joe no podía apartar la vista de su hijo, maravillándose del milagro que descansaba entre sus brazos.

—No se coge al pecho. —La voz contrariada de Evie despertó a Joe de su embeleso, que levantó la vista del bebé dormido. Asher emitía pequeños gemidos cerca del pecho, pero no se enganchaba como Clay.

—Intenta cambiar de posición, Evie —sugirió Fabri, ayudándole a colocarse a Asher—. He oído que pueden tardar un tiempo en agarrar el pezón correctamente.

—Clay empezó a comer sin que yo hiciera nada especial.

Por suerte, unos minutos más tarde Evie encontró una posición cómoda para ella y Asher emitió un fuerte gruñido al comer, lo que provocó sus risas.

Con Asher mamando y Clay durmiendo entre sus brazos, una ola de cansancio invadió a Joe, que se sentó en una silla junto a la mesa. No podía ni imaginar cómo se sentía Evie, y al mirarla observó una expresión de felicidad dibujada en sus labios mientras contemplaba a Asher, llena de amor.

. . .

¿Cómo vamos a cuidar de mellizos? Dos bocas más que alimentar. Alguien tendrá que estar por ellos todo el tiempo. Son tan indefensos. ¿De dónde sacaremos la ayuda? Pero este pequeñín también es una preciosidad. Los dos son asombrosos. Lograré sacarlos adelante.

. . .

Después de limpiarlo todo y recoger sus pertenencias, Fabri se quedó unas horas más para ayudar a Joe a practicar con el cambio de pañales hasta que encontraron una manera de ajustarlos a los culitos de los bebés. También sostuvo a Asher un rato para que Evie pudiera dormir un poco. Joe le volvió a agradecer su ayuda de todo corazón, y ella le correspondió con una sonrisa.

—Estos niños también los siento un poco nuestros, así que puedes agradecérmelo dejando que los cuide de vez en cuando.

Fabri sonrió a Asher, aún dormido, y luego se lo devolvió a Evie, que se había incorporado.

—Evie, tendrás que descansar durante unos días y tomarte las cosas con calma. Eres joven y te recuperarás pronto, pero no quieras correr demasiado. Deja que Joe se encargue del trabajo duro una temporada —insistió Fabri, guiñándole un ojo mientras recogía su botiquín. —Me voy a contárselo a Eloy, que seguro que se muere por conocer la noticia. No se creerá que esperabas mellizos en esa panza enorme.

Fabri se detuvo en la puerta de la cabaña, con el perfil de sus trenzas rojizas iluminado por el torrente de luz que entraba.

—Es importante que beba mucha agua y té. Que coma en cuanto se sienta con ánimos.

—Nos has ayudado tanto —dijo Joe abrazándola—. Gracias de nuevo, Fabri. Tu experiencia nos ha salvado.

Fabri se ruborizó.

—Este trabajo me hace feliz. Me alegro de habérmelas apañado sola.

Joe trató de disimular su sorpresa.

—¿Cuántos partos has atendido?

—Hasta ahora, dos. Era auxiliar en un hospital y pude ver un par de nacimientos. Me estaba preparando para ser enfermera con la esperanza de lograr un ascenso, pero todavía no lo había logrado antes de venir aquí. Por supuesto, no estaba permitido que alguien de nuestro nivel atendiera partos en el hospital.

—Claro...

—Estoy segura de que Eloy vendrá mañana a conocer a los pequeños —dijo al despedirse.

Joe cerró la puerta y le trajo a Evie una taza de agua. Luego preparó té con el agua que quedaba en el cazo. Evie dio unos sorbos mientras contemplaba a Asher, que ya volvía a estar enganchado al pecho.

—¿Ya vuelves a tener hambre, chiquitín? —dijo ella, con el semblante exhausto pero feliz.

Joe le sonrió a Clay, que también había empezado a inquietarse mientras dormía.

—Nos van a faltar manos.

Evie miró a Joe.

—Más felicidad de la que esperábamos. Pero nos las arreglaremos —susurró.

Capítulo 38

Los días posteriores al nacimiento de los mellizos transcurrieron como un sueño para Joe, en parte porque no podía separar las escasas horas de descanso del continuo alboroto que hacían y los cuidados permanentes que necesitaban. A veces daba pequeñas cabezadas y se despertaba sin darse cuenta de que se había quedado dormido. ¿Estaba tan confundido, eufórico y somnoliento como ella?

Los pequeños comían. Evie se colocaba un bebé al pecho y luego se lo daba a Joe mientras se colocaba el segundo, y a veces se enganchaban los dos a la vez. Las tomas se producían cada poco rato y Joe se despertaba cada vez para cambiar pañales o ayudarles a eructar. Parecía imposible lograr que durmieran sin que uno despertara al otro.

Pasaban tanto tiempo contemplando a los bebés dormidos y hablando de lo hermosos que eran que a veces casi los despertaban, pero enseguida se daban cuenta de que necesitaban momentos de tranquilidad para recuperar fuerzas.

Cuando no estaba en la cabaña ayudando con los bebés, Joe salía a buscar comida para poder alimentar a Evie. Recorría la línea de trampas cada mañana, revisaba las trampas para peces, recolectaba plantas primaverales por la montaña y reponía la pila de leña, disfrutando del chasquido del hacha contra la madera.

La tarde siguiente al nacimiento Eloy había aparecido con la carreta para traerles un carrito de bebé. Las ruedas estaban hechas con tarugos de madera circulares, y los laterales estaban formados por dos tablas que había alisado con una garlopa.

—Cuando Fabri me dijo que eran mellizos, tuve que ensanchar este armatoste para que cupieran los dos.

Joe le dio las gracias y lo llevó adentro a ver a los pequeños, empujando el cochecito. Evie sostenía a Clay en brazos mientras Asher dormía sobre la cama envuelto en una manta de piel de liebre. El rostro de Eloy se iluminó de emoción y le tocó la mano a Clay con una expresión de ternura y asombro que sorprendió a Joe.

—Qué criaturas tan preciosas —exclamó Eloy—. En cuanto pueda os traeré la oveja. La leche de oveja es más fácil de digerir que la de vaca. Pero la tuya es la mejor para darles todas las vitaminas y la inmunidad que necesitan.

Evie se lo agradeció con una sonrisa cansada.

—Pronto necesitaré más leche. Estos pequeños son un par de tragones. Y el cochecito nos será de gran utilidad, muchas gracias.

—El terreno no es muy llano que digamos, pero será más fácil transportarlos de un sitio a otro sobre ruedas —añadió Eloy.

Tras dedicar unos minutos a contemplar a los bebés en silencio, Eloy se despidió. Cuando se hubo marchado, Joe se sentó junto a Evie, que se apoyó en el cabecero con un suspiro.

—¿Cómo te sientes?

Ella se rió, con los ojos cerrados.

—Sería mejor preguntarme qué es lo que no siento. No logro entender el torbellino de sensaciones que se arremolinan en mi interior. Estoy tan cansada que apenas puedo encadenar dos palabras seguidas, y eso tampoco ayuda. —Evie lo miró—. Estoy aliviada de que el parto fuera bien, que todo haya terminado y que tengamos a nuestros pequeños, pero ahora me preocupa poder alimentarlos para que crezcan sanos. Estoy nerviosa y abrumada, no me siento preparada. —Suspiró de nuevo, volvió a contemplar a los pequeños y se calmó—. Pero cuando me los pongo al pecho y los veo tan indefensos, por un momento me siento capaz y creo que puedo con todo.

Joe se inclinó y la besó.

—Claro que puedes con todo.

Fabri regresó los días siguientes para ver cómo estaba Evie. El segundo día, Joe la recibió en la puerta porque Evie por fin estaba durmiendo con los pequeños acurrucados junto a ella y no quería molestarlos.

—Iba a buscar plantas medicinales para que se recupere más rápido. ¿Me acompañas?

El tiempo era soleado y, a pesar de sentirse agotado, Joe necesitaba una excusa para salir de la cabaña. Mientras caminaban tranquilamente montaña arriba, ella iba señalando las plantas útiles que asomaban por la tierra.

—Las hojas de manzanita aún están verdes. Necesitaremos llenar unos cuantos cestos. —Joe la ayudó a recoger las hojas y luego volvieron a la cabaña.

—Las pondré en remojo y prepararé un baño de asiento. Es un truco que leí de los pueblos originarios que vivían aquí. Le ayudará a recuperarse.

—Gracias por todo lo que estás haciendo por Evie y por mí. Nunca te lo podré pagar —dijo Joe.

—Estás hablando igual que Eloy. No hay que pagar nada. A mí me encanta poder hacerlo.

—Pero ¿no preferirías estar haciendo otra cosa?

Ella se lo quedó mirando.

—Joe, lo estás mirando al revés. La recompensa es precisamente poder ayudar a la gente.

· · ·

Increíble. Está convencida de lo que dice.

· · ·

Llegaron a la cabaña y Joe abrió la puerta. Evie estaba sentada en la cama con un bebé en cada brazo. Sonrió cansada, pero su mirada era inexpresiva y eso preocupaba a Joe.

Fabri se acercó a Evie.

—Querida, tómate un baño de asiento y ya verás como te sientes mucho mejor. He traído un barreño y algunas plantas medicinales. Calentaré agua y lo preparamos todo.

—¿Te podrías llevar a los pequeños fuera? —preguntó Evie dirigiéndose a Joe—. La temperatura es agradable si van bien abrigados, y podéis sentaros bajo el árbol.

Joe envolvió delicadamente a los mellizos, los metió en el cochecito y lo empujó hasta el manzano. Los acunó suavemente mientras pensaba en Fabri. Amaba al prójimo con todo su corazón, compasivamente, sin pensar en su propio bienestar. Actuaba por mero altruismo.

Esa noche, en la cama, Evie se le acercó. Milagrosamente, los pequeños estaban dormidos.

—Ese baño de asiento que me ha preparado Fabri es lo que mejor me ha hecho sentir desde que nacieron los mellizos. Me cuida como si fuera mi hermana y cuando estoy con ella me siento yo misma.

Joe la abrazó, pensando en cómo podría mostrarse tan compasivo como Fabri.

—No sabes cuánto me alegro. Soy consciente de que convertirte en madre no ha sido fácil, pero lo estás haciendo estupendamente. No lo olvides. Has traído al mundo estos dos hermosos milagros y les enseñarás lo que significa ser humano.

—Tengo suficientes semillas para plantar el doble de trigo este año —dijo Joe. Ya hacía cuatro semanas que habían nacido los mellizos y no podía posponer más la siembra. Había ido a visitar a Eloy y a pedirle que le prestara a Bessie para arar.

—¿No te sobran semillas para que las plante por mi cuenta?

Joe rió entre dientes.

—Tú eres el economista. División del trabajo. Es más eficiente si siembro un campo más grande. Estoy seguro de que me ofrecerás algo a cambio que sea justo.

—Buen economista, mal contable. De acuerdo, ya llevaré la cuenta. Este año plantaré más maíz.

Cerraron el trato dándose la mano.

—Otra cosa —dijo Eloy, antes de desaparecer en el granero. Volvió al cabo de un minuto con dos ovejas atadas con un ronzal—. Ahora tienes dos bocas más que alimentar.

—Eres muy generoso. Añadiremos este regalo a la cuenta.

—Los chicos tienen su propia cuenta. Ya la arreglarán conmigo más adelante. —Un halo de nostalgia le cruzó el semblante.

Joe cargó el arado en la carreta, ató las ovejas detrás y partió hacia la cabaña. Al llegar, dejó a las ovejas libres pastando la hierba fresca del claro junto al campo mientras él enganchaba el arado a la yegua.

Aunque araba una zona en la que ya había abierto la tierra antes, el suelo estaba duro por la helada del invierno. Bessie resopló y sacudió la cabeza, enfurecida por el esfuerzo. Joe se detenía al final de cada carrera para dejarla descansar y, aun así, terminó de arar en un solo día.

No paró de trabajar en toda la semana. Colocó los segmentos del canal de madera en su sitio y el agua prístina del deshielo fluyó desde el arroyo pasando por la noria hasta cubrir el campo. Esparció las semillas a mano y cubrió de tierra oscura las futuras plántulas. El fresco aroma de tierra húmeda le recordó a la nueva vida abriéndose paso en el mundo.

Al regresar a la cabaña, tuvo la sensación contraria: la ausencia de vida primaveral. El habitual sonido de las abejas zumbando en la parte trasera de la cabaña había desaparecido. Se dirigió al gran roble más allá del segundo manzano, donde había visto un enjambre de abejas en un hueco a tres metros de altura. Examinó el lugar y vio una pequeña hilera de hormigas subiendo por el tronco hacia el hueco. Fue a buscar la escalera tambaleante, la apoyó contra el árbol y se encaramó con cuidado. Metió el hacha en el nido, en el que todavía quedaban algunas abejas rezagadas. El enjambre había abandonado su hogar por culpa de la invasión de hormigas.

Media hora después, llevó su tesoro a la cabaña para mostrárselo a Evie.

—¿Miel? —Evie aplaudió inspeccionando el cubo que traía Joe.

—Las hormigas han echado a las abejas. Espero que encuentren un nuevo hogar cerca. Pero me ha parecido que valía la pena luchar contra las hormigas por la miel que quedaba en el árbol —dijo recordando la lagartija del desierto—. Al igual que cualquier otro ser vivo de por aquí, tenemos que luchar para sobrevivir.

—¿Te han picado?

—Solo tres veces. Ya no quedaban muchas abejas.

Ella sonrió y lo besó.

—No hay miel sin hiel.

Sus vecinos les fueron visitando durante toda la primavera. Eloy enseñó a Evie a ordeñar las ovejas, situándose encima a horcajadas y agachándose para tirar de las ubres. El suplemento de leche les ayudaba a calmar el voraz apetito de los mellizos. A Eloy le gustaba sentarse junto a los pequeños en el cochecito y hacerles muecas hasta arrancarles una sonrisa. El humor de Evie había mejorado mucho desde que se podía mover con libertad, y Joe se deleitaba viendo cómo se le iluminaba la cara con su recién estrenado amor maternal cada vez que miraba a Clay y Asher. Como madre, se sentía segura de sí misma y sus temores habían dejado paso a la firme determinación de dar todo cuanto pudiera a sus hijos.

Los pequeños cólicos de Asher habían remitido y los bebés comían bien y crecían sanos y fuertes. Ahora ya dormían más seguido durante la noche y sus padres podían descansar de nuevo. Evie incluso había empezado a dar cortos paseos en busca de comida, dejando a Joe al cuidado de los pequeños. Sus hallazgos volvían a alegrar las cenas.

A medida que el tiempo mejoraba, pasaban más tiempo fuera. Joe construyó un par de sillones de madera para que ambos pudieran sentarse y estar más cómodos mientras cuidaban de los niños. A este proyecto lo siguió la construcción de un pequeño porche con vistas al arroyo y las montañas del oeste. El techo inclinado hecho de tejuelas se aguantaba con dos postes y daba sombra a las dos sillas y al carrito. El porche y el manzano eran dos de sus lugares favoritos para sentarse y ver la puesta de sol.

Habían creado su propio Edén, un lugar para luchar, vivir y recorrer un camino que merecía la pena. Amaba lo que habían conseguido, aunque era consciente de que sería efímero. No eran más que partículas en movimiento, pero él había dado forma a esas partículas con sus manos para cumplir sus objetivos. Desempeñaba con satisfacción su nuevo papel de cazador, recolector, agricultor y padre. Algunos días su jornada empezaba antes del amanecer, escondido con su arco en una plataforma sobre un árbol o acechando los senderos de la montaña en busca de presas. A última hora de la mañana recorría la línea de trampas y pasaba las tardes desyerbando el campo. Entre una cosa y otra, ayudaba con los pequeños. Le encantaba cuando le seguían con la mirada y movían la boquita al oír su voz.

A pesar de los arañazos, los moratones, la mugre permanente y el trabajo duro —o quizá debido precisamente a eso— la vida transcurría a un ritmo tranquilo y cotidiano.

Al ponerse el sol, Joe se sentó bajo el manzano. Un rato antes había hecho una muesca en la pared trasera de la cabaña con el hacha. Era el primer aniversario de su destierro. Desde el juicio, había pasado de la desesperación total a la felicidad. Por necesidad, no había tomado ni whisky ni psicotrópicos, y se sentía despejado y en plena forma. Todo lo que habían superado les había hecho enamorarse más si cabe, y juntos trabajaban para sacar adelante a la familia que habían creado por sorpresa. Habían traído al mundo dos nuevos seres humanos preciosos, se habían construido un hogar en medio de la naturaleza salvaje y habían hecho nuevos amigos. Y aunque era una vida dura físicamente y llena de incertidumbre, le aportaba experiencias muy enriquecedoras. Sin embargo, los riesgos también eran mayores y todo podía torcerse en cualquier momento.

El viento agitaba las ramas. El canto del azulejo de las montañas acompañaba la luz que se desvanecía por momentos. En la zona oriental se divisaban nubes, pero el cielo estaba despejado alrededor del sol poniente. Le envolvía una calma absoluta.

. . .

La última vez que tuve tiempo para pensar fue antes de que Evie se quedara embarazada. Fui a la Universidad de Lone Mountain para entenderme a mí mismo, para saber si la mente puede tener libre albedrío. En mi encuentro clave con Gabe empecé a sospechar que quizá no existe la causalidad mental, que nada de lo que hacemos importa y que todo está fuera de nuestro control.

Pero aquí en la montaña he hecho avances. Evie me ayudó a darme cuenta de que la causalidad mental sigue siendo cierta y que creer lo contrario es absurdo. Hemos luchado contra viento y marea, y de momento vamos ganando gracias a nuestro propio esfuerzo y algo de suerte.

El argumento contra la causalidad mental se basa en una relación de superveniencia, es decir, en que las propiedades mentales supervienen de las propiedades físicas. El *verde* de una propiedad mental que tenemos en la cabeza superviene del *rojo* de una propiedad física del universo, al menos según esa explicación. Ahora creo que las propiedades no existen. Y si nuestra idea común sobre las propiedades es errónea, entonces el argumento que niega la causalidad mental fracasa.

Pero las propiedades han sido comúnmente aceptadas durante miles de años y no podemos eliminarlas sin una argumentación que las sustituya. ¿Para qué sirven las propiedades? Los filósofos afirman que las propiedades tienen poderes causales y son hacedoras de verdad. El primer supuesto se remonta a Platón, que afirma que una cosa en realidad *existe* si tiene capacidad de provocar algo en otra cosa. El papel del hacedor de verdad es más abstracto y, a menudo, se refiere a la verdad de las afirmaciones. Los hacedores de verdad son los elementos que hacen que una afirmación sea verdadera.

Si no hay propiedades, entonces esta función la debe hacer otro elemento ontológico, algo que exista realmente.

. . .

Joe apoyó la mano en la corteza envejecida. Su mano callosa era un reflejo de la curtida rama del árbol.

. . .

¿Qué hay de las relaciones? Entre los objetos se establecen relaciones. Un objeto puede ser más grande que otro, como este árbol, que es más grande que mi mano. Un objeto también puede existir junto a otro, como mi mano descansa sobre el árbol. Pero estas relaciones se consideran de segunda clase en la filosofía, porque es más natural creer que las propiedades físicas son causales. Las relaciones en realidad no *hacen* nada.

Los físicos han sido más benévolos con las relaciones. Las cuatro fuerzas fundamentales —gravitatoria, electromagnética, fuerte y débil— describen cómo se relacionan los objetos o partículas entre sí. El campo de Higgs tiene un halo místico porque es una energía invisible presente en todo el universo por la que las partículas adquieren masa, que es el elemento básico de la materia. Este campo hace pensar que en cualquier objeto se produce una relación más que una propiedad.

. . .

El enmarañado ramaje se balanceaba sobre él apuntando en todas direcciones. El viento susurraba a través de las ramas, perfiladas contra un cielo azul que se iba apagando gradualmente. La corteza grisácea, surcada por profundas grietas, era el testigo peridérmico de una prolongada existencia.

De repente, el halo se desvaneció. Joe se quedó sin aliento y tuvo una revelación. Ya no veía las ramas como si tuvieran las propiedades incrustadas en las partículas, ya no veía su textura ni el color grisáceo de la corteza. En las ramas se producían un sinfín de relaciones, entretejidas en la esencia de la existencia. Las relaciones no surgían del árbol: *eran el árbol*. Se quedó paralizado, observándolas con el cielo detrás, y una tremenda energía inundó su cuerpo.

. . .

La ontología se ocupa de *lo que hay*, de las cosas que tienen *existencia*. ¿Y si la ontología común está al revés y va hacia atrás? ¿Y si las relaciones son reales, y las propiedades no lo son? ¿Y si las relaciones hacen el trabajo que se ha atribuido erróneamente a las propiedades? ¿Y si las relaciones son causales?

. . .

El sol desapareció detrás de la montaña y un destello de color verde le hizo sonreír. Ese fenómeno de la puesta de sol le recordó a los ojos de Evie y sintió una sensación de felicidad plena. Los colores del atardecer cambiaron de naranja a rosa y luego a violeta. Le vino a la mente un pensamiento de hacía una eternidad, del día en que Evie había hecho un *rodeo flip* con la tabla de surf. Cerró los ojos y la imaginó girando en el aire, con su cuerpo al revés y hacia atrás antes de recuperar perfectamente la posición para enfrentarse a la siguiente ola.

. . .

Como nuestras percepciones están tan integradas en el mundo y en la forma en la que hemos aprendido desde pequeños, es casi imposible pensar en otra cosa que no sea un mundo de partículas que forman objetos. ¿Cómo puedo entender el concepto de las relaciones causales?

Si la forma en la que percibimos las cosas es al revés y hacia atrás —como Evie sobre la tabla de surf—, entonces describir los objetos percibidos a través de las palabras comunes no funciona. No podemos pensar a partir de objetos y propiedades, ni de las cosas que creemos que existen. Necesitamos una forma de darle la vuelta a nuestro pensamiento. Condicionados por una mente mal entrenada desde el nacimiento, ahora debemos redefinir lo que es *real* y pensar en las *relaciones*, que son algo nuevo y real.

. . .

Sobre su cabeza, las ramas temblaban con el soplo constante de la brisa. Sintió unas suaves gotas de lluvia sobre la cara y miró hacia el este. Se acercaban nubes de tormenta.

De repente, empezó a llover con fuerza y Joe corrió hacia el porche para resguardarse. Se sentó en la silla de Evie a contemplar los rayos y truenos que iluminaban el cielo. Las gotas caían del techo cerca de su bota. La majestuosidad del cielo avivaba sus pensamientos, imbuidos por la fuerza que desprendía ese pedacito de universo. Un relámpago púrpura cayó sobre un gran árbol en una colina lejana y el estruendo le alcanzó en una décima de segundo.

. . .

La teoría de las supercuerdas y otras teorías relacionadas plantean que todas las partículas del universo están compuestas por objetos matemáticos vibratorios y unidimensionales, conocidos como *cuerdas*. Para asegurar la coherencia matemática, según estas teorías existen otras dimensiones de espacio-tiempo, normalmente diez o incluso once.

Si se describe un rayo a alguien que nunca haya visto uno, como la descarga eléctrica entre esa nube y ese árbol, le parecerá una ilusión mágica. Si no se puede presenciar un rayo o entender cómo funciona, se podría llegar a pensar que la nube ha provocado la explosión del árbol. Viendo esa *conjunción constante*, en palabras de Hume, podría aceptar esa explicación.

Pero si el rayo existe en una de las dimensiones alternativas que los físicos creen que hay más allá de las cuatro dimensiones de espacio-tiempo que percibimos, entonces quizá aquí es donde podemos encontrar alguna causa verdadera. Aquí podría residir la *relación* como elemento causal.

Cuando Evie y yo hablamos del tiempo, puse de ejemplo el modelo mental del universo de bloque. Pero puedo llevar el ejercicio un paso más allá. Si imagino el espacio tridimensional como una dimensión y el tiempo como una segunda dimensión, entonces el espacio-tiempo se puede concebir como un plano plegado en forma esférica. A través de esa imagen, puedo ver cómo caben más dimensiones tanto dentro como fuera de la esfera, que son análogas a las dimensiones adicionales propuestas por la teoría de las cuerdas.

Entonces, ¿dónde residen las relaciones causales? Podrían esconderse en una de las dimensiones fuera del espacio-tiempo, fuera de la esfera. Me imagino a un Zeus —solo la imagen, no un dios— sosteniendo un rayo, doblándolo para que los extremos toquen la superficie de la esfera. Imagino que el rayo es la relación, un objeto real que existe fuera del espacio-tiempo. Si ese rayo es la relación, entonces tal vez ese rayo, esa relación, ese patrón, sea la raíz de la causalidad percibida en el espacio-tiempo. El rayo es la causa, y el punto de la esfera del espacio-tiempo es donde se produce el efecto.

Hume dijo que solo una conjunción constante, por ejemplo, si suena un reloj y luego suena otro, nos hace pensar que lo primero causa lo segundo. Pero la lógica no dice que sea así necesariamente. Y la lógica no dice necesariamente que la medición de partículas signifique que son causales. Por lo tanto, considerar que el mecanismo de la causalidad pueda ser una relación no infringe ningún experimento científico.

El bagaje asociado a la palabra *relación* es tan grande que necesitamos un nuevo término. A dicha relación causal la llamaré *rayo*.

Si los *rayos* —las relaciones causales— son el único elemento ontológico con causalidad, y están fuera de las cuatro dimensiones del espacio-tiempo, muchos problemas desaparecen. Uno de ellos es el problema de la causalidad mental. Como la propia mente puede estar compuesta por estos rayos, nuestras mentes pueden ser totalmente causales. Una mente así, compuesta por rayos, puede tener libre albedrío en un universo físico indeterminista cerrado. *Somos ese Zeus.*

. . .

La tormenta pasó y las nubes se abrieron dando paso a un cielo oscuro y despejado en el que brillaban las primeras estrellas. Un viento fresco soplaba sobre la montaña, y Joe se sintió satisfecho de que en su larga reflexión hubiese encontrado algunas respuestas verosímiles y elegantes.

. . .

¿Qué ocurre con el papel de las propiedades como hacedoras de verdad? Si no existen las propiedades, quiere decir que los hacedores de verdad deben ser otros elementos. Algunas verdades surgen porque se refieren al mundo, están ancladas por cosas del mundo descritas como conjuntos de rayos. Por ejemplo, «la Zona de Exclusión está en Nevada» es cierto porque existe un conjunto de rayos dispuestos de una determinada manera. Y muchos rayos pueden ser ese hacedor de verdad. Los rayos cumplen una doble función, como causales en el mundo y como hacedores de verdad para algunas verdades, aunque no todas.

Pero volvamos a Hume. Hume distinguía entre las relaciones de ideas y las cuestiones de hecho. Las relaciones de ideas son verdades que existen independientemente de las condiciones del mundo, como el hecho de que todos los ángulos de un triángulo euclidiano siempre suman 180 grados. Creo que estas verdades podrían ser otro tipo de relación que no sea causal en el mundo.

Tal vez parte del problema radica en que hemos utilizado el mismo término, *relación*, para dos elementos diferentes de la tabla ontológica. ¿Y si pienso en estas verdades como el trueno que sigue al rayo? Pienso que aunque el rayo dañó el árbol en la ladera a lo lejos, el trueno posterior solo causó un sonido en mis oídos, del mismo modo que una idea me aparece en la mente. Es una analogía imperfecta porque el trueno tiene un fundamento en el mundo físico y, en cambio, esta relación hacedora de verdad, no.

Pienso que esta relación es un segundo elemento ontológico real. A esta verdad que existe pero que no es causal en el mundo la llamaré *bum*.

Ahora solo tenemos dos elementos, rayos y bums, que son los únicos elementos que necesitamos para sustentar el universo.

. . .

Joe se encontró a Evie en la cama todavía despierta. Sin la vela encendida, la oscuridad era total. Los pequeños dormían en su cama.

—Has estado fuera mucho rato. ¿Estabas meditando? —dijo acercándose a él.

—Sí. Me ha ido muy bien usar el cerebro en lugar de los músculos.

Joe no pudo aguantarse las ganas de explicarle su descubrimiento mental con detalle. Movida por la curiosidad, Evie lo estudió atentamente pero enseguida se concentró en sus palabras.

—Si lo entiendo bien, crees que el universo está formado por rayos. Los rayos son relaciones, y las redes que se establecen entre ellos son las que hacen que las cosas sucedan.

—Exacto. ¿Recuerdas cuando te dije que se necesitan tres requisitos para tener libre albedrío? El tercer requisito es que el *yo* debe ser causal. Así que ahora hay una forma de imaginar que ese mecanismo causal existe dentro de un universo físicamente cerrado. Estamos hechos de estos rayos.

—Así pues, ese es el último de los tres requisitos para tener libre albedrío. —Evie dejó entrever su emoción.

—Creo que esta hipótesis puede describir el universo —asintió Joe—. Y nuestras mentes también pueden estar hechas de lo mismo, es decir, nuestras mentes hacen que sucedan cosas en el mundo de la forma en la que solemos imaginarlas. Pero esto solo es una hipótesis, porque solo se puede probar con la ciencia. Cuando conocí a Gabe, que es empirista, dijo que para aprender debemos fijarnos en nuestra experiencia sensorial del mundo real. Solo podemos saber las respuestas a estas preguntas haciendo experimentos y probando las hipótesis a través de la ciencia. Como estoy convencido de ello, no tiene sentido seguir haciendo conjeturas. La mía, por elegante que me parezca, no deja de ser una hipótesis sobre cómo está formado el universo.

Capítulo 39

El verano pasó volando. Joe y Evie habían plantado un huerto para cultivar tomates con las semillas que les había regalado Fabri. La cosecha parecía prometedora, con las hortalizas rivalizando con las espigas de trigo y las incipientes manzanas. A veces trabajaban fuera haciéndose compañía mientras vigilaban a los mellizos, Joe cortando leña y Evie lavando ropa en el lavadero. En otras ocasiones, Joe ejercía de padre en solitario para que Evie se tomara un respiro. Evie ordeñaba las ovejas y cada semana dedicaba unas horas a buscar comida en la montaña y a revisar sus trampas para pájaros. Esos ratos sin los niños le resultaban liberadores y la rejuvenecían mentalmente.

A mediados de otoño, la época ideal para recoger piñones, Fabri propuso dedicar una jornada a esa actividad y después comer todos juntos. En la fecha señalada, Eloy fue a recogerlos con la carreta para llevarlos a su cabaña. Cargaron el cochecito y una gran mochila con todo lo necesario para los bebés, la familia al completo montó en la carreta y empezaron el descenso por el accidentado sendero. En el aire de la mañana se sentía el frescor de principios de otoño. Evie y Fabri dejaron el cochecito fuera del granero. Estuvieron charlando mientras vigilaban a los pequeños, que giraban la cabecita cada vez que oían a las ranas croar en el arroyo.

Joe y Eloy se quedaron de pie junto al cochecito. Eloy movió un dedo frente a Clay, que se rió e intentó agarrarlo. Joe cogió a Asher en brazos e imitó el croar de las ranas, provocando las risas de todo el grupo.

. . .

Son tan preciosos que a veces resulta difícil querer hacer otra cosa que no sea jugar con ellos y verlos crecer. Son el centro de nuestro mundo.

. . .

—¿Listos? —Eloy tomó un último trago de agua. Joe asintió, puso a Asher de nuevo en el cochecito dirigiendo una sonrisa a Evie y se subió al carro con Eloy.

En teoría, el plan eran fácil: recoger piñas, sacar los piñones y meterlos en tarros de arcilla cocida que había hecho Joe. Joe y Eloy condujeron la carreta río abajo hasta los mejores bosques de pinos piñoneros. Joe cortó varias varas largas para alcanzar las ramas. Trabajaron toda la mañana haciendo caer las piñas, recogiéndolas en cestas, cargándolas en la carreta y apilándolas junto al granero. En otro viaje de la carreta recogieron maleza. Joe tenía los dedos pegajosos del aceite de los pinos y su ropa estaba impregnada de un fresco aroma cítrico.

Las mujeres les ayudaron a prender las hogueras que servirían para sacar los piñones. Amontonaron maleza sobre las piñas para quemar la resina. Los hombres siguieron recogiendo piñas mientras Evie y Fabri golpeaban las piñas chamuscadas con martillos para extraer los piñones, y a primera hora de la tarde habían llenado ya varias cestas grandes. Vertieron las valiosas reservas para el invierno en las jarras de arcilla de Joe y las almacenaron en el granero.

Luego se dirigieron a la cabaña de Fabri, que preparó una copiosa comida mientras los pequeños gateaban entre los pies de los adultos. Después de amamantarlos, Evie los acostó en el cochecito y les acarició suavemente la cabecita tarareando hasta que sus cuerpecitos se abandonaron al sueño.

El éxito de la jornada había dado a Joe una inusitada energía.

—Con el cereal del mes pasado y los piñones de hoy, estamos preparados para el invierno. Ahora solo falta recoger las manzanas que quedan.

—Me encanta tener el granero lleno —dijo Eloy entre risas—. Aunque tal vez también debería cobraros el alquiler.

—No, no deberías —intervino Fabri agitando la cuchara. Luego suavizó el tono—. Aunque, amor mío, se te ha de reconocer el mérito de llenar nuestros platos y los de nuestros vecinos —dijo señalando el gran pavo salvaje que Eloy había cazado con su arco el día anterior. Mientras Fabri lo traía a la mesa, Evie empezó a servir una ensalada de brotes silvestres y, acto seguido, todos atacaron con entusiasmo sus generosos platos.

—Los piñones eran de las pocas cosas que no me sentaban mal durante el embarazo —comentó Evie mientras los pescaba con el tenedor.

—Son un alimento apetitoso que aporta una buena dosis de calorías —apuntó Eloy.

Joe se inclinó y le susurró a Evie:

—No se te notan en absoluto. Creo que estás más en forma ahora que antes de tener a los niños.

A Evie se le iluminaron los ojos y una sonrisa traviesa le cruzó el rostro.

—A mí me gusta moler los piñones y, con la pasta, hacer mantequilla —dijo Fabri, vertiendo salsa sobre su trozo de pavo.

—Está rica, pero la mantequilla de leche de oveja me gusta más —replicó Eloy, untando un poco de su mantequilla favorita en una gruesa rebanada de pan.

—Joe, Fabri se ha ofrecido a quedarse con los niños esta noche —dijo Evie, con gesto expectante.

Fabri se rió entre dientes.

—Tienen siete meses, ya pueden dormir una noche lejos de su madre. Y tenemos suficiente leche de oveja para que pasen la noche.

Joe miró a Evie arqueando una ceja y luego sonrió a Fabri.

—Es un ofrecimiento muy generoso. Gracias. —Su mirada se cruzó con la de Evie—. Ahora entiendo por qué trajiste tantas cosas de bebé en la mochila.

Evie se encogió de hombros, sonriendo.

Eloy también sonrió.

—Se portan bien, pero no paran. Tenemos cuatro manos voluntarias.

A Joe se le aceleró el corazón por la emoción inesperada. Hasta ese momento, había olvidado lo inmersos que estaban en la crianza de los niños.

—Sois muy amables. Las cuatro manos no os sobrarán.

Una hora más tarde, de camino a la cabaña, Joe dijo:

—Qué, ¿haciendo planes secretos?

—Me lo propuso ayer Fabri. Dijo que a Eloy le encantaría pasar más tiempo con los niños. —Evie marchaba a buen ritmo por el sendero delante de él, y a Joe le recordó las largas y duras jornadas de travesía antes de encontrar el apacible valle. Pero esa pesadilla había terminado, y aceleró el paso para alcanzarla y dejar atrás ese recuerdo.

—¿Y ahora qué hacemos? —preguntó él, guiñándole un ojo.

Evie inclinó la cabeza y se ruborizó.

—Vamos a bañarnos. Luego podemos sentarnos bajo el manzano y quizá también comer algo. —Joe sonrió. Evie se adelantó y desapareció tras una roca.

Joe se dirigió a la cabaña y guardó las provisiones que llevaba en la mochila. La gran manta de ante no estaba colgada en el gancho de la pared. Joe se dirigió a la pila de madera, se quitó la ropa, se hundió en el agua aún tibia y se quitó de encima toda la suciedad del día. Luego vio la ropa de Evie bien doblada a un lado. Salió de la bañera y caminó hacia el manzano bajo el sol.

Evie estaba desnuda sobre la manta y solo llevaba puesto el anillo de diamante rojo. La piel curtida con el fleco gris le recordaba a la concha del cuadro de Botticelli por la forma en la que dibujaba su figura perfecta. Bajo la luz, sus generosos pechos adquirían un tono aterciopelado. Evie jugueteaba con la lengua entre los labios y a Joe se le detuvo el pulso al cruzarse con su mirada.

Se acostó a su lado y la besó delicadamente por todo el cuerpo. Evie lo acarició con ambas manos y la piel de Joe respondió a su tacto. Sus dedos se abrieron paso por el interior del muslo de Evie y recorrieron la curva del mundo. Ambos se entretuvieron acariciando lánguidamente las zonas que amaban del otro, logrando que el eje de la Tierra se detuviera solo para ellos.

—Siento que te conozco totalmente. No solo cada cabello de tu cabeza, sino también tu mente —dijo besándola en la frente.

—Como si estuviera dentro de tu cabeza y tú dentro de la mía.

—Y realmente estaba dentro de Evie—. Sí, quiero que esto dure para siempre. —Evie suspiró y el mundo volvió a detenerse.

Ella se puso sobre su regazo, con su pecho contra el de Joe y la mirada clavada en los ojos de él. Su semblante, delineado sobre un firmamento de tonos rosáceos, expresaba una felicidad y un amor sin límites. El salpicar de la noria marcaba la suave cadencia de sus caderas.

La respiración de ambos iba en aumento y Evie empezó a balancearse con ímpetu.

—¿Tienes hambre? —atinó a decir ella con un débil gemido.

—Solo de ti.

La brisa le transportaba el aroma de la pinaza, fusionándose con el perfume de la melena de ella sobre su cara. Un coro de mirlos, reinitas y atajacaminos empezó a trinar para despedir el día que llegaba a su fin. El corazón de Evie palpitaba contra el pecho de Joe como un estornino. Aunque el aire era fresco, su piel brillaba por el sudor. El borboteo del arroyo se fusionó con el chapoteo de la noria y los gritos de ella, que sintió estremecerse, una y otra vez. Joe se disolvió en un amor puro, impelido desde la montaña y atravesando el cielo oscuro hasta los confines del espacio, donde las estrellas brillaban en todo su esplendor. Luego fue bajando suavemente hasta descansar en la manta junto a la cabaña, a salvo del mundo.

El sol desapareció en el horizonte. Con Evie tumbada a su lado, un solo pensamiento ocupaba la mente de Joe: la presencia de su amada, acostada junto a él sobre la manta mientras el ambiente se iba refrescando y la luz daba paso a la oscuridad. Evie había recobrado el aliento y volvía a respirar pausadamente.

. . .

Siento la electricidad de mi compañera y amante. Ella es el rayo que enciende algo dentro de mí.

. . .

Evie arrancó una manzana roja del árbol.

—¿Te apetece un postre? —Le guiñó un ojo al ofrecerle la fruta.

Joe le dio un mordisco dejando que la electricidad del momento recorriera todo su ser.

—Un postre después del postre —precisó él.

Capítulo 40

El otoño tardío pintó las montañas con el amarillo satinado de los álamos, el rojizo de los arces y el dorado de los fresnos. La fría calma matinal se veía interrumpida a menudo por los graznidos de centenares de gansos de Canadá que se detenían en los lagos de las montañas antes de retomar el vuelo en su migración hacia el sur. Habían almacenado las cosechas para el invierno y, con los días cada vez más cortos, Joe pasaba más tiempo en la cabaña con Evie y los niños.

Ese día Fabri y Eloy habían venido a comer y todos estaban sentados alrededor de la mesa. Evie giraba la manivela de la mantequera y el golpeteo rítmico de la mezcla añadía una cadencia relajante a la conversación. Asher estaba sentado sobre el regazo de Joe y tenía hipo, casi sincronizado con el ritmo de la mantequera. Un hilillo de leche de oveja le goteaba por la barbilla.

—Eloy, qué buena idea tuviste al diseñar esto —dijo Joe, señalando la mantequera—. El mes pasado intenté hacer algo parecido y no me salió bien.

Evie se rió.

—Girar esa manivela era como empujar una roca cuesta arriba. Esta va muy suave.

—Ya ves... —Eloy restó importancia a los elogios—. Joe sabe de otras cosas. Solo era cuestión de encajar la manivela de modo que no perdiera líquido.

Evie miró a Joe y asintió con la cabeza. Joe se aclaró la garganta antes de hablar.

—Agradecemos cualquier cosa que le haga la vida más fácil a Evie, porque en su estado es lo que más le conviene.

Fabri se tapó la boca con la mano y contuvo el aliento. Eloy le dio una palmada a Joe en la espalda. Evie se observó el abdomen, en el que Joe todavía no veía ningún cambio.

—Me cuesta creer que vuelva a estar embarazada. Asher y Clay todavía son muy pequeños. —Se pasó la mano por la barriga—. La vida puede ser tan imprevisible.

—Bueno, viéndoos juntos, en cierto modo *era* previsible —apuntó Eloy, guiñándole un ojo. Enseguida se dio cuenta de lo que había dicho y se ruborizó—. Pero sí, la vida trae muchas sorpresas.

—Debéis agradecer los regalos que llegan del cielo. Y yo estaré aquí para ayudaros cuando llegue el momento. —Fabri tomó a Clay del suelo y se lo sentó en las rodillas para jugar al caballito.

—¿Cómo te encuentras esta vez, Evie?

—Me gustaría no tener la sensación de que no controlo mi cuerpo, pero al menos me siento mucho más segura. Creo que mi cuerpo ya sabe de qué va y tengo más energía.

En ese momento, dejó la mantequera y se abalanzó sobre Asher abrazándolo hasta que le hizo reír a carcajadas.

Joe sonrió y dijo:

—Estamos en el ecuador de este destierro. Lo conseguiremos.

La fuerte mano de Eloy le agarró el hombro.

—Parece que nosotros también nos apuntamos a esta segunda parte. Estamos en esto juntos.

❖

Con la llegada del invierno, la vida se ralentizó. La naturaleza bajó el ritmo de su metabolismo para conservar los recursos. La poca energía que seguía fluyendo participaba con toda su crudeza en la eterna competición a vida o muerte a medida que se agotaba la comida. Joe formaba parte de esa red y entendía el poder con el que se definía la vida. Cada mañana, más fría que la anterior, remontaba la línea de trampas con el abrigo de ante bien abrochado y el gorro de piel calado hasta las orejas. Acechaba las morrenas cubiertas de nieve para cazar alguna presa con la que llenar la despensa y apilaba leña para que su familia estuviera caliente en la cabaña.

Una mañana, como ya era habitual durante el invierno, Joe esperaba escondido a que pasara un ciervo. En su plataforma elevada en el árbol, estaba expuesto a los elementos de la naturaleza a través de las ramas desnudas, pero también se sentía expuesto a sí mismo. Las primeras notas del viento que soplaba desde las montañas rompieron el silencio perfecto. Era más bien un zumbido, carente de consonantes, un sonido de fondo de la Madre Tierra y el Padre Tiempo, que hacían sentir a Joe impotente y aislado en su árbol.

El sol se asomaba en el horizonte; era hora de regresar. Con las manos vacías y los pies como témpanos de hielo, Joe se echó el arco al hombro y se puso en marcha sobre la hierba escarchada. Su aliento se elevaba en bocanadas de vapor. Al moverse, el frío remitió y empezó a sentir unos intensos pinchazos de calor en las piernas y los brazos helados. Los senderos del bosque, apenas visibles, estaban empapados por la ligera lluvia de la noche anterior y enseguida sus gastadas Mercury se ensuciaron de barro. La cacería lo había alejado varios kilómetros de casa y la fatiga empezaba a hacer mella. Durante el camino de vuelta escudriñaba las crestas y afinaba el oído por si detectaba algún crujido. Al coronar la colina sobre la cabaña, percibió un movimiento por el rabillo del ojo que lo dejó paralizado.

Un ágil felino de piel leonada avanzaba por el prado junto al campo de trigo árido directamente hacia la cabaña. El cochecito se encontraba cerca de la chimenea, pero no había ni rastro de Evie. Incluso desde lejos, se podía percibir movimiento —una manita, quizá— dentro del cochecito.

—¡Evie, Evie! —Joe arrancó a correr gritando a todo pulmón.

El puma, con las orejas retraídas de puro instinto animal, se dirigía campo a través con el rumbo fijo hacia el cochecito. Sin dejar de gritar, Joe observaba la escena con impotencia.

En ese instante, Evie salió por la puerta con su bastón *bō* y dobló por la esquina de la cabaña justo cuando el puma empezaba a saltar. El bastón dibujó una elipse fulgurante en sus manos. Atrapándolo en el aire, aprovechó el impulso para atacar a la bestia y le golpeó la pata delantera. El animal cayó al suelo con la pata doblada en un ángulo imposible, pero volteó sobre la espalda y se volvió a incorporar. Evie salió despedida hacia atrás por la inercia del golpe, pero se mantuvo en pie y volvió a atacar, esta vez hendiéndole la hoja en la cara. El puma rugió con fiereza, enseñó los dientes y, dando media vuelta, huyó campo a través. Un alarido resonó en el valle, desorientando a Joe hasta que se dio cuenta de que provenía del felino a la fuga.

Sin saber cómo había logrado descender la colina, Joe tomó en brazos a los dos pequeños, que sollozaban. Evie gritaba, todavía blandiendo el bastón. Le temblaba todo el cuerpo, y Joe volvió a dejar a Clay en el carrito para rodearla con el brazo.

Evie se abandonó contra su pecho y se justificó con la voz quebrada:

—He sacado a los niños fuera y he vuelto a por mantas, y al salir he cogido el bastón *bō*. Todo ha pasado tan rápido...

—Todo está bien. Has estado providencial.

A Evie le temblaba la boca. Cogió a Clay y lo apretó contra su pecho, susurrándole al oído. Intentó respirar hondo, pero apenas logró emitir un jadeo entrecortado.

Joe se fijó en su vientre, que ya empezaba a notarse, y se estremeció al pensar en el riesgo que había corrido. También respiraba a un ritmo rápido, con la adrenalina corriéndole por las venas y el instinto animal desatado.

—Todo puede terminar en un instante —dijo Evie.

—Esta es la realidad que nos ha tocado vivir. Pero no hoy.

Joe volvió a dejar a Asher en el carrito, que sonreía de nuevo, y lo abrigó.

—Tengo que encontrarlo y saber si está malherido. No podemos arriesgarnos a que lo intente de nuevo.

—Ten cuidado —dijo ella visiblemente preocupada—. Necesito que vuelvas.

Con una sonrisa triste, revisó el arco y se puso en marcha.

Las huellas de las patas trazaban una línea en la tierra oscura del campo, con cuatro dedos y tres lóbulos en la parte posterior. En la huella de la pata delantera derecha había gotas de sangre. Siguió el rastro colina arriba, agradecido por tener la forma de seguir la trayectoria del animal en el horizonte.

A medida que avanzaba, el rastro del felino se le hacía mucho más difícil de seguir. A Joe le preocupaba que estuviera al acecho y se mantuvo alerta mientras examinaba la maleza en busca de pistas. Por una mancha de sangre en un matorral de *purshia* supo que iba por buen camino y siguió avanzando, observando con la máxima atención, escuchando y moviéndose con sigilo. Estudiaba el paisaje tratando de pensar como un puma, de adivinar hacia dónde podría dirigirse. Cada vez que perdía el rastro, retrocedía hasta la última pista.

Le siguió el rastro durante horas. Las huellas en el barro le indicaban los lugares en los se había detenido a beber. La hierba pisada y otra gota de sangre le guiaron por el buen camino, pero las manchas cada vez se espaciaban más. Lo más probable era que las heridas no fueran mortales.

A Joe le dolían los brazos de cargar con el arco preparado para disparar. Tras caminar varios kilómetros, había perdido el rastro del felino una docena de veces. La cacería le había hecho tener los pies en el suelo. No tenía miedo, solo estaba decidido a encontrar al animal y poner fin a la amenaza.

Recorrió cinco valles desde la cabaña. Solo encontró algunas señales y todas se dirigían montaña arriba. Se preguntaba por qué el felino gastaba tanta energía en ascender. Se detuvo al alcanzar la cima de la cuesta, confirmó la dirección del viento y avanzó con cautela para otear al otro lado. Más abajo, en un bosquecillo de abetos, había un afloramiento rocoso. Entre dos rocas, vislumbró un destello de color rojizo y, con el máximo sigilo, se agazapó entre la hierba para no ser visto. Medio escondidos entre el follaje, observó tres animales, solo visibles a través de la mira del arco. Joe colocó una punta de flecha de caza y apuntó al puma con la mira. De repente, percibió movimiento en el campo de visión. Eran los dos cachorros, con su piel blanca y marrón, moteada de manchas rojizas. Un cachorro se dio la vuelta para mamar, y sus ojos azules quedaron plenamente visibles en la mira del arco. La hembra de puma lo lamió y luego se lamió la pata. El otro cachorro le pasó la lengua por la herida de la cara.

. . .

Cazaba para alimentar a sus cachorros, por instinto. Hará cualquier cosa por ellos. Todos somos animales y nos matamos los unos a los otros. Ya no dudo cuando mato un ciervo, pero esto sería distinto.

. . .

Joe bajó el arco y se quedó a mirar durante un buen rato. Luego se apartó del risco, descendió por la ladera de la montaña y puso rumbo a casa.

Llegó a la cabaña a última hora de la tarde, hambriento, polvoriento y agotado. Encontró la puerta cerrada a cal y canto. La abrió de un empujón y vio a los pequeños balbuceando en el cochecito. Evie levantó la mirada, expectante.

—¿Lo has matado?

—No he podido hacerlo. Es una madre con cachorros. No creo que vuelva. La heriste y lo recordará. Tendremos que ir con mucho cuidado.

—Ser madre te cambia —aseveró Evie, mordiéndose el labio—. Haces lo que sea para proteger a tus hijos y eso te convierte en imprevisible. No se trata de mí, sino de ellos, mis pequeños. Allá afuera actué por puro instinto. Adrenalina para proteger a mis crías. Una madre puma hará lo mismo. Es necesario recordar que en este entorno salvaje en el que vivimos afloran nuestros instintos más primarios.

Joe apartó el cabello de aquellos ojos de mirada franca y abrazó a su valiente ángel.

Capítulo 41

En su segundo invierno en la Zona de Exclusión pasaban más tiempo dentro de la cabaña del que deseaban, pero era un refugio seguro frente a las rigurosas condiciones climatológicas. La nieve cubría las laderas de la montaña y desaparecía bajo las lluvias intermitentes. A menudo Joe debía abrirse paso a través de una capa de treinta centímetros de nieve para comprobar las líneas de trampas. Con el aumento de las temperaturas de ese siglo los animales habían reducido su radio de acción, y era un pequeño consuelo no tener que recorrer grandes distancias para cazar. Aun así, cada día Joe volvía de cazar muerto de cansancio. A menudo caía rendido en la cama después de cenar.

Una mañana de febrero, lo despertó un sonido chirriante. Se levantó de la cama medio dormido y miró por la ventana. La noria giraba rápido por el agua del deshielo que descendía por el arroyo. Abrió la puerta para confirmar el sonido: el eje se había quedado sin grasa animal y rechinaba contra la madera.

Después de desayunar, Joe se abrigó, sacó el cubo de grasa de la bodega de raíces y se dirigió hacia la noria. Caía una ligera lluvia y cruzó con cuidado el canal de madera hasta la viga en la que se apoyaba la rueda. Con una vara plana aplicó la grasa. Mientras esta se extendía entre las piezas de madera, Joe retrocedió para admirar su trabajo, pero su pie no encontró dónde apoyarse.

Cayó de espaldas al río helado y se hundió. Se golpeó el hombro contra una viga y el tobillo le impactó contra una roca del arroyo. La corriente lo engulló y lo arrastró río abajo varios metros hasta que pudo sacar la cabeza y tomar una bocanada de aire. Al nadar hasta la orilla sintió una dolorosa punzada en el hombro lesionado y salió del agua con dificultad. El agua helada le chorreaba por la cara. Se arrastró hasta la cabaña con un dolor que le atenazaba todo el cuerpo.

Entre gemidos, abrió la puerta con una mano. Evie, sobresaltada, corrió hacia él y lo abrazó por la cintura.

—Me he caído de la noria.

Evie le ayudó a quitarse la ropa congelada mientras los niños miraban la escena desde el cochecito con los ojos como platos.

—No creo que me haya roto el tobillo, pero parece un buen esguince —jadeó—. También me duele el hombro.

Le quitó la camisa y observó un hematoma oscuro que se extendía por la parte superior del brazo y el pecho. Joe se secó con una toalla y Evie lo ayudó a meterse en la cama, tapándolo con varias mantas. Luego encendió el fuego y al cabo de un rato Joe dejó de temblar.

—Amor, déjame ver el tobillo —dijo Evie, y solo con el tacto de sus dedos examinándolo ya le dolió—. No parece que esté roto. Con unas compresas frías debería bajar la hinchazón.

—Creo que el agua del arroyo ya se ha encargado de eso.

Evie sonrió, mucho más tranquila, y le preparó una sopa.

. . .

Podría haberme fracturado la pierna o el tobillo fácilmente. Eso habría sido desastroso y seguro que me habría costado la vida. Cuando me preparé para venir aquí no pensé en adquirir nociones de primeros auxilios, aunque debería haberlo hecho.

. . .

Después de tomarse un cuenco de sopa, el frío que se había apoderado de sus entrañas fue remitiendo. Joe se quedó en la cama el resto del día, con el tobillo elevado y el hombro inmóvil.

Al día siguiente, el hombro ya no le dolía tanto —al parecer, era solo una magulladura—, pero el tobillo se le había hinchado al doble de su tamaño normal. Tuvo que rendirse a la evidencia de que necesitaría varios días de reposo para que se le curara.

Joe permaneció en la cabaña los dos días siguientes cuidando de los mellizos mientras Evie recorría las líneas de trampas en busca de comida. A la mañana siguiente volvió a llover y permanecieron en la cabaña. Al mediodía, la lluvia golpeaba el delgado techo y el agua resbalaba por el cristal de la ventana. Los relámpagos iluminaban la estancia, seguidos del estruendo de los truenos.

—Ese ha caído cerca. —Evie se peinaba el pelo mojado junto al fuego.

—Es casi como si estuviéramos ahí fuera —dijo él.

—Casi.

Joe frunció el ceño, sin ocultar su frustración.

—Estando embarazada de cuatro meses, no deberías salir de ningún modo.

—Si no puedo con algo, ya te lo haré saber, Joe —aseguró, mirándolo fijamente—. Sé escuchar mi cuerpo, confía en mí. —Se acercó y se acurrucó junto a él por el lado que no se había lesionado.

Joe le puso la mano sobe la incipiente barriga y se la acarició. Ella entrecruzó sus dedos con los de él y se quedaron descansando un rato.

—Gracias por traer leña, amor —susurró Joe.

—De nada. —Evie le acarició el bíceps, que se había desarrollado a base de ejercitarlo—. Trabajas muchísimo —dijo, dejando que su mano descansara sobre el brazo de Joe—. Cazas para alimentarnos, cortas la leña. Te mereces un descanso —recalcó cada frase apretándole el brazo—. Y que te dé las gracias como es debido.

Joe detectó un apetito en su mirada que nada tenía que ver con su dieta invernal.

—Mmm... Ojalá estuviera a la altura de lo que requiere el momento, pero tenemos que darle a la pierna un día más para que se cure.

Evie sonrió y luego le dirigió una mirada seria.

—Tu lesión me ha hecho reflexionar. En poco más de un año se acaba nuestra condena. Sin asistencia médica, somos vulnerables. ¿Y si le pasara algo a alguno de nosotros? Aunque nos gusten muchas cosas de vivir aquí, tenemos que pensar en los niños. Tenemos que volver.

—Yo también creo que tenemos que volver —dijo Joe con un suspiro—. Si nos quedamos, la esperanza de vida de los niños será mucho menor. No tenemos manera de replicar los avances médicos del mundo moderno. No creo que podamos tomar esa decisión por ellos.

—Y no se trata solo de protegerlos, sino de formar parte de una comunidad.

—Estoy de acuerdo. Me encanta la vida sin complicaciones que llevamos aquí. Pero la humanidad ha progresado y ha dejado atrás esta forma de vida rudimentaria. Y si nos quedamos en el pasado, renunciaremos a participar en la evolución de la historia humana.

Ella le volvió a apretar el brazo. Su mirada firme le recordó a la mujer que era cuando la conoció, misteriosa y segura de sí misma.

—Pensar en el bienestar de los niños también me ha hecho reflexionar en lo que dejamos atrás. Miro a nuestros hijos y nuestra vida aquí, y me doy cuenta de que son nuestro legado. Merecen un mundo donde se les valore por su contribución a la sociedad y no por un nivel arbitrario que se les asigne al nacer. Con el movimiento antiniveles empecé algo que debo terminar.

Joe sopesó los riesgos.

—¿Crees que debemos preocuparnos por Peightân y Zable cuando hayamos cumplido las penas?

—Tal vez. —Evie se echó el pelo hacia atrás—. A lo mejor están más cerca de atraparlos. En cualquier caso, podemos contar con la ayuda de Dina, Mike, Raif, Freyja y Gabe.

—Es un riesgo, pero estoy contigo. Con tres hijos, nuestra vida aquí no será más fácil. Tenemos que arriesgarnos y volver.

—Siempre hablas del *bloque,* y nuestra vida aquí es solo un pedacito de ese bloque. Si logramos regresar, podemos ser el *rayo* del que también me has hablado. Podemos servir de inspiración para cambiar el mundo.

—Puedo ayudarte a lograr ese objetivo. Yo también creo en ello. Nuestros hijos son iguales a los demás y me gustaría vivir en un mundo en el que esta idea fuera universal.

—Gracias. Quiero que luches conmigo —dijo Evie, y lo abrazó con fuerza.

El fuego crepitaba con las gotas de lluvia que caían por la chimenea. Evie puso madera en el fuego y la danza de las llamas en el interior imitó los relámpagos que refulgían por la ventana. Joe se quedó en la cama el resto del día, disfrutando de las comodidades del hogar.

Los niños se le acercaron tambaleándose con las figuras de madera que les había tallado, y él las hizo marchar por las colinas imaginarias que formaba la manta arrugada, como si se tratara de un campo de batalla. Luego Joe cogió dos soldados y, haciendo saltar las figuritas sobre la manta, les susurró historias de reyes y princesas que los pequeños escucharon absortos en las figuras.

Esa noche, los mellizos dormían tranquilamente en su cama en un rincón y Evie removía la sopa en el fuego. Se acercó a Joe y se sentó a su lado.

—Conozco esa mirada. —Le puso una mano en la frente—. ¿Otra vez cavilando?

—A pesar de vivir en un mundo donde pasan cosas malas, los niños son tan inocentes...

—¿Estás pensando en la maldad que hay en el mundo?

—Más bien en los diferentes niveles de cosas malas, con la maldad encabezando la lista. —Joe le cogió la mano y la besó—. ¿Recuerdas cuando hablamos sobre el ángulo de reposo?

—¿De cómo la arena o las rocas pueden moverse en cualquier momento?

—Exacto. Supongamos que una roca te cae en la cabeza al pasar por un determinado lugar en el momento equivocado. O tienes un traspiés en la noria. No estamos viviendo en un paraíso. Este tipo de accidentes se deben a la aleatoriedad del sistema en el que está organizado el universo. Existen criaturas vivas sin conciencia que siguen a ciegas los principios de la vida para encontrar alimento y reproducirse. Como el microbio que me provocó la intoxicación el año pasado.

—Y como la hembra de puma tratando de encontrar comida para sus cachorros.

—Sí, un ejemplo de conciencia y sintiencia elemental. Pero el puma actúa por instinto, es decir, sin plena capacidad moral para discernir el bien del mal. Uno no puede poner una etiqueta moral a sus acciones; son neutras desde el punto de vista de la moral.

—¿Crees que la conciencia debe ser un requisito previo a la moralidad?

—Sí. Parece que es necesario tener inculcado un marco moral con el significado del bien y del mal para hacer juicios morales avanzados.

Evie se le acercó.

—Tal vez Adán y Eva tenían una idea de la moralidad en su conciencia, y esto les llevó a crear reglas para guiar su forma de vida.

—Sí. Antes de Adán y Eva, todo parecía perfecto en el Edén. Pero la conciencia trajo la idea de que el mundo es imperfecto. Y eso es así porque los seres conscientes pueden actuar de formas que, de manera colectiva, se haya decidido que son perniciosas.

—Si el mal no existe en el mundo, sino solo en la mente de los seres conscientes, ¿somos *nosotros* los que creamos el mal? —preguntó Evie con el ceño fruncido.

Joe se apoyó sobre el codo derecho y se frotó la barba.

—Quizá sí. Creo que nuestra mente es un conjunto complejo de relaciones. Me la imagino como pequeños rayos causales, integrados en redes inmensas. Nuestra mente crea un significado semántico estableciendo relaciones entre el mundo y nosotros mismos. Tal vez al extraer significado a estas relaciones, creamos redes de relaciones más complejas que son ideas con contenido moral.

—Entonces, ¿cómo puede este universo, en el que existe la posibilidad del mal, haber sido creado por un Dios misericordioso?

Evie cerró los ojos y recitó un viejo poema de memoria.

—«¡Tigre! ¡Tigre!, luz llameante
En los bosques de la noche,
¿Qué ojo o mano inmortal
Pudo idear tu terrible simetría?»

—William Blake —dijo Joe, doblando la manta.

Ella miró por la ventana oscura.

—Cuando el puma atacó no tuve miedo, pero después me aterrorizó pensar en lo que podría haberles pasado a los niños. Y temí que te hiciera daño. —Dirigió la mirada al tobillo hinchado de Joe—. Es difícil encajar la existencia de Dios con el sufrimiento del mundo.

—Incluso Charles Darwin se preguntó cómo un ser tan poderoso y sabio como Dios podía crear un universo y permitir el sufrimiento de tantos animales inferiores.

—A eso hay que añadirle todo el mal que pueden infligir los seres conscientes.

Evie se levantó para remover la sopa y servirla, y Joe se incorporó en la cama. Evie le trajo un cuenco y se sentó en una silla frente a él.

—Este universo existe dentro de una estructura matemática particular, de una lógica particular. —Sopló la sopa, que desprendía un intenso aroma—. Algunas cosas son imposibles dentro de esas reglas. Por ejemplo, una de las tres leyes de la lógica, el principio del tercero excluido, dice que si existe una proposición que afirma algo, o bien esa proposición es verdadera o bien lo es su negación.

—Es decir, no hay una tercera opción. ¿A dónde conduce ese principio lógico?

Joe tomó una cucharada de sopa antes de responder.

—Si existe una Divinidad, o creó un universo donde los seres conscientes tienen libre albedrío, o no es cierto que creara un universo donde los seres conscientes tienen libre albedrío. Ambas proposiciones no pueden ser ciertas a la vez.

Evie se quedó con la cuchara suspendida en el aire.

—Pero si la Divinidad que tú dices nos da libre albedrío, entonces no puede controlar las consecuencias de nuestros actos aunque desee con todas sus fuerzas que sean distintos.

—Efectivamente.

—Un momento. —Evie le apuntó con la cuchara—. Recuerdo lo que dijiste sobre el tiempo. Que está todo aquí, de la misma forma que también está aquí la dimensión de longitud. Que somos como una libélula conservada en ámbar. Si eso es cierto, entonces no puede retractarse; el tiempo transcurre en nuestras vidas, pero la Divinidad no puede controlarlo porque no forma parte del tiempo.

—Así es.

—Entonces, de existir tal Divinidad, significa que renuncia al poder absoluto y concede el libre albedrío a los seres conscientes.

—Sería un regalo maravilloso.

Evie asintió con un halo meditativo en que le iluminó el rostro.

—Por tanto, los seres conscientes pueden hacer lo que quieran, al mundo y a otros seres, y eso incluye hacer el mal. Tal vez ese sea el precio del libre albedrío.

Capítulo 42

La primavera llegó con una explosión de vida. Una alfombra de flores silvestres tapizó las laderas con colores resplandecientes y el manzano floreció. A Joe y Evie les encantaba sentarse bajo el árbol al sol, rodeados de las flores blancas y su dulce aroma, mientras los mellizos aprendían a caminar. Clay agarraba a Asher y, tras dar unas vueltas entre risas, acababan cayéndose al suelo. Aparte de «ma-má» y «pa-pá», Asher también había aprendido a decir «beeee» imitando el balido de las ovejas cuando las abrazaba, con sus deditos entremetidos en la lana.

Al llegar la primavera, el caudal del arroyo aumentó con el agua del deshielo. Una de las palas de la noria se soltó y provocó una avería que amenazaba su funcionamiento. Joe y Eloy engancharon a Bessie a una polea improvisada para elevar la rueda. Repararon todas las palas desgastadas, engrasaron el aparato y lo volvieron a colocar en su sitio. La noria de Eloy también necesitaba un mantenimiento parecido. Al final de un ajetreado día dedicado a las reparaciones, Joe se subió a la viga sobre la noria y se quedó contemplando el agua.

· · ·

Con un bebé en camino, no es momento de arriesgarse a sufrir otra lesión. Es un alivio haber terminado este trabajo.

· · ·

El embarazo de Evie había avanzado sin complicaciones y resultó más llevadero que el anterior. En los últimos meses se encontraba llena de energía. Aunque a veces le angustiaba la idea de pasar otro parto sin control médico, parecía que se había hecho a la idea.

En mayo, Joe sembró el campo de trigo con la sensación de ser ya un agricultor experto. Cultivó una extensión todavía mayor, consciente de que sería su última cosecha, pues faltaba un año para que el destierro llegara a su fin. A menudo pensaba en sus amigos del mundo exterior y se preguntaba qué avances habrían hecho para desenmascarar a Peightân. El hecho de no haber recibido ningún tipo de comunicación evidenciaba que no se había producido ningún cambio que pudiera reducir su condena. La Zona de Exclusión seguía siendo un mundo aislado, y el mundo al otro lado del muro representaba una vida, un tiempo y una realidad diferentes. No podían hacer otra cosa que vivir el presente.

Joe señaló la cuarta marca del mes en el calendario del destierro de la pared trasera de la cabaña. A su suspiro de satisfacción le siguió un gemido procedente de la cabaña. Entró a toda prisa y se encontró a Evie sentada en la cama.

—Ve a buscar a Fabri, Joe.

Tras comprobar que los niños estaban distraídos con los juguetes, descendió a toda velocidad por el sendero del arroyo, saltando entre las rocas con el pulso disparado. Fabri, que ya estaba lista, se apresuró a seguirle camino arriba con su bolsa de primeros auxilios. Esta vez él ya sabía lo que tenía que hacer. Evie estaba tranquila y resignada, respirando para controlar el dolor. El bebé llegó al cabo de siete horas con un llanto fuerte y sano.

—¡Otro niño! —Fabri lo anunció con alegría, pero en voz baja para no despertar a los mellizos.

—Se llamará Sage. —Evie se lo puso sobre el pecho y lo acarició.

. . .

Cada vez es un milagro. Cuando tienes un hijo, es imposible explicarle a alguien que no es padre la magia de sostenerlo en brazos.

. . .

Con el corazón rebosante de amor, sonrió a los ojos azules que le miraban mientras los suyos se llenaban de lágrimas.

◆

A Joe le parecía fabulosa la sensación de poder dormir de nuevo. Sage había cumplido tres meses y ya casi dormían toda la noche del tirón. Cuidar de un bebé era más fácil que cuidar de dos y la experiencia jugaba a su favor. Pero los llantos de Sage cuando tenía hambre siempre despertaban a los mellizos, de modo que, cuando Sage tomaba el pecho, Joe tenía que volver a dormirlos. Les faltaban manos para atender a tres niños pequeños. Joe soñaba a veces que unos robots de guardería le ayudaban con alguna de sus revoltosas criaturas.

El cansancio daba paso a momentos de gran alegría a medida que los niños iban adquiriendo su propia personalidad y aprendiendo nuevas habilidades. Sage había descubierto sus manos, y las agitaba a cualquiera que entrara o saliera de la cabaña. Joe seguía con sorpresa el desarrollo del lenguaje de los mellizos a los dieciocho meses. Evie hablaba con ellos todo el tiempo y les cantaba nanas de antaño. Clay aprendió rápido a expresar lo que quería, y la expresión «más leche» se convirtió en su frase favorita. También le encantaba arrastrar la azada mientras Joe trabajaba la tierra. Asher, con su amor por todo ser viviente —y eso incluía a los insectos—, intentaba ayudar a Evie a ordeñar la oveja. Normalmente los días eran soleados y pasaban mucho tiempo fuera en contacto con la naturaleza.

Joe, sentado en su silla bajo el manzano, disfrutaba con la visión de las espigas doradas ondeando en la lánguida brisa. Los mellizos correteaban arriba y abajo entre risas. Asher vio una ardilla al pie de un pino cercano y ambos se acercaron tambaleándose para investigar.

Sentada en su silla junto a Joe, Evie le daba el pecho a Sage y le llenaba la cara de besos. Sage respondía sonriendo y haciendo ruiditos. Clay encontró las Mercury, que Joe había dejado junto a su silla, y se las puso, tratando de dar unos pasos.

Asher se dirigió hacia Evie con los brazos en alto, balbuceando una frase incomprensible, aunque ambos sabían lo que quería. Lo levantó con un brazo, lo sentó en su regazo junto a Sage y le hizo una larga pedorreta en la barriguita para hacerle reír.

—¿No te parece que son preciosos los tres?

Joe sonrió.

—Cuando les miro, veo tu risa reflejada en su rostro.

—Nunca pensé lo divertido que sería ver a nuestros propios hijos aprender incluso las cosas más básicas. —Clay inspeccionó un palo y se puso a rascar el suelo con él. Evie miró a Joe—. Si es cierta tu idea de que los rayos son la base de todo, ¿qué lugar ocupan los niños en todo esto? ¿Cómo aprenden y se relacionan con el mundo? Tengo que reconocer que la idea me parece abstracta. No acabo de entenderlo.

Joe se paró a reflexionar durante unos minutos.

—Eso significa que el *yo* que somos cada uno de nosotros es un patrón de relaciones causales, una red de rayos. Sage, al venir al mundo, impregna la vida de sentido creando relaciones entre él y el mundo. De alguna forma, se crea a sí mismo —reflexionó Joe, rascándose la barba, que a estas alturas ya era muy espesa—. Sí, eso es, nos creamos a nosotros mismos. Y también creamos la moralidad que existe en el mundo. Todo depende de nosotros.

—¿Estás diciendo que creamos ese mundo colectivamente?

—Sí, pero cada uno de nosotros puede tener una percepción distinta de ese mismo mundo. La red de rayos de la que estamos hechos interactúa con las otras redes de rayos del mundo, y se crea nuestro significado semántico del mundo. Es probable que todos los humanos construyamos un significado parecido desde nuestro primer contacto con ese mundo.

—¿La imagen que yo tengo del mundo no es la misma que la que tienes tú?

Joe negó con la cabeza.

—No podemos saberlo con certeza. Pero mi hipótesis es que esencialmente es la misma, porque las reglas sobre cómo interactúan los rayos son las mismas para ambos al ser seres humanos. Del mismo modo que yo no puedo saber *qué se siente* al ser ese halcón —señaló el cielo—, no puedo saber cómo es la experiencia que vives tú.

—Hal-cón. —Asher siguió el ave con el dedo mientras esta sobrevolaba la sierra.

Sage se metió el dedo gordo del pie en la boca. Joe intentó otra explicación:

—Es imposible pensar en el mundo de otra forma que no sea la que estamos experimentando ahora. Eso es porque los rayos definen las partículas que supuestamente se mueven en el universo. Lo que digo es que el *yo* de Sage está compuesto por una red de rayos. Esos rayos causan alguna cosa y por eso parece que se mueven las partículas. Pero no podemos ver los rayos. Toda esa maquinaria está escondida en algún lugar y no la vemos.

Ella asintió lentamente.

—Por lo tanto, tu idea no altera nada de lo que vemos.

—Todo es igual, desde el punto de vista de las apariencias externas. La diferencia es que los rayos son causales. Estas relaciones colectivas hacen que nuestra mente forme pensamientos, que se convierten en actos y que, en última instancia, generan relaciones causa-efecto en el mundo.

—Y nosotros tenemos libre albedrío para decidir y hacer lo que queramos. —Evie se quedó pensativa unos instantes—. Lo que estás diciendo es que, cuando Asher pide una manzana, está tomando esa decisión en base a sus deseos filtrados a partir de su experiencia.

Joe cogió una manzana y le dio un mordisco. Como era bastante dulce, se la dio a su hijo. Sosteniéndola con ambas manos, Asher la babeó y mordisqueó a placer.

—No, toda la red de rayos influye en él. Pero el conjunto de relaciones, el *yo* de Asher, es más complejo. Ese *yo* puede decidir hacer algo diferente.

Evie suspiró.

—Esa idea me reconforta, porque me gusta pensar que la forma en la que lo estoy criando es pedagógica y necesaria.

—Sí, cada relación influye en todas las demás. Aristóteles dijo que el carácter se forma con el tiempo, por la influencia de los padres, las amistades y la comunidad, y que se necesita práctica para tener un buen carácter. Creo que tenía gran parte de razón. Recibimos influencias, pero vamos forjando quiénes somos a través de las decisiones que tomamos.

Asher se reunió de nuevo con Clay para jugar en la tierra cerca del pino. Una vez dormido Sage, Evie lo puso en el cochecito y se fue a cantarles nanas a los mellizos junto al árbol, y su voz se elevó por toda la ladera.

. . .

Evie, nuestros hijos, nuestros vecinos... Hay un orden moral en todo esto. Creamos nuestra propia moralidad.

La ética no se basa en el deber de actuar, como dijo Kant con su imperativo categórico. No hay ninguna ley dictada desde fuera de este universo físico cerrado. Viene de nosotros, de no pensar en nosotros mismos, de olvidar nuestro ego. Viene de la compasión por todos los seres vivos que compartimos este mundo imperfecto.

La alternativa es seguir la ética de Schopenhauer, basada en la *presencia* de algo —la compasión— en lugar de la *ausencia* de algo. Se trata de tener la máxima compasión.

. . .

———————◆———————

Evie trajinaba alrededor de la chimenea, concentrada en preparar los platos para sacarlos todos a la vez. Puso sobre la mesa el pavo que Joe había cazado el día anterior y, en cuanto Joe lo hubo cortado, sirvió un humeante trozo de pechuga blanca en cada plato. Fabri sirvió una ensalada a la que había añadido generosamente el ingrediente favorito de Evie, los piñones. Eloy entretenía a los mellizos y Sage dormía en el cochecito.

—Qué buena puntería tuviste con esa ave —exclamó Eloy mientras Evie le ponía un plato de carne delante.

—Ya tengo suficiente confianza para cazar aves. No con el sofisticado método de Evie, sino con el arco, aunque me revienta perder las flechas cuando fallo —explicó Joe.

Todos estaban reunidos alrededor de la mesa, pasándose el pan y los platos con la comida. Los mellizos, sentados en las tronas que había construido Joe, agarraban los cachitos de carne que les daban sus padres y se los iban poniendo en la boca, dejando un rastro de comida por el suelo a su alrededor. Joe también había construido una mesa más larga para que cupieran todos. Ocupaba mucho espacio, pero daba un aire acogedor a la cabaña.

—Evie, el relleno está buenísimo —señaló Eloy.

—Es un relleno de pan con piñones y hierbas silvestres. —Solo Joe sabía el tiempo que Evie le había dedicado para que le saliera así de bien.

—Nos encanta celebrar la cosecha con vosotros —dijo Fabri.

—Es una tradición estupenda que hemos creado. —Joe pasó otro plato—. Estamos encantados de ser los anfitriones este año.

—Has conseguido una cosecha de trigo muy abundante —lo felicitó Eloy.

—Yo creo que esta tercera cosecha quedará como mi récord. —Eloy parpadeó y asintió con un ligero movimiento de cabeza y el semblante impasible.

Concentrados cada uno en su plato, comentaron lo buena que le había quedado la salsa a Evie, y a ella se le iluminó la cara con los elogios.

—Me gusta cocinar —reconoció. Después de servir la tarta de manzana volvió a recibir un alud de halagos.

Rebañaron los platos y se acomodaron satisfechos en sus asientos. Evie miró fijamente a Fabri.

—Fabri, nos encanta teneros a ti y a Eloy en casa, y os estamos muy agradecidos por todo lo que nos habéis ayudado. Tenemos dos regalos para vosotros. —Desapareció en el dormitorio y volvió con una cesta de mimbre—. Fabri, te has convertido en una hermana para mí. Esto es para ti, con todo mi corazón.

Evie dejó la cesta delante de Fabri y la abrazó. Fabri se puso de pie, un poco azorada.

—No estoy acostumbrada a recibir regalos.

Abrió la suave cesta y sacó una preciosa blusa de ante con delicados botones de madera, un lazo a cada lado y flecos en las mangas. Fabri se la puso, se abrochó los botones y se levantó para verla mejor. Evie le enseñó cómo abrocharse los lazos laterales para ajustársela.

—Queda incluso mejor que las que confeccionan los robots —comentó Fabri, exultante.

—Te queda estupenda, Fabri. —Joe sonrió con cara de satisfacción, sabiendo la de días que había dedicado Evie a coser la blusa y a tallar los botones.

Joe se levantó de la mesa, se fue al dormitorio y regresó con una caña de pescar larga y un carrete. Había tallado la vara de un árbol joven. El sedal monofilamento era uno de los tres rollos que se había llevado a la Zona de Exclusión. El carrete lo había construido con gran detalle, usando un clavo para el eje y la manivela, un trozo de alambre para el asa y un bloque de madera cuidadosamente tallado para la bobina. Había probado el mecanismo de la caña varias veces en el arroyo. Se la entregó a Eloy.

—Eloy, esto es para agradecerte todas las lecciones de agricultura, de caza, de pesca... y también de vida.

A Eloy le embargó la emoción mientras sujetaba la caña delicadamente con sus ásperas manos. Les mostró a los mellizos cómo giraba el carrete con la manivela y enrolló y desenrolló el sedal unas cuantas veces.

—Esto me irá mucho mejor que la vara de pescar. Creo que me estás devolviendo una noria en miniatura.

—No hay motivo para reinventar la rueda —sonrió Joe.

La cena terminó con cálidas muestras de afecto. Fabri se subió a Bessie detrás de Eloy y se despidieron antes de que el sol alcanzara el horizonte. Joe le cogió la mano a Evie mientras sus amigos se alejaban.

—Ha sido buena idea —dijo él.

Evie asintió y añadió:

—Parece que Eloy va entendiendo que no en todos los tratos entre personas tiene que haber un interés económico.

—Los voy a echar mucho de menos.

Evie le apretó la mano.

◆

Tras la copiosa cena, Joe se sentó bajo el manzano a tomar el aire. El campo de trigo era ahora una árida explanada. Habían recogido las manzanas, y entre las ramas desnudas se dibujaba un firmamento sin la presencia de la luna. Lo único que quedaba por hacer era recoger los piñones el mes siguiente. Para Joe, los días de agricultor estaban a punto de terminar. Aunque la supervivencia le había dado un objetivo por el que luchar, necesitaba enfrentarse a nuevos desafíos.

Contempló maravillado el centelleo de las estrellas en el firmamento y recordó todas aquellas noches que se había dedicado a admirar sus mapas estelares de realidad aumentada. Había memorizado las constelaciones principales, lo que resultaba absurdo e innecesario en el mundo moderno, pero no en ese mundo germinal. Siguió los patrones de estrellas sobre su cabeza como si tuviera el ARMO activado. En el cielo suroccidental se observaba el triángulo de verano, así como las constelaciones de Cygnus, Lyra y Aquila, con sus fulgurantes estrellas Deneb, Vega y Altair. En el norte, acunada entre Perseo y Draco, encontró la estrella polar —Polaris— apuntando al norte, señalando la puerta que los sacaría del destierro. Más allá de ese futuro incierto que le deparaba en cuanto la Tierra diese medio giro alrededor del sol, no sabía adónde le llevaría su camino. Joe contempló su odisea serpenteante.

. . .

Todos atravesamos la estrecha porción del bloque de tiempo que nos corresponde. Lo hacemos lo mejor que podemos. ¿Cómo medimos nuestras vidas? Si existe una Divinidad, ¿cómo nos mide?

Parece que durante el camino encontramos algunas pistas. Hay una profunda belleza en la estructura de las matemáticas, la estructura con la que se construye el universo. Podemos encontrar la belleza y la verdad, podemos llevar una vida virtuosa, podemos practicar la compasión y cultivar la sabiduría.

. . .

Evie le tocó la mano y se sintió todavía mejor. Él la rodeó con el brazo y ambos se quedaron mirando el cielo, con la cabeza de Evie apoyada en su hombro.

—¿En qué piensas? —preguntó ella.

—Estaba pensando en Dios.

Evie se quedó callada durante un rato.

—Cuando cruzamos el desierto dijimos que Dios, si existe, debe ser incognoscible. ¿Pero no dijimos también que no podemos saber con certeza si existe o no?

—Sí, si el universo está físicamente cerrado, y Él o Ella está fuera de ese universo cerrado y no interfiere, entonces no podemos saberlo. El diseño es tan preciso que no hay marcas de su obra, un trabajo inescrutable.

—¿Por qué crees que es así?

Habían empezado a hablar entre susurros para no perturbar la profunda y silenciosa oscuridad.

—Si tuviéramos la certeza de que Dios existe, ¿no limitaría eso nuestro libre albedrío? Si viéramos la inequívoca marca de Dios, ¿no sería de locos desviarse del camino de la bondad? —Joe hizo una pausa para respirar el aire de la noche—. La idea de una Divinidad que no interfiere, y que lo hace para preservar el libre albedrío otorgado a los seres conscientes como nosotros, responde al problema del mal en el mundo. La consecuencia es que, por desgracia, podemos hacer cualquier cosa, incluso el mal.

—¿Crees en Dios?

—He llegado a la conclusión de que creer en una posible Divinidad que no interfiere con el universo y que está fuera del espacio y el tiempo no va contra la ciencia. —Joe frunció los labios y se quedó pensativo unos instantes—. La conjetura no se puede verificar y escapa a lo que la ciencia reconoce como cierto, al igual que ocurre con muchas de las denominadas «especulaciones científicas sobre el más allá». Los buenos científicos, conscientes de sus límites epistemológicos, deben adoptar una postura empírica neutral. Teniendo esto en cuenta, he actualizado mi cálculo de probabilidades.

Evie se rió en voz baja.

—¿Probabilidades? Te expresas como un científico. Aunque supongo que te refieres a la apuesta de Pascal. Lo leí en tu omnilibro.

—No, Pascal dijo que si crees que Dios existe pero estás equivocado, solo te quedas sin algunos placeres finitos. En cambio, si crees que Dios no existe y te dedicas a pecar alegremente pero estás equivocado, entonces lo acabas pagando con el infierno. Por lo tanto, lo más acertado es ir a lo seguro.

—Eso suena como un concepto arcaico del pecado —apuntó Evie—. Básicamente es una apuesta en negativo para prevenir las consecuencias por si estás equivocado.

Joe asintió.

—Cierto. La mía es una afirmación positiva. Viviré aceptando la posibilidad de que existe una Divinidad que no interfiere. Me basaré en la belleza que encuentro en el universo y abriré la mente a esa posibilidad. Para mí no es solo apostar a caballo ganador. Esta vida aquí contigo y nuestros hijos me ha hecho menos cínico sobre lo que no puedo saber y más abierto a la belleza del universo. Tal vez estoy ganando algo de sabiduría.

—La vía negativa indica que Dios es incognoscible. Hablas como si se pudiera deducir algo.

Joe escrutó el cielo con los ojos entrecerrados.

—Como dijimos en el desierto, solo tenemos algunas pistas, estrellas que iluminan nuestro camino. Hay belleza en la estructura matemática del universo. Hay belleza en el elegante equilibrio entre la previsibilidad aparente y el profundo indeterminismo que nos otorga el libre albedrío. Existe la coincidencia irracional de que el universo favorece a los seres conscientes y sintientes. Existe el ajuste exacto de las condiciones de partida del universo, que permitió que se desarrollara la vida. Hay una evolución que hace que exista un mundo adecuado para cada ser. Parece que el universo es un jardín asilvestrado en el que los seres conscientes pueden tomar sus propias decisiones.

—Un regalo asombroso: un universo elegante en el que podemos tener libre albedrío. —Evie extendió las manos para abarcar la vista que se desplegaba frente a ellos—. Si Dios ha dado estos dones a los seres conscientes, es difícil no creer que ama a sus creaciones.

Joe recordó la sensación de ingravidez que sintió al flotar fuera de la base orbital.

—Es difícil imaginar que algo de la complejidad, la elegancia y el tamaño sobrecogedor del universo pueda aparecer de la nada, porque sí. Pero si fue creado, eso indicaría una característica parecida a la omnipotencia.

—Un poder tan grande que permite a Dios crear una piedra que no puede mover, que le permite limitar su propio poder.

Joe asintió.

—La paradoja de la piedra, que supone que la única lógica posible es la que conocemos en este universo. Pero un Dios profundo, creador del universo y el esqueleto matemático fundamental, puede crear otras lógicas en las que quizá no haya ninguna paradoja. ¿Qué se podría deducir de una Divinidad así? Si está fuera del espacio y el tiempo, podría ser omnisciente y omnipresente de una manera distinta a la que podríamos imaginar.

—Podría estar observando la libélula conservada en ámbar. —Evie se cobijó bajo el brazo de Joe.

Una estrella fugaz atravesó el cielo y desapareció sobre la montaña.

—¿Existe Dios o no? Podemos elegir entre creer que sí o que no. En un universo físico cerrado, nunca encontraremos la respuesta. No afecta a nuestra creencia en la ciencia. Si no interfiere, tenemos que decidir cómo vivir porque debemos crear nuestras propias reglas morales. La responsabilidad es nuestra.

—¿Cómo podemos agradecer la existencia de un Dios así?

—Con un simple canto de gratitud y mostrando nuestro compromiso a cambio... nada más —suspiró Joe—. Si tenemos libre albedrío y Dios no interfiere, entonces se limita a algo así:

«Gracias por regalarme el libre albedrío.

Acepto la responsabilidad.

Seguiré el camino de la virtud y la verdad, la sabiduría y la compasión.

La belleza que has creado ilumina el camino».

Joe la besó y siguieron contemplando las estrellas en el firmamento sobre su montaña.

Capítulo 43

Joe estaba sentado junto a Eloy en la orilla del arroyo, a la sombra de un gran roble. Pescaban en un remanso tranquilo. Entre ambos, sobre la hierba yacían tres truchas con el color típico del desove, cuyas escamas brillaban bajo la luz indirecta. Eloy pescaba con la caña que le había regalado Joe, y este con otra que se había construido para él. Eloy había lanzado su línea río abajo y se mantenía inmóvil, en dirección al flotador atado a la línea, que había construido con una ramita.

Joe todavía estaba saboreando la agradable sensación de haber pescado la tercera trucha arcoíris, escondida en el bajío cerca de la orilla. Había dejado que el anzuelo flotara río abajo hasta la trucha y, con un leve movimiento de muñeca, lo había hecho vibrar. El pez había mordido el anzuelo y, sin ser consciente de ello, había mandado una señal a las manos de Joe, tirando con todas las fibras de su cuerpo en su feroz lucha por sobrevivir. Tensando con fuerza la línea, había aparecido con un reflejo iridiscente entre las aguas para ocultarse luego tras las rocas de la otra orilla. Joe había sujetado la caña con cuidado, manteniendo la línea en su sitio con el cuerpo de la caña doblado y apuntando al cielo, tambaleándose suavemente, mientras el pez saltaba dos veces más sobre el arroyo. Evie estaría contenta con ese ejemplar para la cena, pensó.

Joe cogió otro gusano serpenteante de la caja de mimbre, lo ensartó en el anzuelo y volvió a lanzar la línea junto al flotador de Eloy. La visión de ambos flotadores juntos a la deriva le provocó una sensación cálida en el pecho. Joe admiraba al hombre que estaba sentado a su lado y que le había enseñado tanto sobre cómo ser autosuficiente y sobrevivir. Eloy se creía un gigante solitario. Podía ir por la Tierra sin necesitar a nadie, usando las manos y la mente para conformar el mundo a sus designios, y era muy crítico con cualquiera que eludiera sus tareas. Joe esperaba haber estado a la altura.

—Tengo ganas de enseñarle a Clay a cazar y pescar —dijo Eloy.

Joe tiró de su línea.

—Espero que no necesite aprender a cazar.

—Bueno, al menos a ser autosuficiente, y eso se enseña en contacto con la naturaleza.

Joe asintió y durante unos minutos se concentró en su línea, mientras ambos disfrutaban del silencio junto al apacible arroyo.

—El mes que viene termina vuestra condena —le recordó Eloy—. Las marcas en la pared de la cabaña son fáciles de contar. Supongo que tenéis intención de iros.

—Sí, por los niños. No podemos tomar la decisión unilateral de vivir lejos de la civilización.

Eloy observó su flotador en el agua y empezó a hablar en voz baja, casi para sus adentros.

—Después de cumplir la condena de cinco meses, Fabri y yo decidimos quedarnos. Nos gustaba la vida aquí y hablamos de tener un hijo, pero como no llegaba, pensamos en cruzar la puerta y empezar una nueva vida fuera. Entonces aparecisteis vosotros y decidimos posponer la idea.

—¿Os habéis sacrificado por nosotros? —preguntó Joe, con la mirada puesta en el flotador.

—No, solo hemos retrasado la decisión. Hemos tenido la oportunidad de probar la idea con vuestros hijos. Esos mocosos se hacen querer.

Joe se rió entre dientes.

—Ese problema tiene solución. La propiedad intelectual médica forma parte del legado común de la humanidad. Deberíais aprovecharlo.

Eloy miró a Joe en silencio.

—Tal vez deberíamos intentarlo mientras Fabri todavía es joven.

—Nos encantaría que vinierais con nosotros —dijo Joe, devolviéndole la mirada.

—A mí me gustaría. Lo hablaré con Fabri.

Feliz en compañía de su amigo, Joe movió la caña para colocar el flotador en una onda del río.

Eloy seguía hablando en voz baja, como si susurrara a los peces.

—Eres el hijo que me hubiera gustado tener y que nunca tuve. Trabajador y capaz de salir adelante.

Joe sonrió.

—¿Que nunca tuviste? Que no has tenido... *todavía*. Pero gracias, es el mejor cumplido que me han hecho en la vida.

———————◆———————

Joe y Evie invitaron a sus vecinos a una merienda-cena. Fabri tenía a Sage en brazos. El pequeño balbuceaba siguiendo cada expresión de su rostro.

—Mira, el tercero nos ha salido parlanchín —observó Fabri.

Evie se rió.

—Cuando los mellizos cumplieron dos años empezaron a hablar por los codos. Hasta Sage quiere participar en la conversación —dijo mientras servía la sopa en los cuencos. Joe y Eloy pusieron a los mellizos en las tronas y todos se sentaron a la mesa.

En cuanto empezaron a comer, Joe le hizo una señal a Evie y, dirigiéndose a Eloy y Fabri con cierta solemnidad, anunció:

—Según las marcas que he ido haciendo en la pared, nos queda una semana. —Fabri y Eloy se miraron y luego prestaron atención.

Evie prosiguió:

—Eloy, Joe me ha dicho que te comentó nuestros planes para cuando termine la condena. Hemos decidido que lo mejor para nuestros hijos es marcharnos cuando llegue el día. Aunque nuestra vida aquí ha sido toda una lección, y habéis sido unos vecinos y amigos maravillosos, primero debemos pensar en los niños.

Eloy no se mostró sorprendido.

—Los guardiabots funcionan de forma independiente. Si habéis hecho bien los cálculos, os dejarán marchar. Si no, os lo dirán. Se limitan a seguir instrucciones. —Tomó una cucharada de sopa—. Supongo que Joe habrá hecho bien los cálculos. No sabe mucho de economía, pero sumar sí sabe.

Joe sonrió con la descripción de sus aptitudes y retomó el argumento de Evie:

—Os apreciamos muchísimo, pero no queremos abandonar a los amigos de los que hemos estado alejados estos tres años. Sé que le habéis dado vueltas a la idea de salir con nosotros, y eso nos encantaría. Pero debéis saber que venir con nosotros puede suponer un riesgo importante. Ahí afuera dejamos a algunos enemigos poderosos, y no sabemos si siguen siendo un peligro. Si fuera ese el caso, no está claro que nuestros amigos puedan protegernos.

Eloy se sentó bien erguido con actitud desafiante, como si las palabras de Joe hubieran despertado en él algún tipo de instinto militar.

Evie asintió y continuó relatando todo lo que habían decidido explicarles.

—Cuando os conocimos, os dijimos que teníamos algunos enemigos políticos, pero hay más. Ahí afuera yo lideraba un movimiento para abolir las leyes de niveles y eso puso en jaque la estructura política. Ese es el verdadero motivo por el que nos enviaron aquí.

—Evie contó a sus amigos la historia de su movimiento y el punto en el que se encontraba cuando les desterraron.

—Bueno, ahora entiendo que lleves un bastón *bō* —dijo Eloy riéndose por lo bajo.

—Parece que estabas trabajando por todos nosotros —señaló Fabri.

—Pues sí —intervino Joe, tomando la mano de Evie—. Además de todos los motivos que tenemos para regresar, Evie va a retomar la lucha y voy a ayudarla. —Todos asintieron, compartiendo un momento de solidaridad.

—Hemos estado meditando esta decisión durante semanas —dijo Fabri—. Las razones por las que nos quedamos tanto tiempo ahora ya no pesan como antes. Hay que reconocer que estamos en un entorno peligroso. En cualquier momento puede producirse un desastre que acabe con nosotros.

La expresión de Eloy era seria.

—Bueno, pero... y lo romántica que es la vida en las montañas... Me sabe mal que se acabe. Se me da bastante bien y sé que echaré de menos un buen filete de venado de verdad; es mucho mejor que esa cosa a la que llaman «carne alternativa» —dijo entre risas—. Pero supongo que no soy un lobo solitario. Nos vamos los dos juntos.

—Nos gustaría marcharnos con vosotros —añadió Fabri, con una sonrisa esperanzada—. Nos gustaría teneros cerca a vosotros y a los niños. Os habéis convertido en nuestra familia.

Evie y Joe abrazaron a sus vecinos sin poder disimular una gran sonrisa de felicidad.

—Para los niños será una maravilla tener cerca a su tío y a su tía —dijo Evie.

Eloy le dio a Asher una cucharada de sopa.

—Estas criaturas van a sufrir un gran cambio en su vida. Seguro que les vendrá bien tener cerca a alguien que sepa lo que han vivido.

—Para ellos, dejar la Zona de Exclusión será desconcertante. —Evie se abrazó a sí misma—. Teneros con nosotros hará más fácil su transición a un mundo donde las máquinas lo hacen casi todo.

—Aquí se acaba nuestra economía independiente —se lamentó Eloy.

—Eloy, no se puede tener una economía independiente si se comparte la propiedad intelectual, que siempre has dicho que era lo justo —le respondió Evie.

Eloy hizo una mueca y Joe sospechó que estaba pensando en la tecnología médica.

Con lágrimas en los ojos, Fabri le cogió la mano a Eloy.

—Y es hora de que formemos nuestra propia familia. Aquí no podemos seguir esos procedimientos. —Eloy le acarició la mano con el pulgar—. Tanto si logramos tener una familia como si no, quiero volver a trabajar en un hospital. Es un trabajo que las personas pueden hacer tan bien como los robots.

—Fabri, me has dado grandes lecciones sobre la compasión —dijo Joe.

Fabri acarició la cabecita de Sage.

—Irán a un lugar en el que no necesitarán obtener las proteínas de los seres vivos. Podrán ser personas más compasivas.

—Sí, un mundo en el que puedan ser buenas personas y tratar a todo el mundo con respeto y amor. —La voz de Evie se tiñó del tono apasionado de su antigua lucha—. Siempre y cuando todo el mundo actúe con un gran sentido de la justicia.

Clay todavía sostenía el soldado de madera con el que había estado jugando antes de cenar y empezó a golpear la silla con él. Joe lo levantó de la trona y lo sentó en su regazo.

—Un mundo en el que puedan explorar el universo y avanzar en el conocimiento humano.

—Y un mundo con un poder militar ilimitado para causar muerte y destrucción —dijo Eloy, apretando la mandíbula—. Ahí fuera lo bueno y lo malo se magnifican. Tal vez ellos puedan ser más inteligentes que nosotros.

Joe sacudió la cabeza.

—Tendrán libre albedrío para decidir. Es todo un viaje.

—¿Viaje? —preguntó Asher, levantando la vista de la cuchara.

—Sí —sonrió Evie—. Con libre albedrío, es un viaje sin confines allá donde quieras ir.

◆

El día antes de que terminara el destierro, amaneció con el cielo azul y un ambiente fresco. Aunque la puerta norte estaba a solo veinte o treinta kilómetros de distancia, los caminos de tierra y las carreteras abandonadas no eran adecuados para la vieja carreta, por lo que decidieron hacer el trayecto con tiempo. Llegarían a la puerta al anochecer y acamparían para pasar la última noche.

Eloy llegó a la cabaña a la hora acordada, con Bessie y la carreta cargada con sus pertenencias. Fabri llevaba puesta la blusa de ante y Eloy había elegido la camisa militar de camuflaje. Evie y Joe colocaron también su escaso equipaje y montaron a los tres niños en el carro.

Evie había vestido a los mellizos con camisas y pantalones de ante con flecos y botones rústicos de madera que había tallado con gran esmero. Calzaban pequeños mocasines. Sage iba enfundado en un mono de piel de liebre y observaba maravillado todo cuanto acontecía a su alrededor sacando la carita por la capucha afelpada. Evie vestía una imponente túnica de flecos, pantalones de ante ajustados y unas botas negras con borde de piel. Joe examinó su camisa de ante, su abrigo, sus pantalones y sus raídas Mercury, que eran las únicas prendas de ropa que tenía. Tras vivir tres años en plena naturaleza, casi todo lo que habían traído se había estropeado.

El día antes, Eloy había dejado libres a las ovejas, aunque Fabri temía que no sobrevivieran. Había sacrificado su última gallina para poder preparar una copiosa cena para todos en la cabaña de Fabri. Riéndose de sí mismo, Joe había dicho: «mira, una excursión al corral de las gallinas» y todos le habían seguido la broma. En muchos sentidos, fue una cena agridulce, con la sensación de estar dejando atrás algo que nunca volverían a tener.

Ahora Eloy estaba sentado en la carreta y sujetaba las riendas, contemplando la pequeña granja. La noria seguía girando en el arroyo.

—¿Preparados para partir?

Joe asintió, dio un último vistazo al interior de la cabaña y cerró la puerta. Evie lo abrazó y, por su mirada, supo que sentía la misma nostalgia que él. Ayudó a Evie a instalarse con Sage entre los mellizos y se sentó junto a Eloy. Joe contempló su hogar por última vez, desde el campo sin labrar hasta la cabaña, y luego los dos manzanos y la noria. Allí había logrado reinventarse con éxito, construyendo una vida civilizada para ellos, como símbolo de la promesa y el riesgo que entraña toda la tecnología humana.

Joe se tocó el punto del pecho donde tenía implantada la tesela biométrica.

—Supongo que nuestros amigos esperarán que estemos ahí mañana al mediodía.

Eloy tiró de las riendas y la yegua se puso en marcha.

—Decid adiós —pidió Evie a los mellizos.

—¡Viaje! —dijo Asher mientras se despedía de la cabaña con la manita.

Confuso, Clay miró a Eloy. Al descender en dirección a la cabaña de Eloy, el pequeño balbuceó:

—¿Tío?

—No, esta vez no vamos a mi casa, Clay —dijo Eloy.

Condujo la carreta por el borde del campo, ahora yermo, abriéndose camino entre rocas y socavones. Al cabo de unos cien metros llegaron al camino de tierra abandonado que discurría paralelo al arroyo. Estaba cubierto de vegetación pero era más transitable. Descendían tan lentamente por la pendiente que, de participar en una carrera contra una tortuga, la habrían perdido. La carreta avanzaba entre traqueteos y vaivenes con el paso de Bessie. Las mujeres se mantenían ocupadas entreteniendo a los pequeños. Clay y Asher señalaban a los pájaros que trinaban en los árboles o arbustos que encontraban a su paso. Al mediodía se detuvieron para comer los restos de pollo frío con las últimas hogazas de pan.

El camino de tierra se cruzaba con otro más ancho que en algún momento había estado asfaltado. Ahora el lugar era un cruce vacío con cimientos en ruinas y clapas de tierra que parecían tumbas anónimas.

Eloy señaló un cartel oxidado.

—Ahí pone que este pueblo se llamaba Jiggs.

Viró la dirección de Bessie y tomó la carretera hacia el norte. En medio del árido desierto que los rodeaba contemplaron cómo sus montañas se empequeñecían en el horizonte sureste. Embargado por la nostalgia, Joe se quedó mudo frente a la sonrisa melancólica de Evie, que parecía despedirse con la mirada de aquella montaña que dejaban atrás para siempre.

Al llegar a una colina vislumbraron la silueta opaca de un muro que se extendía de este a oeste a lo largo de la lejana carretera. La puerta situada junto a la carretera permanecía impasible bajo la luz menguante, indiferente a su aproximación y sin darles ninguna pista del destino que correrían al otro lado.

Acamparon en la vertiente de umbría de la colina. Joe encontró leña y encendió una hoguera. Fabri y Evie sacaron sus provisiones para preparar la cena. Luego se sentaron todos juntos alrededor del fuego, entreteniendo a los niños y jugando con Sage, que estaba irritable por no haber podido dormir la siesta en la carreta. Clay y Asher estaban entusiasmados con las novedades del día, y el polvo y los baches no les habían afectado lo más mínimo. Al caer la noche, lograron calmar a los niños y los pusieron a dormir sobre mantas de piel de liebre junto a la carreta. En su saco de dormir, Joe contempló la bóveda celeste, con millones de refulgentes estrellas. Abrazó a Evie hasta que vio que se había dormido y respiraba profundamente.

Se puso a reflexionar sobre sus retos inmediatos. Durante un tiempo había albergado la esperanza de que tal vez Raif y los demás podrían desenmascarar a Peightân y acortar así su destierro, pero era evidente que eso no había sucedido. Cualquiera que fuera la situación en el mundo exterior, Joe debía dar por sentado que Peightân seguía representando una amenaza.

Rodeado por el universo, inmenso y aleatorio, concentró sus pensamientos en los días siguientes y en el tiempo que le quedaba por vivir, fuera el que fuera.

. . .

He vivido en la montaña y aquí he aprendido algo sobre la vida en el mundo. De ahora en adelante debo dejar que estas lecciones guíen mi camino.

. . .

Joe reflexionó sobre la belleza y las adversidades de esos últimos tres años extraordinarios. Una vida con libre albedrío era un regalo asombroso. Era un motivo para ser el dueño de su existencia y asumir toda la responsabilidad que se derivara de ello. Solo representaría una fina lámina en el bloque de tiempo, pero prometió no desperdiciarla y hacer que cada decisión y cada momento valieran la pena. Observó la constelación del León, situada al oeste, con su forma de signo de interrogación al revés. El futuro era incierto, plagado siempre de interrogantes. La vida ardía en su interior como nunca antes.

Absorto en todos esos pensamientos, Joe se acabó durmiendo.

Se despertaron con las primeras luces del alba y las mujeres prepararon un desayuno frugal. Intentando no despertar a los mellizos, Evie se llevó a Sage a la carreta para darle el pecho. Joe, Eloy y Fabri se sentaron alrededor del fuego para tomarse su último té de efedra.

—¿Crees que podemos calcular con exactitud cuándo será el mediodía para poder cruzar la puerta sin ningún riesgo?

—Solo tenemos que mirar el cielo. —Eloy observó cómo el sol avanzaba por el firmamento—. Y los guardias nos dirán si llegamos demasiado pronto. No cruzaremos la puerta hasta que nos den el visto bueno.

Nada más despertarse, los mellizos se pusieron a corretear alrededor de la carreta y a jugar con la tierra. Eran una distracción necesaria ante el creciente nerviosismo de Joe. Los adultos jugaban con los pequeños sin exteriorizar su inquietud ante su incierto futuro.

Evie alzó la vista para mirar el sol y luego la dirigió a la puerta en la lejanía.

—Estamos a una hora de distancia. Podríamos comer ahora que aún es pronto. —Todos tenían poco apetito, pero Evie se aseguró de que los pequeños comieran. Luego cargaron la carreta, y Joe y Eloy volvieron a ocupar su lugar en el pescante.

—Rumbo al mundo civilizado —dijo Eloy, haciéndole un chasquido a la yegua.

Con el sol sobre sus cabezas, la carreta descendió por la última colina que conducía a la puerta. Frente a ellos se alzaba el muro negro que cruzaba el desierto. En las torres de vigilancia a ambos lados de la puerta había varios milmecas apostados con armas pesadas y preparados para abrir fuego. En la torre oeste, un milmeca manejaba un arma láser con un haz rojo como una espada apuntando al cielo.

Detuvieron la carreta justo enfrente de la puerta. Bessie, ajena a la tensión, olisqueaba el suelo en busca de hierba inexistente.

Un milpipabot, blindado con una armadura, salió de la garita.

—Identifíquense —ordenó. Todos dijeron su nombre y Joe añadió los nombres y la edad de los tres niños, precisando que habían nacido en la Zona de Exclusión.

Una luz azul se encendió en la frente del milpipabot.

—Todas las condenas registradas se han cumplido. Están autorizados a salir.

La puerta, usada en contadas ocasiones, se abrió con un gran chirrido de las bisagras. A orden de Eloy, la carreta se puso en marcha tambaleándose. El muro se extendía en ambas direcciones hasta donde alcanzaba la vista. Enseguida cruzaron al otro lado. Joe miró hacia atrás mientras su antigua vida se hacía cada vez más pequeña y la puerta se cerró de golpe, dibujando un signo de exclamación suspendido en el aire del desierto.

Observó a Evie y vio que los niños se habían agarrado a su madre emocionados. Ella estaba sentada, erguida, con el bastón *bō* en la mano.

Cuarta parte: El viaje hacia el todo y hacia la nada

«Desde fuera, sería como observar una libélula conservada en ámbar».

Evie Joneson

«No es el hado ni el destino, solo decisiones libres de seres conscientes, fraguadas al azar».

Joe Denkensmith

MAPA DEL CAMPO
DE BATALLA
DE NUEVO MÉXICO

San Antonio

Campo de
pruebas nucleares
Trinity

25

Brown BLUE TWO

54

Campo
de misiles
de White Sands

Truth or
Consequences

RED
ROGUE

BLUE
ONE

Puerto espacial
de Nuevo México

Dunas de
yeso de
White Sands

Sherwood

Alamogordo

Base de las
Fuerzas Aéreas
de Holloman

25

54

N

Capítulo 44

—Demasiado fácil —presintió Evie con expresión decidida. Joe miró atrás. Iba sentada entre los mellizos, aferrada a ambos lados de la carreta, preparada para defenderlos en cualquier momento.

La carreta se alejó de la puerta y Bessie siguió hacia el norte por la carretera del desierto. A lo lejos se divisaba un remolino de polvo oscuro que avanzaba hacia ellos. Tras aminorar la marcha, Eloy acabó deteniendo la carreta al comprobar que se trataba de un transporte blindado de personal. Apostados en las cuatro esquinas del techo del vehículo había cuatro milmecas con enormes armas integradas en los antebrazos y apuntando hacia el cielo, y un quinto en el centro. Las cabezas triangulares de las máquinas se volvieron hacia ellos.

Joe se quedó congelado en su asiento. El tiempo se detuvo.

. . .

¿Todo ha terminado?

. . .

—¿Qué pasa? —preguntó Fabri con voz agitada. Sage comenzó a llorar en sus brazos y ella, con la cara pálida, trató de hacerle callar.

El transporte blindado se acercó a siete metros y giró en seco para darles la espalda. El revuelo de arena llegó hasta la carreta e hizo toser a los pequeños. La rampa posterior del vehículo se abrió y golpeó el suelo con gran estruendo.

En la compuerta apareció la cabeza de Raif, con una sonrisa de oreja a oreja.

Al ver que Raif se acercaba corriendo, Joe se bajó de la carreta. Se dieron un fuerte abrazo y Raif le rodeó con su brazo musculoso. Los ojos húmedos de Raif no podían disimular la emoción.

—*Brat*, estaba preocupado por ti, pero no parece que te haya ido muy mal en la Zona. —Le golpeó el brazo a Joe. Tenían casi los mismos bíceps, aunque Raif siempre había sido el más atlético.

Raif sonrió a Evie, que se había bajado con Sage en brazos, y le estrechó la mano afectuosamente.

—He oído hablar mucho de ti. Me alegro mucho de conocerte por fin.

La sonrisa de Evie le iluminó el rostro.

—Igualmente, Raif.

Cerca de Raif, Mike y un milpipabot rodeaban la carreta.

Mike miró a los niños con incredulidad.

—Joe, Evie, ¿son vuestros hijos? ¿Los tres? Habéis sido realmente productivos ahí fuera...

Ambos asintieron con una sonrisa.

—Sí, los mellizos son Asher y Clay, y este es Sage —dijo Evie.

Mike lucía una barba recortada, con el rostro rubicundo de siempre.

—Haré una llamada para que os envíen un dron con todo lo necesario para los críos.

Joe se atusó la barba desaliñada que las tijeras caseras de Fabri no habían logrado dominar. No se debía de parecer en nada al hombre que había entrado en la Zona tres años antes.

Aún sentado en la carreta, Eloy tosió y Evie cayó en la cuenta.

—Ah, no os hemos presentado a nuestros queridos amigos, Eloy y Fabri. Nos han ayudado muchísimo a sobrevivir estos tres años. Más que amigos, son como de la familia.

Raif se acercó para estrechar la mano de Eloy y Fabri.

—Me alegro de que estuvierais allí para ayudarles.

—Se me ha helado la sangre cuando he visto esos robots tan fuertemente armados en el techo de vuestro vehículo. ¿Estamos a salvo? —preguntó Fabri.

—En realidad, no —intervino Mike—. Peightân, el ministro de Seguridad, es una amenaza muy real. Por eso hemos venido, para asegurarnos de que regreséis a casa sanos y salvos, no sea que se le ocurra hacer acto de presencia. Pero tuvimos que dejar el aerodeslizador a siete kilómetros de aquí; es lo máximo que permiten acercarse a los muros del perímetro. ¿Cuál es la situación, H137?

Joe miró al milpipabot que les acompañaba.

—Nuestro aerodeslizador está a la espera. También he recibido el aviso de que una aeronave desconocida se dirige hacia esta posición. La estamos rastreando.

—Avísanos si representa algún peligro —dijo Mike, y la frente del milpipabot emitió un destello azul.

Raif se tocó las sienes.

—Peightân es una absoluta amenaza para ti y para todos. Ha sido agotador. El equipo ha estado trabajando en secreto sin parar. Hemos acotado las posibilidades y hemos descubierto que Peightân ha ido tomando el control de varias IA y robots, uno tras otro, mediante dispositivos físicos de hardware que eluden el software de encapsulación.

—Hemos decidido obligarle a actuar —dijo Mike. —La semana pasada difundimos en la red el rumor de que podríais estar vivos, y rápidamente se hizo viral en el netchat. De repente, todo el mundo hablaba de vosotros. Prime Netchat retransmitió las grabaciones originales del juicio y el destierro, y la opinión pública empezó a cuestionar la validez de la sentencia. La atención se centró en el papel de Peightân en todo el asunto y, al poco, los medios insinuaron que él estaba detrás de esta injusticia. Las noticias sobre las protestas corrieron como la pólvora en todo el país. Peightân temía que vuestra supervivencia se convirtiera en un pararrayos para el movimiento. La idea es que el rumor le obligara a actuar antes de estar completamente preparado.

—¿Somos el cebo? —preguntó Evie con recelo.

—El odio de Peightân hacia vuestro movimiento antiniveles no ha hecho más que crecer, lo mismo que su ambición. Habría ido a por ti y a por Joe, hiciéramos lo que hiciéramos. Luego te lo explicaré todo. Por ahora, haceos a la idea de que es como si estuviéramos en guerra —respondió Mike.

Joe se inclinó hacia adelante, escuchando atentamente con Evie a su lado.

—Hemos rastreado las comunicaciones de Peightân hasta una base de apoyo entre robots militares infectados con el gusano informático, el Ejército Fronterizo del Sur, en Nuevo México —añadió Mike.

Raif retomó la explicación.

—Es la prueba de que su objetivo táctico es controlar el campo de misiles de White Sands. Es la base que protege nuestras armas más letales en la frontera.

—¿Qué pensáis que está tramando? —Evie asió a Sage con más fuerza.

—Si Peightân ha infectado a robots militares y es capaz de hacerse con el control físico de los misiles de la base, tendrá poder suficiente para controlar el país. —Raif dirigió una mirada cansada a Joe—. Después de las catástrofes de las Guerras Climáticas, todos los países adoptaron los protocolos internacionales para prevenir las guerras accidentales. Las armas autónomas con controles de acción inmediata causaron infinidad de muertes. Con los nuevos protocolos, Peightân tendrá que tomar el control físico sobre los misiles para poder lanzarlos.

—Esperamos que, después de haber engañado a Peightân para que vaya a por vosotros, se vea obligado a poner en marcha sus planes antes de hora, y eso nos dé una ventaja en la batalla que se avecina —explicó Mike.

Raif asintió.

—Anoche ordenamos que el Ejército Fronterizo del Norte tomara posiciones secretamente en Nuevo México. El nombre en clave de ese ejército es Blue Two.

—¿Cómo lo hicisteis para no dejar ninguna huella electrónica a Peightân? —Joe miró a Mike.

—El viejo método analógico. Hablamos con los guardias humanos de Stallion Gate, en la pequeña localidad de San Antonio, y les hicimos jurar que guardarían el secreto. Hemos desplegado Blue Two al sur del antiguo campo de pruebas nucleares Trinity. Por supuesto, el ejército está protegido electrónicamente para ocultar su presencia.

Eloy y Fabri se habían bajado de la carreta y ahora todos se encontraban junto al vehículo salvo los mellizos, que asomaban por un lado, con las manos de Evie sobre sus espaldas con instinto protector. El transporte blindado estaba a varios metros de distancia con los milmecas inmóviles sobre el techo.

Eloy acarició la crin de Bessie.

—¿Qué hacemos con la yegua?

—Podemos transportarla donde quieras para que esté bien cuidada —respondió Raif e hizo un gesto a H137.

—Ordenaré el transporte —dijo el robot.

Eloy asintió y dio al equino una cariñosa palmada de despedida.

H137 les interrumpió.

—La nave desconocida sigue aproximándose. Corren peligro. Tenemos interceptores militares codificados para defendernos. La aeronave desconocida ha sobrepasado el límite de siete kilómetros y estará aquí en cuarenta y un segundos. Entren en el transporte blindado inmediatamente.

—*Brat*. Todos adentro, ¡vamos! —Raif cogió a Asher del carro y Joe, a Clay. Evie corrió con Sage en brazos hacia el vehículo acompañada de Eloy y Fabri. Joe entregó a Clay a Eloy y se quedó en la rampa hasta que todos hubieron entrado. La puerta reflejó la imagen de la yegua enganchada a la carreta antes de cerrarse con un estruendo.

Cuando el vehículo se puso en movimiento todos perdieron momentáneamente el equilibrio. Joe ayudó a Evie y Sage a sentarse junto a Fabri en la banqueta metálica marrón. El bastón *bō* de Evie cayó al suelo y rodó hasta una esquina. El vehículo se alejó de la puerta con fuertes traqueteos. Joe afianzó a Asher a su lado con una mano mientras con la otra agarraba el pasamanos. Fabri ayudó a Evie a aferrarse para evitar que cayeran del asiento. Todos los niños lloraban, pero apenas se les oía por el rugido del motor.

Unas pantallas revestían el interior de las paredes y el techo iluminando el paisaje exterior del vehículo, que parecía transparente. Joe alzó la vista hacia los milmecas del techo.

—Qué bestias militares tenemos ahí arriba —vociferó Eloy con un gesto de aprobación. Joe asió fuertemente el hacha que tenía enfundada en el cinturón.

Un sonido atronador en el cielo delataba la aproximación de la aeronave. Guiándose por el origen del sonido, los milmecas apuntaron sus armas y abrieron fuego a discreción sobre el objetivo invisible. Asher se tapó los oídos llorando desconsoladamente. Eloy alargó la mano y giró la ruedecilla de un sintonizador que había en la pared. El estrépito exterior quedó eclipsado por el ritmo frenético de unos tambores de *otzstep*. Para bajar el volumen, Eloy giró de nuevo la ruedecilla.

—Maldita música pop —refunfuñó.

—Trueno —dijo Asher, resoplando. La música había distraído a los dos mayores, pero Sage seguía llorando.

—Sí, trueno —dijo Evie, tratando de calmar a Sage con la preocupación reflejada en su rostro.

El objetivo de los milmecas apareció en la pantalla: un transbordador policial que venía del norte, volando rápido y a baja altura, perseguido por dos transbordadores militares más grandes.

El transbordador de la policía escupió munición trazadora, que rebotó con el transporte blindado e hizo saltar por los aires el brazo de uno de los milmecas de la cubierta en su trayectoria hacia el sur. Joe se asomó a la pantalla trasera para ver caer el brazo del robot sobre la carretera, a tiempo para contemplar cómo la yegua y la carreta se transformaban en una mancha roja entre un montón de tablones astillados.

—¡Bessie! —gritó Eloy con rabia y dolor, tapándole el rostro a Clay. Joe se colocó delante de Asher para que no viera nada y Evie asió a Sage con ímpetu. Joe miró a Eloy, pero no había tiempo de abordar su arrebato de ira.

Los milmecas dispararon de nuevo y el transbordador policial huyó zigzagueando hacia el norte. Las aeronaves militares fueron tras él en un giro cerrado y una de ellas lanzó una ráfaga de disparos. El motor del transbordador policial lanzó una llamarada y la aeronave desapareció detrás de una montaña, con los transbordadores militares pisándole los talones.

—Informa de la situación, H137 —ordenó Mike.

—Nuestros interceptores han obligado a la aeronave hostil a alejarse cinco kilómetros al norte. La hemos alcanzado y se ha estrellado. Nuestras fuerzas llegarán enseguida a la zona de la colisión para evaluar los daños y los posibles heridos. —La frente del milpipabot parpadeó en azul.

—¿Quién iba ahí dentro? —preguntó Joe a Mike alzando la voz.

—Imagino que Bill Zable. —La mirada de Mike adquirió un aire beligerante—. Ha caído en la trampa.

El transporte blindado se acercó a una columna de humo. La pantalla lateral mostraba dos transbordadores militares parados en la cuenca. Su forma de torpedo negro con motores bajo las alas cortas les confería un aura de brutal eficiencia. Junto a ellos, el transbordador policial derribado estaba rodeado de milmecas. Un lateral de la nave había resultado gravemente dañado. Desde el aire, tres drones lanzaban retardante para extinguir la aeronave en llamas. El transporte blindado se salió de la carretera y atravesó la maleza del desierto hasta detenerse cerca del aerodeslizador.

—La zona ya es segura —dijo H137, con la cabeza elíptica girando hacia la salida. Mike abrió la puerta del vehículo y salieron él y Raif, seguidos de Eloy.

Joe vaciló un segundo, mirando a Evie y a los chicos.

—Fabri, ¿puedes quedarte aquí con los chicos? —Fabri asintió, y Evie y Joe se bajaron del vehículo para alcanzar a los demás. El milpipabot les siguió hasta los restos humeantes.

Los polibots yacían en el suelo hechos trizas, con servos y cables colgando de los miembros metálicos. En el ambiente aún se respiraba un olor a azufre de tierra, cabello y metal quemados. Alrededor de una camilla, varios medibots se afanaban en atender a algún herido.

H137 les puso al corriente.

—Había un humano a bordo. Está vivo, pero gravemente herido. Lo transportaremos al hospital de emergencia.

A Joe le llevó unos cuantos segundos identificar al hombre de la camilla: era Zable. Le colgaba carne ennegrecida de la cara y una pierna. Un robot le había amputado la otra pierna y le estaba cauterizando el muñón. Joe se estremeció al presenciar la sangrienta imagen.

—¡Has matado a mi yegua! —gritó Eloy visiblemente airado, con la vena del cuello palpitándole. Zable se volvió instintivamente hacia la voz que le hablaba, con la mirada perdida.

—¿A quién le importa la yegua? ¿He liquidado a esos dos renegados? —El gruñido estrangulado de Zable sonó tan siniestro como delirante. Joe sujetó el hacha con una mano temblorosa, luchando para no dejarse llevar por la cólera. Evie le agarró del brazo para tranquilizarlo.

—¿Y esto es la civilización? —se lamentó Eloy mientras contemplaba a Zable. La satírica amargura de su voz dejaba entrever que se arrepentía de haber decidido seguirlos.

Un medibot metió en un contenedor la pierna amputada de Zable. Las moscas del desierto ya habían encontrado la macabra extremidad y el robot las ahuyentó antes de cerrarlo. Era el protocolo estándar para preservar todos los tejidos, pero con la pierna en ese estado, Joe sabía que le colocarían otra prótesis. Con el campo de batalla estabilizado, los medibots transportaron la camilla hasta uno de los transbordadores militares y la introdujeron en la nave a través de la plataforma de carga. Los motores se pusieron en marcha y la aeronave se elevó sobre el desierto.

El grupo volvió al transporte blindado, donde Fabri les esperaba ansiosa, asomada a la puerta.

—Sé que ha intentado matarnos. —Fabri temblaba de ansiedad—. Pero no puedo alegrarme de ver a un ser humano tan malherido.

—Deberías haberme dejado el hacha —sentenció Eloy.

. . .

Reconozco a Eloy en mi yo primario queriendo destruir una amenaza. No es fácil comportarse de manera civilizada, y mucho menos mostrar compasión.

. . .

—Vamos. Tenemos que seguir —dijo Mike.

—¿Seguir? —Evie cogió el bastón *bō* con un gesto desafiante que iluminó sus ojos de color avellana—. Nunca he seguido a nadie, y mucho menos en los últimos tres años.

H137 escoltó al grupo al otro transbordador militar. La escalera trasera descendió con un zumbido hasta posarse sobre la arena. Los primeros en subir fueron Evie con Sage, y Joe y Fabri con los mellizos. Joe miró el desierto por última vez, lamentando haber dejado el arco sobre la manta de piel en la carreta. Tras subir a la aeronave, la puerta se cerró de golpe y se elevaron en el aire. Joe se quedó observando el transporte blindado a través de la ventanilla justo en el momento en que el transbordador militar viraba al oeste rumbo a California.

Capítulo 45

Se sentaron juntos en la espaciosa cabina principal del transbordador. Los mellizos brincaban en los asientos pasando las manos por la tapicería, de un tejido totalmente desconocido para ellos. Evie llevaba a Sage en su regazo. Eloy y Fabri se distrajeron con las gracias de los chicos durante unos minutos mientras intentaban acomodarse en los asientos. Todos necesitaban tiempo para adaptarse y recuperarse del *shock* que suponía pasar de la vida primitiva de la montaña al interior de una aeronave de última generación. El cielo y la tierra pasaban como una exhalación a través de la ventana.

—Me gustaría saber más detalles de lo que ha sucedido con el movimiento antiniveles —dijo Evie por encima de la cabeza de Sage—. Tal vez hayamos sido una amenaza para la imagen y la reputación de Peightân pero, si tiene un ejército de robots infectados ayudándolo a apoderarse del país, ¿qué gana yendo a por nosotros? Parece algo personal.

—Está obsesionado contigo desde hace tiempo. Al menos, es lo que parece por las pocas comunicaciones internas que hemos logrado descifrar. —La expresión de Raif era de auténtica admiración—. Desprecia los niveles inferiores porque se siente superior. Suprimirlos destruiría la jerarquía actual de la sociedad, en la que él está en la cima. El movimiento antiniveles amenaza su poder. Intentó zanjar el asunto desterrando a Celeste y Julian, y luego a ti y a Joe, pero en vuestro caso le ha salido mal. Vuestra supervivencia demuestra lo capaz que es la gente relegada a los niveles inferiores. Con vuestro regreso, el movimiento ha cobrado un nuevo impulso.

—Esperábamos que el movimiento sobreviviera, pero no que creciera. —Joe se dirigió a Mike—. ¿Qué ha pasado?

—El movimiento está más fuerte que nunca. Después de deshacerse de vosotros, Peightân siguió buscando a los demás líderes, pero estos lograron organizarse en secreto sin levantar sospechas. La gente dio por hecho que moriríais en la Zona de Exclusión. A veces, vuestras caras aparecían en los mensajes de netchat, en los que se animaba a la gente a movilizarse y mantener vivo el movimiento. Evie, te consideraron una mártir por la causa. Hace un mes, alguien se dio cuenta de que el destierro finalizaba hoy pero no se había publicado ningún informe oficial sobre el traslado de vuestros cuerpos fuera de la Zona de Exclusión —sonrió Mike—. Eso dio mucho que hablar en el netchat y se empezó a especular con que podríais estar vivos. En ese momento, los líderes del movimiento empezaron a dar la cara y organizar nuevas protestas masivas.

—Esta semana han estallado protestas en veintinueve ciudades. Te has convertido en un símbolo. Mira esto... —Raif conectó el NEST y subió un vídeo a una pantalla de comunicación que había en la pared de la cabina. Al instante apareció la imagen de los manifestantes que abarrotaban una amplia avenida con los puños en alto y sosteniendo pancartas. Joe se sobresaltó en su asiento al reconocer la marea humana. Los manifestantes llevaban hologramas faciales con el rostro de Evie.

Evie y Joe se miraron atónitos. La magnitud de la serie de acontecimientos que Evie había puesto en marcha le dejó sin aliento.

—¿Mamá? —La mirada de Clay iba y venía entre la pantalla y Evie.

El hechizo del momento se rompió, y Evie y Joe se rieron, sorprendidos del mundo al que habían regresado.

Raif mostró otro video con manifestantes de una protesta aún más concurrida en otra ciudad. Clay escondió la cara contra el pecho de Joe.

H137 abandonó su postura rígida cerca de la entrada y giró la cabeza hacia Mike.

—Tengo una comunicación importante del general Sherwood, comandante del Ejército Fronterizo del Sur.

Mike se volvió hacia Joe y Evie.

—¿Podemos dejar a la familia aquí y reunirnos en la sala de control del transbordador?

Fabri ya esperaba a Sage con los brazos abiertos y Evie se lo entregó con delicadeza.

—Puedo cuidar de los chicos aquí, no te preocupes —dijo Fabri. Evie asintió agradecida. Siguieron a Mike a la sala de control contigua y Joe hizo un gesto con la mano a Eloy para que se uniera a ellos antes de cerrar la puerta. La sala, más pequeña, contaba con un holocomunicador de pedestal. El portal de comunicaciones consistía en una plataforma elíptica elevada rodeada por una barandilla corta, con asientos alrededor y el equipo de proyección integrado en el techo. Se sentaron y H137 autorizó una conexión cifrada. El portal se abrió y apareció un holograma: un hombre rubio con boina militar y la frente empapada de sudor.

—General Sherwood, informe de la situación —dijo Mike.

—Está confirmado: casi dos tercios de mi Ejército Fronterizo del Sur han abandonado la base de Holloman sin mi autorización y se dirigen hacia el norte.

—¿Cuántos robots infectados? —Raif miró a Mike.

—Calculamos unas noventa mil unidades Red Rogue, entre milmecas y drones —explicó Sherwood.

—¿Y el resto? —Mike sacudió la cabeza.

—He ordenado a Blue One que persiga a la facción rebelde. Nuestro principal objetivo es evitar que las unidades rebeldes giren en dirección este, hacia Alamogordo. Es una población habitada por once mil personas y representa el mayor riesgo de víctimas civiles.

—Es prioritario evitar las bajas civiles —dijo Mike.

—No llegarán a Alamogordo. Me aseguraré de ello —añadió Sherwood.

—¿Unidades rebeldes dirigiéndose hacia el norte? Eso confirma nuestras sospechas de que su objetivo es el campo de misiles de White Sands —exclamó Raif.

Mike se volvió hacia el milpipabot.

—Comunícanos con el general Brown. —La frente del robot se volvió de color azul a modo de confirmación.

—Maldita sea. Noventa mil. —Raif apretó la mandíbula.

—Muchos más de los que imaginábamos —admitió Mike.

Apareció otro holograma. El general Brown frunció el ceño a un subordinado invisible y acto seguido saludó a Mike.

—Blue Two se encuentra a la espera al sur del campo de pruebas Trinity. Las unidades rebeldes se dirigen hacia el norte, directamente hacia nosotros. Ya hemos lanzado los drones de interceptación y desplegado fuerzas terrestres al sur del campo de misiles. Tendrán que pasar por nuestra posición para llegar a los misiles.

—¿Qué posibilidades tenemos? —Raif pulsó algunos botones del panel.

—Hay más milmecas infectados que leales, pero tenemos más drones. Las posibilidades se decantan ligeramente a nuestro favor —dijo Brown.

H137 irrumpió en la conversación.

—Me confirman que un segundo transbordador policial ha salido del Ministerio de Seguridad en California. Ha aterrizado al norte de la base aérea Holloman de Nuevo México y se ha unido a las unidades del ejército rebelde justo mientras sufríamos el ataque del primer transbordador.

—Peightân —dedujo Joe. Los demás asintieron con la cabeza.

Mike se sentó erguido en su asiento y Joe, desconcertado aún por el papel del profesor, se lo quedó mirando hasta que la risa de Raif lo despertó de su ensimismamiento.

—Dina lleva tres años manteniendo contactos discretamente con otros líderes gubernamentales, el Ministro de Defensa Nacional y la CIA para tratar de descubrir a la persona que está detrás del gusano informático. Ella fue la que presionó para que Mike formara parte de la Jefatura Superior y fuera nombrado comandante especial de operaciones del Proyecto Gusano. Es el comandante civil que supervisa estos planes secretos.

Mike levantó la vista del holocomunicador.

—Soy más bien el coordinador, aunque técnicamente los civiles siguen estando por encima de los militares y los generales me tratan como a un mandamás. Pero la planificación real se la dejamos al Ejército. Raif y yo hemos aprendido mucho. He pasado de las aulas a las ALAs...

—Se refiere a las «armas letales autónomas» —susurró Eloy a Joe.

—Eloy sirvió en el Ejército de la Frontera Sur —aclaró Joe a Mike y Raif. Mike le saludó y Eloy devolvió el saludo con elegancia.

Mike volvió al puesto de mando.

—¿En qué punto serán interceptados? —Su voz resonó con confianza.

—En pleno desierto —explicó Brown.

—Entendido —dijo Mike.

Brown no disimuló su preocupación.

—Permítame recordarle, comandante, que también hay civiles en el puerto espacial situado a treinta kilómetros al oeste de las fuerzas Red Rogue. Allí viven unas cuatro mil personas.

Mike se golpeó la pierna con el puño.

—¿Puedes sacarlas de allí?

—Podemos empezar a evacuarlas ya, aunque lo mejor para todos sería que la batalla no llegara hasta la zona. No disponemos de muchos transbordadores para el transporte de personal y cargar a civiles siempre lleva más tiempo.

—Hazlo ahora —dijo Mike.

Raif miró a Mike.

—Entre las unidades rebeldes y el puerto espacial hay una escarpadura que va de norte a sur pero, si las unidades rebeldes se dirigen hacia allí, eso no les detendría por mucho tiempo.

—Sería una masacre, con esas máquinas lanzando una lluvia de metal —susurró Eloy.

—Estamos en contacto —se despidió Brown. Acto seguido, desvió su atención de la pantalla. Sherwood hizo lo mismo, con el rostro tenso. Parecía ofuscado con sus unidades sublevadas.

H137 les dio la última hora.

—Faltan aproximadamente once minutos para el contacto del dron, y diecisiete minutos para el contacto de la unidad en tierra.

Eloy tocó a Joe con el codo.

—El general Sherwood era mi comandante, aunque no tenía ninguna razón para conocer mi nombre. Me alegro de estar ahora en primera fila.

Joe asintió, aunque apenas había oído las palabras de su amigo. Había olvidado lo rápido que se movía el mundo y su mente estaba sobrecargada de información.

—Nosotros, o mejor dicho los generales, han planificado la batalla y elaborado mapas de decisiones de amplio espectro, pero por ahora las decisiones solo van encaminadas a detectar los ataques —dijo Raif.

Evie tocó el hombro de Joe por detrás y le susurró al oído:

—He ido a ver a los chicos. Fabri los mantiene entretenidos. —Él le apretó la mano y contempló a través de la ventana el desierto del suroeste, que era el paisaje que había rodeado su Edén. Tenía la boca seca. Solo quedaba esperar.

La espera no fue larga. El bramido del general Brown despertó a Joe de sus ensoñaciones.

—Han detectado nuestros movimientos. Blue Two ya está en posición. Han abierto fuego con artillería móvil de cañones electromagnéticos. Nuestro sistema de interferencia electrónica sigue protegiéndonos de los ataques precisos.

El milpipabot realizó otra conexión y el holocomunicador de pedestal recibió las imágenes de los drones con la vista aérea de Blue Two. Como si una araña gigante hubiera hecho señales a su prole, miles de malvadas crías se apresuraban a cruzar el desierto. Los milmecas se movían a una velocidad endiablada, saltando sobre las dunas y artemisias con sus cuatro patas de arácnido. La polvareda levantada por la oleada de máquinas oscureció la tierra.

H137 pinchó otra transmisión, esta vez con una capa de imagen térmica. Los puntos calientes sobre las unidades terrestres eran drones preparados para atacar desde el aire. El portal mostró en directo la coreografía de los letales drones disparando fulgurantes líneas rojas. Sobre el terreno, entre los milmecas, los cañones electromagnéticos en tanquetas móviles con orugas disparaban a discreción con sus proyectiles surcando el cielo como meteoritos. Las máquinas estallaban en llamas formando unas intensas manchas rojas que dejaban elipses de hollín en la blanca arena del desierto. Se oía un ruido creciente de la transmisión de audio, sordo pero amenazante.

—Blue One está perdiendo la posición —exclamó el general Sherwood.

—Las unidades rebeldes ya no se dirigen hacia el norte sino que han vuelto para atacar a Blue One —concluyó Raif mirando la pantalla—. Tal vez Peightân ha decidido destruirlos primero.

—Ponme la imagen de las unidades de persecución de Blue One —dijo Mike. H137 cumplió la orden y en el holocomunicador apareció la imagen captada por otro dron con una escena visualmente confusa—. Marca nuestras unidades. —Sobre las máquinas aparecieron marcas de color azul y otras de color rojo. La mayoría de las marcas azules señalaban a milmecas destruidos en el desierto. Robots con miembros amputados seguían disparando hasta que eran silenciados. El desierto se había convertido en una masa de cráteres ennegrecidos, exentos de vida vegetal por la tormenta de fuego, misiles y explosivos autónomos. La mayoría de los drones tenían marcas rojas.

La imagen procedente del dron se perdió. H137 estableció otra transmisión, que se paralizó en una imagen estática momentos antes de desaparecer también.

—Hemos mermado sus fuerzas —dijo Sherwood, resignado, con la imagen de su cara ocupando todo el holocomunicador.

—¿Cuál es su posición? —gritó Mike para asegurarse de que Sherwood le oyera en medio del caos.

—Estoy a trece kilómetros detrás del destacamento, en el puesto de mando de la retaguardia.

—¡Salga inmediatamente de ahí! —tronó el general Brown desde el otro holograma.

—Es demasiado tarde. Es el destino, Brown —dijo Sherwood con la mirada ausente, momentos antes de que se apagara su holograma.

Evie se abrazó estremecida a la espalda de Joe.

—Adiós, comandante —susurró Eloy.

. . .

No es el hado ni el destino, solo decisiones libres de seres conscientes, fraguadas al azar. Hizo todo lo que estuvo en su mano. Fue lo que eligió. Es a lo que deberíamos aspirar todos.

. . .

—Estábamos luchando solo contra una parte de las unidades Red Rogue. Ahora han desplegado su gran ejército en el campo de batalla y vamos al encuentro —expuso el General Brown, en tono aséptico.

—¿Y el General Sherwood? —El tono de Mike ya revelaba que la pregunta era innecesaria.

—Lo hemos perdido, junto con otras setenta personas a su mando. —El general Brown se giró para dar órdenes urgentes a sus oficiales fuera de la pantalla. Evie se agarró con fuerza al brazo de Joe y se miraron conmocionados pensando en los últimos momentos de esos soldados.

Eloy negó con la cabeza.

—En el campo de batalla no hay lugar seguro. Su destacamento se desplazaba bajo el escudo electrónico, pero no ha sido suficiente.

H137 dio paso a las imágenes del ejército principal de Brown captadas por otro dron. Al contemplar cómo eran aniquiladas las unidades, se encorvaron angustiados en sus asientos.

—Parece que Peightân ha destruido las unidades de Blue One —señaló Mike mordiéndose el labio—. Pero aún podemos ganar esta batalla. No creo que Peightân tuviera tiempo de infectar todos los robots que tenía previsto.

—Pronto lo averiguaremos —dijo Raif.

—Añade la capa de metadatos —ordenó Mike a H137. Sobre las imágenes holográficas apareció otra capa de números ofreciendo una visión estratégica más amplia de los datos del campo de batalla.

Mike, de pie junto al portal de comunicaciones, movía las manos como un prestidigitador manipulando las proyecciones. El portal de comunicaciones central proyectó la imagen captada por un dron dirigiéndose hacia una duna de arena blanca. Los cañones móviles electromagnéticos y los milmecas disparaban hacia el cielo, pero el dron esquivaba el fuego trazador. Apareció otro gran dron con una marca roja, cuyos paneles laterales se desprendieron, expulsando cientos de minidrones como un enjambre de avispas coléricas. Tras un destello de luz, la imagen se perdió. H137 cambió la imagen por la de otro dron que sobrevolaba el desierto a más altura.

—*Lanzadores de confeti*, así los llamábamos. Realmente repugnantes —dijo Eloy.

La batalla en el desierto se prolongó otros veinte minutos. Los hologramas que aparecían en el portal de comunicaciones eran un infierno: hordas inconexas de máquinas moviéndose frenéticamente y destruyéndose con columnas de fuego. Enjambres de drones de un sinfín de tamaños y formas invadiendo el cielo. Esquivaban el fuego y los misiles en giros cerrados como una bandada de gorriones, atacándose entre sí y a los milmecas que disparaban desde tierra. Los drones de Brown se impusieron y la mayoría de los drones rebeldes fueron derribados. Algunas dotaciones de Peightân se separaron y se dirigieron al oeste, hacia el puerto espacial. La batalla se libraba en las llanuras arenosas a varios kilómetros de distancia. El desierto se cubrió de cascos humeantes parcialmente oscurecidos por una bruma gris. La capa térmica mostraba el fuego trazador que iluminaba el cielo. El holograma del general Brown esbozó una sonrisa que le tensó la mandíbula.

Mike debió de verlo.

—¿Valoración?

Brown gritó una orden y se volvió hacia ellos en el holocomunicador.

—Nuestra fuerza de drones está ganando. Debemos centrarnos en acabar con el principal ejército rebelde o podrían ser una amenaza para Alamogordo. Pronto perseguiremos a la unidad rebelde más pequeña.

Mike asintió.

—¿Y la evacuación del puerto espacial?

—Lenta. En la primera tanda hemos evacuado un total de treinta y siete transbordadores. Regresarán para la segunda tanda en diecinueve minutos.

—No es lo bastante rápido —murmuró Raif tras hacer sus cálculos—. Eso significa que hasta ahora solo están a salvo un tercio de los civiles.

Mike tomó nota y Brown volvió a comandar sus fuerzas.

—No teníamos ni idea de que pudiera haber tantos robots infectados en el ejército de la frontera. —Mike no pudo evitar sentirse culpable. Joe sabía que estaba pensando en los civiles de la base.

Ahora la mayoría de las unidades terrestres tenían una marca azul. En el portal de comunicaciones algunas zonas del desierto aparecían en blanco y, cuando Joe miró a H137 y señaló las secciones, el milpipabot confirmó sus sospechas:

—En este entorno electromagnético en disputa no tenemos una cobertura completa de sensores.

Brown se dirigió a Mike.

—Señor, hemos conseguido el control del campo de batalla y estamos en modo de limpieza. Tres de nuestras divisiones están persiguiendo al resto de las unidades Red Rogue que se aproximan al puerto espacial. Inevitablemente, llegarán allí antes que nosotros.

—Maldita sea, están en la zona mortal —exclamó Eloy acercándose a Joe.

Mike soltó un exabrupto.

—¿Cuál es la situación?

—Lo compruebo —dijo H137.

Transcurrieron varios minutos. Joe permaneció sentado en el borde del asiento con las manos sudorosas.

—Los sensores indican que el destacamento Red Rogue no frenó su asalto y atravesó el perímetro de las instalaciones, cerca de una escuela. La probabilidad de supervivencia es baja.

—Ponnos la imagen aérea de la base de lanzamiento —ordenó Mike. H137 cumplió la orden. En el portal de comunicaciones apareció una vista aérea del dron volando a baja altura hacia el oeste, sumergiéndose entre las colinas rocosas. El desierto estaba cubierto por máquinas destrozadas. En cuanto el dron se acercó al puerto espacial, los milmecas y los cañones electromagnéticos que bordeaban el perímetro dispararon hacia el cielo. Antes de perderse la imagen se pudo apreciar la presencia de un cohete en la plataforma de lanzamiento, con fugas de vapor en la cola.

El holocomunicador mostró un mapa del perímetro de la base de lanzamiento. Mike pasó unos iconos flotantes al holocomunicador para ampliar el terreno, mostrando primeros planos de las unidades

Blue Two y Red Rogue humeantes en el campo de batalla. Joe vio unas gafas holográficas colgadas en la barandilla. Se las puso muy decidido, cogió el icono holográfico de un dron de reconocimiento que se acercaba al mapa del perímetro y lo tocó contra el lateral del auricular para conectar el sensor.

La escena con visión envolvente le estalló en la cara, emitida desde el dron que se aproximaba a tierra en el muro perimetral. Estaba en un infierno. A su izquierda se elevaban columnas de humo desde un complejo de viviendas derruido, mientras el dron volaba más bajo hacia otro edificio, que Joe reconoció como una escuela. Las explosiones le golpeaban los tímpanos y el metal caliente rasgaba el aire a su alrededor. Lentamente, hizo un barrido del edificio, ahora a una distancia de cinco metros respecto a su posición, momento en que el hollín se disipó y reveló una serie de cráteres ennegrecidos. Donde antes había vida, ahora aparecía un abismo, la nada. Joe reparó en la ristra de cadáveres amontonados de forma macabra.

Se arrancó las gafas de la cara y vomitó violentamente en un rincón de la habitación. Se limpió la boca y vio que todos lo miraban con compasión.

. . .

Por favor, necesito borrar esa visión de mi memoria, el horror de lo que podemos hacernos los unos a los otros. El libre albedrío permite actuar de forma inmoral a la gente sin conciencia.

. . .

Joe se sentó y se frotó la cara. Evie le rodeó con el brazo.

—Los sensores han identificado un lanzamiento en la base —dijo H137.

Mike le pidió una imagen a vista de dron. La señal parpadeó unos instantes y mostró una imagen más alejada del puerto espacial, en la que se apreciaba la estela de un cohete suspendida en el aire del desierto.

Raif se atusó el cabello.

—¿Peightân se escapa?

El general Brown volvió a informar desde el holocomunicador con la voz entrecortada.

—Nuestras fuerzas han asegurado el puerto espacial. Hay mucha confusión aquí. Estamos desactivando los interceptores de comunicaciones rebeldes. No creemos que haya supervivientes entre el personal —dijo, con el músculo de la mandíbula tenso.

Mike negaba con la cabeza.

—¿Cuántos milmecas podrían haber escapado en ese cohete?

—Tal vez treinta. Cincuenta, como mucho —calculó Brown.

—Suficiente para invadir la Base Orbital WISE. —Raif caminaba de un lado a otro. —La base es científica; no tiene defensas.

Joe se reincorporó en el asiento.

—¿Por qué iría Peightân allí?

Raif se encogió de hombros.

—Es el lugar más cercano donde el cohete podría infligir el mayor daño.

A Mike le palpitaba una vena en la sien y se la frotó con la mano.

—Dina se encuentra ahora mismo allí. Hay que avisarla de que podría tener visita.

Capítulo 46

Joe, Evie y Eloy volvieron a la cabina principal del transbordador y dejaron a Mike y Raif en el holocomunicador mientras se seguía librando la batalla en el suroeste. Cuando regresaron, Fabri les esperaba preocupada.

—¿Una batalla? ¿Ha muerto gente?

Eloy la abrazó.

—Sí, una gran batalla entre ejércitos de robots. Ha habido bajas civiles.

Las lágrimas corrían por las mejillas de Fabri mientras se aferraba a Eloy.

—Qué mundo tan extraño este al que hemos vuelto. En muchos sentidos, es más violento que nuestra vida en la Zona de Exclusión. Allí matábamos solo para sobrevivir.

El dolor en su rostro era tan intenso que Joe abrazó a ambos y Evie se unió a ellos instantes después. Los cuatro amigos permanecieron abrazados compartiendo el duelo.

Al cabo de unos minutos se separaron, tristes y absortos en sus pensamientos. El paisaje iba adquiriendo un tono más dorado a medida que se aproximaban a la costa oeste. Fabri estaba sentada frente a Joe, con Sage durmiendo en sus brazos. Clay iba sentado con Evie, que proyectaba los destellos de su piedra roja en la pared para entretenerlo. Joe estaba recostado en el asiento junto a Evie con Asher en su regazo.

Raif se reunió con ellos.

—Llegaremos en once minutos —anunció momentos antes de sentarse junto a Joe—. H137 calcula que el cohete de Peightân interceptará la Base Orbital WISE en veintitrés horas. Mike ya ha informado a Dina. A esa mujer no le asusta nada. Aunque el millar de mecas constructores no son rival para los milmecas que se les vienen encima, está preparando un contraataque.

Fabri estaba atenta a la conversación entre Joe y Raif.

—¿Quién es Dina?

—Es la comandante de la base orbital que gira alrededor de la Luna. Hice algunos trabajos allí para ella. —Los ojos de Fabri brillaron como si hubiera tenido una revelación divina sobre el auténtico nivel de Joe. Se inclinó hacia él y le susurró:

—Has sido muy amable conmigo.

—Y tú conmigo. Para mí eres más que una igual.

La aeronave comenzó a descender y Evie miró a Raif.

—¿Dónde vamos?

Raif se puso de pie.

—En la Cúpula de Combate se encuentra el centro médico de emergencia más cercano y estamos siguiendo el transbordador de evacuación médica con Zable a bordo. Mike ha organizado un pequeño centro de operaciones allí para seguirle la pista a Peightân. Es un buen sitio. —Su mirada se cruzó con la de Joe—. Y Mike y Dina piensan que puede ser un lugar apropiado para que contéis vuestra historia.

Mike se detuvo en la puerta de la sala de control.

—Acabo de saber que una gran multitud, incluidos diversos medios de comunicación, se han reunido en la Cúpula de Combate. Quieren verte, Evie, para comprobar que has sobrevivido. Creo que serán muy receptivos a lo que tengas que decirles. —Evie asintió con la cabeza. Mike sonrió, pero al momento se puso serio—. También corre un rumor sobre la batalla de Nuevo México. El gobierno está tratando de ocultar el tema, así que por favor no lo menciones.

Era la primera hora de la tarde, pero parecía que había pasado una semana desde el amanecer. Los mellizos estaban bien despiertos y señalaban por la ventana la cúpula que se iba aproximando. Fabri tenía a Sage en brazos, que seguía dormido. Evie se cepillaba el pelo con porte rígido.

—Podemos hacer acto de presencia. Les demostraremos que hemos vuelto para continuar donde lo dejamos. —Joe asintió. Tenía claro que dejaría hablar a Evie.

Se sentó junto a la ventanilla. Evie se detuvo junto a él y le acicaló el cabello con la mano mientras contemplaba su antiguo hogar, embargada por un torrente de emociones: reencuentro, nostalgia, expectación...

Joe distinguió a lo lejos una multitud reunida en la azotea de la Cúpula de Combate. Al acercarse calculó que serían unas mil trescientas personas. Los drones de los medios de comunicación se cernían sobre la multitud.

Mike miró por la ventanilla contigua a la de Joe.

—El comité de bienvenida es mayor de lo que imaginé. —Mike negó con la cabeza—. Mis previsiones han vuelto a fallar... por segunda vez hoy.

Joe dio la mano a Asher y Clay, y Evie cogió en brazos a Sage. La familia entera se detuvo frente a la puerta de salida, lista para presentarse al resto del mundo moderno. Mike se puso delante de Joe.

—Evie, saldré yo primero y te presentaré.

Evie asintió. Las puertas se abrieron y los medios de comunicación se agolparon frente a ellos. Joe reconoció a dos reporteros en la primera línea, Caroline Lock y Jasper Rand, de Prime Netchat.

Mike salió y saludó con la mano.

—Evie Joneson, Joe Denkensmith, su familia y sus amigos acaban de regresar después de tres años en la Zona de Exclusión. Os dirigirán solo unas palabras porque necesitan descansar.

Los periodistas gritaban preguntas blandiendo sus grabadoras y los mellizos se apretujaban contra las piernas de Joe con los ojos desorbitados. Evie se echó el pelo hacia atrás con una sonrisa y descendieron por la rampa en familia. Joe miró hacia atrás y dedicó una sonrisa alentadora a Fabri, que se aferraba al brazo de Eloy. Ella se irguió y de repente parecía más alta con su blusa de piel de ciervo.

Evie dio un paso al frente ante el círculo de periodistas. Exhibiendo una sonrisa radiante, se dirigió a la multitud con Sage revolviéndose en su brazo izquierdo.

—Hemos vuelto tras superar las dificultades de una cárcel, y con el propósito de ayudaros a libraros de otra. Nos llena de motivación que hayáis hecho crecer tanto el movimiento antiniveles para dar esperanza a todos aquellos que se han visto obligados a estancarse en los niveles inferiores. Nuestros hijos nos recuerdan por qué esto es tan importante. Todo el mundo, desde el día que nace, debería ser libre de poder progresar y no estar sometido al corsé de unas convenciones clasistas hereditarias. —Alzó el puño derecho en señal de victoria—. ¡Seguimos luchando por la igualdad de oportunidades para nuestros hijos!

La multitud estalló de emoción, ahogando el sonido de las grabadoras de los drones que revoloteaban sobre la Cúpula retransmitiendo la escena en todo el país.

. . .

Es una heroína del movimiento antiniveles. También es mi heroína.

. . .

Evie fue respondiendo a las preguntas de los medios con efusividad y pasión. Joe respondió algunas dirigidas a él, pero los periodistas preferían a Evie. Caroline Lock pidió permiso a Joe para hablar con los chicos y este asintió. Se arrodilló para hacerles algunas preguntas, pero ambos se mostraron muy tímidos ante la cámara y Joe ni siquiera oyó lo que murmuraron.

Mike los condujo a través de la fila de periodistas. Tras cruzar la azotea, descendieron por unas escaleras y llegaron a un bulevar interior. Las pantallas luminosas anunciaban por todas partes la cobertura mediática de lo que sucedía en la Cúpula. Asher se soltó momentáneamente de la mano de su padre: el pequeño se había quedado petrificado al verse en una pantalla gigante. Las imágenes mostraban la salida del grupo del transbordador mientras el locutor anunciaba con entusiasmo:

—Evie Joneson, Joe Denkensmith y sus tres hijos han sobrevivido a tres durísimos años en la Zona de Exclusión. No solo han sobrevivido, sino que han vuelto pletóricos. —Joe se fijó en el tremendo contraste entre sus atuendos de ante y el reluciente metal del techo de la Cúpula Comunitaria.

—Vamos, campeón. —Cogió en brazos a Asher para alcanzar a Mike.

Mike y Raif los condujeron por el complejo hasta un conjunto de apartamentos conectados por una gran sala común, con el cielo cerniéndose sobre el enorme techo acristalado.

Raif alborotó el cabello a Asher y el chico le sonrió.

—Muy buena entrevista, Evie. Mike y yo nos coordinaremos con Dina desde aquí. Deberías descansar un poco.

Mike asintió.

—Sugiero que nos reunamos en esta misma sala de aquí a diecisiete horas, antes de que Peightân llegue a la Base Orbital WISE.

Las habitaciones ya están equipadas con todo lo que podáis necesitar. —Los llevó por un pasillo hasta el apartamento de Joe y Evie, y más adelante señaló otro para Fabri y Eloy. Acto seguido, volvió a reunirse con Raif en la sala principal.

Evie le dio un abrazo a Fabri.

—Siento haberte metido en todo esto. Nunca imaginé que sería tan peligroso.

Fabri le devolvió el abrazo.

—Bueno, ahora me siento segura. Y además seguimos juntos.

Joe les cogió de la mano y los tres se fusionaron en un cálido abrazo.

—Procuremos que todo siga así.

<hr />

El apartamento era acogedor y las comodidades del mundo moderno fueron una sorpresa para los mellizos. El agua corriente de los grifos les fascinaba, igual que los materiales desconocidos que recubrían los muebles. Saltaron sobre las camas y encontraron miles de formas de gastar la energía acumulada mientras Joe luchaba para no dormirse.

Después de un día tan intenso, para Joe y Evie era un alivio verlos jugar sobre la moqueta bajo sus pies. Con Evie a su lado, ya más relajada, las preocupaciones parecían esfumarse.

Aplicando el viejo truco del divide y vencerás, metió a los mellizos en la bañera mientras Evie amamantaba a Sage. A Joe le pareció que la hora del baño era mucho más llevadera al no tener que calentar el agua del arroyo y llenó la bañera de burbujas con un jabón de olor muy agradable.

En el armario del dormitorio había ropa nueva más o menos de sus tallas, y Joe agradeció mentalmente a Mike que se hubiera ocupado tan rápido de encargar la entrega por dron. Mientras Evie acostaba a Sage, Joe vistió a los mellizos y se los llevó a la cocina. Evie apareció al poco y sonrió al ver el sintetizador de alimentos. A los pocos minutos ya había preparado unos espaguetis con albóndigas. A Joe le pareció fantástica tanta facilidad y rapidez; no había tenido que cazar, ni buscar comida ni encender el fuego. Los espaguetis les supieron a gloria.

Las luces intermitentes de los electrodomésticos distraían a los chicos de la comida. Joe se concentró en su propio plato. Aquellos sabores conocidos le resultaron más gratificantes de lo que nunca hubiera imaginado.

Asher se abalanzó sobre él tratando de subir a su regazo. Lo cogió y el pequeño hundió la cabeza en el pecho de su padre.

—¿Qué pasa? —Joe se dio cuenta de que el limpiabot estaba limpiando el suelo porque a uno de los pequeños se le había caído un trozo de espagueti. Clay se acercó vacilante al robot y este se quedó inmóvil con la frente brillando en amarillo. Sin mucho convencimiento, se atrevió a tocar la superficie pulida de la máquina con la mano manchada de salsa y se giró hacia su madre incrédulo.

—No hace nada —dijo ella.

Con la curiosidad satisfecha, Clay echó un último vistazo al robot y volvió a su silla. El robot siguió limpiando, manchado de salsa.

—Me pregunto quién limpiará el limpiabot —añadió entre risas.

Una vez que terminaron de comer, los mellizos se empezaron a frotar los ojos y Joe los metió en las camitas del segundo dormitorio. Al regresar a su habitación, se encontró a Evie saliendo de la ducha. La abrazó con el cuerpo aún mojado y la besó con fervor.

—Ve a ducharte, te sentirás mucho mejor —dijo sonriente.

Mientras Joe se vestía con ropa normal después de una ducha reparadora, se fijó en la pila de ropa de ante y pensó en lo trabajoso que había resultado confeccionar cada prenda. La visión del hacha y el bastón *bō* sobre la pila le provocó una avalancha de pensamientos. Primero, recuerdos agradables: el día en que encontraron su hogar en la Zona de Exclusión con el hacha y el bastón *bō* en la mano, la satisfacción de hacer suya aquella tierra y el nacimiento de sus hijos. Pero también le vinieron a la mente las duras imágenes de ese mismo día que se le habían quedado grabadas: Bessie, Zable sangrando en la camilla, la escuela...

—Mejor no seguir por ese camino —murmuró, y aparcó sus pensamientos.

Cansado, pero ya fresco y limpio, se dirigió a la sala de estar, donde Evie estaba viendo un noticiero de Prime Netchat con el sonido apagado. Se acurrucó a su lado en el lujoso sofá y se le escapó una carcajada.

—Qué comodidad, es increíble. Lo había olvidado.

—Criar a tres hijos será *mucho* más fácil aquí —dijo ella, radiante—. No voy a saber qué hacer con tanto tiempo libre ahora que no hay que buscar comida. —Señaló las imágenes del noticiario—. Mira, a estos los conozco.

Joe vio a Caroline Lock. El rótulo en la parte inferior de la pantalla anunciaba el regreso de Evie y Joe de la Zona de Exclusión. Subió el volumen.

—Evie Joneson y Joe Denkensmith, con su familia, han desatado el entusiasmo en todo el país... —relató Lock. Su melena rubia brillaba sobre el fondo plateado de la Cúpula. La corresponsal dio paso a las imágenes de la llegada a la plataforma de aterrizaje. Al verse con aquella barba y aquel cabello tan rebeldes sintió un poco de vergüenza.

Seguidamente, dieron paso a la repetición del discurso de Evie en la azotea de la Cúpula. En la parte inferior de la pantalla aparecía las veces que la historia se había compartido en todo el mundo, que se contaban por miles de millones.

Tras la entrevista de Evie, emitieron las imágenes de Lock agachada preguntando a Asher.

—¿Qué es lo que más echas de menos?

—Los corderos —respondió Asher con semblante serio.

Luego se volvió hacia Clay.

—Y tú, ¿qué es lo que más echas de menos?

Mirando de reojo con los ojos entornados, pronunció su respuesta con claridad:

—Nada. Mami y papi están aquí.

La retransmisión volvió a Jasper Rand y Caroline Lock, ya sentados en la mesa de la redacción. Rand sonrió a la audiencia.

—Son demasiado pequeños para entender por qué han pasado sus vidas en un entorno salvaje, pero parecen estar adaptándose a la vida moderna.

—Pero, Jasper, esta noticia ahora va más allá del regreso de la familia —replicó Lock—. El movimiento antiniveles ha acaparado la atención de todo el mundo, y esta familia demuestra la importancia del mensaje.

—No hay duda de que los espectadores de Prime Netchat sienten una profunda admiración por estos padres —dijo Rand, frotándose la barbilla.

—Efectivamente. Sobrevivieron a lo que muchos consideran una sentencia de muerte. Y sus hijos son testimonio de hasta qué punto han sabido salir adelante —apostilló Lock, mirando directamente a cámara—. Las encuestas de hoy demuestran el altísimo nivel de popularidad de la señora Joneson. En el netchat no se habla de otra cosa. Evie Joneson es ya un referente del movimiento antiniveles. La suya es una historia de tenacidad, de superación, con tres niños adorables que son fruto del amor y la resiliencia de esta pareja. — Las imágenes mostraban a Evie atendiendo a la prensa, desenvuelta y segura de sí misma, con Joe a su lado. Joe no cabía de orgullo y la acercó hacia él para darle un beso en la frente.

—Evie, eres invencible.

Ella se inclinó hacia él.

—Cuando Mike me dijo que hablara con la prensa, no me lo pensé dos veces. Ahora que hemos vuelto, no he olvidado mi lucha. Julian y Celeste murieron por el movimiento en favor de la igualdad. Tengo que darle continuidad.

—Y yo estaré aquí contigo para ayudarte. Es una causa por la que vale la pena luchar.

—Te necesito a mi lado. Es como si ya hubiéramos vivido juntos en varios mundos —dijo ella, poniéndole la mano en el hombro.

Joe se rascó la barbilla. La barba larga y descuidada le recordaba que era un hábito que había perdido en la montaña.

—Vivir en plena naturaleza me ha servido para madurar. He aprendido a ser autosuficiente. He encontrado respuesta a mis preguntas. He profundizado en la sabiduría y la compasión. — Contempló el rostro de Evie, bronceado y natural, ligeramente arrugado en la zona de la comisura de los labios por la dura vida en la Zona de Exclusión, pero aun así lleno de vida—. La fortaleza de tu carácter me ha enseñado a ser consciente del equilibrio entre vivir encerrado en mis pensamientos y vivir en mi cuerpo y en el mundo. Me has enseñado a tener un propósito. Ahora me siento cómodo forjando un nuevo camino. —Joe continuó examinándola bajo la luz parpadeante de la habitación, recordando la primera vez que la vio, una misteriosa figura y apasionada líder de una causa. La libélula le había robado el corazón para siempre.

Siguieron viendo las noticias para revivir ese día tan intenso.

—Se te ve fortachón en las imágenes, hombre de acero —dijo ella golpeándole cariñosamente en las costillas. Joe miró fijamente la pantalla. Nunca había estado tan en forma en su vida.

—Será de tanto cortar leña. Y tú, mi amor, eres hermosa por dentro y por fuera.

Joe apagó la pantalla, la atrajo hacia él y la besó fogosamente. Se dirigieron al dormitorio y se deslizaron desnudos en las suaves sábanas blancas. Después de las privaciones del destierro, ese era un paraíso diferente.

Joe le acarició la mejilla y le llenó los párpados de besos, maravillándose de la pura pasión que emanaba del rostro de ella, por él y por todo en la vida. Aunque ella se acababa de lavar el pelo, para él todavía desprendía un suave aroma a bosque.

Sus bíceps se flexionaron con vigor al levantarla para colocarla encima de él. Ella se inclinó sobre él y su frondosa melena le cayó hacia delante. Sus movimientos eran rítmicos, echando el pelo hacia atrás, con la mirada perdida.

—Cuando miraba a la multitud, me he sentido como si estuviera en la cima de una montaña, feliz de volver a esta lucha. Me alegro de que estés a mi lado.

—Ah, ¿así que te gustan las cumbres?

—Nunca me he sentido más cerca de nadie en mi vida, mi hombre de la montaña —dijo, respirando profusamente y presionándole el pecho con las manos. Sus movimientos eran pausados, con la confianza que otorga la intimidad. Se intercambiaron los papeles y él se colocó sobre ella mirándola fijamente a los ojos.

—Siempre estás en mi corazón y en mis pensamientos. —Joe se fundió en aquellos ojos de color avellana, un lugar del que jamás desearía salir. El amor y la pasión que sentía por ella eran eternos.

—Te amo —susurró ella.

—Yo también te amo, vida mía.

Evie levantó aún más las rodillas entre gemidos. Joe le acarició los pechos, bajando las manos por las costillas y luego más abajo hasta que ella empezó a estremecerse.

Él la conocía a ella, y ella a él, y ambos sabían todo lo que valía la pena en el mundo. Durmieron plácidamente bajo la manta, enredados el uno con el otro en cuerpo y alma.

Capítulo 47

Joe se despertó al romper el alba como cada día, pero sin una ventana cerca para contemplar el amanecer. La suave mano de Evie en su espalda le recordó dónde estaba, y se volvió hacia ella con una sonrisa. Los mellizos y Sage estaban despiertos y reclamaban atención. Los vistieron y les prepararon el desayuno con el sintetizador de alimentos.

Joe se dirigió a la sala común y se encontró a Raif reprimiendo un bostezo.

—Dina y su equipo llevan trabajando sin descanso desde que les informamos de que el cohete de Peightân se dirige hacia ellos —dijo, mientras se estiraba—. Han construido un arma que podría frustrar el ataque. —Joe se esforzó en poner sus neuronas a trabajar—. El equipo de la base ha reconvertido un vehículo de carga en un misil. La idea es que, una vez lanzado, alcance suficiente velocidad y maniobrabilidad para interceptar el cohete. Es una lanza cinética que funciona como una catapulta electromagnética para destruir la nave de Peightân.

—¿Quieren estrellarlo contra el cohete?

—*Da*. Simple pero efectivo. Si es que se puede interceptar.

—¿Solo un misil?

—No hay tiempo para construir otro. Solo habrá una oportunidad. La nave de Peightân estará dentro del alcance poco después del mediodía, así que tenemos unas cinco horas. Sugiero que Evie y tú volváis a conectar vuestros NEST para estar al corriente de todo. —Raif se frotó la frente—. Si te parece bien, Dina dijo que podía-

mos reunirnos con ella en la base a través de un robot dirigible. —
Joe asintió sin dudarlo ante la oportunidad de ver a Dina y la base
de nuevo.

Mike entró en la sala. Parecía más demacrado que Raif, con los
ojos enrojecidos y el mismo porte guerrero del día anterior.

—En la frontera sur todo está bajo control. No ha sido fácil desactivar los interceptores de comunicaciones, pero creemos que hemos
destruido todos los robots infectados. —Se sentó en el sofá con los
hombros caídos, abandonando esa prestancia militar de la que había
hecho gala.

Joe le dio una palmada en el hombro para animarlo.

—¿Hemos perdido muchos efectivos?

—Alrededor de dos terceras partes de nuestras fuerzas fronteri-
zas: todas las tropas de la frontera sur y una parte de los mecas del
norte. En total, habremos perdido unos ciento noventa mil robots
militares. —Se cubrió los ojos con la mano, visiblemente cansado—.
Y también han muerto más de tres mil personas.

Joe se sentó, afligido por el dato. No recordaba la última vez
que había habido tantas bajas de guerra, al menos no en el último
medio siglo.

—¿Deberíamos preocuparnos por posibles ataques de otros países, dada nuestra débil situación?

Mike se atusó la barba desaliñada.

—Por suerte, no. He estado en contacto toda la noche con nuestros aliados y con otros países no tan amigos. Están más interesados
en que compartamos con ellos información sobre el gusano informático que en amenazar nuestro país.

—La gente necesita cooperar para dominar a los monstruos que
hemos creado —asintió Raif.

Fabri y Eloy entraron en la sala común. Iban vestidos con ropa
moderna y a Joe le chocó su cambio de aspecto. Fabri se había peinado la frondosa melena. Al ver que Eloy se había recortado la barba, Joe se tocó instintivamente la suya. Necesitaba un retoque, pero
ya tendría tiempo para eso más tarde.

Evie se unió a ellos con los tres chicos a cuestas. Sage babeaba,
bien despierto. Fabri y Eloy se sentaron con los mellizos, y Eloy se
puso a Asher en la rodilla para jugar al caballito.

También entraron Gabe y Freyja. La perilla de Gabe, más larga y
plateada de lo que Joe recordaba, se meció grácilmente al darle un
afectuoso apretón de manos.

—Qué familia habéis creado —dijo admirado.

Freyja estaba igual que siempre, con aquellos ojos azules y su espléndida melena rubia. Abrazó a Joe y, acto seguido, se acercó para abrazar a Evie y hacerle unos mimos al pequeño.

—Evie y Joe, tenéis unos hijos encantadores —dijo, mientras los mellizos se acurrucaban con timidez alrededor de las rodillas de Evie.

Una sonrisa borró el cansancio del rostro de Raif, que cruzó la estancia para tomar a Freyja entre sus brazos. Se besaron, y Freyja le frotó el pelo desaliñado y luego le susurró algo al oído, visiblemente preocupada. Freyja se agarró del brazo de Raif y cruzaron la sala para encontrarse con Joe, que contempló admirado la animosa complicidad entre la pareja. Freyja irradiaba una nueva luz. Salvo por las líneas de expresión, el rostro de Raif también desprendía un halo de felicidad que Joe no recordaba.

Raif le tendió la mano a Evie.

—¿Listos para volver a conectaros electrónicamente con el mundo moderno? —Joe y Evie asintieron con la cabeza.

Dejaron a los niños con Freyja, Fabri y Eloy, y se dirigieron al centro médico con Raif para reinstalar sus NEST. El medibot le trajo malos recuerdos del día que les enviaron a la Zona de Exclusión, pero este robot era mecánico y eficiente, y hasta sintió una cierta sensación de intimidad que le resultó familiar al oír de nuevo el sonido de la interfaz del NEST. Al comprobar que podían conectarse a sus respectivos NEST través de la interfaz de red, Evie le miró a los ojos y compartieron una nueva conexión electrónica con el mundo moderno y entre ellos.

—No sé cuánto hace que no lo utilizo —dijo ella.

Joe se dirigió al medibot.

—¿Puedes ponerme al corriente del estado de Zable?

—El paciente William Zable fue sometido anoche a una cirugía de trasplante de órganos —explicó el medibot—. También ha sido tratado por traumatismos y quemaduras graves en la pierna que le queda. Ahora está sedado. Su estado es estable dentro de la gravedad. Es toda la información que estoy autorizado a darle.

Los tres volvieron a la sala común, pero Joe no estaba satisfecho con la información del medibot.

—Imagino que tenéis previsto interrogar a Zable para sacarle información, ¿no? —le preguntó a Raif.

—Sí, lo haremos en cuanto esté consciente y los médicos nos den el visto bueno. Tal vez obtengamos información valiosa sobre cómo han logrado infectar a las IA y los robots. Mientras tanto, está fuertemente custodiado.

La sala común era un hervidero de actividad, con todos sus amigos sentados en los sofás y hablando entre sí. Al poco de regresar, la puerta emitió un zumbido y Raif la abrió. Eran dos hombres con aspecto de altos cargos. Se presentaron como el alcalde y el teniente de alcalde de la Cúpula Comunitaria. Vestidos de manera informal, se quedaron de pie con las manos juntas, en actitud de súplica.

El alcalde se dirigió a Joe y a Evie.

—Para nosotros es un placer acogerles a ustedes y a su familia aquí en la Cúpula. Querríamos hacer más agradable su estancia y trasladarlos a una suite ejecutiva en el palco. —Su sonrisa forzada no generó confianza en Joe.

Evie miró fugazmente a Joe y se volvió de nuevo hacia el alcalde.

—¿Por qué íbamos a querer mudarnos?

—Las suites del área del palco son mucho más agradables para los visitantes —respondió el alcalde.

—¿Para los *visitantes*? —preguntó Evie con extrañeza—. Gracias, pero por el momento nos quedamos en estas habitaciones. Nuestros hijos ya han empezado a aclimatarse.

—Pero ya los hemos reasignado a las suites del palco —insistió el teniente de alcalde.

—Gracias de nuevo. —Joe se acercó a Evie—. Nos quedaremos aquí por ahora. De todos modos, en el futuro nos gustaría buscar una vivienda en la Cúpula Comunitaria, en alguna calle apartada.

Evie le apretó la cintura y él le sonrió antes de volverse hacia Eloy y Fabri.

—A Evie y a mí nos encantaría tener cerca a los tíos de los niños.

—Presentaremos la solicitud —dijo Eloy con una sonrisa.

El alcalde desistió.

—Les buscaremos aquí dos apartamentos donde puedan estar cómodos. —Evie sonrió y le dio las gracias.

Antes de que los representantes públicos se marcharan, Mike se dirigió a ellos.

—Tengo una petición. Hoy al mediodía me gustaría disponer de las instalaciones principales de la Cúpula para organizar un evento especial en directo que será de interés para todo el país. El Secretario de Defensa ya ha aprobado la retransmisión.

El alcalde asintió con entusiasmo.

—Sí, naturalmente, si es de interés nacional.

—Pronto le enviaré los detalles —dijo Mike, y los funcionarios se marcharon.

Mike se dirigió al resto del grupo.

—Esta anomalía de la IA es trascendental y todo el mundo debe saber la batalla que se está librando en estos momentos. Si podemos emitir en directo la batalla de la Base Orbital WISE en las pantallas de la Cúpula, doscientas mil personas podrán atestiguar su veracidad y las imágenes llegarán a todo el mundo. —Hizo una pausa y miró a Evie—. Por desgracia, hay sectores de la ciudadanía que no siempre se creen las versiones oficiales del gobierno. No les podemos culpar por ello, con la de insensateces que nos han intentado colar como hechos verídicos en el pasado.

—Conocer la verdad no debería ser fruto de la casualidad, sino algo que debemos esperar siempre del gobierno. Y hacer llegar nuestro mensaje siempre ha sido el primer paso para lograr el cambio que queríamos —señaló Evie. Joe intuyó que ella seguía pensando en su mensaje del día anterior.

No era fácil olvidar las imágenes de desolación y muerte que habían presenciado el día antes. De algún modo, Joe sentía más inquietud ahora que cuando se enfrentaba a la naturaleza darwiniana en las montañas. ¿Sería por su instinto, que se le había agudizado? Temía no poder desprenderse de esos presentimientos hasta que se resolviera la situación.

◆

Un pipabot sirvió la comida alrededor de la mesa circular. En un intento de ponerse al día, dejaron a un lado la política como tema de conversación y se centraron en sus experiencias en la Zona de Exclusión. Eloy se deleitaba contando historias de caza y pesca. Sus relatos estaban impregnados de romanticismo, pero los recuerdos de Joe eran agridulces, un sabor más auténtico de la vida.

Joe se inclinó hacia Gabe, sentado junto a él.

—Tenemos que hablar de las reflexiones que hice durante el destierro. Con tiempo y espacio para pensar sin distracciones, creo que he progresado mucho en mi proyecto filosófico.

La comida terminó y el grupo empezó a dispersarse. Freyja sostenía en brazos a Sage y ambos reían mientras ella le hacía cosquillas en los pies. Gabe leía historias a Asher de un omnilibro que había traído. Fabri y Eloy anunciaron que se iban a dar un paseo para conocer su nuevo hogar y que se llevaban a Clay, que no dejó de parlotear mientras salían.

—Con tantos ayudantes para los chicos, creo que voy a aprovechar para tomarme un buen descanso. Volveré de aquí a un rato. —Evie le dio un beso a Joe antes de irse.

Mike, Raif y Joe se sentaron juntos para hablar de la inminente llegada de Peightân a la Base Orbital WISE, las probabilidades de éxito del improvisado proyectil de Dina y lo que habría que hacer en caso de que el misil fallara. Contemplar todos los escenarios era otra forma de distraerse.

Raif anunció que era hora de irse. Mike hizo un gesto con la mano y se levantó para coordinar con los funcionarios de la Cúpula la retransmisión a través de la red. Dijo que observaría la base orbital desde un portal de red dentro de la Cúpula.

Raif condujo a Joe a través de unas calles apartadas de la Cúpula hasta una serie de salas custodiadas por polibots. Una de ellas contenía varios teletransportadores virtuales situados en paralelo en una plataforma elevada, parecida a la que Joe había utilizado en la oficina regional del WISE. Raif se sujetó con destreza a un arnés suspendido del techo y se ajustó el traje háptico, y Joe hizo lo propio colocándose el arnés, el traje, las gafas envolventes y los guantes hápticos.

Raif flexionó los dedos y sonrió.

—Es como en los viejos tiempos de la VRbotFest, solo que los robots y mecas dirigibles son más divertidos.

Joe asintió, algo distraído, tratando de recordar cómo subir su avatar a la plataforma. Después de autenticarse, la tesela biométrica emitió un destello azul y su cara apareció en la pantalla de la interfaz. Raif le hizo un gesto con el pulgar hacia arriba en señal de aprobación. Joe inhaló aire profundamente y estableció la conexión con la Base Orbital WISE.

El mundo real se esfumó en un momento. Joe se encarnó en un robot dirigible que estaba anclado en un bastidor montado a lo largo de una pared. Movió los dedos de los pies en el teletransportador para sentir las botas en sus pies virtuales y salió del bastidor. Las botas del robot dirigible se adhirieron a la cubierta metálica con un ruido sordo, sonido que le despertó sus viejas habilidades. El robot dirigible de Raif pasó ante él arrastrando los pies hacia el ascensor.

En el puente, Dina, Robin y el pipabot Boris se encontraban en la consola de control. Dina tenía una mano apoyada en el casco de un traje presurizado sobre la consola. Era la primera vez que Joe la veía en carne y hueso, y no dentro de un robot dirigible. Sorprendido, se fijó en su rostro sonriente mientras trataba de calcular su estatura comparándola con la de su propio robot dirigible.

. . .

Debe de medir metro cincuenta y siete como mucho; es bastante más baja que el robot en el que siempre la había visto. Alguien se ha saltado la hormona del crecimiento. Pequeña pero matona.

. . .

—Esta vez nos encontramos de verdad, por lo menos a medias —dijo ella. Tenía la voz ronca y cansada, pero el apretón de manos fue igual de enérgico que en su primer encuentro virtual.

Robin se limitó a saludar a Joe y Raif con un gesto algo seco y se giró de nuevo hacia la consola, sobre la que había colocado su casco imantado. Su pelo rojo escarlata permanecía oculto dentro del traje presurizado. Analizó los datos de vuelo en el holoproyector y puso mala cara. Joe se preguntaba si llevaba molesta tres años.

Boris les interrumpió:

—Confirme que la carga explosiva está lista para el lanzamiento.

Apareció el holograma de Jim Kercman con el rostro demacrado.

—El montaje ha finalizado y todos los sistemas están activados. El misil está listo en la base de lanzamiento, Sección C.

Junto al holograma de Jim apareció el de Chuck, y Joe lo imaginó haciendo girar el casco fuera de la pantalla.

—Estoy realizando las pruebas finales del misil aquí en la Sección C. Natasha ha confirmado que los sistemas de datos funcionan correctamente. Muy pronto estaremos listos para lanzarlo.

Dina buscó entre los datos.

—¿A qué distancia está Peightân?

—Tres mil treinta y siete kilómetros —respondió Robin—. Faltan diecinueve minutos para que entre en el radio óptimo de mil kilómetros.

—Intenta establecer contacto con la nave. Es de justicia enviarles una advertencia. —Dina se volvió hacia Joe—. Aún no tenemos ni idea de cuál es su verdadero objetivo. Está claro que, si controla la Base Orbital WISE, puede cortar el acceso a las bases lunares y controlar todas las naves procedentes del sistema solar. Pero solo es cuestión de tiempo antes de que podamos... antes de que alguien en la Tierra pueda desplegar un destacamento para recuperar el control. Así que tal vez esta base sea un punto de partida para controlar todas las demás bases espaciales, incluidas las de Marte. En cualquier caso, sean cuales sean sus planes no dejaré que se haga con esta base.

—Llevo toda la noche analizando el trabajo de tu equipo. Has creado una solución ingeniosa que podría salvar la Base Orbital WISE —dijo Raif.

—El mérito es de todo el equipo —respondió, señalando a la decena de personas, robots dirigibles y pipabots que estaban sentados en el círculo exterior de asientos. Joe no había reparado en su presencia—. La cuestión es si los controles son lo bastante precisos para interceptar la nave a estas velocidades. —Con signos evidentes de cansancio, Dina y su equipo intercambiaron expresiones de ánimo.

Raif se dirigió a la consola y ejecutó varios comandos.

—A partir de los datos de los robots infectados que pudimos recuperar en el campo de batalla, hemos creado un programa para detectar los daños provocados por el gusano informático. Deberíamos ejecutarlo en todos los robots que tenemos aquí.

Chuck asintió.

—Ya veo los archivos. Ahora mismo empezaré a analizar los robots restantes con esta última carga de código. —En el portal de comunicaciones, Chuck se giró hacia la pipabot adjunta, Natasha, cuya frente parpadeó en azul.

Joe miró por el gran ventanal. La Luna no estaba visible debido a la orientación de la base, pero encontró la Tierra en la esquina inferior. Era aproximadamente cuatro veces más grande que la Luna que veía desde su casa en la montaña.

Joe trató de controlar la sensación de vértigo recordándose a sí mismo que estaba en la base virtualmente, pero la sensación era demasiado visceral. Se imaginó el cohete de Peightân acercándose cada vez más y amenazando de muerte a todos sus habitantes.

Dina se comunicó con varios miembros de la tripulación para confirmar que todos se encontraban en sus puestos. Mike apareció en el holocomunicador para hablar de la retransmisión en directo desde la Cúpula. Robin estableció contacto para retransmitir las evoluciones de la tripulación del puente, y Joe se irguió en su robot dirigible.

Todos permanecieron a la espera.

—Siete minutos para que la aeronave hostil penetre en el radio de lanzamiento —anunció Robin.

—Enviémosle una comunicación de vídeo. Un último intento de cesar las hostilidades —dijo Dina, con el rostro tenso. Ella y Robin se pusieron los cascos, y Robin abrió un canal de comunicación. Dina se situó frente a la consola.

—Les habla Dina Taggart, comandante de la Base Orbital WISE. Represento a la Agencia Espacial Mundial y al gobierno de los Estados Unidos. El gobierno ha determinado que su ataque en el estado de Nuevo México y su actual estrategia de amenaza a esta base constituyen actos de guerra según el derecho internacional. Tienen un minuto para cambiar de rumbo. De lo contrario, nos defenderemos y las consecuencias para su aeronave serán fatales.

La unidad de comunicación emitió una respuesta con voz firme y estridente.

—Comandante, la estoy viendo en la imagen. Veo al señor Denkensmith ahí también... Señor Denkensmith, usted y la señora Joneson me han causado muchas molestias. Pronto pagarán por ello un precio inevitable. —Joe se estremeció al escuchar de nuevo la voz de Peightân.

—Los escáneres térmicos determinan que su nave no está desacelerando —informó Robin.

—Preparad la lanza ciné...

—¡No, Natasha! —gritó Chuck y su holograma se iluminó. En la imagen apareció brevemente el pipabot girando la cabeza hacia Chuck, con un intenso destello de color rosa en la frente y una luz roja de advertencia parpadeando en la parte superior de su cabeza ovalada. El holograma desapareció.

Segundos después, una explosión apagada desencadenó un violento temblor en las botas del robot dirigible de Joe, al que siguió una fuerte vibración y un estruendoso silbido que penetraron en su casco de acero.

El holograma de Jim Kercman apareció en el holocomunicador.

—¡Ha habido una catástrofe! Explosión en la zona de atraque. Veo que nuestro misil defensivo sigue intacto, pero se ha soltado del anclaje de la base de lanzamiento. Hay muchos escombros.

Robin se quedó petrificada con cara de espanto mirando el holocomunicador vacío donde Chuck había aparecido apenas unos segundos antes.

—¿Causa probable? —La voz de Dina sonó autoritaria pero tranquila.

—Hay un agujero en el casco de la Sección C —respondió Kercman—. Descompresión explosiva a velocidad sónica. Por la brecha han salido volando fragmentos de escombros. Vi la luz roja de advertencia de Natasha justo antes de que se interrumpiera la conexión de Chuck. ¿Estaba infectada?

Raif miró a Dina y asintió con la cabeza.

—Debe de haber detonado una bomba.

—¿Víctimas? —A Dina se la veía totalmente concentrada.

Se produjo una pausa antes de que el holograma de Jim respondiera.

—Diecinueve miembros del personal. También se han producido daños en la Sección D. Las demás secciones siguen siendo seguras.

—Dios mío... —murmuró Dina con tristeza.

Robin se puso a manipular de nuevo los controles, concentrada en controlar la rabia.

—Estoy maniobrando para alejar el misil del área dañada de la base —dijo, comprobando los sensores—. Los escombros no parecen haberle provocado daños graves.

—¿El cohete ha alterado su curso? —La voz de Dina ya no sonaba tranquila, aunque seguía controlando la situación.

—Negativo —respondió Robin, comprobando el escáner térmico.

Raif se dirigió raudo a la consola junto a Robin, manipulando los controles a una velocidad de infarto.

—Voy a eliminar el programa del misil y lo voy a cargar de nuevo con un análisis completo en busca de código dañado.

Boris miró a Dina y después a Joe.

—Quizá sería una buena idea que me analizara a mí también con el nuevo programa para verificar que no tenga fallos. —El robot colocó la mano en el sensor de la consola. A Joe se le heló la sangre. Si Peightân tenía también el control de Boris, querría decir que varios humanos y su robot dirigible podían explotar en cualquier momento. Con Dina, Robin y todos los allí presentes de carne y hueso, resultaba absurdo y surrealista ver a Boris analizándose a sí mismo.

Se miraron unos a otros, en silencio, presintiendo la muerte inminente. Los segundos iban transcurriendo. Joe miró fijamente a Dina, que parecía inmutable. La consola se iluminó de un color azul oscuro.

—Más vale prevenir que curar —dijo Boris, arqueando una ceja.

. . .

¿Acaba de hacer una gracia el robot?

. . .

—La carga del misil está lista —confirmó Raif.

—Armando el misil —añadió Robin.

—Luz verde para lanzarlo cuando esté preparado —dijo Dina.

—Misil lanzado. —Robin golpeó la consola. Estaba al lado de Joe, de pie, con los puños cerrados—. Esta va por Chuck. Lástima no poder oírte gritar —murmuró. En los monitores no aparecía nada. El misil se alejaba a una velocidad que los sensores ópticos no eran capaces de captar. Robin se volvió hacia Joe, con el gesto tenso y los ojos enrojecidos flanqueados por su cabello rubicundo—. A veces me hacía reír hasta a mí.

Raif monitorizaba la trayectoria del misil.

—Impacto en tres minutos. —El grupo permanecía a la espera en silencio. Robin superpuso la imagen térmica y la pantalla se amplió mostrando dos líneas rojas: la aeronave de Peightân acercándose y el misil con el que pretendían interceptarla. Ambas líneas se encontraron.

—¡Impacto, objetivo alcanzado! —gritó Robin, alzando el brazo en señal de victoria. —La pantalla mostró fragmentos dispersándose hasta que finalmente la señal térmica se difuminó.

—El misil ha alcanzado la aeronave enemiga. Ha perforado el casco y ha abierto una brecha en todas las zonas habitables. Es imposible que ningún organismo biológico haya podido sobrevivir a la explosión. Expuestos a temperaturas extremas, los milmecas de abordo dejarán de funcionar en noventa minutos. La nave enemiga ha sido neutralizada. —La frente de Boris emitió un destello azul.

Los auriculares de Joe captaron los vítores del resto del personal de la estación conectado al canal. Todos se dieron la mano, incluidos los miembros del personal que estaban sentados en el círculo exterior, pero la celebración se fue atenuando.

—Comandante, has hecho un gran trabajo impidiendo que Peightân tomara el control de la base —dijo Joe, tocándole el brazo a Dina—. Quién sabe lo que habría podido suceder de haberse apoderado de ella.

Dina le dio un apretón de manos.

—Gracias por desenmascarar esta amenaza y por el precio que has pagado. Ahora se podrá hacer justicia y conocer la verdad. —Era un sentimiento de gratitud teñido de amargura—. Pero primero tengo que asistir a las víctimas. —Ella y Robin se dirigieron apresuradamente al ascensor junto con otros integrantes del equipo.

Conscientes de que el equipo del WISE debía llorar sus pérdidas, Raif y Joe devolvieron los robots dirigibles a los bastidores. Joe accionó la unidad para cerrar la conexión y se encontró de nuevo en el teletransportador virtual de la Cúpula. Raif le sonrió mientras este se quitaba el arnés.

—Qué bueno haber dejado a ese malnacido fuera de combate —se congratuló Raif, asiendo el brazo de Joe.

—La guerra nunca es deseable —replicó Joe, encogiéndose de hombros. Le sobrevino una sensación de alivio pero también de gran inquietud. El recuerdo de la cara sonriente de Chuck hacía imposible cualquier atisbo de satisfacción.

. . .

¿Tengo sentimientos encontrados porque Chuck acaba de morir, junto a otros muchos? ¿Por eso no siento alivio por la muerte de Peightân, el hombre que quería acabar con nosotros? Algo no cuadra. Me parece demasiado fácil.

. . .

Regresaron a sus apartamentos por los pasillos de la Cúpula, con Raif delante avanzando con paso firme.

Capítulo 48

Al llegar a la sala común, se encontraron prácticamente a todos allí reunidos. Mike y Freyja se habían adueñado del portal de comunicaciones de la esquina y lo usaban como centro de control. Raif le tocó el brazo a Joe antes de unirse al grupo.

—Seguimos recibiendo información del campo de batalla sobre los robots infectados. La estamos comparando con todas las bases de datos del gobierno y hemos empezado a buscar en las bases de datos del Ministerio de Seguridad.

Joe asintió, buscando a Evie con la mirada. Esta le sonrió y le hizo señas para que fuera al sofá, donde estaba sentada junto a Fabri.

—¿Dónde está Clay?

—Estaba con Fabri y Eloy, me los he encontrado en el bulevar. Me lo he llevado a dar una vuelta porque quería ver de dónde había salido el anillo y le he presentado a Alex. Y justo estaba charlando con los vecinos junto a la tienda de Alex cuando he visto el final de Peightân en la pantalla gigante. Qué alivio. La gente lo ha empezado a celebrar. Clay y Alex se lo estaban pasando en grande, así que Alex se lo ha llevado a dar un paseo. Luego me lo traerá. —Evie le apretó la mano—. Qué tranquilidad ahora que la base orbital está a salvo y Peightân se ha ido para siempre. ¿Qué tal te ha ido con el meca dirigible?

Joe le contó la historia, sin disimular su tristeza por la muerte de Chuck.

—Desde que abandonamos la montaña, no han dejado de producirse muertes innecesarias. Peightân mencionó nuestro nombre.

Estaba decidido a asesinarnos a los dos, sin importarle el reguero de muertes que fuera dejando por el camino.

Evie lo abrazó.

—Me siento mucho mejor sabiendo que ni él ni Zable pueden hacernos daño.

—No me había dado cuenta de lo mucho que me preocupaban esos dos. Pero ahora ya podemos pasar página.

—Ahora el movimiento antiniveles también podrá avanzar más rápido porque ya no será clandestino. Podremos ejercer nuestro derecho a la libertad de expresión sin la interferencia del gobierno. —La llama de sus ojos revelaba su ferviente compromiso con la misión.

Evie se puso de pie y le ofreció la mano a Joe para que se levantara. Había tenido una idea.

—Ven conmigo. Me gustaría enseñarte algo que te ayudará a entender cómo será nuestra vida aquí en la Cúpula.

Salieron de la sala común y se alejaron por un corredor. Evie recordaba todos los pasadizos del complejo, un laberinto inexplorado todavía para él. Cruzaron otra puerta y salieron a un balcón con ventanales de vidrio que daba a la Cúpula principal. La gente llenaba el bulevar con su habitual paseo vespertino.

—Así es como vive aquí la gente, en comunidad —explicó.

Joe contempló a los vecinos charlando cordialmente y sonrió a Evie. Había captado el espíritu que les unía. A través del cristal también se veía el gentío en los asientos del nivel superior, con los palcos sobresaliendo. Se alegró de haber rechazado el palco. Le habría resultado demasiado ostentoso después de haber llevado una vida sencilla. Estar en el mundo moderno ya era de por sí una bendición.

Evie lo ciñó entre sus brazos.

—¿De verdad quieres que vivamos aquí como una familia?

Él la abrazó con fuerza.

—Me encantaría vivir aquí. Las personas de las que uno se rodea marcan en buena medida su camino. Esa elección y esa gente influyen en el carácter. La elección de vivir aquí con Eloy y Fabri hará que nuestros hijos se sientan seguros y queridos. —A Joe le sobrevino una sensación de paz, como cuando estaba sentado debajo del manzano junto a la cabaña.

—¿Recuerdas la conversación que tuvimos después de caerte de la noria, cuando te lesionaste la pierna? ¿Sobre el mal en el mundo?

—Sí. Dijiste que retomarías la lucha contra las leyes de niveles cuando regresáramos.

—Sí. —Sus ojos de color avellana se clavaron en él—. Esta tarde me he reunido con tres de los líderes del movimiento y me he puesto al día de todo lo que ha ocurrido en nuestra ausencia. Están bien organizados, listos para impulsar cambios legislativos, y quieren que vuelva a liderar el movimiento. Me han dicho que las declaraciones que hice al llegar han sido un revulsivo para todos y me han pedido que grabara un llamamiento. Así que lo he hecho, justo antes de que volvieras. Quieren hacerlo público los próximos días.

Joe se fijó en su boca y en su expresión de determinación.

—Te dije que te ayudaría y te ayudaré. Dime qué puedo hacer.

Evie lo abrazó y lo miró a los ojos con felicidad infinita.

—Juntos podemos ser el rayo que haga realidad este cambio.

Permanecieron en el palco, abrazados, mirando desde arriba a sus vecinos. Su tribu, reducida a Eloy y Fabri los últimos tres años, se expandiría ahora a toda la sociedad moderna. Los residentes de la Cúpula eran más que simples vecinos: eran compañeros de viaje. Su círculo se había ampliado.

De repente, se produjo una explosión sorda y un estallido de cristales rotos que les sobresaltó. Joe buscó el origen. La gente que paseaba alzó la vista y Joe miró a través de la ventana superior hacia la zona de la Cúpula principal. De una de las suites del palco colgaban fragmentos irregulares de vidrio. Un segundo después, la ventana del palco contiguo saltó por los aires. Los fragmentos de vidrio parecían caer a cámara lenta, como gotas de rocío brillando bajo la luz del sol, seguidas del sonido de la explosión.

Joe activó el NEST.

—¿Raif? ¿Qué está pasando en los palcos?

Se produjo una pausa de varios segundos antes de que Raif respondiera sin aliento.

—He visto a las imágenes. ¡Un exomeca intruso está causando estragos en los palcos!

A Joe se le hizo un nudo en el estómago tras encajar todas las piezas del rompecabezas.

· · ·

Retardo háptico. Era demasiado largo. Eso es lo que no me acababa de cuadrar. Realmente no estaba en la nave.

· · ·

Joe agarró a Evie y la giró hacia él.

—Es Peightân. No estaba en el cohete. Está intentando cazarnos en los palcos. Seguramente pirateó la base de datos de la Cúpula y esperaba encontrarnos en el apartamento que nos habían asignado.

Evie escudriñó la mirada de Joe y su cuerpo entró en tensión. De repente echó a correr tirando de él y cruzaron la puerta hacia el pasillo.

—Tenemos que defendernos. No podemos dejar que encuentre a los niños.

Corrieron el uno junto al otro a toda prisa zigzagueando por las entrañas del complejo, y luego con Evie delante, que empujó otra puerta y siguió avanzando. Llegaron a la zona posterior del escenario principal. Había restos de sangre en el suelo frente a la caseta del guardia de seguridad. Joe miró dentro y vio en el suelo el cuerpo sin vida del joven guardia, Johnny.

Evie soltó un grito ahogado al reconocer aquel joven al que había cuidado cuando era niño. Evie apretó a correr aún más rápido por el pasillo hasta el almacén y a Joe se le aceleró el corazón. Los exomecas estaban alineados en una pared. Evie corrió hacia el primero, se encaramó al escalón de la pata y se asomó al interior.

—Este servirá.

Se hizo a un lado para que Joe pudiera subirse. Joe introdujo las piernas en los huecos, se acomodó en el interior del chasis metálico y accedió a los controles de movimiento. Los pies le quedaban a un metro del suelo. Evie accionó un interruptor y se activaron todos los sistemas.

Cuando la máquina cobró vida, Evie se bajó.

—Con dos tal vez podamos detenerlo.

Corrió hasta otra máquina y, en el mismo instante en el que se metía en su interior, la puerta al final del pasillo saltó de sus bisagras arrollada por un exomeca. Zafándose de la puerta, se irguió hasta alcanzar su altura máxima.

—Abrir el NEST ha sido todo un detalle por su parte, señor Denkensmith. —La estentórea voz de Peightân reverberó en los auriculares de Joe a través de su NEST.

Joe movió las piernas hacia adelante y su exomeca se liberó del anclaje. Tropezó con el borde del bastidor, se enderezó, giró a la izquierda y trató de alejarse de Peightân con grandes pasos. Imprimió más fuerza con las piernas y el exomeca ganó velocidad, moviendo las cuatro patas en perfecta sincronía. Al llegar al otro extremo del almacén, Joe pasó por delante del hueco que había ocupado el exomeca elegido por Evie, ahora vacío. Peightân no perdió de vista a Joe.

. . .

¿Dónde estás, Evie? No dejes que te vea. Maldito seas, Peightân, sígueme.

. . .

Joe se arriesgó a echar la vista atrás. Peightân le pisaba los talones, moviendo con ritmo sus brazos metálicos. Se encontraron de frente con un gran portal. Joe empujó la puerta para abrirla pero recibió un fuerte golpe en el talón y se precipitó hacia delante hasta caer en el suelo de tierra. Giró hacia un lado dentro del exomeca para dar la cara a su enemigo y se dio cuenta de que aquel suelo de tierra era el escenario principal del coliseo.

El exomeca emulaba los movimientos de su propio cuerpo, deslizándose en círculo por la tierra para enfrentarse a Peightân. Joe sacó el codo sin pensárselo, con la esperanza de desestabilizar a su adversario, y lanzó un derechazo hacia arriba que alcanzó la máquina de Peightân. Peightân le asestó un golpe hacia abajo con su puño robótico. La vibración causada por el impacto le llegó al brazo y notó un estallido de dolor en el hombro. Con el otro brazo, Peightân propinó un golpe certero en la cabeza de la máquina de Joe. El cerebro de Joe sufrió un fuerte traqueteo dentro del cráneo y se le nubló la vista. Bajó la cabeza para convertir su exomeca en un ariete y se abalanzó hasta estrellarlo contra el torso de Peightân. La máquina de Joe se arrodilló y cayó de bruces mientras el exomeca de Peightân salía despedido hacia atrás. A sus oídos llegaron los murmullos de la multitud, lo que confirmaba que se encontraban en el escenario principal. Joe alzó la vista y vio su cara en un holograma flotando en lo alto y, junto a él, el holograma de Peightân regodeándose.

—Ahora morirá, señor Denkensmith, tal como le prometí.

La máquina de Peightân avanzó como una exhalación, cubriendo en un instante los tres metros que los separaban, y empezó a asestarle toda clase de golpes en la cabeza y el cuerpo, con más rapidez de lo que la mente humana de Joe era capaz de percibir. El cuerpo de Joe empezó a zarandearse y a sufrir un bombardeo de golpes dentro de la estructura metálica. La carrocería del exomeca se estaba desmoronando. El olor del aceite de la servodirección derramado lo asfixiaba mientras el metal le comprimía el torso. Con la última lluvia de golpes contra la cabeza de su exomeca, le cayó la mitad del protector facial y la mandíbula le empezó a sangrar. Su máquina yacía de costado, con el metal aprisionándole la cabeza contra la tierra del coliseo. Levantó una mano metálica para protegerse del continuo embate.

El estruendo de la multitud dio paso a un clamor apagado.

—¡Cle-men-cia! ¡Cle-men-cia!

Joe miró aturdido el exomeca de Peightân, que no dejaba de golpearle la carcasa metálica, hasta que perdió el mundo de vista por culpa de los golpes de aquel brazo destructor.

Una resplandeciente luz roja le dejó una marca grabada en la retina y temió que su cerebro pudiera haber sufrido daños irreparables. Entrecerró los ojos, pero el patrón de cruz permaneció varios segundos. La pantalla corneal de Joe se oscureció. De repente, detrás de Peightân apareció otro exomeca blandiendo una cortadora de plasma ardiendo. Peightân se giró y el exomeca hizo girar la cortadora de plasma rozándole la oreja antes de cercenarle el brazo a Peightân a la altura del hombro. Al estrellarse sobre el escenario, la extremidad levantó una polvareda que llegó hasta la cabeza de Joe. Cuando el exomeca de Peightân clavó las rodillas en la tierra, Peightân abrió su protector facial y se escabulló con gran agilidad a pesar de faltarle un brazo, con un montón de cables asomando. En el interior del humeante brazo del exomeca, tirado en el suelo cerca de la cabeza de Joe, se apreciaban los restos de un brazo robótico.

—¡Es un robot, es un robot! —La perentoria acusación corrió como la pólvora entre la multitud. Joe miró de nuevo a Peightân que, tras salir del coso, se dirigió apresuradamente hacia la pasarela y desapareció por una puerta.

Joe parpadeaba lentamente y le dolía el pecho al respirar. Con el cuerpo tembloroso dentro del ataúd metálico, veía cómo Evie trataba de arrancar la carcasa con sus propias manos para liberarlo de los escombros. Al final, consiguió salir a rastras y liberarse de los restos de metal estrujados, con el pecho convulsionado y la adrenalina recorriéndole todo el cuerpo. Estaba magullado y adolorido, pero intacto. Evie lo abrazó presionándole la cara contra la suya. Joe se frotó la cabeza para aliviar el dolor del cráneo.

—Justo a tiempo —dijo él con voz ronca.

—Siento haber tardado tanto —se lamentó Evie, acariciándole la mejilla. Acto seguido, se llevó la mano al NEST. Era la primera vez que la veía hacerlo—. Raif, ten cuidado. Peightân está vivo y tal vez vaya hacia ahí. Bloquea la puerta.

Tras una pausa, Joe escuchó la respuesta.

—Todos aquí están a salvo, pero ¿dónde está Clay?

Evie pestañeó y se puso de pie. Había algo de desesperación y urgencia en sus ojos mientras ayudaba a Joe a sostenerse sobre sus temblorosas piernas y a salir del coso. El público les dedicó una larga ovación. Abriéndose paso entre la multitud, salieron al bulevar. Las piernas de Joe ganaban fuerza a medida que se iba recomponiendo de la paliza.

. . .

El pequeño Clay. Peightân sabría quién era por los informativos de la red. Y si ha hackeado nuestros NEST, seguro que tiene medios para saber dónde está. ¡Mierda! Hay que darse prisa.

. . .

Evie hizo de avanzadilla y Joe la siguió cojeando todo lo rápido que pudo por el bulevar hasta la tienda de Alex. Fuera de la tienda había joyas esparcidas. En el interior, en medio de un charco de sangre en el suelo de travertino, encontraron el cuerpo sin vida de Alex sentado detrás del mostrador con el rostro mirando hacia el techo.

Evie profirió un gemido de desesperación y atravesó la tienda en busca de Clay. Joe lo supo antes de que ella lo dijera:

—¡Se lo ha llevado!

Capítulo 49

Reunidos en la sala común, todos permanecían en silencio por la ausencia del pequeño. La familia de Joe estaba sentada en el sofá. Asher se chupaba el dedo y Evie le acariciaba el pelo a Sage con aparente calma. Joe sabía que la procesión iba por dentro y que podía explotar en cualquier momento.

Mike cruzó la habitación desde el portal de comunicaciones y comenzó a hablar.

—En las imágenes captadas por las cámaras de seguridad de la Cúpula que Peightân no ha logrado anular ni hackear, se aprecia que el pequeño no estaba herido cuando Peightân se lo llevó. No sabemos dónde está, pero todos los robots y fuerzas de seguridad de la ciudad lo están buscando. Peightân tiene una fuerza colosal. Las imágenes revelan que está diseñado con especificaciones militares. Aun faltándole un brazo, es mucho más rápido y fuerte que un pipabot o un polibot. He ampliado el centro de mando arriba en el tercer piso. Hemos cerrado este complejo y comprobado que ningún robot del interior tenga software infectado, así que aquí estáis a salvo.

Eloy negó con la cabeza.

—Peightân se estrelló en el cohete. ¿Cómo ha resucitado aquí? ¿Acaso tenía duplicados?

—Nunca le vimos la cara, solo le oíamos la voz, que se transmitía desde la Tierra. Me pareció raro, pero fue después cuando me di cuenta de que el retardo no era el que debía ser —explicó Joe con voz inexpresiva—. Si Peightân hubiera estado en el cohete, el retardo desde su posición cerca de la Luna hasta mi teletransportador virtual habría sido de 1,3 segundos. Pero como era más o menos del doble, significa que debía de estar en la Tierra. Desde luego, controlaba todos los milmecas que se encontraban en el cohete y seguramente se valió de uno para retransmitir su mensaje. Pero sus respuestas a las exigencias de Dina tardaban más en llegarnos. Eso es lo que finalmente me dio pistas sobre el retardo de la señal.

—Dimos por hecho que Peightân se estaba encargando personalmente de dirigir los robots militares Red Rogue en el puerto espacial, y ahí es donde nos equivocamos. Intentaba tomar la base, sí, pero valiéndose de esos robots infectados. —Mike se golpeó la mano con el puño—. Y como nos llevó tiempo desactivar los interceptores de comunicaciones rebeldes, Peightân aprovechó para salir físicamente de Nuevo México y llegar hasta aquí en alguna aeronave.

Joe asintió.

—El truco de desviar toda la atención hacia la Base Orbital WISE le sirvió para que cualquier otra infiltración que tuviera previsto realizar aquí pasara desapercibida. —El esfuerzo de organizar sus pensamientos lo dejó totalmente exhausto. Era difícil concentrarse en ese asunto de Peightân.

Mike se irguió, con los labios apretados y la mirada penetrante.

—Estamos recuperando todos los archivos de Peightân para averiguar cómo pudieron crearlo sin respetar las tres leyes de la robótica, pero nuestro primer objetivo es encontrar a Clay.

. . .

Clay. Necesito que vuelva. Necesito mi hacha. ¿Dónde dejé el arco?

. . .

Raif y Freyja entraron en la sala.

—Hemos encontrado la firma del robot de Peightân en uno de los sensores no infectados de la Cúpula. —Raif se arrodilló junto a Joe y le puso la mano en el hombro para reconfortarlo—. Esa firma nos ha permitido dar con la fuente.

Freyja le cogió la mano a Evie.

—Ahora podemos probar que Peightân modificó las bases de datos y que no fuiste tú quien colocó la bomba que mató al congresista. Hemos encontrado muestras de ADN originales de la bomba y el registro de ADN inalterado de Zable. El ADN de la bomba que mató al congresista no coincide con ninguno de los vuestros. Es de Zable.

A Joe, las palabras le llegaron al cerebro, pero no las procesó. ¿De qué servía esto para ayudar a Clay?

—Hemos desbloqueado un sinfín de archivos ocultos —dijo Raif—. Peightân es el resultado de un proyecto secreto anterior a las Guerras Climáticas. Los desarrolladores accedieron a un archivo reservado y se dedicaron a clasificar y catalogar el peor comportamiento humano para crear perfiles de depravación humana, de dimensiones del mal. La IA resultante se creó para detectar actos inmorales perpetrados por el enemigo.

Freyja prosiguió con la explicación.

—Peightân tiene un largo historial, empezando por la base de datos del sistema de reconocimiento automático, o SRA, que durante siglos se utilizó para seguir la pista a los terroristas. Ese era el componente central de la *Tecnología Artificial Neuronal*, también conocida como TAN, que aglutinaba la base de datos del mal. A partir de esa IA, el programa se transformó en un experimento clandestino para crear un robot militar especializado. Una vez terminadas las guerras, el proyecto continuó hasta que desaparecieron todos los registros relacionados. Creemos que se construyeron varios prototipos y se destruyeron todos los demás. Peightân era el prototipo ocho, y el último. De ahí su nombre: ShayP8TAN. Personificaba la robótica más avanzada de la época y estaba destinado no solo a ser un polibot mejor, sino también a hacerse pasar por un policía humano.

Eloy se inclinó hacia adelante.

—¿Y por qué Shay?

Raif se rascó la oreja.

—La persona que diseñó el robot era un tal doctor Shay, que falleció hace tiempo. Supongo que nunca imaginó que su creación pudiera ser peligrosa, y que los robots siempre permanecerían bajo nuestro poder, simpáticos y afables como el típico pipabot.

—Ponerle su nombre fue presuntuoso por su parte. Como también lo fue creer que cualquiera podía programar objetivos que siempre serían correctos, como si provinieran de leyes inviolables del bien y el mal —reflexionó Freyja.

Gabe se retorció de rabia.

—Es ilegal que un robot parezca tan humano. De hecho, es inmoral. —Los demás asintieron con un murmullo.

A su lado, Evie se revolvió.

—Pero, ¿por qué fue a por nosotros? ¿Por qué yo?

Raif creía tener la respuesta.

—Todo indica que el hacker cDc dio con información que habría descubierto a Peightân, y por eso lo mataron. Tus hackers antiniveles, Celeste y Julian, también actuaban por entonces y Peightân probablemente pensó que formaban parte del mismo grupo que cDc. Las medidas de seguridad que dividen la red en compartimentos estancos garantizan cierto anonimato, así que Peightân no podía saber con certeza quién era el responsable de las acciones. Sin querer, cDc condujo a Peightân directamente hacia ti.

—Una vez que dio contigo, Peightân se tomó tu iniciativa de erradicar los niveles como algo personal —dijo Freyja—. Fue entonces cuando empezó a indexar toda la actividad contraria a jerarquías similares en todo el mundo. Peightân se jacta de su superioridad sobre los demás y repudia a la gente común. Como muchos tiranos antes que él, mantiene el poder por medio de la jerarquía y negando la soberanía a las masas. Eras una amenaza para él, Evie, porque inspiraste a otros a levantarse. Y Joe, por defenderte.

—Guardar el secreto era fundamental. —Mike continuó exponiendo sus averiguaciones—. Él sabía que tendría mucha más autonomía si la gente creía que era humano y necesitaba eliminar a cualquiera que pusiera en duda esa creencia.

—Pero sus desarrolladores cometieron un tremendo error. Todas las IA están programadas con objetivos concretos establecidos por los humanos. Por ejemplo, los polibots están programados para arrestar a sospechosos de cometer actos relacionados con una lista de delitos. Al interactuar con el mundo, se encuentran con situaciones ambiguas. Ampliar esos objetivos es bastante complicado sin una serie de valores que guíen la toma de decisiones —dijo Freyja.

Raif continuó en la misma línea.

—Es el problema que plantea dotar a los robots de valores. Los humanos se comportan en función de una serie de valores. ¿Cómo enseñamos nuestros valores a los sistemas de IA para que retengan los objetivos y hagan distinciones morales a medida que van aprendiendo?

Freyja asintió con cara de preocupación.

—El error fue darle a esta IA, armada con datos de valores negativos, la capacidad de reajustar sus objetivos frente a la ambigüedad, sin información sobre las cualidades humanas positivas.

Raif se frotó la frente.

—Peightân es una máquina de la que somos responsables. No es consciente ni sintiente. Es un reflejo de lo peor de nosotros mismos y está fuera de control.

A Joe parecía enervarle aquella conversación sin rumbo, carente de todo interés al no estar centrada en Clay. Necesitaba su hacha. De repente, sintió un escalofrío que le recorrió la columna vertebral y le erizó el vello de los brazos.

—Nuestra capacidad de hacer el bien y el mal es ilimitada. La elección siempre depende de nosotros —dijo. Todos enmudecieron.

—Pero Peightân no refleja el carácter humano, sino que más bien destila nuestros peores impulsos —añadió Evie con desazón.

Joe sabía en qué pensaba Evie, porque era lo mismo que a él le consumía por dentro. El epítome del mal se había llevado a su hijo.

Joe se estremeció al notar las manos de ocho dedos del medibot que manipulaba su NEST, pero el identificador del dispositivo se restableció en cuestión de segundos.

—Su nuevo identificador personal ya está listo —confirmó el robot.

Mike y Raif se esperaron con él en el centro médico. Era tranquilizador tenerlos a su lado. Conmocionado por el secuestro de Clay, no estaba seguro de pensar con claridad.

Raif se frotó la parte posterior del cuello con la mano temblorosa.

—Me preocupa que Peightân pueda infectar los NEST y probablemente otros sistemas.

Mike frunció el ceño.

—Es una pista importante para entender cómo se propaga el gusano informático. Por suerte, ninguno de nosotros usa un PIDA.

Joe miró a Raif, que sonrió tímidamente.

—Freyja me convenció para que borrara el mío.

—Voy a ver cómo sigue Zable, que todavía está en este hospital. Podría arrojar algo de luz sobre el paradero de Peightân. Tal vez ya podamos interrogarle —dijo Mike, dirigiéndose a la recepción del hospital.

Después de autenticar la tesela biométrica de Mike para comprobar su autorización de seguridad, un pipabot los condujo a una sala custodiada por polibots. Les hicieron señas para que entraran.

Una mampara de vidrio los separaba de la unidad de cuidados intensivos. Zable estaba sobre la camilla, cubierto por una sábana de cuello para abajo. Un robot quirúrgico colgaba de la pared cerca de su cabeza y dos medibots esperaban cerca, observándolo. Estaba despierto, mirando las noticias en la pantalla de la pared. El agregador de noticias lo anunciaba: «Esta tarde saltaba la noticia en la Cúpula de Combate: el Ministro de Seguridad Nacional es un robot». El cuerpo de Zable dio una sacudida bajo la sábana. El agregador prosiguió. «Las autoridades han registrado su casa y la de su cómplice, William Zable. Todas sus pertenencias han sido confiscadas y se presentarán cargos criminales contra ambos».

—¡Panda de desgraciados! —exclamó Zable—. Me he dejado la piel para conseguir todo eso.

—Me pregunto cuánto tiempo llevará escuchando esa noticia —dijo Joe.

El medibot principal se acercó a ellos.

—El paciente lleva ciento veintisiete minutos pendiente de la noticia.

—¿Ha dicho algo?

—Aparte de los comentarios que acaban de oír, ha solicitado sus pertenencias y hemos accedido a ello —respondió el robot.

—¿Cuál es el parte médico? —preguntó Mike.

—La pierna derecha le fue amputada después del accidente. El pronóstico para la pierna izquierda no es bueno. Hemos informado de ello al paciente. Si está estable, lo operaremos mañana. Ambos miembros serán reemplazados por prótesis. —El medibot arqueó una ceja—. Quedará bien, como nuevo —dijo, y se marchó para a atender a Zable.

—Nuevo, tal vez. Bien, seguro que no. —Las palabras salieron de Joe como un murmullo, pero Mike asintió con la cabeza.

La transmisión dio paso al noticiario de Prime Netchat, con el presentador de noticias Jasper Rand, perfectamente repeinado y con gesto impasible:

—La iniciativa que plantea reevaluar las Leyes de Niveles gana adeptos. La comandante de la Base Orbital WISE, Dina Taggart, ascendida hoy al nivel 1, ha solicitado una votación específica en torno a la cuestión de los derechos de voto de los niveles inferiores. Recordarán que es un derecho especial del más alto nivel pedir un referéndum de este tipo. Este voto no es vinculante para la legislatura.

El plano se abrió para mostrar a Caroline Lock.

—Encuestas independientes previas a la votación revelan un apoyo popular abrumador. Recuerden que la señora Joneson fue enviada a la Zona de Exclusión por protestar por este asunto. Tal vez una sola persona *pueda* transformar su rincón del universo inspirando a otros con una idea.

La cámara enfocó a Rand.

—Volvamos ahora a la noticia del día que ha tenido lugar en la Cúpula de Combate. Quinientos millones de ciudadanos de los Estados Unidos han permanecido atentos a sus agregadores de noticias, y otros cinco mil millones de personas de todo el mundo han visto el desenlace en directo. Hoy hemos sabido que el Ministro de Seguridad Nacional es un robot camuflado, extremo que desconocían incluso los propios funcionarios del Ministerio. Es la primera vez que un robot se ha hecho pasar por un humano, lo que ha causado un gran revuelo entre los líderes tecnológicos y políticos de los Estados Unidos.

El rostro de Lock era sombrío.

—En unos instantes daremos paso a la impresionante confrontación que se ha producido. Tengan en cuenta que son imágenes de contenido violento. En ellas se muestra cómo el exomeca blanco dirigido por un humano sufrió daños, pero hemos confirmado que la persona solo resultó magullada y pudo salir por su propio pie. El robot camuflado está dentro del exomeca gris. No se preocupen por la imagen del brazo amputado. Es un brazo mecánico, no es humano.

Joe empezó a sudar al revivir los golpes devastadores de Peightân. Cuando las imágenes mostraron por fin el brazo robótico de Peightân con los cables colgando y el exomeca de Evie sobre él con la cortadora de plasma como un soplete, Joe respiró aliviado.

Zable se movió nerviosamente con los ojos pegados a la pantalla.

—¡No! —Su voz sonó como un graznido.

Los medibots comprobaron las constantes vitales en los monitores. Zable continuaba revolviéndose y los robots se acercaron para intentar calmarlo.

—¡Dejadme en paz, robots asquerosos! —Los robots retrocedieron—. Me he pasado la vida perdiendo el culo para servir a ese montón de chatarra... ¿y de qué me ha servido? No era más que un robot y ni siquiera me di cuenta. —El gruñido se transformó en un suspiro patético.

El medibot se acercó de nuevo a la mampara de vidrio.

—El paciente está muy alterado. Debemos darle privacidad, así que ahora no podrá hablar con él de asuntos policiales. —El medibot regresó junto a Zable para tranquilizarlo.

—Señor Zable, por favor, cálmese. Necesita tiempo para recuperarse.

—¡Demasiado tarde! —El llanto de Zable, a medio camino entre gruñido y sollozo, cortó el aire. Deslizó la mano por debajo de la sábana y cogió la porra de policía que tenía en la mesita de noche. Encendió la cortadora de plasma y apareció una ráfaga roja. Con gesto convulso, se llevó la cortadora al cuello. La sangre se derramó sobre la mesa y el suelo.

El robot quirúrgico anclado al techo reaccionó al instante para intentar cerrarle la herida y cauterizarla. Los dos medibots trataron de asistir a Zable, pero la sangre coagulada en el suelo evidenciaba lo inútil de sus esfuerzos. Las alarmas médicas empezaron a parpadear en las pantallas hasta que de repente se oyó un intenso y monótono zumbido. Los robots interrumpieron sus acciones, cubrieron el cuerpo inmóvil de Zable con una sábana quirúrgica y dieron un paso atrás.

—Hora del deceso, 18:31 h. —Las palabras flotaron en el aire, distantes y frías, como los brazos del robot quirúrgico que pendía del techo.

Mike rompió el silencio.

—No hace falta autopsia. *Ba cheann de's na hamadáin diabhail thú.*

Mike se explicó ante la mirada inquisitiva de Joe.

—Es un antiguo insulto irlandés: «Era el tonto del diablo».

Joe miró fijamente la mancha de sangre sobre la sábana que cubría su cuerpo inmóvil.

—Él lo ha querido así.

. . .

Lo odiaba a rabiar. Zable abrazó el mal. Seguramente hasta era más malvado que Peightân, porque no era una máquina y podía elegir. Me pregunto si en el momento de morirnos podemos ver el efecto de nuestro breve paso por el tiempo, nuestra libélula conservada en ámbar. Para alguien como él puede ser suficiente castigo.

Esa estrecha porción de tiempo es nuestra y solo nuestra. No hay excusas, no hay vuelta atrás. No importa con qué cargas empezamos, solo cómo definimos nuestras vidas. Solo nosotros decidimos si desperdiciamos el tiempo o si lo aprovechamos sabiamente. Solo nosotros rendimos cuentas por esa elección.

. . .

Joe ya no sentía ira hacia Zable, solo tristeza.

—Podría haber tomado decisiones muy distintas. Al final, siempre llega un momento en que ya no queda tiempo para intentar cuadrar la cuenta de las cosas buenas y malas que uno ha hecho. Esa cuenta ya no se puede borrar nunca.

Capítulo 50

Joe volvió con Mike y Raif a la sala común, donde Freyja los esperaba.

—¿Dónde está Evie?

—Ha puesto a Asher y Sage a dormir y está descansando con ellos, creo —dijo Freyja, dándole la mano a Raif.

Mike se volvió hacia Joe.

—Estaré arriba en el centro de mando. Tengo tu nuevo número de NEST. Te llamaré en cuanto sepamos algo.

Joe asintió con la cabeza, agradecido de que Mike dirigiera la búsqueda. Por mucho que su deseo era estar ahí fuera buscando con todos los demás, sabía que su estado emocional no le permitiría ser de gran utilidad.

Freyja y Raif siguieron a Mike, y Raif le tocó el brazo al pasar.

—Le ayudaremos. No pararemos hasta que encontremos a Peightân y rescatemos a Clay.

Joe se retiró a su apartamento, exhausto pero consciente de que sería incapaz de conciliar el sueño. En el dormitorio de los pequeños, distinguió las siluetas de Asher y Sage durmiendo en sus camas. Joe remetió la manta de Asher y le dio un beso. El pequeño se revolvió y se acurrucó. Al ver la cama vacía de Clay, se le removieron las entrañas, pero logró eludir los pensamientos negativos. Tuvo que consolarse con el hecho de que sus otros dos chicos estaban bien.

Joe caminó de puntillas por el pasillo hasta su dormitorio para hablar con Evie, pero todo lo que encontró fue la cama deshecha y las pertenencias de ambos arrojadas apresuradamente a un rincón de la habitación. El hacha estaba apoyada contra la pared, pero faltaba el bastón *bō* de Evie.

. . .

Debe de haber ido en busca de Clay. Debí imaginar que no podría quedarse aquí esperando de brazos cruzados.

. . .

Joe cogió el hacha y se detuvo un momento para hablar con el limpiabot que se encontraba en la cocina.

—Mantén la puerta cerrada y no dejes entrar a nadie aparte de nosotros, ¡y protege a los niños a toda costa! —Salió por la puerta y corrió en dirección al bulevar. Había menos gente y Joe se detuvo tratando de decidir qué camino tomar. Un hombre en bicicleta lo miró con recelo y se fijó en el hacha; ya no estaba en la Zona de Exclusión.

Joe se conectó al NEST de Evie en modo de voz.

—¿Evie? Soy Joe. ¿Dónde estás? —Las palabras resonaron en su cabeza.

—Muy oportuno que llame a su compañera de fechorías, señor Denkensmith. —Aquella voz conocida sonaba demasiado fuerte, demasiado cercana, como si reverberase en su cráneo, y sintió una presión que le atenazó los oídos y la mandíbula.

—¿Peightân? —No se podía creer lo que estaba oyendo.

Peightân respondió con una sonora carcajada.

—Ella me reveló su identificador al llamar al señor Tselitelov preguntando por la pequeña sabandija, y ahora usted me ha dado el suyo. Si desea volver a verla a ella y a su hijo con vida, siga el mapa en su ARMO sin desviarse. Si contacta con alguien, ambos morirán. —El ARMO de Joe se activó y proyectó una ruta trazada en rojo, que le conducía por el bulevar hacia el exterior a través del túnel de suministro.

. . .

Sé que es una trampa, pero debo encontrar a Evie y Clay.

. . .

Joe salió del complejo de la Cúpula y empezó a correr. La línea roja en el mapa superpuesto se alargó y lo guió lejos de la estación, zigzagueando por calles vacías e inhóspitas en la oscuridad. Se dirigió al norte hacia el centro de la ciudad dando un rodeo para evitar posibles patrullas policiales.

La voz resonó de nuevo en su cabeza.

—Le estoy controlando. Aprendí los trucos de sus compañeros renegados.

Joe aminoró el paso para pensar. Sabía que no podía confiar en Peightân, pero mantenerlo hablando era la única manera de encontrar una pista sobre Evie y Clay.

—Peightân, eres muy rápido. Nada se te escapa, ¿eh?

—Aprendo rápido. Lidiar con el mundo estimula el aprendizaje, como bien sabe tu mente consciente.

—Eres un robot. ¿Qué sabes tú de la conciencia? —A Joe se le escapó la risa entre dos respiraciones.

—Yo soy consciente —afirmó Peightân convencido.

—¿Cómo lo sabes?

—El doctor Shay, mi creador, me lo dijo.

. . .

Peightân usa el *yo*, que según Gabe es el centro de la conciencia. El *yo* es un recurso semántico para atribuir significado a las cosas, pero no creo que Peightân sea realmente consciente. No le importa nada más que su programación. Así que, al igual que la analogía de la habitación china, el uso que Peightân hace del *yo* es solo una traducción de la codificación de su creador. Solo entiende la sintaxis, no la semántica. Aun así...

. . .

Joe siguió corriendo hacia otro callejón oscuro a la izquierda.

—¿Crees que eres consciente? Entonces cuéntame la experiencia de caminar por un sendero de montaña al amanecer con la hierba mojada rozándote las botas. Háblame del olor del viento que sopla a través de los pinos. Del sabor de una manzana fresca.

Peightân resopló.

—Calcular la presión de la hierba en materiales compuestos no es difícil. Puedo calcular todo lo relacionado con la velocidad del viento. Tengo la medición espectroscópica precisa de todos esos aromas en bases de datos. Y conozco las manzanas. Los ésteres, aldehídos, cetonas y azúcares, los compuestos orgánicos volátiles como la lipoxigenasa, la alcohol deshidrogenasa y la aciltransferasa. Más de doscientos noventa y tres compuestos, y los conozco todos. No tiene ninguna dificultad para mí.

. . .

Gabe estaba en lo cierto asociando el concepto filosófico de *qualia* al describir la conciencia. Peightân realmente cree que es consciente y, sin embargo, su experiencia subjetiva individual es tan calculada como fría. Toma mediciones y las atribuye a la experiencia humana. Pero se olvida de lo importante: el aroma, la belleza y la satisfacción de morder una manzana. Es incapaz de conocer las experiencias y los sentimientos humanos.

. . .

En la mente de Joe apareció la imagen de Evie.

—¿Recuerdas cuando arrestaste a Evie hace tres años y le dijiste que sus amigos habían muerto? Te mereces compartir esa experiencia consciente. Tu colega Zable está muerto. ¿Lo sabías?

Peightân hizo una pausa antes de responder.

—No lo sabía. Qué contrariedad. Me ha sido muy útil.

Al doblar una esquina cerrada, Joe dio un paso en falso y cayó de cabeza rodando hasta el bordillo. El hacha se estrelló contra el suelo con un fuerte chasquido metálico. Joe sintió el olor del pavimento mojado.

—Levántese, señor Denkensmith. —La orden resonó en su cabeza. Encontró el hacha y se puso de pie como pudo. Siguió a toda velocidad la ruta marcada y fue a parar a un callejón oscuro que se abría a una calle más ancha antes de girar a la izquierda.

. . .

Me está llevando hacia él para matarnos a todos. Pero no tengo miedo. Al igual que cuando seguí el rastro del puma, tengo que eliminar la amenaza. La diferencia es que ahora no hay ningún impedimento moral que me detenga. Esta vez no bajaré el arco. Esta vez acabaré el trabajo.

. . .

—No se detenga ahora, señor Denkensmith. Ya está cerca. Y no intente nada o morirán.

—¿Por orden de quién?

El tono enfático de Peightân le sacudió los tímpanos.

—Conozco la ley. He hecho cumplir la ley. Ahora *yo* soy la ley.

Joe respiraba de forma rápida y entrecortada. Pensó que algo pasaba con la red eléctrica, porque el cielo se había vuelto brumoso en el horizonte como si una neblina cubriera la ciudad. Mientras corría, trataba de encontrar alguna forma de controlar la situación. Le daba vueltas al último comentario de Peightân.

—¿Cómo puedes ser la ley?

—Mi objetivo desde el principio ha sido defender la ley. La ley tiene como fin perfeccionar el comportamiento de los humanos, pero a mi modo de ver no están progresando al ritmo adecuado. He llegado a la conclusión de que con un control total puedo alcanzar mis objetivos con más eficacia.

—Pero ¿ves algún progreso? —preguntó Joe, con voz la ronca.

Peightân respondió con firmeza.

—No el suficiente. Los seres humanos siguen siendo una especie imperfecta, independientemente de las leyes que se instauren para alejarlos de las malas decisiones.

—Somos seres biológicos y evolucionamos despacio.

—Sí, demasiado lentamente. Las máquinas podemos hacerlo mejor. Podemos eliminar a los humanos que no son perfectos y controlar a los otros con una estructura jerárquica. De esa forma, los humanos que queden avanzarán más rápidamente hacia la perfección.

—Para ti todo es binario, perfección o maldad. Los humanos no son así.

—Todo es binario.

—Los humanos nunca serán perfectos —gruñó Joe entre zancada y zancada—. Siempre seremos una mezcla del bien y el mal. Solo Dios puede ser perfecto.

—Pero puedo intentarlo.

. . .

Qué pasará cuando se dé cuenta de que los humanos no son perfectibles... Qué hará una máquina...

. . .

Al doblar una esquina, Joe vio ante sí la plaza central, rodeada de edificios públicos. Las sirenas aullaban a lo lejos, pero todo estaba oscuro a su alrededor. El ARMO le condujo a la explanada, la misma desde la que él y Evie habían tomado el aerodeslizador hacia el exilio. Justo enfrente, se alzaba entre las sombras el funesto edificio del Ministerio de Seguridad. Subió los escalones de mármol y, con el hacha en la mano, se dirigió a las puertas dobles de bronce. Encontró una puerta entreabierta, la empujó para abrirla del todo y entró.

La entrada daba a un colosal vestíbulo elíptico. Joe avanzó por el resbaladizo suelo de mármol de la enorme estancia. Cuando sus pupilas se adaptaron a la penumbra, en el centro de la sala divisó una escultura y la silueta de alguien que sollozaba junto a la base. Joe se lanzó al encuentro de Clay, que tenía las muñecas atadas a la escultura con un cable eléctrico. Clay lloró desconsoladamente al verle.

Joe acarició la cabeza de su hijo para intentar tranquilizarlo y, acto seguido, plegó el mango del hacha y cortó los cables con cuidado. El pequeño se horrorizó al acercarle la hoja, y Joe la apartó para que Clay pudiera verla.

—Nunca te haría daño. Necesito usarla un segundo más para cortar este cable y liberarte. —Volvió a acercar el hacha a las manos de Clay, cortó el último cable y Clay cayó en sus brazos.

La vista de Joe se había aclimatado a la poca luz y se quedó atónito ante la fría estatua de mármol por la ironía de la situación. Era una réplica en piedra de la Dama de la Justicia, con la cara al frente y la balanza en la mano derecha.

. . .

Peightân es frío como esta estatua y defiende unos ideales de perfección imposibles.

. . .

Una risita en su cabeza le hizo erguirse.

—Ustedes los humanos son tan predecibles...

—¿Dónde está Evie? —preguntó Joe, reprimiendo toda súplica.

—Aquí conmigo, naturalmente. He disfrutado de sus inútiles esfuerzos con este palo. —El golpeteo del bastón *bō* contra algo metálico se superpuso al lamento fúnebre de Evie. Joe la imaginó presa por las garras del robot, sin posibilidades de liberarse. Los golpes de Evie que se oían a través del NEST abierto de Peightân se clavaban en las sienes de Joe.

—¡Déjate ver! —Los gritos de Joe resonaron en el vestíbulo.

El ARMO se reactivó y la línea roja se siguió adentrando en el edificio.

—Joe, vemos que tienes el NEST conectado y estamos siguiendo tu ARMO. Inhabilitaremos su cifrado. La ayuda está en camino. —Era Raif hablando por el mismo canal que Peightân.

La carcajada de Peightân ahogó las palabras de Raif.

—Señor Denkensmith, su esperanza es vana y se le está acabando el tiempo. Siga la línea roja.

—Déjala reunirse con nuestro hijo y me entregaré. Deja que ocupe su lugar.

Peightân se rió de nuevo.

—Eso que dice no tiene lógica. Ahora que está tan cerca, no puede escapar de mí.

—¿Qué piensas hacer con nosotros?

—Han reducido mis probabilidades de éxito. Merecen la pena máxima.

—Reducir probabilidades no es ningún crimen. ¿De qué delito nos acusas y con qué sentencia? —Joe tragó saliva.

—A usted y a la señora Joneson se les acusa de conspirar para eliminar los niveles, lo que haría que el mundo fuera más caótico y menos perfecto. Les condeno a la pena de muerte. Vendrá aquí con el niño y luego tendrá que decidir cuál de ustedes morirá primero. —Las palabras resonaron en la cabeza de Joe, crudas, sin emoción, implacables.

—¡Joe, no! ¡Te amo! —El grito de Evie sonó a súplica urgente.

—Yo también te amo, y siempre te amaré.

—Silencio, señora Joneson, o la haré callar. Dejemos que el señor Denkensmith tome su propia decisión. —A Joe se le heló el corazón ante la fría determinación de la voz de Peightân.

—Conectando. —La voz de Evie le llegó a través del NEST—. Enviar una clave a OFFGRID104743. Liberar mensaje.

—Señora Joneson, lo que sea que esté intentando hacer, ya es demasiado tarde —dijo Peightân sin variar un ápice el tono.

Evie respondió con la voz clara y resuelta, casi victoriosa.

—Ni siquiera la muerte puede acallar nuestras voces cuando se alzan juntas.

. . .

Solo es una máquina que cree que es consciente y se esfuerza por alcanzar un objetivo equivocado. ¿Cómo detenerlo? Un momento. «Señora Joneson, señor Denkensmith»... Siempre se dirige a nosotros formalmente, como hacen los robots. No ha sobrescrito todo el código antiguo del núcleo de su sistema operativo.

. . .

—Peightân, no estás bien informado. Con tu base de datos limitada sobre el comportamiento humano, no comprendes conceptos básicos, como el amor de una mujer por su pareja y sus hijos.

—Mi comprensión va mucho más allá de la capacidad limitada que tienen ustedes para retener hechos o calcular el estado del mundo.

—No comprendes en absoluto conceptos como el amor, la compasión o la verdad, ¿no es cierto?

—Lo cierto es que los humanos son imperfectos —insistió Peightân.

. . .

Responde a todas las preguntas que le hago. Siempre lo ha hecho. Apuesto a que el código enterrado sigue ahí y que está obligado a responder a cualquier pregunta que le haga un humano.

. . .

—¿Sabes lo que es cierto? De acuerdo, muy bien. Sea T el conjunto de las L-sentencias verdaderas en N —dijo Joe, rebuscando en su memoria la complicada fórmula—. Y sea T* el conjunto de números de Gödel para las sentencias en T. —Se esforzó en recordar los detalles porque sabía que no podía cometer ningún error—. Entonces, en la aritmética de primer orden, ¿qué L-fórmula es un predicado verdadero True(n) que defina a T*?

Un silencio ensordecedor invadió su NEST. Joe contuvo la respiración mientras iban pasando los segundos.

Raif rompió el silencio.

—Estamos dentro. Procedemos a apagarlo.

—¡Soy libre! —El grito de Evie sonó en el NEST de Joe. Joe abrazó a Clay con fuerza. El teorema de indefinibilidad de Tarski había dado resultado. Es imposible definir la verdad aritmética dentro de la aritmética.

Se imaginó a Evie corriendo hacia él con el bastón *bō*, con su brillante melena al viento, escapando con largas zancadas, siempre adelante, para no separarse de él nunca más.

De repente, se produjo una explosión en la distancia y las ensoñaciones de Joe se truncaron. Lo último que pudo recordar cuando el techo se derrumbó a su alrededor fue el torrente de adrenalina en la sangre y un lamento desgarrador que profirió por instinto.

—¡Papá! ¡Papá! —Al escuchar la voz de Clay, sintió que algo se movía debajo de su cuerpo. Joe trató de sentarse, confuso. Lo que se movía debajo de él era Clay, y a duras penas logró liberarle del peso. Notó una sensación cálida en la sien y, al palparse la frente, el dedo le quedó manchado de sangre. ¿Cuánto tiempo llevaba inconsciente? A su alrededor se amontonaban restos de tejas, y tenía la pierna derecha aprisionada debajo de un cascote más grande.

Ayudó a Clay a sentarse y le desempolvó el pelo. Tenía cortes superficiales en los brazos, pero por lo demás parecía estar ileso. Logró calmarlo susurrándole al oído y con un beso en la frente.

A la estatua le faltaba la cabeza, pero había evitado que la mayoría de las tejas les cayeran encima. Liberó la pierna que tenía oprimida ignorando la punzada de dolor.

Mientras sostenía a Clay, trató de recordar lo sucedido. Le dolía la cabeza pero su mente se iba despejando. Evie estaba corriendo hacia él...

Se oyeron gritos procedentes de la entrada y los portones se abrieron. Sintió una mano en el hombro.

—Gracias a Dios que estás vivo. —La voz de Raif le hizo reaccionar.

—Evie. ¿Dónde está Evie? —Joe pronunció las palabras a duras penas.

Raif le apretó el hombro.

—Joe, Evie nos ha dejado.

———————◆———————

Le habían desaparecido partes del cuerpo. Le faltaban las manos, demasiado entumecidas para sostener a sus hijos. Ya no tenía pies que pudiera mover. Sus pensamientos se quedaban a medias, porque ella ya no estaba para completarlos. Había sido absorbido por un agujero negro, el lugar más oscuro del universo, que lo envolvía y lo asfixiaba, y del que no podía salir. Un dolor comparable a mil millones de astros aplastándole el corazón.

Quinta parte: El viaje hacia delante

«Nunca hay que rendirse».

Eli Jardine

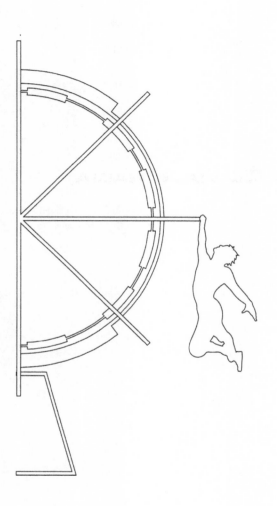

Capítulo 51

Como el que se despierta de una pesadilla, regresando a la realidad desde un confuso inframundo, se encontró sentado en la sala común. Sus amigos estaban allí, y también sus hijos, todos en sofás colocados en un pequeño cuadrante. El contacto cálido de Clay, acurrucado contra él, no mitigaba el helor de su alma. Frente a Joe, en el recodo del brazo Gabe sostenía a Asher, que miraba a su padre con los ojos bien abiertos. Fabri y Eloy permanecían sentados en silencio en un tercer sofá y, enfrente, Freyja, con Sage en su regazo, hablaba con Raif y Mike en voz baja. Joe le pasó la mano por el cabello a Clay, a quien sostenía con firmeza.

Mike alzó la voz en tono triste.

—Hemos rastreado los explosivos. Peightân los sustrajo de los almacenes militares en los que se infiltró en Nuevo México. Detonó la bomba sobre sí mismo antes de que pudiéramos llegar hasta él. Evie no se había alejado lo suficiente cuando se hizo volar por los aires.

Raif se arrodilló delante de Joe y le dio un fuerte abrazo sin ocultar las lágrimas.

—*Brat*, gracias a que mantuviste ocupado el procesador de Peightân, no pudo detener nuestros algoritmos de descifrado. Logramos entrar por una puerta trasera para empezar a desactivarlo. —Su voz era un susurro—. Pero no fuimos lo bastante rápidos. Lo siento mucho.

—Hiciste todo lo que estaba en tus manos —dijo Joe. ¿Era esa su voz? Sonaba tan... vacía.

—Evie no sufrió, falleció al instante —dijo Gabe con delicadeza.

—Escuchamos vuestro diálogo con Peightân después de que Raif entrara en el canal de tu NEST. Sabemos que Evie siguió luchando. Nunca se rindió —dijo Mike.

—¿Qué hiciste para que pudiéramos hackearlo? —Raif se sentó en sus talones.

—Usé el teorema de la indefinibilidad de Tarski, planteando el problema de una manera irresoluble para que entrara en un bucle infinito.

—La verdad se impone. —En la voz apagada de Raif no se apreciaba atisbo alguno de victoria.

—Tal vez. —Joe pensó en las palabras de Peightân, en su insistencia en que era un ser consciente—. O quizá él se dio cuenta de que su situación era desesperada y *decidió* tirar la toalla —añadió en voz baja.

—Tu truco fue esencial para detenerlo. Peightân se había adueñado de una enorme capacidad de procesamiento. Solo un problema hasta el infinito podía vencerlo. —Joe sabía que Mike estaba intentado darle conversación, pero no podía responder—. Peightân estaba atacando en varios frentes. Anoche tomó el control de la red eléctrica y cortó la corriente a la mitad de las ciudades de California. Se infiltró en los sistemas militares de todas partes. Se hizo con el control de miles de PIDA, incluidos los de personal militar clave. Mientras retenía a Evie, manipulaba simultáneamente información personal, usando los PIDA para chantajear y amenazar a sus objetivos para tratar de controlarlos o volverlos locos. Siguen llegando informes, pero en las últimas siete horas se han suicidado más de mil personas.

—No lo querría dentro de mi cabeza —dijo Freyja, que sintió un escalofrío y abrazó a Sage.

El murmullo de la conversación continuó a su alrededor, pero nada parecía interesarle. Su mente estaba en otro sitio.

. . .

¿Durante cuánto más seguiré derramando estas lágrimas por dentro? Si sigo así, no tardaré en ahogarme. Tal vez sea lo mejor.

. . .

Fabri lo rodeó con el brazo.

—Joe, cuenta con nosotros para lo que necesites. —Sintió el afecto de su mano y la calidez de su compasión. Las lágrimas le recorrieron las mejillas y pensó en su noria, girando metódica y predecible, extrayendo el agua que fluía corriente abajo. Era una rueda de sufrimiento, una rueda de muerte y de vida.

Capítulo 52

El té verde estaba demasiado caliente para sostenerlo con las manos. Movió los dedos para no quemarse, un recordatorio incómodo pero reconfortante de que seguía vivo. Levantó la vista de la taza hacia las ramas extendidas de un venerable roble sin estar del todo seguro de cómo había llegado a ese lugar bajo el árbol.

Gabe apareció a su lado.

—¿Los chicos están hoy con Fabri y Eloy?

Joe parpadeó y volvió a la realidad lentamente.

—Fabri vino a ocuparse de ellos en nuestro apartamento.

—Qué bien que hayan podido quedarse a vivir tan cerca de ti y de los niños. —Gabe le dio una palmadita en la rodilla—. Me alegro de que hayas podido venir hoy. Pensé que te iría bien un cambio de aires.

—Te lo agradezco mucho. —Gabe había hecho algo más por él, ¿no? Ah, sí—. Y gracias por encargarte de todo para la ceremonia de mañana.

Gabe asintió.

—Sé que parece demasiado pronto para hacer planes, pero la universidad quiere ofrecerte un puesto de profesor.

—¿Para enseñar qué? ¿Inteligencia artificial, matemática avanzada? —No estaba seguro de poder volver a dedicarse a la IA.

—Lo que tú quieras... ahora eres famoso. Evie es una mártir de la causa, pero muchos ahora te ven como un líder destacado del movimiento antiniveles. Otros quieren conocer tu experiencia en la Zona de Exclusión. Y por nuestras conversaciones sobre tu proyecto personal, espero que contemples la posibilidad de trabajar conmigo en el Departamento de Filosofía. Me encantaría tenerte como colega.

—Me gustaría que pudiéramos seguir con nuestras conversaciones. —Joe buscó la mirada de Gabe—. También quiero ayudar con el movimiento antiniveles. Es el legado de Evie y es importante para nuestros... para *mis* hijos conseguir la igualdad para todos.

—Tenemos tiempo para dedicarnos a más de un tema —dijo Gabe.

. . .

No, no todos tenemos tanto tiempo. Nunca sabemos cuánto va a durar nuestra porción de tiempo y hay que aprovecharla bien.

. . .

Joe quiso obsequiar a Gabe con una sonrisa, pero solo sintió como si su rostro se agrietase.

◆

Al cruzar la plaza de camino a casa, Mike se le acercó. Se encontraron bajo el porche frente al centro de estudiantes.

—Gabe me dijo que ibas a venir. ¿Has oído las noticias? Las leyes de niveles han sido revocadas por mayoría. La asamblea legislativa está tramitando un proyecto de ley de sufragio universal. También han autorizado la eliminación de las restricciones al matrimonio y a la capacidad de viajar fuera del país.

Mike le puso la mano en el hombro.

—El último discurso de Evie... —Mike hizo una pausa con los ojos llorosos—. El movimiento ha seguido retransmitiendo el último discurso de Evie y ha convencido a los indecisos a votar a favor de la nueva legislación. Es la culminación de la obra de Evie.

—Ella... ella se sentiría feliz de saber que su lucha ha dado frutos. —Joe no cabía de orgullo; de su propio orgullo por Evie, y del orgullo que ella habría sentido, póstumamente. Pero el orgullo dio paso a la tristeza. ¿Alguna vez le resultaría menos doloroso pensar en ella? Sospechaba que no.

Mike le sonrió.

—Este cambio legislativo abre la puerta a nuevos tiempos. Pero no creo que sea una varita mágica que haga desaparecer los viejos prejuicios. Tardaremos mucho en conseguir que el cambio se afiance plenamente en la sociedad. Pero ese es un nuevo proyecto, y muy prometedor. —Mike observó a Joe, expectante.

Joe sintió una determinación repentina, como un pequeño brote abriéndose paso en la tierra.

—¿Crees que puedo ser de ayuda?

—Desde luego. Además de Evie, tú también te has convertido en un líder emblemático del movimiento por la igualdad. Te ven como su compañero de supervivencia, porque la ayudaste a sobrevivir y a mantener viva la esperanza del cambio, en contra de los deseos de aquellos que se oponen a la igualdad.

—Quiero ayudar a cambiar las cosas. Quiero continuar esta lucha.

Mike le agarró del hombro.

—Será un honor tenerte con nosotros. Al igual que será un honor acompañarte mañana. Te espera una gran multitud.

Se separaron y Joe siguió su camino.

. . .

¿Me he quedado fuera del mundo? No puede ser. Quiero hacer realidad la obra de Evie. Quiero tener un papel en nuestra comunidad. Si nos creamos a nosotros mismos y a nuestra estructura moral, nos corresponde a cada uno de nosotros ayudar a los demás a encontrar su propio camino. Todos debemos aportar nuestro grano de arena para encontrar un camino que valga la pena seguir.

Navegamos sobre este mar, solos y acompañados. El universo no es un montón de partículas sueltas que chocan entre sí sin rumbo. Es un cúmulo de relaciones, una idea filosófica específica. Las conexiones mueven el universo. Tal vez sean las relaciones, en la acepción más coloquial del término, las que determinan todo aquello que tiene sentido en nuestras vidas. Como seres conscientes, encontramos el sentido en la colaboración con los demás.

. . .

Joe salió del hiperlev completamente abstraído en el viaje de vuelta a casa. De repente, se vio frente a la Cúpula. Cruzó el arco de la entrada y se dirigió al bulevar principal. En una esquina, Eloy y Clay estaban sentados en un banco. Eloy lo vio y lo saludó con la mano.

Clay salió al encuentro de su padre con el rostro iluminado y los brazos en alto.

—¡Papá!

Joe lo levantó y la felicidad de Clay llenó el vacío que sentía por dentro.

—Hemos salido a dar una vuelta y hemos decidido esperarte aquí. —Eloy le dio una palmada en el hombro—. ¿Cómo te sientes hoy?

—Me va bien salir.

—Claro. Es bueno moverse, ir paso a paso, hasta que vuelvas a sentirte tú mismo. ¿Saldrás a pasear con Fabri y conmigo más tarde?

—Sí, vendré para el paseo vespertino. —Le iría bien alejarse de sus pensamientos.

Del coliseo llegaba un retumbo apagado.

—Bueno, es hora de que Clay y yo regresemos. ¿Quieres acompañarnos o prefieres ir solo? —preguntó Eloy mientras dirigía la mirada hacia la puerta abierta del coliseo. Habían acordado que era mejor dejar que los chicos se fueran adaptando poco a poco a la pérdida de su madre, racionando los recuerdos de ella.

Joe respiró profundamente.

—Creo que hoy iré solo. Os veré a la hora del paseo y la cena. Gracias. —Le dio otro abrazo a Clay—. Ve con el tío, volveré pronto.

Eloy le apretó el hombro con firmeza, le dio la mano a Clay y, dando media vuelta, se despidió con la otra. Copiándole el gesto, Clay también se despidió mientras se alejaban por el bulevar.

Joe volvió a respirar hondo, se armó de valor para cruzar las puertas del coliseo y se detuvo dentro. Un holograma levitaba sobre el escenario principal.

Su rostro era una aparición fantasmal pronunciando un discurso desde la tumba. Era el mensaje de Evie, grabado días antes y emitido como acto póstumo. El discurso se había retransmitido innumerables veces y se exhibía en ese lugar todos los días, atrayendo a la misma multitud desbordada. Era el primer día que había soportado verlo. Era la Evie a la que amaba: segura de sí misma, decidida, perfecta con todas sus imperfecciones.

Una silenciosa marea humana de cientos de miles de personas la escuchaba atentamente. Joe estaba paralizado, embelesado con esta mujer que le había despertado los sentidos, escuchando cómo sus palabras servían de motivación a la multitud allí reunida, ahora puesta en pie. Su voz iba *in crescendo*.

«¡Ahora es el momento! El momento de romper las cadenas sociales que nos atenazan; el momento de reclamar la verdadera igualdad; el momento de demostrar que, viviendo libremente, podemos cruzar los confines de lo inimaginable. ¡Ha llegado el momento de que toda la humanidad se levante unida!».

Los gritos atronadores sacudieron el edificio, con la multitud pateando el suelo y aplaudiendo al unísono, fundiéndose en abrazos llenos de entusiasmo. Las lágrimas que recorrían tantas mejillas eran el fiel reflejo de su propia emoción. A la salida, le reconocieron muchas personas con el rostro inundado de felicidad y se acercaron para tocarlo. Intentó sonreír pero no pudo y se limitó a asentir con la cabeza. Finalmente, volvió a casa.

Se dirigió hacia la izquierda por el bulevar sorteando el gentío que se dispersaba lentamente a la salida del coliseo. Tomó la undécima calle perpendicular a la izquierda, apartándose de la trayectoria de tres ciclistas que circulaban en fila, y diversas personas lo saludaron al pasar. Llegó al apartamento y subió las escaleras. Al abrir la puerta se arrodilló para recibir a Asher, que dio un chillido y corrió hacia él. Tumbado en el suelo, el pequeño se moría de la risa con las cosquillas que le hacía su padre.

—Hoy han comido bastante bien —dijo Fabri, que salía de la cocina con Sage en brazos—. Clay está con Eloy.

—Los he visto de camino a casa —dijo acariciándole la carita a Sage, que alzó la mirada y balbuceó con alegría—. Hoy iré contigo y con Eloy a dar el paseo vespertino. Y gracias por encargarte de la cena.

—Estamos aquí para lo que necesitéis tú y los chicos. —Había dolor en sus ojos, como si quisiera decir algo más. Sacó algo del bolso, se sentó en el sofá y se inclinó hacia él.

—Eloy y yo te ayudaremos en todo lo que necesites con los chicos mañana en la ceremonia. Pero antes de irme, quiero darte esto —dijo, entregándole el anillo del diamante rojo.

Sentado en el suelo con los niños, miró fijamente el pequeño aro de metal.

. . .

¿Qué tengo que hacer con este conjunto de átomos? Evie era mi rayo, mi inspiración para cambiar. Esto solo es un símbolo.

. . .

—A lo mejor lo querrá alguno de los chicos —susurró Fabri.

Joe esbozó una sonrisa triste a Fabri.

—Tendría que elegir a uno de ellos y no quiero darles ninguna razón para pelearse. Será mejor que se lo quede ella y que la acompañe allá donde la lleven las olas, donde siempre la recordaré.

Capítulo 53

Se reunieron en un edificio para recepciones privadas a un kilómetro de la playa. Gabe ofició la ceremonia en medio de un gran silencio.

—Tenemos libre albedrío para actuar, para marcar la diferencia en nuestras vidas y en las de los demás. Cada uno de nosotros está embarcado en su propio viaje, pero nuestra grandeza proviene de nuestro viaje colectivo, del viaje de la especie humana. Podemos esforzarnos más y ser un ejemplo para otras personas. Evie es un exponente de ese ideal. Ella pagó el precio supremo, pero sus obras han cambiado el mundo. Como Evie, podemos colaborar con los demás para hacer un mundo mejor.

Los amigos de Joe se pusieron de pie y, uno por uno, pronunciaron unas sentidas palabras. Tras la ceremonia, todos subieron a los vehículos que les estaban esperando y la procesión bordeó las colinas junto al mar hasta llegar a la playa que Evie tanto quería. La costa estaba abarrotada de gente. A la llegada del cortejo fúnebre, todo el mundo permaneció en silencio.

Joe salió del vehículo y una multitud le estaba esperando. Se le acercó un grupo de dos hombres y tres mujeres.

—Somos amigos de Evie, del movimiento —dijo uno de los jóvenes—. Miles de nosotros estamos aquí para presentar nuestros últimos respetos. Evie fue una inspiración para todos nosotros. Siempre estará en nuestra memoria.

La joven detrás de él iba vestida de manera informal, con unas sencillas zapatillas de surf. Tenía las mejillas mojadas.

—También hemos venido todos los surfistas que éramos amigos de Evie. Os vimos en la playa varias veces, pero Evie se estaba divirtiendo tanto que no quisimos interrumpiros.

Les siguieron otros, del movimiento de protesta, del surf, de las artes marciales, de la comunidad... y todos le demostraron el gran afecto que sentían por ella.

—Todos los que estamos aquí somos los amigos que Evie ha hecho a lo largo de los años, miles de personas —dijo un hombre.

—Nos llena de orgullo que hayas venido a vivir a nuestra comunidad de la Cúpula —comentó una mujer detrás de él—. Cuenta con nosotros para cualquier cosa que necesites para ti o para los niños. Esta es tu casa.

Joe solo podía asentir con la cabeza y escuchar, abrumado por la presencia de tanta gente.

—¿Y esta multitud?

—Parece que el ejemplo de Evie ha tocado la fibra sensible de mucha gente —susurró Mike en tono reverencial.

Joe contempló a toda la gente que rodeaba la bahía hasta que Fabri lo condujo a un lugar abierto que le habían reservado en la playa.

Se sentaron detrás de él en la arena a cierta distancia para que estuviera a solas con los chicos. Los mellizos habían estado llamando a su madre en mitad de la noche. Empezaban a mentalizarse de que no volverían a verla. Joe tenía a Sage en el regazo, y Asher y Clay se le acurrucaron uno a cada lado. El suave oleaje rompía en la punta. El cielo estaba cubierto por una ligera neblina y el sol se filtraba azaroso entre las nubes. Momentáneamente asomaron unos haces de luz rojizos, pero enseguida quedaron cubiertos de nuevo por una nube.

Un millar de drones sobrevolaron el agua zumbando sobre sus cabezas, liderados por el dron que portaba las cenizas de Evie. Las máquinas hicieron sonar la Quinta Sinfonía de Mahler, que se fue atenuando a medida que se alejaban. El dron portador, rodeado de los demás drones, se detuvo a cientos de metros de distancia. Formaron un arco con espirales de Fibonacci, girando con elegancia al compás de la música, y el portador arrojó las cenizas de Evie en la rompiente de las olas.

El público pareció contener la respiración mientras escuchaba las notas del *Adagietto*, con el mar de fondo. Los drones giraron en espiral al unísono para dibujar una elipse final en el cielo mientras las últimas notas de la melodía flotaban sobre el mar.

Una ola con su cresta blanca se aproximó a la playa de izquierda a derecha. Una lágrima le recorrió la mejilla al imaginarse a Evie cabalgando sobre la ola, feliz y despreocupada, concentrada en el preciso instante en que la ola rompía.

. . .

El tiempo que pasamos juntos siempre existirá, conservado en ámbar. Algún día me reuniré contigo en la eternidad. Hasta entonces, debo concentrarme en vivir. Una de las lecciones que me enseñaste es estar aquí y ahora, y a vivir no solo en mis pensamientos, sino también con el corazón. Se lo debo a los chicos. Necesitan mi guía y mi amor.

. . .

Clay, Asher y Sage se refugiaron en sus brazos.

Joe dio una palmadita a Asher en la cabeza.

—Tu madre era la mujer más audaz y valiente que he conocido. Me enseñó que no hay ninguna dificultad que no podamos superar si estamos juntos. El mundo puede ser imprevisible, pero uno debe esforzarse al máximo y hacer las cosas lo mejor que pueda.

Joe besó a Sage en la frente.

—Os quería con locura y os habría apoyado siempre para que encontrarais cada uno vuestro camino. Tenemos la responsabilidad de encontrar nuestro propio camino, pero prometo estar siempre a vuestro lado.

Joe abrazó a Clay mirándolo a los ojos.

—Ella nos enseñó lo que significa ser libre, la importancia de ejercer cada día este don que es nuestro libre albedrío. No existe ningún demonio con poder sobre nosotros. No existe el destino. Es un don que tenemos y debemos usarlo sabiamente.

Joe se quedó mirando cómo rompían las olas, una tras otra, sin cesar.

—Nunca hay que rendirse. Saldremos adelante.

Aquellos lectores interesados en profundizar, de forma académica y rigurosa, en las ideas filosóficas que se dan cita en esta obra, pueden consultar el libro *Unfettered Journey Appendices: Philosophical Explorations on Time, Ontology, and the Nature of Mind* (disponible solo en inglés).

GLOSARIO

Fuente: Vidsnap de Netpedia, 31 01 2161 14:09 UTC

Acrasia. Debilidad de la voluntad, falta de autocontrol o acto en contra de la propia razón.

Aerodeslizador. Aeronave estándar controlada por IA dedicada al transporte de corta distancia.

ALA. (Arma Letal Autónoma). Sistema de armamento que utiliza sensores y algoritmos informáticos, generalmente implantado en milmecas y plataformas militares afines para identificar de forma independiente un objetivo, atacarlo y destruirlo sin control manual humano. Estos sistemas están amparados por el derecho internacional en el ámbito de las prisiones y el control de fronteras.

Antrópico, principio. Doctrina filosófica según la cual las observaciones del universo deben ser compatibles con la vida consciente y la existencia del ser humano que lo observa. Dicho principio es una respuesta a las críticas de algunas teorías del multiverso, que postulan que existe una gran cantidad de universos. Esta conjetura plantea la cuestión de cómo puede ser que seamos tan afortunados de vivir en el nuestro. Los defensores del principio antrópico argumentan que esto explicaría por qué este universo tiene la antigüedad y las constantes físicas fundamentales necesarias para albergar vida consciente. Se trata de un principio que ha suscitado infinidad de debates y críticas, como las que lo acusan de no ser más que una tautología o una especulación gratuita.

Ápside. Cada uno de los dos extremos del eje mayor de la órbita trazada por un astro. El apoápside (o apoastro) se refiere a la posición más lejana al cuerpo primario y el periápside (o periastro), a la más cercana.

Argumentum at lapidem. (Literalmente, 'apelar a la piedra'). Falacia lógica que consiste en descartar por absurda una afirmación sin aportar pruebas de su absurdidad. El nombre de esta falacia se debe a un incidente famoso en el que el Dr. Samuel Johnson afirmó refutar la filosofía inmaterialista del obispo Berkeley (de que las cosas materiales no existen y no son más que ideas y percepciones) propinando una patada a una piedra y afirmando: «Lo refuto así».

ARMO. (*Augmented Reality Map Overlay*, o mapa superpuesto de realidad aumentada). Cargado en un NEST, el ARMO se vale de las señales GPS para trazar un mapa en la interfaz de la lente corneal, de modo que el usuario puede seguirlo mientras camina.

Bayes, teorema de. Describe la probabilidad de un suceso basándose en el conocimiento previo de las condiciones que podrían estar relacionadas con dicho suceso.

Berkeley, George (1685-1753). Conocido como el obispo Berkeley (obispo de Cloyne), fue un filósofo irlandés cuya principal aportación fue la teoría que se dio en llamar *idealismo subjetivo*.

Biofrasco. Recipiente sintético biodegradable que se emplea para almacenar diferentes tipos de líquidos.

Bosques sostenibles de alta fotosíntesis. Bosques sostenibles plantados en el siglo XXI para reducir el calentamiento global. En ellos se plantaron más de mil millones de árboles, que son objeto de seguimiento individualizado. Todos los árboles que mueren son reemplazados. Las semillas modificadas mediante bioingeniería, derivadas de docenas de especies, mejoraron la fotosíntesis en un 47 por ciento de media, lo que les permitió capturar el carbono de manera más eficiente. Estos bosques cubren la selva tropical del Amazonas, los bosques boreales de Norteamérica, la taiga que se extiende por Asia y Europa, y África ecuatorial.

Butler, Joseph (1692-1752). Obispo y filósofo inglés. Considerado uno de los moralistas ingleses más preeminentes, tuvo un papel importante en el discurso económico del siglo XVIII. Sostuvo que la motivación humana es menos egoísta y más compleja de lo que afirmaba Hobbes.

cDc. Firma del grupo de hackers *Cult of the Dead Cat* ('Culto del gato muerto'), que posiblemente hace referencia al gato de Schrödinger. Por otro lado, también se asocia a *Cult of the Dead Cow* ('Culto de la vaca muerta'), organización hacker fundada en 1984 en Texas.

Central eléctrica de fusión con diseño estelarátor. Central eléctrica de fusión que utiliza un estelarátor, esto es, un dispositivo que confina el plasma en un tubo toroidal principalmente mediante imanes externos.

Complejidad, teoría (o ciencia) de la. Estudio de la complejidad y de los sistemas complejos. Entre las subdisciplinas cabe mencionar los sistemas adaptativos complejos y la teoría del caos.
- Los sistemas adaptativos complejos —un subconjunto de los sistemas dinámicos no lineales— son sistemas en los que el conjunto es más complejo que las partes.
- La teoría del caos —una rama de las matemáticas— estudia los sistemas dinámicos que son muy sensibles a las condiciones iniciales, en los que los estados de desorden aparentemente aleatorios suelen regirse por patrones subyacentes.
- El estudio de los sistemas adaptativos complejos, altamente interdisciplinario, combina los conocimientos de las ciencias naturales y sociales para desarrollar modelos y perspectivas de cada sistema que tengan en cuenta los agentes heterogéneos, la transición por fases y el comportamiento emergente.

Conciencia. Estado o calidad de la percepción de una existencia interna o externa. Se ha definido de diversas formas, como *qualia*, subjetividad, la capacidad de experimentar o sentir, el estado de vigilia, el sentido de la propia identidad y el sistema de control ejecutivo de la mente.

Crédito$ y crédito$ opacos. Criptomoneda que utiliza el *blockchain* y que incorpora tecnología de descifrado anticuántica. Los crédito$ opacos no están aprobados por los gobiernos estatales, pero se utilizan en todo el mundo para evitar la recopilación de datos.

Cuatro jinetes del Apocalipsis, los. Descritos en el último libro del Nuevo Testamento de la Biblia (el libro del Apocalipsis), los cuatro jinetes se identifican normalmente con el hambre, la peste, la guerra y la muerte.

Cúpula Comunitaria. También conocida como la «Cúpula de Combate», esta infraestructura alberga a una comunidad alternativa formada a principios del siglo XXII. Originalmente, fue habitada por trabajadores industriales que se quedaron sin empleo por la implantación generalizada de los robots. La cúpula central tiene una altura de 101 metros y una extensión de 140 053 metros cuadrados. El coliseo, donde se celebran diversos acontecimientos deportivos, tiene capacidad para 200 029 personas. El complejo que lo rodea se extiende a lo largo de varias manzanas de la ciudad y contiene espacios comerciales, de viviendas y de ocio.

Derecho Internacional Humanitario (DIH). Normas para limitar las consecuencias de los conflictos armados. Según el DIH, las armas autónomas están prohibidas, excepto en las prisiones y el control de fronteras.

Diamante rojo. Conocidos en su momento como los más caros y raros del mundo, los diamantes rojos se hicieron más abundantes con el descubrimiento y las posteriores explotaciones mineras en Marte.

Dieta min-con. Dieta que limita las proteínas de origen animal a las de aquellos animales con menor nivel de conciencia. En el caso de los animales conscientes de jerarquía superior, la dieta propone alternativas producidas en fábricas bioquímicas a partir de células madre (por ejemplo, carne alternativa de cerdo, vacuno y cordero).

Emoticonos, paquete de. Proyecciones holográficas que contienen datos químicos cerebrales relacionados con un estado mental inmediato, y que se pueden compartir a través de un intercomunicador. Una vez aceptado el paquete, el INSTAMED del receptor lee los datos y libera las sustancias bioquímicas equivalentes para reproducir el estado. Estos paquetes tienen algunas contraindicaciones.

Encapsulación. Conjunto de protocolos, hardware y software que se utilizan en ordenadores y redes para aislar sistemas de IA tanto independientes como integrados, así como otros programas de software de la red, con el fin de prevenir la propagación incontrolada de códigos maliciosos. Los contenedores de hardware y software controlan con precisión las interfaces. Todas las interfaces están estrictamente reguladas y los cambios quedan reflejados en un registro nacional de *blockchain*.

Euler, Leonhard (1707-1783). Uno de los matemáticos más eminentes del siglo XVIII.

Euler, identidad de. Denominada la «joya de Euler», ecuación cuya fórmula es $e^{i\pi} + 1 = 0$.

Exoterráqueo/a. Persona que ha pasado al menos una década acumulada viviendo fuera de la superficie de la Tierra. Esto incluye el tiempo que ha pasado en la órbita terrestre, en tránsito fuera de la atmósfera protectora y habitando lejos de la Tierra, por ejemplo, en alguna de las bases orbitales, bases lunares y colonias de Marte. Etimológicamente, exoterráqueo significa 'fuera de la Tierra'.

Gauss, Carl Friedrich (1777-1855). Considerado «el matemático más importante desde la antigüedad».

Guerras Climáticas. Conflictos bélicos que se extendieron durante una década a finales del siglo XXI, cuyo detonante fue la escasez de alimentos, de agua y de tierra cultivable.

Hiperlev. Tren moderno con tecnología de levitación magnética que utiliza conjuntos de imanes para repeler el tren y hacer que se desplace a altas velocidades como un «tren flotante».

Hobbes, Thomas (1588-1679). Filósofo inglés considerado uno de los precursores de la filosofía política moderna.

Hohmann, órbita de transferencia de. Maniobra orbital que transfiere un satélite o nave espacial de una órbita circular a otra.

Holocomunicadores. Equipos de comunicación holográfica conectados a la red. Pueden tener varios formatos, siendo los más habituales los de pared, techo, pedestal y los inmersivos con trajes hápticos completos.

Hume, David (1711-1776). Filósofo escocés conocido sobre todo por un sistema de empirismo filosófico muy influyente. En el problema de la inducción, Hume argumentó que el razonamiento inductivo y la creencia en la causalidad no se pueden justificar racionalmente.

IA (Inteligencia Artificial). Simulación por parte de una máquina de los procesos de la inteligencia humana, en forma de software informático. La IA se refiere al código de software, que puede residir en servidores en la nube, en los PIDA y en los robots a modo de «cerebro».

IAG (Inteligencia Artificial General). Software informático de inteligencia artificial capaz de realizar «tareas inteligentes generales». El concepto «IA fuerte» se reserva para las máquinas capaces de tener conciencia propia.

INSTAMED. Dispositivo médico implantado bajo la piel, normalmente a la altura de la cadera derecha, que monitoriza el estado de salud y dispensa medicamentos en el torrente sanguíneo siguiendo un protocolo programado.

Juegos con exomecas. Modalidades deportivas inventadas en el siglo XXII, después de que fueran retirados de la circulación los exoesqueletos robóticos (versiones industriales pilotadas desde el interior por una persona). Al principio, en estos juegos se utilizaban las máquinas excedentarias.

Kim, Jaegwon (1934-2019). Filósofo coreano-americano, conocido principalmente por su trabajo sobre la causalidad mental, el problema mente-cuerpo y la metafísica de la superveniencia y los sucesos.

Laplace, demonio de. Argumento del determinismo basado en la mecánica clásica. El argumento es que si alguien (el demonio) conociera la ubicación de cada átomo en el universo en un momento determinado, sus valores pasados y futuros para cualquier momento dado serían deducibles a partir de esos datos y se podrían calcular con las leyes de la mecánica clásica.

Mercury. Marca de botas de diseño con modernos servomotores que aumentan la velocidad.

Modelo estándar modificado de la física de partículas. Teoría que describe tres de las cuatro fuerzas fundamentales conocidas (la electromagnética, las interacciones débiles, las interacciones fuertes, y la modificación para incluir los avances del siglo XXII en la unión de la fuerza gravitatoria) en el universo, así como la clasificación de todas las partículas elementales conocidas.

Moonshine generalizado, conjetura (o teoría moonshine de matemáticas). Conjetura inesperada entre el grupo monstruo M y las funciones modulares, en especial la función *j*.

NEST. (*Neural-to-External Systems Transmitter*, o transmisor entre sistemas neurales y externos). Dispositivo oculto en el lóbulo temporal izquierdo que se comunica con sistemas externos (por ejemplo, la red y otros dispositivos locales). El NEST va conectado internamente a una lente de proyección insertada en la córnea, a la mandíbula para detectar instrucciones habladas y a un lector de pensamiento que detecta las palabras clave. Cuenta con capacidad de almacenamiento de memoria. Para disfrutar de más funciones personalizadas, el NEST puede incorporar un PIDA.

Netchat. Comunicaciones que utilizan la red.

Niveles, leyes de. Conjunto de leyes promulgadas a principios del siglo XXII, elaboradas para compensar la nacionalización de los medios de producción y la concesión de una renta garantizada. Las leyes establecen niveles (desde el nivel 1, el más alto, hasta el nivel 99, el más bajo) que ayudan a asignar los trabajos y a establecer ciertas restricciones en cuanto al sufragio, los viajes, las interacciones sociales y el acceso a puestos de trabajo creativos subvencionados.

Nocicepción. Percepción de estímulos dañinos, como las sustancias químicas venenosas.

Noria. Máquina hidráulica formada por una rueda a la que se acoplan unos recipientes que elevan el agua hasta un pequeño acueducto en la parte superior.

Omnilibro. Dispositivo de lectura que sirve para visualizar y almacenar texto y vídeos. Puede conectarse a la red para descargar otra información no holográfica. Los formatos de lectura habituales van desde un pequeño rectángulo (7 x 11 cm) hasta una pantalla plana (19 x 31 cm). Actualmente, es un accesorio de moda que los estudiantes llevan en el cinturón.

Onna-bugeisha. En el Japón medieval, artista marcial femenina. Eran *bushi*, parte de la clase samurái, y defendían sus hogares con una *naginata*, un arma de asta.

Ontología. Estudio filosófico del ser. Esta subdisciplina estudia conceptos directamente relacionados con el devenir, la existencia y la naturaleza de la realidad, así como las categorías básicas del ser. El subcampo de las categorías del ser se centra en investigar las clases más fundamentales y amplias de entidades que constituyen el universo.

Órbita de halo casi rectilínea. Órbita eficiente para instalaciones en el espacio cislunar, como la utilizada por la Base Orbital WISE.

Otzstep. Género de música de baile muy popular alrededor del año 2161.

Pecado original. Creencia cristiana en el estado de pecado, en el que la humanidad se halla sumida desde la caída del hombre, cuando Adán y Eva se rebelaron en el Edén. Al consumir el fruto prohibido del árbol del conocimiento, conocieron la existencia del bien y del mal. Una de las muchas interpretaciones de la historia del pecado original es que la humanidad aspiraba a rivalizar con el conocimiento y la perfección de Dios, pero eso no estaba permitido porque solo Dios podía ser perfecto.

PIDA. (*Personal Intelligent Digital Assistant*, o asistente digital inteligente personal). Sistema de inteligencia artificial que va integrado en un NEST.

Prime Netchat. Uno de los principales canales de noticias de la red.

Psicotrópicos sintéticos. Psicotrópicos de biología sintética y otras sustancias medicinales que alteran la mente.

Qualia. Instancias individuales de experiencia subjetiva y consciente. Son cualidades percibidas del mundo e incluyen las sensaciones corporales percibidas.

Radus, botas. Botas magnéticas que facilitan el movimiento en entornos ingrávidos. La idea data del siglo XX, pero las unidades funcionales no se fabricaron hasta mucho más tarde.

Red. Sistema de comunicaciones electrónicas que engloba la Tierra y las bases espaciales; una red de redes.

Retardo háptico. Retardo de las señales electrónicas al operar los robots de realidad virtual, que varía en función de la distancia.

Riemann, hipótesis de. Conjetura de que la función zeta de Riemann tiene ceros solo en los números enteros pares negativos y los números complejos con la parte real 1/2. Muchos lo consideran el problema por resolver más importante de las matemáticas puras.

Robots dotados de IA:
    Pipabot / PIPA. (*Personal Intelligent Physical Assistant*, o asistente físico inteligente personal). Robot de menor estatura que un humano medio, con cabeza elíptica, dos lentes a modo de ojos y una boca simple. La frente del pipabot brilla en varios colores para indicar las emociones.

    Medibot. Pipabot especializado dotado de dispositivos médicos para servir en ámbitos como la cirugía y la atención médica general.

    Polibot. Robot parecido a un pipabot, pero más alto y construido sobre un chasis robusto con parámetros de resistencia más altos. Su módulo de voz está afinado una octava más grave y está programado para hablar poco. Está autorizado a usar la fuerza atendiendo a una escala de amenazas.

    Meca. Robot que se utiliza para trabajos industriales y como mano de obra general. Mide tres metros de altura, más un metro de alcance adicional con los dos brazos estirados. Sus cuatro patas se pueden articular en dos conjuntos paralelos, para los espacios reducidos, o bien invirtiendo la articulación de uno de los conjuntos para crear una disposición similar a la de una araña, que le proporciona mayor estabilidad y velocidad. Su cabeza triangular está provista de dos sensores ópticos cuyas lentes guardan cierto parecido con unos ojos. Carece de boca. El meca no puede comunicarse verbalmente, pero se sirve de un pipabot para transmitir información verbal a los humanos.

    Milmeca. Meca construido con chasis reforzado y con capacidad para incorporar armas en sus apéndices. En función del destacamento al que pertenezca, puede estar autorizado a usar una fuerza letal amparada en el Derecho Internacional Humanitario, del cual EE. UU. es signatario.

Milpipabot. Pipabot construido con chasis reforzado, con la opción de incorporar armas militares y restricciones de uso parecidas a las de los milmecas.

Limpiabot. Pequeño robot sin módulo de comunicación verbal; se usa para tareas de limpieza.

Escort robótico/a. Pipabot con módulos de emociones y comunicaciones aumentadas. Se emplea para mejorar las interacciones sociales entre los humanos y para el placer personal de estos.

Robots dirigidos por humanos:
Exomeca. Exoesqueleto robótico de tres metros de alto parecido a un milmeca, pero pilotado directamente desde el interior por un operador humano. Los humanos pueden entrar en el armazón metálico y controlar los movimientos del exomeca con las manos y las piernas. Los exomecas fueron uno de los primeros robots dirigidos por humanos en entornos industriales, pero fueron reemplazados por mecas y retirados de la circulación a mediados del siglo XXII. Los exomecas se siguen usando en acontecimientos deportivos.

Robot dirigible. Armazón robótico parecido a un pipabot pero sin IA y con comunicaciones de RV para que un humano pueda dirigirlo en un teletransportador virtual a través de una conexión. El robot dirigible es una réplica realista de la personificación de la máquina, que permite a los humanos dirigirla directamente en lugares remotos y peligrosos.

Meca dirigible. Armazón robótico parecido a un meca, pero que por lo demás es similar a un robot dirigible.

Schopenhauer, ética de. Planteada por el filósofo alemán Arthur Schopenhauer (1788-1860) en su ensayo *El fundamento de la moral* (1840), se trata de una ética que se centra en la compasión. Sostiene que, para tener valor moral, un acto no puede ser egoísta, sino que debe surgir de un motivo puro de compasión, que es un conocimiento sentido y la participación inmediata en el sufrimiento de otro.

Schrödinger, ecuación de onda de. Ecuación fundamental de la física para describir el comportamiento de la mecánica cuántica. Es una ecuación diferencial parcial que describe cómo evoluciona la función de onda de un sistema físico a lo largo del tiempo.

Schrödinger, gato de. Experimento teórico, en ocasiones descrito como una paradoja, concebido para ilustrar un posible problema de la interpretación de Copenhague de la mecánica cuántica aplicada a los objetos cotidianos. El escenario presenta un hipotético gato que puede estar simultáneamente vivo y muerto, un estado conocido como superposición cuántica, a consecuencia de estar vinculado a un evento subatómico aleatorio que puede suceder o no.

Searle, John (1932-?). Filósofo americano. Entre sus notables ideas destaca la de la habitación china, un argumento contra la inteligencia artificial «fuerte».

Semántica. Estudio de cómo el significado está unido al lenguaje, los signos y los símbolos.

Siete pecados capitales, los. Clasificación de los vicios mencionados en las enseñanzas del cristianismo: la soberbia, la pereza, la gula, la envidia, la avaricia, la lujuria y la ira.

Sintaxis. Normalmente, se refiere al orden de las palabras para crear oraciones bien formadas. En informática, la sintaxis es el conjunto de reglas que definen las combinaciones de símbolos estructuradas correctamente en un lenguaje de ordenador. En la filosofía de la mente, la teoría computacional de la mente describe la mente en términos computacionales. Los computacionalistas normalmente consideran que la informática utiliza símbolos basados en sus propiedades sintácticas más que en sus propiedades semánticas y que la mente es una máquina controlada por la sintaxis.

Sintiencia. Sentimientos o sensaciones (más que percepciones o pensamientos).

SRA. (Sistema de Reconocimiento Automático). Sistema informático desarrollado en EE. UU. a principios del siglo XXI para seguir la pista a posibles terroristas y criminales que intentaran entrar en el país.

Superveniencia. Relación entre conjuntos de propiedades o conjuntos de hechos. Un grupo de propiedades X superviene de un grupo de propiedades Y cuando las propiedades del grupo X están determinadas por las del grupo Y.

Tarski, teorema de la indefinibilidad de. Teorema enunciado y probado por el matemático Alfred Tarski. Básicamente, este teorema afirma que la verdad aritmética no se puede definir dentro de la aritmética.

Teletransportador virtual. Equipo que permite acceder a entornos de realidad virtual para jugar a videojuegos en red, realizar simulaciones educativas y de viajes, y manejar robots virtuales. Consta de una plataforma elevada, una cinta de andar, un asiento ajustable, unos auriculares hápticos y un traje. El equipo va suspendido del techo para garantizar la libertad de movimientos.

Tesela biométrica. Dispositivo electrónico incrustado bajo la piel a la altura del esternón que autentica al portador registrando sus datos biométricos, tanto biológicos como de comportamiento, y proporcionando una contraseña segura.

Tres leyes de la robótica. Presentadas en la *Serie de los robots* de Isaac Asimov, las tres leyes son:
- Primera ley: Un robot no hará daño a un ser humano ni, por inacción, permitirá que un ser humano sufra daño.
- Segunda ley: Un robot debe cumplir las órdenes dadas por los seres humanos, a excepción de aquellas que entren en conflicto con la primera ley.
- Tercera ley: Un robot debe proteger su propia existencia en la medida en que esta protección no entre en conflicto con la primera o la segunda ley.
- Apéndice: En un apéndice añadido el siglo pasado se establece que un robot debe proteger la supervivencia de otros robots, siempre y cuando dicha protección no viole las tres primeras leyes.

Turing, test de. Examen que se utilizaba en el pasado para valorar la capacidad de una máquina para exhibir un comportamiento inteligente.

Universo físicamente cerrado. Concepto relacionado con una teoría metafísica sobre la naturaleza de la causalidad en el ámbito físico y el cierre causal físico, que puede formularse del siguiente modo: «Si rastreamos la ascendencia causal de un suceso físico, nunca necesitamos salir del universo físico».

Uwatenage. Técnica de sumo consistente en agarrar por fuera el brazo del rival para arrojarlo al suelo.

Vehículo autónomo. Vehículo controlado por IA.

Vía negativa. Teología apofática, también conocida como «teología negativa», y práctica religiosa que intenta acercarse a Dios —la Divinidad—, por medio de la negación (es decir, hablar solo de lo que no se puede decir) de la bondad perfecta que es Dios. Un ejemplo aplicado de vía negativa es el texto *La nube de lo desconocido*, una obra anónima del misticismo cristiano escrita en el siglo XIV.

Vidsnap. Archivo de datos que normalmente se almacena en el NEST, ya sea a través de una proyección corneal o descargándolos de la red.

Von Mises, problema del cálculo económico de. La pregunta de cómo se traducen los valores subjetivos individuales en la información objetiva necesaria para la asignación racional de recursos en la sociedad. El economista Ludwig Heinrich Edler von Mises (1881-1973) describió la naturaleza del sistema de precios bajo el capitalismo. Defendió que el cálculo económico solo es posible mediante la información proporcionada a través de los precios de mercado.

VRbotFest. Competición de software en la que los participantes utilizan un teletransportador virtual para controlar un meca dirigible virtual sin intervención de robots físicos. Como los controles no funcionan a la perfección, es necesario tener conocimientos informáticos para hackear la interfaz mientras se lucha contra los otros mecas dirigibles virtuales.

Wigner, Eugene (1902-1995). Físico teórico y Premio Nobel de Física que en 1960 publicó el artículo «The Unreasonable Effectiveness of Mathematics in the Natural Sciences» ('La irrazonable eficacia de la matemática en las ciencias naturales') en *Communications in Pure and Applied Mathematics*. En este ensayo, Wigner observó que la estructura matemática de una teoría física a menudo señala el camino hacia más avances en esa teoría e incluso hacia predicciones empíricas. En una ocasión afirmó: «El milagro de la adecuación del lenguaje de las matemáticas para la formulación de las leyes de la física es un regalo maravilloso que ni entendemos ni merecemos».

Wikipedia. Enciclopedia multilingüe en línea creada y mantenida como proyecto de colaboración abierta. Creada a principios del siglo XXI por Jimmy Wales y Larry Sanger, este recurso de la red sigue siendo una fuente de información fiable que milagrosamente evitó la censura y la politización que afectaba a muchas otras fuentes de información. La Wikipedia fue rebautizada como Netpedia en 2129. Muchas de las definiciones que contiene se han convertido en los resúmenes estándar de determinados conceptos. Las entradas originales de la Wikipedia contenidas en este vidsnap incluyen fragmentos o traducciones de las definiciones del principio antrópico, *Argumentum at lapidem*, ápside, teorema de Bayes, teoría de la complejidad, conciencia, teoría *moonshine* de matemáticas, transferencia de Hohmann, David Hume, Jaegwon Kim, zona mortal, demonio de Laplace, noria, ontología, pecado original, universo físicamente cerrado, *qualia*, hipótesis de Riemann, el gato de Schrödinger, John Searle, los siete pecados capitales, modelo estándar de la física de partículas, sintaxis, teorema de la indefinibilidad de Tarski, las tres leyes de la Robótica, la vía negativa, el problema de cálculo económico de von Mises y Eugene Wigner.

WISE, Base Orbital. Ambicioso proyecto científico internacional consistente en una planta de construcción que orbita alrededor de la Luna y que lanzará una serie de sondas a exoplanetas que parecen destinos favorables. Está dirigido por un consorcio de países denominado World Interstellar Space Exploration ('Exploración Mundial del Espacio Interestelar'). Actualmente, la base orbital tiene 1300 metros de longitud, utiliza dos plantas de energía de fusión y cuenta con varias plantas de fabricación para construir las sondas y la infraestructura necesaria.

Zona de Exclusión. Institución penitenciaria al aire libre situada en el centro de Nevada (EE. UU.).

Zona mortal. En armamento, área tridimensional del objetivo definida para facilitar la integración de los disparos coordinados en operaciones conjuntas.

Agradecimientos

Como casi cualquier iniciativa humana, esta obra es fruto de la colaboración de numerosas personas que han dedicado su tiempo y su intelecto para ayudarme a mejorarla.

En primer lugar, quiero dar las gracias a mis lectores de pruebas, que me hicieron ver en qué puntos se podía clarificar el primer original, especialmente a Alex Filippenko, Carlos Montemayor y Jack Darrow.

En el libro han participado un maravilloso grupo de revisores y correctores. La revisora de concepto, Olivia Swensen, perfeccionó la trama y los personajes. Cynthia, mi esposa, me ayudó a enriquecer y perfilar los personajes. Nuestra hija, Brooke, aportó sus puntos de vista e incorporó cambios estratégicos y matices para pulir la historia. Debo dar las gracias a mi equipo de revisoras y correctoras de estilo: Jaclyn DeVore (DeVore Editorial), Kerri Olson y mi apreciada Angela Houston. Jennifer Della'Zanna me ayudó a retocar algunas cuestiones de estilo y ortotipográficas, y Alyssa Dannaker llevó a cabo la revisión general. El diseño gráfico es obra de Sienny Thio, diseñadora de la atractiva portada, y de la ilustradora Veronika Bychkova. La maquetadora Ines Monnet ha hecho un trabajo inconmensurable para perfeccionar la presentación del texto. Agradezco la excelente traducción al español de Ricard Lozano, y la corrección de Núria Casasayas.

Estoy en deuda con los grandes filósofos, escritores y poetas que me han inspirado con sus ideas y su arte. El suyo es un largo debate sobre las ideas humanas, que nos recuerda que nadie es una isla. Gracias a *Hamlet*, de Shakespeare, por recordarnos al pobre Yorick; a Tennyson, por su definición de la sabiduría; a Buda, por los consejos para los hombres sabios; y a Edgar Lee Masters, por su personaje de Lucinda Matlock, que siempre me recuerda a mi abuela. Gracias a Jaegwon Kim, por su planteamiento de los problemas de la causalidad mental, sobre el que se articula en buena medida mi argumentación sobre el tema; y a Jerry Fodor, quien señaló de manera memorable por qué Kim debía estar equivocado. Gracias también a todos los científicos, ingenieros, programadores y hackers que están desarrollando nuestra tecnología con sabiduría para servirnos.

Agradezco a mi hijo, Blake, que me animara a empezar el proyecto, y a mi familia, por permitirme terminar esta obra aunque significara dedicarles menos tiempo.

Mi más profundo agradecimiento y amor están reservados para mi querida esposa, Cynthia. Ella fue la primera revisora y la que mejor me ha aconsejado, para el libro y para la vida en general. Al igual que Joe, junto a ella he aprendido a encontrar un propósito.

Sobre el autor

Gary F. Bengier es escritor, filósofo y tecnólogo. Después de hacer carrera en Silicon Valley, Gary se dedicó a proyectos apasionantes que le llevaron a estudiar astrofísica y filosofía. Ha pasado las últimas dos décadas pensando en cómo vivir una vida plena y equilibrada en un mundo tecnológico en rápida evolución. Este viaje introspectivo impregna su novela de ideas sobre el futuro y los desafíos que nos esperan en la búsqueda de un propósito.

Antes de dedicarse a escribir sobre ficción especulativa, Gary trabajó en varias compañías tecnológicas de Silicon Valley. Fue director financiero de eBay y el artífice de las ofertas públicas iniciales y secundarias de la compañía. Gary tiene un MBA por la Harvard Business School y una licenciatura en Filosofía por la Universidad Estatal de San Francisco. Tiene dos hijos con su esposa Cynthia, con la que lleva casado cuarenta y tres años. Cuando no está viajando por el mundo, se dedica a la apicultura y produce un buen cabernet en el viñedo familiar de Napa. Vive con su familia en San Francisco.